AF497728

*[signature]*

# PROYECTO

## DE

# CÓDIGO DE PROCEDIMIENTO CIVIL

# PROYECTO

DE

# CÓDIGO DE PROCEDIMIENTO CIVIL

REVISADO POR LA

## Comision Mista de Senadores i Diputados

SANTIAGO DE CHILE
IMPRENTA, LITOGRAFIA I ENCUADERNACION BARCELONA
Moneda, entre Estado i San Antonio
1902

# INFORME DE LA COMISION MISTA

## Encargada del Estudio del Proyecto de Código de Procedimiento Civil

HONORABLE SENADO:

La Comision Mista de Senadores i Diputados que las Cámaras tuvieron a bien nombrar para el exámen de los Códigos de Procedimiento Civil i Penal, ha terminado el estudio del primero, que comenzó el 10 de Noviembre de 1900. Durante ese espacio de tiempo la Comision ha celebrado treinta i nueve sesiones i examinado detenidamente cada uno de los artículos del Proyecto, consignando en el cuaderno de actas que se acompaña, el resultado de su estudio i las modificaciones que éste le ha sujerido.

El Excmo. Presidente de la República, que en el carácter de senador habia sido designado presidente de la Comision, se ha asociado a las tareas de ésta despues de su elevacion al mando supremo i continuado presidiéndola i cooperando poderosamente al éxito de sus trabajos.

Seria obra demasiado considerable esponer detalladamente i en estenso las modificaciones que la Comision ha creido conveniente introducir en el Proyecto, todas las cuales constan de las actas respectivas, así como los motivos que se tuvieron presentes para adoptarlas. A ellas se refiere la Comision, con el propósito de limitar este informe a los puntos que especialmente han llamado su atencion.

Se ha procurado facilitar en lo posible la apertura de los juicios, determinando la manera de constituir la personería de aquellos en que las partes sean numerosas personas i de hacer que las notificaciones se verifiquen en breve plazo i por procedimientos que garanticen completamente los derechos de demandantes i demandados.

Se ha limitado a tres el número de jueces que se requiere en los tribunales colejiados de segunda instancia para fallar las causas, cualquiera que sea la cuantía de éstas. En la Corte Suprema ese número será de cuatro para los diversos asuntos de que corresponde conocer a ese tribunal; i de siete cuando se trate de un recurso de casacion en el fondo. De esta manera se facilitará considerablemente el despacho de los negocios judiciales i se podran crear nuevas Cortes de Apelaciones en lugares que las reclaman con sólido fundamento, poniéndose asi la justicia de segunda instancia mas al alcance de todos i ejerciéndose mas de cerca la supervijilancia sobre los funcionarios judiciales que de ellas dependen.

Para evitar inútiles dilaciones se ha autorizado a los mismos tribunales de alzada para fallar por sí solos las escepciones de prescripcion, cosa juzgada i transaccion, cuando fueren opuestas por primera vez en la segunda instancia del juicio, omitiéndose el trámite dilatorio i ordinariamente inútil que se ha acostumbrado en los tribunales chilenos de devolver la causa al juez *a quo* para que se pronuncie sobre escepciones que no se han propuesto ante él ni ventilado en el juicio.

En el título que se refiere al juicio ejecutivo se han ampliado los casos de bienes no embargables, i se ha tomado como base principal la necesidad de no interrumpir los servicios públicos i de evitar causas de perturbacion en las operaciones de las oficinas. Con este propósito se han refundido algunas disposiciones que tenian ya fuerza legal i otras que se tramitaban en el Congreso para convertirlas en lei.

El recurso de casacion establecido en el Proyecto, ha sido ya ampliamente discutido i aprobado por la Honorable Cámara de Senadores. La Comision se ha limitado a hacer lijeras alteraciones al Proyecto aprobado, con el fin de coordinar sus disposiciones con las reglas jenerales de procedimiento que establece este Código.

Ha creido asimismo indispensable establecer las reglas necesarias para hacer efectivo i eficaz el derecho de retencion que confieren en diversos casos el Código Civil i demas leyes sustantivas. Con esto ha llenado un vacio que se hacia sentir en la lejislacion vijente.

Estos son los puntos mas salientes de las numerosas modificaciones que la Comision creyó conveniente introducir en el Proyecto sometido a su exámen. Los demas son de un órden secundario i tienden a dar al nuevo Código la unidad i armonia de que ha menester i a precisar i correjir el lenguaje de la lei conforme a las reglas estéticas, de que no es dable prescindir en trabajos de esta naturaleza.

La esposicion completa de este Proyecto, considerado en sus bases capitales i en los múltiples detalles de que consta, seria una obra que la Comision estima inútil acometer. Bástale, para el efecto, referirse a la reseña sucinta, pero completa, que contiene el mensaje con que el Ejecutivo lo presentó al Senado.

Su aprobacion por el Congreso se impone como la satisfaccion de una necesidad nacional que el pais reclama desde muchos años atras. Sometido todavia al viejo sistema de enjuiciamento que todas las naciones de oríjen español han abandonado, Chile es el único pais que se rije aun por las leyes dictadas en la Península durante la Edad Media, muchas de las cuales se remontan a los siglos VII i VIII de nuestra éra, i que constituyen un conjunto incoherente e imposible de adaptar en gran parte de los casos al réjimen, a las costumbres i a los adelantos de esta época.

Este Proyecto, iniciado hace mas de cuarenta años, fué en su oríjen la obra de distinguidos jurisconsultos i ha estado sometido al estudio de diversas comisiones compuestas de las personas mas eminentes i conocedoras del derecho. Se puede decir que casi no ha habido en Chile maestro de esta ciencia que no haya colaborado, durante la última parte del siglo que acaba de terminar, en este Proyecto de Código de Procedimiento Civil.

La primera revision del trabajo duró diez años, desde 1874 a 1884, i en ella tomaron parte los Presidentes de la República don Federico Errázuriz Zañartu i don Domingo Santa María.

Concluida esta primera revision, se procedió a una segunda que llevó a efecto una nueva comision compuesta de los señores Manuel E. Ballesteros, Francisco E. Noguera, Osvaldo Renjifo, Raimundo Silva Cruz i Leopoldo Urrutia, la cual no se limitó a dar forma legal al sistema de enjuiciamiento ya existente, sino que procuró adaptar a las necesidades de nuestro pais los adelantos que en otras naciones habia hecho la ciencia procesal.

Esta comision trabajó continuada i asiduamente cuatro años consecutivos, durante los cuales revisó tres veces sus propios trabajos.

Fruto de esta labor fué el Proyecto que el Ejecutivo sometió a la aprobacion del Congreso. Desde hace nueve años ese proyecto ha sido materia de estudio para diversas comisiones parlamentarias, hasta que en Noviembre de 1900 fué designada la Comision Mista que suscribe este informe i que se propuso llevar a término el exámen del Proyecto, venciendo todo jénero de dificultades, con el propósito firme i patriótico de dar cuanto ántes satisfaccion a la necesidad tan urjentemente sentida de la reforma radical de nuestras leyes de procedimiento.

La Comision, al dar la última mano al Proyecto, ha querido hacer de él un estudio detenido i concienzudo. Para proceder con mayor caudal de luz solicitó la colaboracion de tres distinguidos majistrados, los señores don Leopoldo Urrutia, don Agustin Rodríguez i don Miguel Luis Valdes, Ministros los dos primeros i Fiscal el último de la Excma. Corte Suprema, todos los cuales se prestaron gustosos a coadyuvar a los trabajos de la Comision i no son pocos los datos e informaciones científicas que han traido a nuestros debates i que han orijinado reformas de importancia.

Por la particular naturaleza de este trabajo, la Comision creyó tambien indispensable el nombramiento de un secretario especial i designó para este objeto a don Luis Barriga, relator de la Corte de Apelaciones de Santiago, quien, con gran contraccion, laboriosidad e intelijencia, ha contribuido eficazmente a que la Comision pudiera llevar su obra a feliz término. Estima la Comision que es justo remunerar estos servicios en la forma que espresa

en la última disposicion transitoria del Proyecto de lei
que os somete.

En estas condiciones se propone a vuestra deliberacion el presente Proyecto de Código de Procedimiento
Civil. Cree la Comision que ya no es posible retardar
por mas tiempo la promulgacion de una lei tan imperio-
samente reclamada i tan detenidamente estudiada, i os
encarece que la aprobéis sin someterla al trámite de una
discusion detallada. La Comision piensa que es oportuno reproducir aquí las palabras del mensaje con que
se acompañó al Congreso el Proyecto de Código Civil i
que se adaptan perfectamente al caso actual:

«La discusion de una obra de esta especie en las
Cámaras Lejislativas, retardaria por siglos su promulgacion, que es ya una necesidad imperiosa, i no podria,
despues de todo, dar a ella la unidad, el concierto, la
armonia que son sus indispensables caractéres».

La Comision agrega a esa justa reflexion que, cualesquiera que sean los defectos de que adolezca este Proyecto, es fuera de toda duda que mejorará considerablemente la situacion actual, sustituyendo una lejislacion
clara i metódica a un conjunto de leyes en gran parte
contradictorias, inaplicables i sin ilacion alguna. La
esperiencia manifestará en breve las omisiones i defectos que sea necesario subsanar, pero entre tanto cree
la Comision que es menester poner término de una vez
al réjimen actual i dar este paso que ha sido ya dado
por la totalidad de las naciones cultas.

En consecuencia, la Comision os propone el siguiente
proyecto de lei:

Artículo primero. Apruébase el adjunto Código de
Procedimiento Civil, que comenzará a rejir desde el 1.º
de Julio del presente año.

Dos ejemplares de una edicion correcta i esmerada, que deberá hacerse inmediatamente, autorizados por el Presidente de la República i signados con el sello del Ministerio de Justicia, se depositaran en ias secretarias de ámbas Cámaras, dos en el archivo de dicho Ministerio i otros dos en la Biblioteca Nacional.

El testo de esos ejemplares se tendrá por el testo auténtico del Código de Procedimiento Civil, i a él deberan conformarse las demas ediciones i publicaciones que del espresado Código se hicieren.

Art. 2.º La Corte Suprema se compondrá de diez miembros i tendrá un solo fiscal.

Art. 3.º Para conocer de los recursos de casacion en el fondo i de revision, la Corte Suprema, funcionará en un solo cuerpo con la concurrencia de siete jueces, por lo ménos.

Para el despacho de los demas negocios judiciales dicha Corte se dividirá en dos salas, ninguna de las cuales podrá funcionar con ménos de cuatro jueces.

Art. 4.º La distribucion de los miembros de la Corte Suprema entre las dos salas se verificará anualmente por sorteo, el cual se llevará a efecto en audiencia pública el primer dia hábil del año.

Art. 5.º El conocimiento de las causas de hacienda corresponderá en primera instancia únicamente a los jueces de letras de departamento donde esté ubicada la capital de la provincia.

En la apelacion i consulta de dichas causas, cuando su cuantia no escediere de cinco mil pesos, conocerá la Corte de Apelaciones respectiva, i solo la Corte de Apelaciones de Santiago siempre que pasare de esa suma el valor del juicio.

Art. 6.º Corresponderá tambien a las Cortes de Apelaciones conocer en todos los asuntos que segun la Lei de Organizacion i Atribuciones de las Municipalidades son actualmente de la competencia de la Corte Suprema.

Art. 7.º Las funciones del fiscal de la Corte Suprema i de los fiscales de las Cortes de Apelaciones se limitaran a los negocios judiciales.

El Consejo de Defensa Fiscal sustituirá a dichos funcionarios en la espedicion de los dictámenes jurídicos que requiera el despacho de los negocios administrativos del Estado.

Art. 8.º Para alegar en los recursos de casacion en el fondo i de revision se necesitará poseer las cualidades que se requieren para ser juez de letras de departamento donde tiene su asiento una Corte de Apelaciones.

Los abogados que quisieren ejercer este derecho deberan inscribirse previaménte en un rol que al efecto se llevará en la secretaría de la Corte Suprema.

Art. 9.º Los miembros de la Corte Suprema i el fiscal de este tribunal gozaran del sueldo anual de quince mil pesos. El presidente tendrá una gratificacion, tambien anual, de mil pesos.

Los relatores i el secretario de la misma Corte percibiran, como única remuneracion de sus servicios, un sueldo igual al asignado a los jueces de letras de Santiago.

Art. 10. Para los efectos de la jubilacion de los empleados a que se refiere el artículo anterior, solo se tomará en cuenta el setenta i cinco por ciento de los sueldos que respectivamente se les asignan.

## ARTÍCULOS TRANSITORIOS

ARTÍCULO PRIMERO. Las disposiciones contenidas en los artículos segundo i siguientes de esta lei principiarán a rejir en la fecha espresada en el artículo 1.º

La Corte Suprema i los jueces de letras que no tengan su asiento en las cabeceras de provincia, continuaran conociendo de las causas de hacienda i de las reclamaciones municipales que estuvieren pendientes ante dichos tribunales en la fecha indicada, no obstante lo dispuesto en los artículos 5.º i 6.º

ART. 2.º La reduccion de las plazas de fiscales de la Corte Suprema a una sola se verificará cuando ocurra la primera vacante.

ART. 3.º Los actuales miembros de la Corte Suprema tendran derecho de jubilar, dentro de seis meses, con una pension equivalente a las cuarentavas partes que les correspondan por el número de años de servicios, sobre la base del sueldo íntegro que esta lei les asigna; no pudiendo exceder dicha pension del setenta i cinco por ciento del referido sueldo.

ART. 4.º Concédese a don Luis Barriga la suma de seis mil pesos en remuneracion de los servicios que ha prestado como secretario de la Comision Mista de ámbas Cámaras encargada del estudio del Proyecto de Código de Procedimiento Civil.

M. E. BALLESTEROS.—R. SILVA CRUZ.—R. BAÑADOS ESPINOSA. — FRANCISCO J. CONCHA. — LUIS A. VERGARA.—ENRIQUE RICHARD F.—F. OSSANDON.

Santiago, 11 de Enero de 1902.

# Código de Procedimiento Civil

## LIBRO PRIMERO

## DISPOSICIONES COMUNES A TODO PROCEDIMIENTO

### TÍTULO I

#### REGLAS JENERALES

#### ART. 1.º

(1.º del Proyecto de 1893)

Las disposiciones de este Código rijen el procedimiento de las contiendas civiles entre partes i de los actos de jurisdiccion no contenciosa, cuyo conocimiento corresponda a los tribunales de justicia.

#### ART. 2

(2 del Proyecto)

El procedimiento es ordinario o estraordinario. Es ordinario el que se somete a la tramitacion comun ordenada por la lei, i estraordinario el que se rije por las disposiciones especiales que para determinados casos ella establece.

## Art. 3

### (3 del Proyecto)

Se aplicará el procedimiento ordinario en todas las jestiones, trámites i actuaciones que no estén sometidos a una regla especial diversa, cualquiera que sea su naturaleza.

## Art. 4

### (Agregado por la Comision)

De las causas que corresponda juzgar a las Cortes de Apelaciones en conformidad al número tercero del artículo sesenta i siete de la lei de 15 de octubre de 1875, conocerá en primera instancia uno de los miembros del tribunal, segun el turno que éste fije; i en segunda, la Sala que corresponda en conformidad a la lei, con esclusion del miembro que hubiere conocido en primera.

# TÍTULO II

## DE LA COMPARECENCIA EN JUICIO

## Art. 5

### (4 del Proyecto)

Toda persona que haya de comparecer en juicio a su propio nombre o como representante legal de otra, podrá hacerlo por sí o por apoderado.

## ART. 6

### (5 del Proyecto)

Si durante el juicio falleciere alguna de las partes que obre por sí misma, quedará suspenso por este hecho el procedimiento, i se pondrá su estado en noticia de los herederos para que comparezcan a hacer uso de su derecho en un plazo igual al de emplazamiento para contestar demandas, que conceden los artículos doscientos cincuenta i cinco i doscientos cincuenta i seis.

## ART. 7

### (6 del Proyecto)

El que comparezca en juicio a nombre de otro, en desempeño de un mandato o en ejercicio de un cargo que requiera especial nombramiento, deberá exhibir el título que acredite su representacion.

Para obrar como mandatario se considerará poder suficiente: primero: el constituido por escritura pública otorgada ante notario o ante oficial del Rejistro Civil a quien la lei confiera esta facultad; segundo: el que conste de una acta estendida ante un juez de letras o ante un juez árbitro, i suscrita por todos los otorgantes; i tercero: el que conste de una declaracion escrita del mandante autorizada por el secretario del tribunal que esté conociendo de la causa.

Podrá, sin embargo, admitirse la comparecencia al juicio de una persona que obre sin poder en beneficio de otra, con tal que ofrezca garantia de que el interesado aprobará lo que se hubiere obrado en su nombre. El tribunal, para aceptar la representacion, calificará las circunstancias del caso i la garantia ofrecida, i fijará un plazo para la ratificacion del interesado.

## ART. 8

### (7 del Proyecto)

El poder para litigar se entenderá conferido para todo el juicio en que se presente, i aun cuando no esprese las facultades que se conceden, autorizará al procurador para tomar parte, del mismo modo que podria hacerlo el poderdante, en todos los trámites e incidentes del juicio i en todas las cuestiones que por via de reconvencion se promuevan, hasta la ejecucion completa de la sentencia definitiva, salvo que la lei exija intervencion personal de la parte misma. Las cláusulas en que se nieguen o en que se limiten las facultades espresadas, son nulas. Podrá asimismo el procurador delegar el poder obligando al mandante, a ménos que se le haya negado esta facultad.

Sin embargo, no se entenderan concedidas al procurador, sin espresa mencion, las facultades de desistirse en primera instancia de la accion deducida, aceptar la demanda contraria, deferir el juramento decisorio, aceptar su delacion, absolver posiciones, renunciar los recursos o los términos legales, transijir, comprometer, otorgar a los árbitros facultades de arbitradores, aprobar convenios i percibir.

## ART. 9

### (8 del Proyecto)

El jerente o administrador de sociedades civiles o comerciales, o el presidente de las corporaciones o fundaciones con personeria jurídica, se entenderan autorizados para litigar a nombre de ellas con las facultades que espresa el inciso primero del artículo anterior, no obstante cualquiera limitacion establecida en los estatutos o actos constitutivos de la sociedad o corporacion.

## ART. 10

### (9 del Proyecto)

Si durante el curso del juicio terminare por cualquiera causa el carácter con que una persona representa por ministerio de la lei derechos ajenos, continuará no obstante la representacion i seran válidos los actos que ejecute, hasta la comparecencia de la parte representada, o hasta que haya testimonio en el proceso de haberse notificado a esta la cesacion de la representacion i el estado del juicio. El representante deberá jestionar para que se practique esta dilijencia dentro del plazo que el tribunal designe, bajo pena de pagar una multa de diez a doscientos pesos i de abonar los perjuicios que resultaren.

## ART. 11

### (10 del Proyecto)

Todo procurador legalmente constituido conservará su carácter de tal miéntras en el proceso no haya testimonio de la espiracion de su mandato.

Si la causa de la espiracion del mandato fuere la renuncia del procurador, estará éste obligado a ponerla en conocimiento de su mandante, junto con el estado del juicio, i se entenderá vijente el poder hasta que haya trascurrido el término de emplazamiento desde la notificacion de la renuncia al mandante.

## Art. 12

### (11 del Proyecto)

Cuando se ausentare de la República alguna persona dejando procurador autorizado para obrar en juicio o encargado con poder jeneral de administracion, todo el que tenga interes en ello podrá exijir que tome la representacion del ausente dicho procurador, justificando que ha aceptado el mandato espresamente o ha ejecutado una jesticion cualquiera que importe aceptacion.

Este derecho comprende aun la facultad de hacer notificar las nuevas demandas que se entablen contra el ausente, entendiéndose autorizado el procurador para aceptar la notificacion, a ménos que se establezca lo contrario de un modo espreso en el poder.

Si el poder para obrar en juicio se refiere a uno o mas negocios determinados, solo podrá hacerse valer el derecho que menciona el inciso precedente respecto del negocio o negocios para los cuales se ha conferido el mandato.

## Art. 13

### (12 del Proyecto)

En los casos de que trata el artículo veinte, el procurador comun será nombrado por acuerdo de las partes a quienes haya de representar.

El nombramiento deberá hacerse dentro del término razonable que señale el tribunal.

## Art. 14

(13 del Proyecto)

Si por omision de todas las partes o por falta de avenimiento entre ellas no se hiciere el nombramiento dentro del término indicado en el artículo anterior, lo hará
el tribunal que conozca de la causa, debiendo en este
caso, recaer el nombramiento en un procurador del
número o en una de las partes que hubiere concurrido.

Si la omision fuere de alguna o algunas de las partes,
el nombramiento hecho por la otra u otras valdrá respecto de todas.

## Art. 15

(14 del Proyecto)

Una vez hecho por las partes o por el tribunal el
nombramiento de procurador comun, podrá revocarse
por acuerdo unánime de las mismas partes, o por el
tribunal a peticion de alguna de ellas, si en este caso
hubiere motivos que justifiquen la revocacion.

Los procedimientos a que dé lugar esta medida se
seguiran en cuaderno separado i no suspenderan el curso
del juicio.

Sea que se acuerde por las partes o que se decrete
por el tribunal, la revocacion no comenzará a producir
sus efectos miéntras no quede constituido el nuevo procurador.

## Art. 16

(15 del Proyecto)

El procurador comun deberá ajustar, en lo posible, su procedimiento a las instrucciones i a la voluntad de las partes que representa; i, en los casos en que éstas no estuvieren de acuerdo, podrá proceder por sí solo i como se lo aconseje la prudencia, teniendo siempre en mira la mas fiel i espedita ejecucion del mandato.

## Art. 17

(16 del Proyecto)

Cualquiera de las partes representadas por el procurador comun que no se conforme con el procedimiento adoptado por él, podrá separadamente hacer las alegaciones i rendir las pruebas que estime conducentes, pero sin entorpecer la marcha regular del juicio i usando de los mismos plazos concedidos al procurador comun. Podrá, asimismo, solicitar dichos plazos o su ampliacion, o interponer los recursos a que hubiere lugar, tanto sobre las resoluciones que recaigan en estas solicitudes, como sobre cualquiera sentencia interlocutoria o definitiva.

# TÍTULO III

## DE LA PLURALIDAD DE ACCIONES O DE PARTES

### Art. 18

(17 del Proyecto)

En un mismo juicio podran entablarse dos o mas acciones con tal que no sean incompatibles.

Sin embargo, podran proponerse en una misma demanda dos o mas acciones incompatibles para que sean resueltas una como subsidiaria de otra.

## ART. 19

### (18 del Proyecto)

En un mismo juicio podran intervenir como demandantes o demandados varias personas, siempre que se deduzca la misma accion, o acciones que emanen directa e inmediatamente de un mismo hecho, o que se proceda conjuntamente por muchos o contra muchos en los casos que autoriza la lei.

## ART. 20

### (19 del Proyecto)

Si fueren dos o mas las partes que entablan una demanda o jestion judicial i dedujeren las mismas acciones, deberan obrar todas conjuntamente, constituyendo un solo mandatario.

La misma regla se aplicará a los demandados cuando fueren dos o mas i opusieren idénticas escepciones o defensas.

## ART. 21

### (20 del Proyecto)

Siendo distintas entre sí las acciones de los demandantes o las defensas de los demandados, cada uno de ellos podrá obrar separadamente en el juicio, salvo las escepciones legales.

Se concederá la facultad de jestionar por separado en los casos del artículo anterior desde que apareciere haber incompatibilidad de intereses entre las partes que litigan conjuntamente.

## ART. 22

### (21 del Proyecto)

Si la accion ejercida por alguna persona correspondiere tambien a otra u otras personas determinadas,
podran los demandados pedir que se ponga la demanda
en conocimiento de las que no hubieren ocurrido a entablarla, quienes deberan espresar en el término de emplazamiento si se adhieren a ella.

Si las dichas personas se adhirieren a la demanda,
se aplicará lo dispuesto en los .rtículos trece i catorce;
si declararen su resolucion de no adherirse, caducará
su derecho; i si nada dijeren dentro del término legal,
les afectará el resultado del proceso, sin nueva citacion.
En este último caso podran comparecer en cualquier
estado del juicio, pero respetando todo lo obrado con
anterioridad.

## ART. 23

### (22 del Proyecto)

Si durante la secuela del juicio se presentare alguien
reclamando sobre la cosa litigada derechos incompatibles con los de las otras partes, admitirá el tribunal sus
jestiones en la forma establecida por el artículo diecisiete
i se entenderá que acepta todo lo obrado ántes de su
presentacion, continuando el juicio en el estado en que
se encuentre.

## Art. 24

### (23 del Proyecto)

Los que, sin ser partes directas en el juicio, tuvieren interes actual en sus resultados, podran en cualquier estado de él intervenir como coadyuvantes, i tendran en tal caso los mismos derechos que concede el artículo diecisiete a cada una de las partes representadas por un procurador comun, continuando el juicio en el estado en que se encuentre.

Se entenderá que hai interes actual siempre que exista comprometido un derecho i no una mera espectativa, salvo que la lei autorice especialmente la intervencion fuera de estos casos.

## Art. 25

### (24 del Proyecto)

Las resoluciones que se dictaren en los casos de los dos artículos anteriores produciran respecto de las personas a quienes dichos artículos se refieren los mismos efectos que respecto de las partes principales.

# TÍTULO IV

## DE LAS CARGAS PECUNIARIAS A QUE ESTAN SUJETOS LOS LITIGANTES

### Art. 26

### (25 del Proyecto)

Todo litigante está obligado a pagar a los oficiales de la administracion de justicia los derechos que los aranceles judiciales señalen para los servicios prestados en el proceso.

Cada parte pagará los derechos correspondientes a las dilijencias que hubiere solicitado, i todas por cuotas iguales los de las dilijencias comunes, sin perjuicio del reembolso a que haya lugar cuando por la lei o por resolucion de los tribunales corresponda a otras personas hacer el pago.

### Art. 27

#### (26 del Proyecto)

Los derechos de cada dilijencia se pagaran tan pronto como esta se evacuare; pero la falta de pago no podrá entorpecer en ningun caso la marcha del juicio.

### Art. 28

#### (27 del Proyecto)

Cuando litigaren varias personas conjuntamente, cada una de ellas responderá solidariamente del pago de los derechos que a todas afecten en conformidad a los artículos anteriores, sin perjuicio de que las demas reembolsen a la que hubiere pagado la cuota que les corresponda, a prorrata de su interes en el juicio.

### Art. 29

#### (28 del Proyecto)

Los procuradores judiciales responderan personalmente del pago de las costas que sean de cargo a sus mandantes, sin perjuicio de la responsabilidad de estos.

# TÍTULO V

## DE LA FORMACION DEL PROCESO, DE SU CUSTODIA I DE SU COMUNICACION A LAS PARTES

### ART. 30

(29 del Proyecto)

Se formará el proceso con los escritos, documentos i actuaciones de toda especie que se presenten o verifiquen en el juicio.

Ninguna pieza del proceso podrá retirarse sin que previamente lo decrete el tribunal que conoce de la causa.

### ART. 31

(30 del Proyecto)

Todo escrito deberá presentarse al tribunal de la causa por conducto del secretario respectivo i se encabezará con una suma que indique su contenido o el trámite de que se trata.

### ART. 32

(31 del Proyecto)

Junto con cada escrito deberan acompañarse en papel simple tantas copias cuantas sean las partes a quienes debe notificarse la providencia que en él recaiga, i, confrontadas dichas copias por el secretario, se entregaran a la otra u otras partes, o se dejaran en la secretaria a disposicion de ellas cuando la notificacion no se hiciere personalmente o por cédula.

Se esceptuan de esta disposicion los escritos que tengan por objeto personarse en el juicio, acusar rebeldias, pedir apremios, prórroga de términos, publicacion de probanzas, señalamiento de vistas, su suspension i cualesquiera otras dilijencias de mera tramitacion.

Si resultare disconformidad sustancial entre las copias i el escrito orijinal, podrá el tribunal imponer una multa de diez a doscientos pesos, sin perjuicio de las demas acciones que competan.

## Art. 33

### (32 del Proyecto)

Entregado un escrito al secretario, deberá éste en el mismo dia estampar en cada foja la fecha i su media firma, o un sello autorizado por la respectiva Corte de Apelaciones i que designe la oficina i la fecha de la presentacion. Deberá ademas dar recibo de los documentos que sé le entreguen, siempre que lo exija la parte que los presenta, sin que pueda cobrar derecho alguno por los servicios a que este artículo se refiere.

## Art. 34

### (33 del Proyecto)

Todo escrito será presentado por el secretario al tribunal para su despacho el mismo dia en que se le entregue, o al dia siguiente hábil si la entrega se hiciere despues de la hora designada al efecto. En casos urjentes podrá el interesado recabar el despacho inmediato aun despues de la hora designada.

## Art. 35

(34 del Proyecto)

Todas las piezas que deben formar el proceso, en conformidad al artículo treinta, se iran agregando sucesivamente segun el órden de su presentacion. Al tiempo de agregarlas, el secretario numerará cada foja en cifras i en letras. Se esceptuan las piezas que, por su naturaleza, no puedan agregarse o que por motivos fundados se mandaren reservar fuera del proceso.

## Art. 36

(35 del Proyecto)

Siempre que se desglosen una o mas fojas del proceso, deberá colocarse en su lugar una nueva foja con la indicacion del decreto que ordenó el desglose i del número i naturaleza de las piezas desglosadas. No se alterará, sin embargo, la numeracion de las piezas que queden en el proceso, i se conservará tambien la de las que se hubieren separado, en el nuevo espediente de que pasen a formar parte, agregándose la que en este les corresponda.

## Art. 37

(36 del Proyecto)

El proceso se mantendrá en la oficina del secretario bajo su custodia i responsabilidad.

Ninguna de las partes podrá sacarlo sino para el único efecto de preparar el alegato de bien probado, la espresion de agravios, la solicitud en que se funde el recurso de casacion en el fondo, i las respuestas a los escritos mencionados, cuando hubiere lugar a estos trámites con arreglo a la lei.

## Art. 38

### (37 del Proyecto)

En los casos del inciso segundo del artículo anterior, el proceso se entregará a un procurador del número, el cual otorgará recibo espresando el abogado para quien lo pide.

## Art. 39

### (38 del Proyecto)

Vencido el término por el cual se hubiere sacado el proceso, deberá ser devuelto a la oficina del secretario.

Si notificada la órden de devolucion al procurador que firmó el recibo, no la efectuare dentro de las veinticuatro horas siguientes, pagará por cada dia de demora una multa de cuatro pesos, i podrá ademas ser apremiado con arrresto hasta la devolucion, si esta se retardare o hubiere motivos que autoricen desde luego esta medida.

El procurador quedará exento de responsabilidad si presenta recibo del abogado a quien entregó el proceso, al cual afectaran, en tal caso, las penas que este artículo establece.

## Art. 40

(39 del Proyecto)

Siempre que los tribunales pidieren o hubieren de oir dictámen por escrito del respectivo oficial del ministerio público o de los defensores públicos, el secretario entregará el proceso a aquellos funcionarios, exijiendo el correspondiente recibo. Lo mismo se observará cuando hubiere de remitirse el proceso a una oficina distinta de aquella en que se ha formado.

Si los funcionarios a quienes se pidiere dictámen retardaren la devolucion del proceso, podrá el tribunal señalarles un plazo razonable para que la efectuen, i ordenar a su vencimiento que se recojan por el secretario los autos.

# TÍTULO VI

## DE LAS NOTIFICACIONES

## Art. 41

(40 del Proyecto)

Las resoluciones judiciales solo producen efecto en virtud de notificacion hecha con arreglo a la lei, salvo los casos espresamente esceptuados por ella.

## Art. 42

(41 del Proyecto)

Para la validez de la notificacion no se requiere el consentimiento del notificado.

## Art. 43

**(42 del Proyecto)**

En toda jestion judicial, la primera notificacion a las partes o personas a quienes hayan de afectar sus resultados, deberá hacérseles personalmente, entregándoseles copia íntegra de la resolucion i de la solicitud en que hubiere recaido, cuando fuere escrita.

Esta notificacion se hará al actor en la forma establecida en el artículo cincuenta i tres.

## Art. 44

**(43 del Proyecto)**

La notificacion podrá hacerse en el oficio del secretario, en la casa que sirva para despacho del tribunal, en la habitacion del notificado, o en el lugar donde ordinariamente ejerce su industria, profesion o empleo. Los jueces no podran, sin embargo, ser notificados en el local en que desempeñan sus funciones.

## Art. 45

**(44 del Proyecto)**

Podrá el tribunal ordenar que se haga la notificacion en otros lugares que los espresados en el artículo anterior, cuando la persona a quien se trate de notificar no tuviere habitacion conocida en el lugar en que ha de ser notificada. Esta circunstancia se acreditará por certificado de un ministro de fe que afirme haber hecho las indagaciones posibles, de las cuales dejará testimonio detallado en la respectiva dilijencia.

## ART. 46

### (45 del Proyecto)

La notificacion se hará constar en el proceso por dilijencia que suscribiran el notificado i el ministro de fe, i si el primero no pudiere o no quisiere firmar, se dejará testimonio de este hecho en la misma dilijencia.

Se espresará, ademas, el lugar en que se verifique el acto i la fecha con indicacion de la hora, a lo ménos, aproximada.

## ART. 47

### (47 del Proyecto)

Si buscada en dos dias distintos en su habitacion o en el lugar donde habitualmente ejerce su industria, profesion o empleo, no fuere habida la persona a quien debe notificarse, se acreditará por medio de una informacion sumaria que ella se encuentra en el lugar del juicio i cual es su morada, bastando para comprobar la primera circunstancia la declaracion de testigos singulares.

Establecidos ámbos hechos, ordenará el tribunal que la notificacion se haga entregando las copias a que se refiere el artículo cuarenta i tres a cualquiera persona adulta que se encuentre en la morada del que se va a notificar; i si nadie hubiere allí, o si por cualquiera otra causa no fuere posible entregar dichas copias a las personas que en ella se encuentren, se fijará en la puerta un aviso que dé noticia de la demanda, con especificacion exacta de las partes, materia de la causa, juez que conoce en ella i de las resoluciones que se notifican.

## Art. 48

### (48 del Proyecto)

La dilijencia de notificacion, en el caso del artículo precedente, se estenderá en la forma que determina el artículo cuarenta i seis, siendo obligada a suscribirla la persona que reciba las copias, si pudiere hacerlo, dejándose testimonio de su nombre, edad, profesion i domicilio.

## Art. 49

### (49 del Proyecto)

Cuando la notificacion se efectuare en conformidad al artículo cuarenta i siete, el ministro de fe deberá dar aviso de ella el mismo dia al notificado, dirijiéndole con tal objeto carta certificada por la oficina respectiva de correo. Del envio se dejará testimonio en los autos; pero su omision no invalidará la notificacion i solo hará responsable al infractor de los perjuicios que se orijinen, pudiendo, ademas, el tribunal que entendiere en el juicio imponerle una multa de diez a cien pesos.

El mismo aviso se dará en los casos de los artículos cincuenta i uno i cincuenta i tres.

## Art. 50

(50 del Proyecto)

La forma de notificacion de que tratan los artículos precedentes se empleará siempre que la lei disponga que se notifique a alguna persona para la validez de ciertos actos, o cuando los tribunales lo ordenaren espresamente.

Podrá, ademas, usarse en todo caso.

## Art. 51

(51 del Proyecto)

Las sentencias definitivas, las resoluciones en que se dé curso a una reconvencion, se reciba a prueba la causa, se cite para sentencia definitiva o se ordene la comparecencia personal de las partes, se notificaran por medio de cédulas que contengan la copia íntegra de la resolucion i los datos necesarios para su acertada intelijencia.

Estas cédulas se entregaran por un ministro de fe en el domicilio del notificado, en la forma establecida en el inciso segundo del artículo cuarenta i siete.

Se pondrá en los autos testimonio de la notificacion con espresion del dia i lugar, del nombre, edad, profesion i domicilio de la persona a quien se hiciere la entrega i de la circunstancia de haberse dado el aviso ordenado en el artículo cuarenta i nueve.

El procedimiento que establece este artículo podrá emplearse en otros casos que los que indica el inciso primero, cuando el tribunal espresamente lo ordene.

## Art. 52

(52 del Proyecto)

Para los efectos del artículo anterior, todo litigante deberá, en su primera jestion judicial, designar un domicilio conocido dentro de los límites urbanos del lugar en que funcione el tribunal respectivo, i esta designacion se considerará subsistente miéntras no haga otra la parte interesada, aun cuando de hecho cambie su morada.

En los juicios seguidos ante los tribunales inferiores el domicilio deberá fijarse en un lugar conocido dentro de la jurisdiccion del tribunal correspondiente, pero si el lugar designado se hallare a considerable distancia de aquel en que funciona el juzgado, podrá este ordenar, sin mas trámites i sin ulterior recurso, que se designe otro dentro de límites mas próximos.

## Art. 53

(53 del Proyecto)

Las resoluciones no comprendidas en los artículos precedentes se entenderan notificadas a las partes desde que se incluyan en un estado que deberá formarse i fijarse diariamente en la secretaria de cada tribunal con las indicaciones que el inciso siguiente espresa.

Se encabezará el estado con la fecha del dia en que se forme, i se mencionaran por el número de órden que les corresponda en el rol jeneral, espresado en cifras i en letras, i ademas por los apellidos del demandante i del demandado o de los primeros que figuren con dicho carácter si fueren varios, todas las causas en que se hubiere dictado resolucion en aquel dia, i el número de resoluciones dictadas en cada una de ellas. Se agregará el sello i firma del secretario.

Estos estados se mantendran durante tres dias en un lugar accesible al público, cubiertos con vidrios o en otra forma que impida hacer alteraciones en ellos; i, encuadernados por órden rigoroso de fechas, se archivaran mensualmente.

De las notificaciones hechas en conformidad a este artículo, se pondrá testimonio en los autos.

Las cartas indicadas en el inciso segundo del artículo cuarenta i nueve seran dirijidas por el secretario, para los efectos del presente artículo, i de su envio se dejará tambien testimonio en el proceso.

## ART. 54

### (54 del Proyecto)

Para los efectos del artículo precedente, a todo proceso que se inicie se asignará un número de órden en la primera resolucion que se dictare i con él figurará en el rol del tribunal, hasta su terminacion.

## ART. 55

### (55 del Proyecto)

Si trascurrieren seis meses sin que se dicte resolucion alguna en el proceso, no se consideraran como notificaciones válidas las anotaciones en el estado diario miéntras no se haga una nueva notificacion personalmente o por cédula.

## Art. 56

(56 del Proyecto)

La forma de notificacion de que trata el artículo cincuenta i tres se hará estensiva a las resoluciones comprendidas en el artículo cincuenta i uno, respecto de las partes que no hubieren hecho la designacion a que se refiere el artículo cincuenta i dos.

## Art. 57

(57 del Proyecto)

Cuando hubiere de notificarse personalmente o por cédula a personas cuya individualidad o residencia sea difícil determinar, o que por su número dificultaren considerablemente la práctica de la dilijencia, podrá hacerse la notificacion por medio de avisos publicados en los diarios o periódicos del lugar donde se sigue la causa, o de la cabecera de la provincia, si allí no los hubiere. Dichos avisos contendran los mismos datos que se exijen para la notificacion personal; pero si la publicacion en esta forma fuere mui dispendiosa, atendida la cuantía del negocio, podrá disponer el tribunal que se haga en estracto redactado por el secretario.

Para autorizar esta forma de notificacion, i para determinar los diarios o periódicos en que haya de hacerse la publicacion i el número de veces que deba repetirse, el cual no podrá bajar de tres, procederá el tribunal con conocimiento de causa i con audiencia del ministerio público.

Cuando la notificacion hecha por este medio fuere la primera de una jestion judicial, será necesario, ademas, para su validez, que se inserte el aviso en los números del *Diario Oficial* correspondientes a los dias primero o quince de cualquier mes o al dia siguiente, si no se hubiere publicado en las fechas indicadas.

## Art. 58

### (58 del Proyecto)

Aunque no se hubiere verificado notificacion alguna o se hubiere efectuado en otra forma que la legal, se tendrá por notificada una resolucion desde que la parte a quien afecte haga en el juicio cualquiera jestion que suponga conocimiento de dicha resolucion, sin haber ántes reclamado la falta o nulidad de la notificacion.

## Art. 59

### (59 del Proyecto)

Las notificaciones que se hagan a terceros que no sean parte en el juicio, o a quienes no afecten sus resultados, se haran personalmente o por cédula.

## Art. 60

### (60 del Proyecto)

Las dilijencias de notificacion que se estampen en los procesos, no contendran declaracion alguna del notificado, salvo que la resolucion ordene o, por su naturaleza, requiera esa declaracion, o que se apele en dicho acto del fallo que se notifica.

## ART. 61

(61 del Proyecto)

Las funciones que en este título se encomiendan a los secretarios de tribunales, podran ser desempeñadas bajo la responsabilidad de éstos, por el oficial primero de la secretaría, el cual será nombrado por el tribunal de quien inmediatamente dependa, a propuesta del secretario, i prestará juramento para el buen desempeño de su cargo ante el mismo tribunal, o ante el presidente de él si fuere colejiado.

# TITULO VII

## DE LAS ACTUACIONES JUDICIALES

### ART. 62

(62 del Proyecto)

Las actuaciones judiciales deben practicarse en dias i horas hábiles.

Son dias hábiles los no feriados. Son horas hábiles las que median entre la salida i la puesta del sol.

### ART. 63

(63 del Proyecto)

Pueden los tribunales, a solicitud de parte, habilitar para la práctica de actuaciones judiciales dias u horas inhábiles, cuando haya causa urjente que lo exija.

Se estimaran urjentes para este caso las actuaciones cuya dilacion pueda causar grave perjuicio a los interesados, o a la buena administracion de justicia, o hacer ilusoria una providencia judicial.

El tribunal apreciará·la urjencia de la causa i resolverá sin ulterior recurso.

## Art. 64

### (64 del Proyecto)

De toda actuacion deberá dejarse testimonio escrito en el proceso, con espresion del lugar, dia, mes i año en que se verifique, de·las formalidades con que se haya procedido, i de las demas indicaciones que la lei o el tribunal dispongan.

A continuacion i previa lectura, firmaran todas las personas que hubieren intervenido; i si alguna no supiere ó se negare a hacerlo, se espresará esta circunstancia.

La autorizacion del funcionario a quien corresponda dar fe o certificado del acto es esencial para la validez de la actuacion.

## Art. 65

### (65 del Proyecto)

Siempre que en una actuacion hubiere de tomarse juramento a alguno de los concurrentes, se le interrogará por el funcionario autorizante al tenor de la siguiente fórmula: «¿Juráis por Dios decir verdad acerca de lo que se os va a preguntar?», o bien, «¿Juráis por Dios desempeñar fielmente el cargo que se os confia?», segun fuere la naturaleza de la actuacion. El interrogado deberá responder: «Sí juro».

## Art. 66

(66 del Proyecto)

Cuando sea necesaria la intervencion de intérprete en una actuacion judicial, se recurrirá al intérprete oficial, si lo hubiere; i en caso contrario, al que designe el tribunal.

Los intérpretes deberan tener las condiciones requeridas para ser peritos, i se les atribuirá el carácter de ministros de fe.

Antes de practicarse la dilijencia, deberá el intérprete prestar juramento para el fiel desempeño de su cargo.

## Art. 67

(67 del Proyecto)

Los derechos para cuyo ejercicio se concediere un término *fatal* o que supongan un acto que deba ejecutarse *en o dentro de cierto término*, se entenderan irrevocablemente estinguidos por el ministerio solo de la lei, si no se hubieren ejercido ántes del vencimiento de dichos términos.

## Art. 68

(68 del Proyecto)

Los términos comenzaran a correr para cada parte desde el dia de la notificacion.

Los términos comunes se contarán desde la última notificacion.

## ART. 69

### (69 del Proyecto)

Los términos de que trata el presente Código se entenderan suspendidos durante los dias feriados, salvo que el tribunal, por motivos graves, hubiere dispuesto espresamente lo contrario.

## ART. 70

### (70 del Proyecto)

Son prorrogables los términos señalados por el tribunal.

Para que pueda concederse la prórroga es necesario:

Primero. Que se pida ántes del vencimiento del término; i

Segundo. Que se alegue justa causa, la cual será apreciada por el tribunal prudencialmente.

## ART. 71

### (71 del Proyecto)

En ningun caso podrá la prórroga ampliar el término mas allá de los dias asignados por la lei.

## ART. 72

### (72 del Proyecto)

Siempre que se ordene o autorice una dilijencia *con citacion,* se entenderá que no puede llevarse a efecto sino pasados tres dias despues de la notificacion de la parte contraria, la cual tendrá el derecho de oponerse o deducir observaciones dentro de dicho plazo, suspendiéndose en tal caso la dilijencia hasta que se resuelva el incidente.

Cuando se mandare proceder *con conocimiento* o valiéndose de otras espresiones análogas, se podrá llevar a efecto la dilijencia desde que se ponga en noticia del contendor lo resuelto.

## Art. 73

### (73 del Proyecto)

Todas las actuaciones necesarias para la formacion del proceso se practicaran por el tribunal que conozca de la causa, salvo los casos en que se encomienden espresamente por la lei a los secretarios u otros ministros de fe, o en que se permita al tribunal delegar sus funciones, o en que las actuaciones hayan de practicarse fuera del lugar en que se siga el juicio.

## Art. 74

### (74 del Proyecto)

Todo tribunal es obligado a practicar o a dar órden para que se practiquen en su territorio, las actuaciones que en él deban ejecutarse i que otro tribunal le encomiende.

El tribunal que conozca de la causa dirijirá al del lugar donde haya de practicarse la dilijencia la correspondiente comunicacion, insertando los escritos, decretos i esplicaciones necesarias.

El tribunal a quien se dirija la comunicacion ordenará su cumplimiento en la forma que ella indique, i no podrá decretar otras jestiones que las necesarias a fin de darle curso i habilitar al juez de la causa para que resuelva lo conveniente.

## Art. 75

**(75 del Proyecto)**

Las comunicaciones seran firmadas por el juez, en todo caso; i si el tribunal fuere colejiado, por su presidente. A las mismas personas se dirijiran las comunicaciones que emanen de otros tribunales o funcionarios.

## Art. 76

**(76 del Proyecto)**

En las jestiones que fuere necesario hacer ante el tribunal exhortado, podrá intervenir el encargado de la parte que solicitó el exhorto, siempre que en este se esprese el nombre de dicho encargado o se indique que puede dilijenciarlo el que lo presente o cualquiera otra persona.

## Art. 77

**(77 del Proyecto)**

Podrá una misma comunicacion dirijirse a diversos tribunales para que se practiquen actuaciones en distintos puntos sucesivamente. Las primeras dilijencias practicadas, junto con la comunicacion que las motivare, se remitiran por el tribunal que hubiere intervenido en ellas al que deba continuarlas en otro territorio.

## Art. 78

### (78 del Proyecto)

Toda comunicacion para practicar actuaciones fuera del lugar del juicio será dirijida, sin intermedio alguno, al tribunal o funcionario a quien corresponda ejecutarla, aunque no dependa del que reclama su intervencion.

## Art. 79

### (79 del Proyecto)

Cuando hayan de practicarse actuaciones en pais estranjero, se dirijirá la comunicacion respectiva al funcionario que deba intervenir, por conducto de la Corte Suprema, la cual la enviará al Ministerio de Relaciones Esteriores para que este a su vez le dé curso en la forma que estuviere determinada por los tratados vijentes o por las reglas jenerales adoptadas por el Gobierno. En la comunicacion se espresará el nombre de la persona o personas a quienes la parte interesada apodere para practicar las dilijencias solicitadas, o se indicará que puede hacerlo la persona que lo presente o cualquiera otra.

Por este mismo conducto i en la misma forma se recibiran las comunicaciones de los tribunales estranjeros para practicar dilijencias en Chile.

## Art. 80

(80 del Proyecto)

Toda comunicacion dirijida por un tribunal a otro deberá ser conducida a su destino por los correos del Estado, pudiendo, en casos especiales calificados por el tribunal, entregarse a la parte que la hubiere solicitado, para que jestione su cumplimiento.

# TÍTULO VIII

## DE LAS REBELDIAS

### Art. 81

(81 del Proyecto)

Si venciere el plazo concedido para un trámite sin que se practique por la parte a quien corresponde, se declarará evacuado dicho trámite en su rebeldia a peticion de parte, o de oficio en los casos espresamente establecidos en la lei, i el tribunal proveerá lo que convenga para la prosecucion del juicio.

### Art. 82

(82 del Proyecto)

Podrá un litigante pedir la rescision de lo que se hubiere obrado en el juicio en rebeldia suya, ofreciendo probar que ha estado impedido por fuerza mayor.

Este derecho solo podrá reclamarse dentro de tres dias, contados desde que cesó el impedimento i pudo hacerse valer ante el tribunal que conoce del negocio.

## Art. 83

(83 del Proyecto)

Si al litigante rebelde no se le hubiere hecho saber en persona ninguna de las providencias libradas en el juicio, podrá pedir la rescision de lo obrado, ofreciendo acreditar que, por un hecho que no le sea imputable, han dejado de llegar a sus manos las copias a que se refieren los artículos cuarenta i tres i cuarenta i siete, o que ellas no son exactas en su parte sustancial.

Este derecho no podrá reclamarse sino dentro de cinco dias, contados desde que apareciere o se acreditare que el litigante tuvo conocimiento personal del juicio.

## Art. 84

(Agregado por la Comision)

Los incidentes a que dieren lugar las disposiciones contenidas en los dos artículos anteriores, no suspenderan el curso de la causa principal i se sustanciaran en cuaderno separado.

# TÍTULO IX

## DE LOS INCIDENTES

### ART. 85

(84 del Proyecto)

Toda cuestion accesoria de un juicio que requiera pronunciamiento especial con audiencia de las partes, se tramitará como incidente i se sujetará a las reglas de este Título, si no tuviere señalada por la lei una tramitacion especial.

### ART. 86

(85 del Proyecto)

Podrá ser rechazado de plano todo incidente que no tenga conexion alguna con el asunto que es materia del juicio.

### ART. 87

(86 del Proyecto)

Si el incidente naciere de un hecho anterior al juicio o coexistente con su principio, como el defecto legal en el modo de proponer la demanda, deberá promoverlo la parte ántes de hacer cualquiera jestion principal en el pleito.

Si lo promoviere despues, será rechazado de oficio por el tribunal, salvo que se tratare de un vicio que anule el proceso, o de una circunstancia esencial para la ritualidad o la marcha del juicio. En estos casos el tribunal ordenará que se practiquen las dilijencias necesarias para que el proceso siga su curso legal.

### Art. 88

(87 del Proyecto)

Todo incidente orijinado de un hecho que acontezca durante el juicio, deberá promoverse tan pronto como el hecho llegue a conocimiento de la parte respectiva.

Si en el proceso constare que el hecho ha llegado al conocimiento de la parte, i si esta hubiere practicado una jestion posterior a dicho conocimiento, el incidente promovido despues será rechazado de plano, salvo que se trate de alguno de los vicios o circunstancias a que se refiere el inciso segundo del artículo anterior.

### Art. 89

(88 del Proyecto)

Todos los incidentes cuyas causas existan simultáneamente deberan promoverse a la vez. En caso contrario, se observará, respecto de los que se promovieren despues, lo dispuesto en el inciso segundo del artículo ochenta i siete.

### Art. 90

(89 del Proyecto)

Si el incidente fuere de aquellos sin cuya previa resolucion no se puede seguir sustanciando la causa principal, se suspenderá el curso de esta, i el incidente se tramitará en la misma pieza de autos.

En el caso contrario, no se suspenderá el curso de la causa principal, i el incidente se sustanciará en ramo separado.

## Art. 91

### (90 del Proyecto)

La parte que hubiere promovido i perdido tres o mas incidentes dilatorios en un mismo pleito, no podrá promover ningun otro sin que previamente consigne la cantidad que el tribunal fije desde diez hasta cien pesos, la cual se aplicará precisamente al fisco por via de multa si perdiere tambien el nuevo incidente.

Estos nuevos incidentes se tramitaran siempre en ramo separado, cualquiera que sea su naturaleza, salvo que el contendor acepte la suspension de la accion principal.

## Art. 92

### (91 del Proyecto)

Promovido un incidente, se concederan tres dias para responder, i practicado este trámite, resolverá el tribunal la cuestion si a su juicio no hubiere necesidad de prueba.

## Art. 93

### (92 del Proyecto)

Si fuere necesaria la prueba, se abrirá un término de ocho dias para que dentro de él se rinda, i se justifiquen tambien las tachas de los testigos, si hubiere lugar a ellas.

Cuando hayan de practicarse dilijencias probatorias fuera del lugar en que se sigue el juicio, podrá el tribunal, por motivos fundados, ampliar una sola vez el término por el número de dias que estime necesarios, no excediendo en ningun caso del plazo total de treinta dias, contados desde que se recibió el incidente a prueba.

Las resoluciones que se pronuncien en los casos de este artículo son inapelables.

## ART. 94

### (93 del Proyecto)

Vencido el término de prueba, háyanla o no rendido las partes, i aun cuando éstas no lo pidan, fallará el tribunal inmediatamente o, a mas tardar, dentro de tercero dia la cuestion que hubiere dado oríjen al incidente.

## TÍTULO X

### DE LA ACUMULACION DE AUTOS

## ART. 95

### (94 del Proyecto)

La acumulacion de autos tendrá lugar siempre que se tramiten separadamente dos o mas procesos que deban constituir un solo juicio i terminar por una sola sentencia, para mantener la continencia, o unidad de la causa. Habrá, por tanto, lugar a ella:

Primero.—Cuando la accion o acciones entabladas en un juicio sean iguales a las que se hubieren deducido en otro, o cuando unas i otras emanen directa e inmediatamente de unos mismos hechos;

Segundo.—Cuando las personas i el objeto o materia de los juicios sean idénticos, aunque las acciones sean distintas; i

Tercero.—En jeneral, siempre que la sentencia que haya de pronunciarse en un juicio deba producir la escepcion de cosa juzgada en otro.

## Art. 96

### (95 del Proyecto)

Habrá tambien lugar a la acumulacion de autos en los casos de quiebra i cuando los bienes contra los cuales se haya deducido o se deduzca una accion estuvieren sometidos a concurso.

De esta acumulacion se tratará en el Título *Del concurso de acreedores.*

## Art. 97

### (96 del Proyecto)

La acumulacion de autos se decretará a peticion de parte; pero si los procesos se encontraren en un mismo tribunal, podrá este ordenarla de oficio.

Se considerará parte lejítima para solicitarla todo el que hubiere sido admitido como parte litigante en cualquiera de los juicios cuya acumulacion se pretende.

## Art. 98

### (97 del Proyecto)

Para que pueda tener lugar la acumulacion, se requiere que los juicios se encuentren sometidos a una misma clase de procedimiento i que la sustanciacion de todos ellos se encuentre en instancias análogas.

## Art. 99

### (98 del Proyecto)

Si los juicios estuvieren pendientes ante tribunales de igual jerarquia, el mas moderno se acumulará al mas antiguo; pero en el caso contrario, la acumulacion se hará sobre aquel que estuviere sometido al tribunal superior.

## Art. 100

### (99 del Proyecto)

Siempre que tenga lugar la acumulacion, el curso de los juicios que estuvieren mas avanzados se suspenderá hasta que todos lleguen a un mismo estado.

## Art. 101

### (100 del Proyecto)

La acumulacion se podrá pedir en cualquier estado del juicio ántes de la sentencia de término; i si se tratare

de juicios ejecutivos, ántes del pago de la obligacion.
Deberá solicitarse ante el tribunal a quien corresponda
continuar conociendo en conformidad al artículo noventa
i nueve.

### Art. 102

(101 del Proyecto)

Pedida la acumulacion, se concederá un plazo de tres
dias al colitigánte para que esponga lo conveniente
sobre ella. Pasado este término, haya o no respuesta, el
tribunal resolverá, haciendo traer previamente a la vista
todos los procesos cuya acumulacion se solicite, si todos
estuvieren pendientes ante él. En caso contrario, podrá
pedir que se le remitan los que se siguieren ante otros
tribunales.

### Art. 103

(102 del Proyecto)

De las resoluciones que nieguen la acumulacion o den
lugar a ella solo se concederá apelacion en el efecto devolutivo.

## TÍTULO XI

### DE LAS CUESTIONES DE COMPETENCIA

### Art. 104

(103 del Proyecto)

Podran las partes promover cuestiones de competencia por inhibitoria o por declinatoria.

Las que hubieren optado por uno de estos medios, no podran despues abandonarlo para recurrir al otro. Tampoco podran emplearse los dos simultánea ni sucesivamente.

## ART. 105

### (104 del Proyecto)

La inhibitoria se intentará ante el tribunal a quien se crea competente, pidiéndole que se dirija al que esté conociendo del negocio para que se inhiba i le remita los autos.

Si el recurrente pretendiere acreditar con documentos su derecho, deberá acompañarlos a la solicitud de inhibitoria, o pedir en ella los testimonios correspondientes.

## ART. 106

### (105 del Proyecto)

Con solo el mérito de lo que espusiere la parte i de los documentos que presentare o que el tribunal de oficio mandare agregar, si lo juzga necesario, se accederá a la solicitud o se negará lugar a ella.

## ART. 107

### (106 del Proyecto)

Si el tribunal accediere, dirijirá al que estuviere conociendo del negocio la correspondiente comunicacion, con insercion de la solicitud de la parte i de los demas documentos que estime necesarios para fundar su competencia.

## Art. 108

**(107 del Proyecto)**

Recibida la comunicacion, el tribunal requerido oirá a la parte que ante él litigue, i con lo que ella espusiere i el mérito que arrojen los documentos que presentare o que el tribunal mandare agregar de oficio, accederá a la inhibicion o negará lugar a ella.

## Art. 109

**(108 del Proyecto)**

Si el tribunal requerido accediere a la inhibicion i esta sentencia quedare ejecutoriada, remitirá los autos al requirente.

Si la denegare, se pondrá lo resuelto en conocimiento del otro tribunal para que provea lo que estime de justicia, acompañándole testimonio de la sentencia, de lo que hubiere espuesto la parte i de lo demas que se considere necesario en apoyo de la competencia.

## Art. 110

**(109 del Proyecto)**

Si el requirente se conformare con lo resuelto, en el caso del inciso segundo del artículo anterior, i no se dedujere recurso contra la sentencia que así lo establece, se comunicará esta al requerido para que continue en el conocimiento del negocio.

## Art. 111

(110 del Proyecto)

Si el requirente insistiere en la inhibicion, lo hará saber al requerido, i ámbos, con citacion de la parte que jestione en cada tribunal, remitiran los autos al que sea superior comun de los que forman la competencia, para la resolucion de esta.

Si los tribunales fueren de distinta jerarquia, la remision se hará al superior de aquel que tenga jerarquia mas alta.

Si dependieren de diversos superiores, iguales en jerarquia, resolverá la competencia el que sea superior del tribunal requerido.

Los jueces árbitros de única, de primera o de segunda instancia tendran por superior, para los efectos de este artículo, a la respectiva Corte de Apelaciones.

## Art. 112

(111 del Proyecto)

Son apelables solamente, la resolucion que niegue lugar a la solicitud de inhibicion a que se refiere el artículo ciento cinco, la que pronuncie el tribunal requerido accediendo a la inhibicion, i aquella en que el requirente declare no insistir en la inhibicion rechazada por el requerido.

## Art. 113

(112 del Proyecto)

Las apelaciones de que trata el artículo anterior se llevaran ante el tribunal a quien corresponderia conocer de la competencia en conformidad al artículo ciento once. Pero en el caso del inciso tercero de dicho artículo, entenderá en la apelacion el superior del tribunal que hubiere dictado la sentencia apelada.

## Art. 114

(113 del Proyecto)

El superior que conozca de la apelacion o que resuelva la contienda de competencia declarará cual de los tribunales inferiores es competente o que ninguno de ellos lo es.

Para pronunciar resolucion, citará a uno i otro litigante, pudiendo pedir los informes que estime necesarios, i aun recibir a prueba el incidente.

Si los tribunales de cuya competencia se trata ejercieren jurisdiccion de diferente clase, se oirá tambien al ministerio público.

## Art. 115

(114 del Proyecto)

Espedida la resolucion, el mismo tribunal que la dictó remitirá los autos que ante él obraren al tribunal declarado competente, para que éste comience o siga conociendo del negocio, i comunicará lo resuelto al otro tribunal.

### Art. 116

(115 del Proyecto)

La declinatoria se propondrá ante el tribunal a quien se cree incompetente para conocer de un negocio que le estuviere sometido, indicándole cual es el que se estima competente i pidiéndole se abstenga de dicho conocimiento. Su tramitacion se sujetará a las reglas establecidas para los incidentes.

### Art. 117

(116 del Proyecto)

Miéntras se halle pendiente el incidente de competencia, se suspenderá el curso de la causa principal; pero el tribunal que estuviere conociendo de ella podrá librar aquellas providencias que tengan el carácter de urjentes.

## TÍTULO XII

### DE LAS IMPLICANCIAS I RECUSACIONES

### Art. 118

(117 del Proyecto)

Solo podrá inhabilitarse a los jueces, oficiales del ministerio público, defensores públicos i relatores para intervenir en un negocio determinado, en los casos i por las causas de implicancia o de recusacion que señala la *Lei de Organizacion i Atribuciones de los Tribunales.*

Para inhabilitar a los peritos, la parte a quien pueda perjudicar su intervencion, deberá espresar i probar alguna de las causas de implicancia o recusacion determinadas para los jueces, en cuanto sean aplicables a aquellos.

Los secretarios i receptores, i los funcionarios llamados a subrogarlos, podran ser inhabilitados sin espresion de causa hasta el número de dos, por cada parte, en un mismo juicio. Pasado este número se procederá en conformidad al inciso anterior.

## Art. 119

### (118 del Proyecto)

La declaracion de implicancia o de recusacion cuando haya de fundarse en causa legal, deberá pedirse ántes de toda jestion que ataña al fondo del negocio, o ántes de que comience a funcionar la persona contra quien se dirije, siempre que la causa alegada exista ya i sea conocida de la parte.

Si la causa fuere posterior o no hubiere llegado a conocimiento de la parte, deberá proponerla tan pronto como tenga noticia de ella. No justificándose esta última circunstancia, será desechada la solicitud, a ménos que la causal alegada sea de aquellas que no pueden renunciar las partes en conformidad al artículo ciento treinta. En este caso, podrá el tribunal imponer a la parte que maliciosamente hubiere retardado el reclamo de la implicancia una multa que no exceda de doscientos pesos.

Art. 120

(119 del Proyecto)

La implicancia de un juez que desempeñe tribunal unipersonal se hará valer ante él mismo, espresando la causa legal en que se apoya i los hechos en que se funda, acompañando u ofreciendo presentar las pruebas necesarias i pidiéndole se inhiba del conocimiento del negocio.

Art. 121

(120 del Proyecto)

La recusacion de los jueces a que se refiere el artículo anterior, i la implicancia i recusacion de los miembros de tribunales colejiados se haran valer, en los términos que indica dicho artículo, ante el tribunal que, segun la lei, debe conocer de estos incidentes.

Art. 122

(121 del Proyecto)

La implicancia i la recusacion de los funcionarios subalternos se reclamaran ante el tribunal que conozca del negocio en que aquellos deban intervenir, i se admitiran sin mas trámite cuando no necesiten fundarse en causa legal.

## Art. 123

### (122 del Proyecto)

Cuando deba espresarse causa, no se dará curso a la solicitud de implicancia o de recusacion de los funcionarios que a continuacion se enumeran, a ménos que el ocurrente estuviere declarado pobre, si no se acompaña boleta de consignacion en alguna tesorería fiscal, de las cantidades que en seguida se espresan, para responder a la multa de que habla el artículo ciento veintisiete.

En la implicancia o recusacion del presidente, ministros o fiscales de la Corte Suprema, ciento cincuenta pesos. En la del presidente, ministros o fiscales de la Corte de Apelaciones, cien pesos. En la de un juez letrado o de su subrogante legal, árbitro de única, de primera o de segunda instancia, defensor público o promotor fiscal, cincuenta pesos. En la de un relator, perito o secretario, treinta pesos. En la de un receptor de mayor cuantía, veinte pesos. En la de un juez de menor cuantia, cinco pesos.

La consignacion ordenada en este artículo se elevará al doble cuando se trate de la segunda solicitud de inhabilitacion deducida por la misma parte, al triple en la tercera i así sucesivamente.

## Art. 124

### (123 del Proyecto)

Si la causa alegada no fuere legal, o no la constituyen los hechos en que se funda, o si éstos no se especificaren debidamente, el tribunal desechará desde luego la solicitud.

En el caso contrario, declarará bastante la causal, i si los hechos en que se funda constaren al tribunal o resultaren de los antecedentes acompañados o que el mismo tribunal de oficio mandare agregar, se declarará, sin mas trámites, la implicancia o recusacion.

Cuando no constare al tribunal o no apareciere de manifiesto la causa alegada, se procederá en conformidad a las reglas jenerales de los incidentes, formándose pieza separada.

## Art. 125

### (124 del Proyecto)

Una vez aceptada como bastante la causal de inhabilitacion, o declarada ésta con arreglo al inciso segundo del artículo anterior, se pondrá dicha declaracion en conocimiento del funcionario cuya implicancia o recusacion se hubiere pedido, para que se abstenga de intervenir en el asunto de que se trata miéntras no se resuelva el incidente.

## Art. 126

### (125 del Proyecto)

Si la inhabilitacion se refiere a un juez de tribunal unipersonal, el que deba subrogarlo conforme a la lei continuará conociendo en todos los trámites anteriores a la citacion para sentencia, i en este estado se suspenderá el curso del juicio hasta que se declare si ha o no lugar a la inhabilitacion.

Si ésta se pidiere para un juez de tribunal colejiado, continuará funcionando el mismo tribunal, constituido legalmente, con esclusion del miembro o miembros que se intente inhibir, i se suspenderá el juicio como en el caso anterior.

Cuando se trate de otros funcionarios, seran reemplazados, mientras dure el incidente, por los que deban subrogarlos segun la lei; i si se rechazare la inhibicion, el que la hubiere solicitado pagará al funcionario subrogado los derechos correspondientes a las actuaciones practicadas por el subrogante, sin perjuicio de que éste tambien los perciba.

### ART. 127

(126 del Proyecto)

Si la implicancia o la recusacion fuere desechada, se condenará en las costas al que la hubiere reclamado, i se le impondrá una multa que no baje de la mitad ni esceda del doble de la suma consignada en conformidad al artículo ciento veintitres.

Esta multa se elevará al doble cuando se trate de la segunda solicitud de inhabilitacion deducida por la misma parte, al triple en la tercera i así sucesivamente.

El tribunal fijará la cuantia de la multa, tomando en cuenta la categoría del funcionario contra quien se hubiere reclamado, la importancia del juicio, la fortuna del litigante i la circunstancia de haberse procedido o no con malicia. Ordenará ademas que, en caso de no pagar el multado todo o parte de la multa, por estar declarado pobre o por no ser suficiente la consignacion, sufra un arresto de uno a veinte dias.

Sin perjuicio de lo dispuesto en los incisos precedentes, podran los tribunales, a peticion de parte o de oficio, despues de haberse rechazado en la causa dos o mas recusaciones interpuestas por un mismo litigante, fijar a éste i compartes un plazo razonable para que dentro de él deduzcan todas las que conceptúen procedentes a su derecho, bajo apercibimiento de no ser oidos despues respecto de aquellas causales que se funden en hechos o circunstancias que hubieren acaecido con anterioridad al decreto que fija dicho plazo.

Las recusaciones que se interpusieren por causas sobrevinientes a la fecha de este decreto seran admitidas previa consignacion de la multa, i, en caso de ser desestimadas, pueden tambien las Cortes imponer al recurrente, a mas de la multa establecida, otra que no deberá esceder de dos mil pesos por cada instancia de recusacion.

## Art. 128

### (127 del Proyecto)

Paralizado el incidente de implicancia o de recusacion por mas de diez dias, sin que la parte que lo hubiere promovido haga jestiones conducentes para ponerlo en estado de que sea resuelto, el tribunal lo declarará de oficio abandonado, con citacion del recusante.

## Art. 129

### (128 del Proyecto)

Antes de pedir la recusacion de un juez al tribunal que deba conocer del incidente, podrá el recusante ocurrir al mismo recusado, si funcionare solo, o al tribunal de que forme parte, esponiéndole la causa en que la recusacion se funda i pidiéndole la declare sin mas trámite.

Rechazada esta solicitud, podrá deducirse la recusacion ante el tribunal correspondiente.

## ART. 130

(129 del Proyecto)

Los jueces o funcionarios subalternos que se consideren comprendidos en alguna de las causas legales de implicancia o de recusacion, deberan, tan pronto como tengan noticia de ello, hacerlo constar en el proceso, declarándose inhabilitados para continuar funcionando, o pidiendo se haga esta declaracion por el tribunal de que formen parte o que conozca del asunto en que deban intervenir.

Las partes podran, sin embargo, convenir en que continúe el funcionario inhabilitado, salvo que la inhabilitacion se fundare en alguna de las causas siguientes:

Primera. Ser el juez parte en el pleito o tener en él interes personal;

Segunda. Ser el juez consorte, o pariente consanguíneo lejítimo en cualquiera de los grados de la línea recta i en la colateral hasta el segundo grado inclusive, o ser padre o hijo natural de alguna de las partes o de sus representantes legales;

Tercera. Ser el juez tutor o curador de alguna de las partes, o ser albacea de alguna sucesion, o síndico de alguna quiebra o concurso, o administrador de algun establecimiento o representante de alguna persona jurídica que figure como parte en el juicio;

Cuarta. Ser el juez ascendiente o descendiente lejítimo, padre o hijo natural del abogado de alguna de las partes;

Quinta. Haber sido el juez abogado o apoderado de alguna de las partes en la causa actualmente sometida a su conocimiento;

Sesta. Tener el juez, su consorte, ascendientes o descendientes lejítimos, padres o hijos naturales, causa pendiente en que deba fallar como juez alguna de las partes;

Sétima. Tener el juez, su consorte, ascendientes o descendientes lejítimos, padres o hijos naturales, causa pendiente en que se ventile la misma cuestion que el juez debe fallar;

Octava. Haber el juez manifestado su dictámen sobre la cuestion pendiente, con conocimiento de los antecedentes necesarios para pronunciar sentencia; i

Novena. Ser el juez, su consorte, o alguno de sus ascendientes o descendientes lejítimos, padres o hijos naturales, heredero instituido en testamento por alguna de las partes.

## ART. 131

### (130 del Proyecto)

Las sentencias que se dictaren en los incidentes sobre implicancia o recusacion seran inapelables, salvo la que pronuncie el juez de tribunal unipersonal desechando la implicancia deducida ante él, aceptando la recusacion en el caso del artículo ciento veintinueve, o declarándose de oficio inhabilitado en conformidad al artículo precedente, por alguna causa que no sea de las que el mismo artículo prohibe a las partes renunciar.

Toda sentencia sobre implicancia o recusacion será tras crita de oficio al juez o tribunal a quien afecte.

## ART. 132

### (131 del Proyecto)

La recusacion i la implicancia que deban surtir efecto en diversos juicios de las mismas partes, podran hacerse valer en una sola jestion.

## ART. 133

### (Agregado por la Comision)

Cuando fueren varios los demandantes o los demandados, la implicancia o recusacion deducida por alguno de ellos, no podrá renovarse por los otros, a ménos de fundarse en alguna causa personal del recusante.

# TÍTULO XIII

## DEL PRIVILEJIO DE POBREZA

## ART. 134

### (132 del Proyecto)

El privilejio de pobreza será declarado por sentencia judicial. Los que lo obtuvieren usaran en sus solicitudes i actuaciones el papel sellado de ménos valor, i tendran derecho para ser gratuitamente servidos por los funcionarios del órden judicial, i por los abogados, procuradores i oficiales subalternos designados para prestar servicios a los litigantes pobres. Salvo que la lei espresamente ordene otra cosa, quedaran tambien exentos del pago de las multas establecidas para los litigantes; pero si procedieren con notoria malicia, podrá el tribunal imponer la multa correspondiente, conmutable en arresto de un dia por cada dos pesos.

## Art. 135

### (133 del Proyecto)

Si el litigante pobre obtuviere en el juicio será obligado a destinar una décima parte del valor líquido que resultare a su favor para el pago de los honorarios i derechos causados, distribuyéndose esta suma a prorrata entre todos los interesados, si no alcanzaren a ser íntegramente cubiertos de lo que se les adeudare.

## Art. 136

### (134 del Proyecto)

Cuando el litigante declarado pobre no jestionare personalmente ni tuviere en el proceso mandatario constituido en forma legal, entrará a representarlo el procurador de pobres, sin que sea necesario mandato espreso.

## Art. 137

(135 del Proyecto)

En las jestiones para obtener privilejio de pobreza se usará el papel sellado que corresponda, segun las reglas jenerales; pero los derechos que se causaren solo podran reclamarse en caso de que no se dé lugar a la solicitud.

## Art. 138

(136 del Proyecto)

El privilejio de pobreza podrá solicitarse en cualquier estado del juicio i aun ántes de su iniciacion, i deberá siempre pedirse al tribunal a quien corresponda conocer en primera instancia del asunto en que haya de tener efecto.

Podrá tramitarse en una sola jestion para varias causas determinadas i entre las mismas partes, si el conocimiento de todas correspondiere al mismo tribunal en primera instancia.

## Art. 139

(137 del Proyecto)

El privilejio de pobreza se tramitará en cuaderno separado i se espresaran al solicitarlo los motivos en que se funde. El tribunal ordenará que se rinda informacion para acreditarlos, con solo la citacion de la parte contra quien litigare o hubiere de litigar el que solicita el privilejio.

### Art. 140

(138 del Proyecto)

Si la parte citada no se opusiere dentro de tercero dia a la concesion del privilejio, se rendirá la informacion i se resolverá con el mérito de ella i de los demas antecedentes acompañados o que el tribunal mandare agregar.

Si hubiere oposicion, se tramitará el incidente en conformidad a las reglas jenerales.

### Art. 141

(139 del Proyecto)

En la jestion de privilejio de pobreza seran oidos los funcionarios judiciales a quienes pueda afectar su concesion, si se presentaren oponiéndose ántes de que el incidente se resuelva. Cuando fueren varios los que dedujeren la oposicion, litigaran por una cuerda en los trámites posteriores a la presentacion.

### Art. 142

(140 del Proyecto)

Seran materia de la informacion, o de la prueba en su caso, las circunstancias invocadas por el que pide el privilejio, i ademas la fortuna del solicitante, su profesion o industria, sus rentas, sus deudas, las cargas personales o de familia que le gravaren, sus aptitudes intelectuales i físicas para ganar la subsistencia, sus gastos necesarios o de lujo, las comodidades de que goce, i cualesquiera otras que el tribunal juzgue conveniente averiguar para formar juicio sobre los fundamentos del privilejio.

## Art. 143

(141 del Proyecto)

Se estimará como presuncion legal de pobreza la circunstancia de encontrarse preso el que solicita el privilejio, sea por sentencia condenatoria, sea durante la sustanciacion del juicio criminal.

## Art. 144

(142 del Proyecto)

Podrá dejarse sin efecto el privilejio despues de otorgado, siempre que se justifiquen circunstancias que habrian bastado para denegarlo.

Podrá tambien otorgarse el privilejio despues de rechazado, si se prueba un cambio de fortuna o de circunstancias que autoricen esta concesion.

# TÍTULO XIV

## DE LAS COSTAS

### Art. 145

(143 del Proyecto)

Cuando una de las partes fuere condenada a pagar las costas de la causa, o de algun incidente o jestion particular, se procederá a tasarlas en conformidad a las reglas siguientes.

## ART. 146

(144 del Proyecto)

Las costas se dividen en *procesales* i *personales*.

Son procesales las causadas en la formacion del proceso i que correspondan a servicios estimados en los aranceles judiciales.

Son personales los provenientes de los honorarios de los abogados i demas personas que hayan intervenido en el negocio, i de los defensores públicos en el caso del artículo doscientos noventa y seis de la *Lei de Organizacion i Atribuciones de los Tribunales*.

## ART. 147

(145 i 146 del Proyecto)

Solo se tasaran las costas procesales útiles, eliminándose las que correspondan a dilijencias o actuaciones innecesarias o no autorizadas por la lei, i las de actuaciones o incidentes en que hubiere sido condenada la otra parte.

El tribunal de la causa, en cada instancia, regulará el valor de las personales, i avaluará tambien las procesales con arreglo a la lei de aranceles. Esta funcion podrá delegarla en uno de sus miembros, si fuere colejiado, i en su secretario respecto de las costas procesales.

## Art. 148

(147 del Proyecto)

Hecha la tasacion de costas, en la forma prevenida por los artículos anteriores, i puesta en conocimiento de las partes, se tendrá por aprobada si ellas nada espusieren dentro de tercero dia.

## Art. 149

(148 del Proyecto)

Si alguna de las partes formulare objeciones, podrá el tribunal resolver de plano sobre ellas, o darles la tramitacion de un incidente.

## Art. 150

(149 del Proyecto)

La tasacion de costas, hecha segun las reglas precedentes, se entenderá sin perjuicio del derecho de las personas cuyos honorarios se hubieren tasado, para exijir de quien corresponda el pago de sus servicios en conformidad a la lei.

## Art. 151

(150 del Proye cto)

La parte que fuere vencida totalmente en un juicio o en un incidente, será condenada al pago de las costas.

Podrá con todo el tribunal eximirla de ellas, cuando apareciere que ha tenido motivos plausibles para litigar, sobre lo cual hará declaracion espresa en la resolucion.

Lo dispuesto en este artículo se entiende sin perjuicio de lo establecido en otras disposiciones de este Código.

## ART. 152

(151 del Proyecto)

Podrá el tribunal de segunda instancia eximir de las costas causadas en ella a la parte contra quien se dictare la sentencia, sea que mantenga o no las que en primera instancia se hubieren impuesto, espresándose en este caso los motivos especiales que autoricen la exencion.

## ART. 153

(152 del Proyecto)

No podrá condenarse al pago de costas cuando se hubieren emitido, por los jueces que concurran al fallo en un tribunal colejiado, uno o mas votos favorables a la parte que pierde la cuestion resuelta.

## ART. 154

(153 del Proyecto)

Cuando la parte que promueve un incidente dilatorio no obtuviere resolucion favorable, será precisamente condenada en las costas.

# TÍTULO XV

## DEL DESISTIMIENTO DE LA DEMANDA

### Art. 155

(154 del Proyecto)

Antes de notificada una demanda al reo, podrá el actor retirarla sin trámite alguno, i se considerará como no presentada. Despues de notificada, podrá en cualquier estado del juicio desistirse de ella ante el tribunal que conozca del asunto, i esta peticion se someterá a los trámites establecidos para los incidentes.

### Art. 156

(155 del Proyecto)

Si se hiciere oposicion al desistimiento o solo se aceptare condicionalmente, resolverá el tribunal si continúa o no el juicio, o la forma en que debe tenerse por desistido al actor.

### Art. 157

(156 del Proyecto)

La sentencia que acepte el desistimiento, haya o no habido oposicion, estinguirá las acciones a que él se refiera, con relacion a las partes litigantes i a todas las personas a quienes habria afectado la sentencia del juicio a que se pone fin.

## Art. 158

(157 del Proyecto)

El desistimiento de las peticiones que se formularen por via de reconvencion se entenderá aceptado, sin declaracion espresa, por el hecho de proponerse; salvo que la parte contraria deduzca oposicion dentro de tercero dia despues de notificada. En este caso se tramitará la oposicion como incidente i podrá su resolucion reservarse para la sentencia definitiva.

## TÍTULO XVI

### DEL ABANDONO DE LA INSTANCIA

## Art. 159

(158 del Proyecto)

La instancia se entiende abandonada cuando todas las partes que figuran en el juicio han cesado en su prosecucion durante tres años consecutivos, contados desde la última providencia.

## Art. 160

(159 del Proyecto)

El abandono podrá hacerse valer solo por el demandado, así en primera como en segunda instancia; pero no habrá lugar a alegarlo cuando se hubiere dictado sentencia de término en la causa.

## Art. 161

(160 del Proyecto)

Podrá alegarse el abandono por via de accion o de escepcion, i se tramitará como incidente.

## Art. 162

(161 del Proyecto)

Si, renovado el procedimiento, hiciere el demandado cualquiera jestion que no tenga por objeto alegar el abandono de la instancia, se considerará renunciado este derecho.

## Art. 163

(162 del Proyecto)

No se entenderan estinguidas por el abandono las acciones o escepciones de las partes; pero éstas perderan el derecho de continuar el procedimiento abandonado i de hacerlo valer en un nuevo juicio.

Subsistiran, sin embargo, con todo su valor los actos i contratos de que resulten derechos definitivamente constituidos.

## Art. 164

(163 del Proyecto)

No podrá alegarse el abandono de la instancia en los juicios de quiebra, o concursos de acreedores, ni en los de division o liquidacion de herencias, sociedades o comunidades.

## TÍTULO XVII

### DE LAS RESOLUCIONES JUDICIALES

#### ART. 165

(164 del Proyecto)

Las resoluciones judiciales se denominan *sentencias definitivas, sentencias interlocutorias, autos i decretos*.

Es *sentencia definitiva* la que pone fin a la instancia, resolviendo la cuestion o asunto que ha sido objeto del juicio.

Es *sentencia interlocutoria* la que falla un incidente del juicio, estableciendo derechos permanentes a favor de las partes, o resuelve sobre algun trámite que debe servir de base en el pronunciamiento de una sentencia definitiva o interlocutoria.

Se llama *auto* la resolucion que recae en un incidente no comprendido en el inciso anterior.

Se llama *decreto, providencia* o *proveido* el que, sin fallar sobre incidentes o sobre trámites que sirvan de base para el pronunciamiento de una sentencia, tiene solo por objeto determinar o arreglar la sustanciacion del proceso.

#### ART. 166

(165 del Proyecto)

Puesto el proceso en estado de sentencia, podran los tribunales, para mejor resolver, ordenar de oficio, pero dando de ello conocimiento a las partes, alguna o algunas de las siguientes medidas:

Primera. La agregacion de cualquier documento que estimen necesario para esclarecer el derecho de los litigantes;

Segunda. La confesion judicial de cualquiera de las partes sobre hechos que consideren de influencia en la cuestion i que no resulten probados;

Tercera. La inspeccion personal del objeto de la cuestion;

Cuarta. El dictámen de peritos;

Quinta. La comparecencia de testigos que hubieren declarado en el juicio, para que aclaren o espliquen sus dichos oscuros o contradictorios; i

Sesta. La presentacion de cualesquiera otros autos que tengan relacion con el pleito.

En este último caso, no quedaran los autos presentados en poder del tribunal que decrete esta medida sino el tiempo estrictamente necesario para su exámen, no pudiendo esceder de ocho dias este término si se tratare de autos pendientes.

Si en la práctica de alguna de estas medidas apareciere de manifiesto la necesidad de esclarecer nuevos hechos indispensables para dictar sentencia, podrá el tribunal abrir un término de prueba breve e improrrogable, limitado a los puntos que el mismo tribunal determine.

Las providencias que se espidan en conformidad al presente artículo seran inapelables, salvo las que se dictaren en los casos del número cuarto i del inciso precedente por un tribunal de primera instancia.

## Art. 167

### (166 del Proyecto)

Las sentencias se pronunciaran conforme al mérito del proceso, i no podran estenderse a puntos que no hayan sido espresamente sometidos a juicio por las partes, salvo en cuanto las leyes manden o permitan a los tribunales proceder de oficio.

## Art. 168

### (167 del Proyecto)

En los tribunales unipersonales el juez examinará por sí mismo los autos para dictar resolucion.

Los tribunales colejiados tomaran conocimiento del proceso por medio del relator o del secretario, sin perjuicio del exámen que los miembros del tribunal crean necesario hacer por sí mismos.

## Art. 169

### (168 del Proyecto)

Las causas se fallaran en los tribunales unipersonales tan pronto como estuvieren en estado i por el órden de su conclusion. El mismo órden se observará para designar las causas en los tribunales colejiados para su vista i decision.

Esceptúanse las cuestiones sobre desercion de recursos, depósito de personas, alimentos provisionales, competencia, acumulaciones, recusaciones, desahucio, juicios sumarios i ejecutivos, denegacion de justicia o de prueba i demas negocios que por la lei, o por acuerdo del tribunal fundado en circunstancias calificadas, deban tener preferencia, los cuales se antepondran a los otros asuntos desde que estuvieren en estado.

## ART. 170

### (169 del Proyecto)

En los tribunales colejiados se formará el dia último hábil de cada semana una tabla de los asuntos que verá el tribunal en la semana siguiente, con espresion del nombre de las partes, del dia en que cada uno deba tratarse i del número de órden que le corresponda.

Esta tabla se fijará en lugar visible, i ántes de que comience a tratar cada negocio, lo anunciará el tribunal, haciendo colocar al efecto en lugar conveniente el respectivo número de órden, el cual se mantendrá fijo hasta que se pase a otro asunto.

## ART. 171

### (170 del Proyecto)

Las causas se veran en el dia señalado. Si, concluida la hora de audiencia, quedare pendiente alguna i no se acordare prorrogar el acto, se continuará en los dias hábiles inmediatos hasta su terminacion.

## ART. 172

### (171 del Proyecto)

Solo podrá suspenderse en el dia designado al efecto la vista de una causa, o retardarse dentro del mismo dia:

Primero. Por impedirlo el exámen de las causas colocadas en lugar preferente, o la continuacion de la vista de otro pleito pendiente del dia anterior;

Segundo. Por falta de miembros del tribunal en número suficiente para pronunciar sentencia;

Tercero. Por muerte del procurador o del litigante que jestione por sí en el pleito;

Cuarto. Por solicitarlo de comun acuerdo los procuradores o los abogados de las partes;

Quinto. Por enfermedad del abogado de alguna de las partes que le imposibilite para asistir a la vista, debiendo esta circunstancia justificarse suficientemente a juicio del tribunal;

Sesto. Por muerte del cónyuje o de alguno de los descendientes o ascendientes lejítimos del abogado defensor, ocurrida dentro de los ocho dias anteriores al designado para la vista; i

Sétimo. Por tener alguno de los abogados otra vista o comparecencia a que asistir en el mismo dia i ante otro tribunal de primera o de segunda instancia. El acto que deba verificarse ante el tribunal de mayor jerarquía hará suspender los que correspondan a los tribunales inferiores; i si no hubiere diferencia de jerarquía, el acto que primero comenzare impedirá que se efectúen los restantes.

## ART. 173

### (172 del Proyecto)

Cuando haya de integrarse una sala con miembros que no pertenezcan a su personal ordinario, ántes de comenzar la vista, se pondrá por conducto del relator o secretario en conocimiento de las partes o de sus abogados el nombre de los integrantes, i se procederá a ver la causa inmediatamente, a ménos que en el acto se reclame de palabra o por escrito implicancia o recusacion contra alguno de ellos.

Formulada la reclamacion, se suspenderá la vista i deberá formalizarse aquella por escrito dentro de tercero dia, imponiéndose en caso contrario a la parte reclamante, por este solo hecho, una multa que no baje de cincuenta pesos ni exceda de ciento.

## ART. 174

### (173 del Proyecto)

Cuando la existencia de un delito hubiere de ser fundamento preciso de una sentencia civil o tuviere en ella influencia notoria, podran los tribunales suspender el pronunciamiento de ésta hasta la terminacion del proceso criminal, si en éste se hubiere dado lugar al procedimiento plenario.

Esta suspension podrá decretarse en cualquier estado del juicio, una vez que se haga constar la circunstancia mencionada en el inciso precedente.

Si en el caso de los dos incisos anteriores se formare incidente, se tramitará en pieza separada sin paralizar la marcha del juicio.

Con todo, si en el mismo juicio se ventilaren otras cuestiones que puedan tramitarse i resolverse sin aguardar el fallo del proceso criminal, continuará respecto de ellas el procedimiento sin interrupcion.

## Art. 175

(174 del Proyecto)

Los tribunales colejiados deberan funcionar, para la vista i decision de los asuntos civiles, con un número de miembros que no sea inferior al mínimum determinado en cada caso por la lei, i sus resoluciones se adoptaran por mayoría absoluta de votos.

## Art. 176

(175 del Proyecto)

En los tribunales colejiados los decretos podran dictarse por uno solo de sus miembros. Los autos, las sentencias interlocutorias i las definitivas, exijiran la concurrencia de tres de sus miembros, a lo ménos.

## Art. 177

(176 del Proyecto)

No podran tomar parte en el acuerdo los que no hubieren concurrido a la vista de la causa.

## Art. 178

(177 del Proyecto)

Ningun acuerdo podrá efectuarse sin que tomen parte todos los que como jueces hubieren concurrido a la vista, salvo los casos de los artículos siguientes.

## Art. 179

(178 del Proyecto)

Si ántes del acuerdo falleciere, o fuere destituido de su empleo, o suspendido en el ejercicio de sus funciones alguno de los jueces que concurrieron a la vista, se procederá a ver de nuevo el negocio.

## Art. 180

(179 del Proyecto)

Si ántes del acuerdo se imposibilitare por enfermedad alguno de los jueces que concurrieron a la vista, se esperará hasta por treinta dias su comparecencia al tribunal; i si, trascurrido este término, no pudiere comparecer, se hará nueva vista.

Podrá tambien, en este caso, verse de nuevo el asunto ántes de la espiracion de los treinta dias, si todas las partes convinieren en ello.

## Art. 181

(180 i 181 del Proyecto)

Sin perjuicio de lo dispuesto en los artículos ciento setenta i nueve i ciento ochenta  todos los jueces que hubieren asistido a la vista de un causa quedan obligados a concurrir al fallo de la misma, aunque hayan cesado en sus funciones, salvo que, a juicio del tribunal, se encuentren imposibilitados para intervenir en ella.

## Art. 182

**(182 del Proyecto)**

En los casos a que se refieren los tres artículos anteriores, no se verá de nuevo la causa, aunque deje de tomar parte en el acuerdo alguno o algunos de los que concurrieron a la vista, siempre que el tribunal quede compuesto de un número de miembros hábiles que no sea inferior al mínimum fijado por la lei.

## Art. 183

**(183 del Proyecto)**

Los tribunales colejiados celebraran sus acuerdos privadamente; pero podrán llamar a ellos a los relatores u otros empleados cuando lo estimen necesario.

## Art. 184

**(184 del Proyecto)**

Cuando alguno de los miembros del tribunal necesite estudiar con mas detenimiento el asunto que va a fallarse, se suspenderá el debate i se señalará, para volver a la discusion i al acuerdo, un plazo que no esceda de treinta dias, si varios miembros hicieren la peticion, i de quince dias cuando la hiciere uno solo.

## Art. 185

**(Agregado por la Comision)**

Si la causa no fuere fallada dentro de los treinta dias siguientes a la fecha en que se dejó en acuerdo, el tribunal dará cuenta semanalmente a la Corte Suprema de las razones que hubieren motivado el retardo.

## Art. 186

**(185 del Proyecto)**

En los acuerdos de los tribunales colejiados, despues de debatida suficientemente la cuestion o cuestiones promovidas, se observaran las reglas siguientes para formular la resolucion:

Primera. Se estableceran primeramente con precision los hechos sobre que versa la cuestion que debe fallarse, sin entrar en apreciaciones ni observaciones que no tengan por esclusivo objeto el esclarecimiento de los hechos;

Segunda. Si en el debate se hubiere suscitado cuestion sobre la exactitud o falsedad de uno o mas de los hechos controvertidos entre las partes, cada una de las cuestiones suscitadas será resuelta por separado;

Tercera. La cuestion que ya hubiere sido resuelta servirá de base, en cuanto la relacion o encadenamiento de los hechos lo exijiere, para la decision de las demas cuestiones que en el debate se hubieren suscitado;

Cuarta. Establecidos los hechos en la forma prevenida por las reglas anteriores, se procederá a aplicar las leyes que fueren del caso, si el tribunal estuviere de acuerdo en este punto;

Quinta. Si en el debate se hubieren suscitado cuestiones de derecho, cada una de ellas será resuelta por separado, i las cuestiones resueltas serviran de base para la resolucion de las demas; i

Sesta. Resueltas todas las cuestiones de hecho i de derecho que se hubieren suscitado, las resoluciones parciales del tribunal se tomaran por base para dictar la resolucion final del asunto.

## ART. 187

### (186 del Proyecto)

En los acuerdos de los tribunales colejiados dará primero su voto el ministro ménos antiguo, i continuaran los demas en órden inverso al de su antigüedad. El último voto será el del presidente.

## ART. 188

### (187 del Proyecto)

Se entenderá terminado el acuerdo cuando se obtenga mayoría legal sobre la parte resolutiva del fallo i sobre un fundamento, a lo ménos, en apoyo de cada uno de los puntos que dicho fallo comprenda.

Obtenido este resultado, se redactará la resolucion por el ministro que el tribunal señalare, el cual se ceñirá estrictamente a lo aceptado por la mayoría. Si se suscitare dificultad acerca de la redaccion, será decidida por el tribunal.

Aprobada la redaccion, se firmará la sentencia por todos los miembros del tribunal que hayan concurrido al acuerdo, a mas tardar en el término de tercero dia; i en ella se espresará, al final, el nombre del ministro que la hubiere redactado.

## Art. 189

### (188 del Proyecto)

En los autos i sentencias definitivas o interlocutorias de los tribunales colejiados, se espresará el nombre de los miembros que hayan sostenido una opinion distinta de la resolucion acordada.

Los miembros que no opinaren como la mayoría consignaran su opinion particular i los fundamentos en que la apoyan en un libro que con este objeto debe existir . en la secretaría del tribunal.

Podran tambien consignarse en el mismo libro las razones especiales que algunos de los miembros de la mayoría hayan tenido para formar sentencia i que no se hubieren espresado en ésta.

## Art. 190

### (189 del Proyecto)

Cuando en los acuerdos para formar resolucion resultare discordia de votos, cada opinion particular será sometida separadamente a votacion, i si ninguna de ellas obtuviere mayoría absoluta, se escluirá la opinion que reuna menor número de sufrajios en su favor, repitiéndose la votacion entre los restantes.

Si la esclusion pudiera corresponder a mas de una opinion por tener igual número de votos, decidirá el tribunal cual de ellas debe ser escluida; i si tampoco resultare mayoría para decidir la esclusion, se llamaran tantos jueces cuantos sean necesarios para que cualquiera de las opiniones pueda formar sentencia, debiendo en todo caso quedar constituido el tribunal con un número impar de miembros.

Los jueces que hubieren sostenido una opinion escluida, deberan optar por algunas de las otras sometidas a votacion.

El procedimiento de este artículo se repetirá cada vez que ocurran las circunstancias mencionadas en él.

## Art. 191

### (190 del Proyecto)

Cuando en el caso del inciso segundo del artículo anterior se llamaren otros jueces para dirimir una discordia, se verá la causa por los mismos miembros que hubieren asistido a la primera vista i los nuevamente llamados.

Antes de comenzar el acto podran los jueces discordantes aceptar por sí solos una opinion que reuna la mayoría necesaria para formar sentencia, quedando sin lugar la nueva vista, la cual se efectuará únicamente en el caso de mantenerse la discordia.

Si, vista de nuevo la causa, ninguna opinion obtuviere mayoría legal, se limitará la votacion a las que hubieren quedado pendientes al tiempo de llamarse a los nuevos jueces.

## Art. 192

(191 del Proyecto)

Toda resolucion, de cualquiera clase que sea, deberá espresar en letras la fecha i lugar en que se espida, llevará al pié la firma del juez o jueces que la dictaren o intervinieren en el acuerdo.

Cuando despues de acordada una resolucion i siendo varios los jueces se imposibilitare alguno de ellos para firmarla, bastará que se esprese esta circunstancia en el mismo fallo.

## Art. 193

(192 del Proyecto)

Las sentencias definitivas de primera instancia i las de segunda instancia que modifiquen o revoquen las de otros tribunales, contendran:

Primero. La designacion precisa de las partes litigantes, su domicilio i profesion u oficio;

Segundo. La enunciacion breve de las peticiones o acciones deducidas por el demandante i de sus fundamentos;

Tercero. Igual enunciacion de las escepciones o defensas alegadas por el reo;

Cuarto. Las consideraciones de hecho o de derecho que sirven de fundamento a la sentencia;

Quinto. La enunciacion de las leyes, i en su defecto, de los principios de equidad con arreglo a los cuales se pronuncia el fallo; i

Sesto. La decision del asunto controvertido. Esta decision deberá comprender todas las acciones i escepciones que se hubieren hecho valer en el juicio; pero podrá omitirse la resolucion de aquellas que fueren incompatibles con las aceptadas.

En la sentencia definitiva de segunda instancia que modifique o revoque la de primera, no es necesario reproducir la esposicion que ésta contenga sobre las tres primeras circunstancias mencionadas en el presente artículo, pues bastará referirse a ella.

## Art. 194

### (193 del Proyecto)

En las sentencias interlocutorias i en los autos se espresaran, en cuanto la naturaleza del negocio lo permita, a mas de la decision del asunto controvertido, las circunstancias mencionadás en los números cuarto i quinto del artículo precedente.

## Art. 195

### (194 del Proyecto)

Cuando en un mismo juicio se ventilen dos o mas cuestiones que puedan ser resueltas separada o parcialmente, sin que ello ofrezca dificultad para la marcha del proceso, i alguna o algunas de dichas cuestiones o parte de ellas, llegaren al estado de sentencia ántes que termine el procedimiento en las restantes, podrá el tribunal fallar desde luego las primeras.

En este caso se formará cuaderno separado con com-

pulsa de todas las piezas necesarias para dictar el fallo i
ejecutarlo, a costa del que solicite la separacion.


## Art. 196

(195 del Proyecto)

Cuando una de las partes hubiere de ser condenada
a la devolucion de frutos o a la indemnizacion de perjuicios, i se hubiere litigado sobre su especie i monto, la
sentencia determinará la cantidad líquida que por estas
causas deba abonarse, o declarará sin lugar el pago, si
no resultaren probadas la especie i monto de lo que se
cobra o, por lo ménos, las bases que deban servir para
su liquidacion al ejecutarse la sentencia.

En el caso de que no se hubiere litigado sobre la especie i monto de los frutos o perjuicios, el tribunal reservará a las partes el derecho de discutir esta cuestion en
la ejecucion del fallo o en otro juicio diverso.


## Art. 197

(196 del Proyecto)

Se entenderá firme o ejecutoriada una resolucion desde
que se hubiere notificado a las partes, si no procede recurso alguno en contra de ella; i, en caso contrario, desde
que se notifique el decreto que la mande cumplir, una
vez que terminen los recursos deducidos, o desde que
trascurran todos los plazos que la lei concede para la
interposicion de dichos recursos, sin que se hubieren
hecho valer por las partes. En este último caso, tratándose de sentencias definitivas, certificará el hecho el

secretario del tribunal a continuacion del fallo, el cual se considerará firme desde este momento, sin mas trámites.

## ART. 198

**(197 del Proyecto)**

Las sentencias definitivas o interlocutorias firmes producen la accion o la escepcion de cosa juzgada.

## ART. 199

**(198 del Proyecto)**

Corresponde la accion de cosa juzgada a aquel a cuyo favor se ha declarado un derecho en el juicio, para el cumplimiento de lo resuelto o para la ejecucion del fallo en la forma prevenida por el Título diecinueve de este Libro.

## ART. 200

**(199 del Proyecto)**

La escepcion de cosa juzgada puede alegarse por el litigante que hubiere obtenido en el juicio i por todos aquellos a quienes segun la lei aprovecha el fallo, siempre que entre la nueva demanda i la anteriormente resuelta, hubiere:

Primero. Identidad legal de personas;

Segundo. Identidad de la cosa pedida; i

Tercero. Identidad de la causa de pedir.

Se entiende por *causa de pedir* el fundamento inmediato del derecho deducido en juicio.

## Art. 201

**(200 del Proyecto)**

En los juicios civiles podran hacerse valer las sentencias dictadas en un proceso criminal siempre que condenen al reo.

## Art. 202

**(201 del Proyecto)**

Las sentencias que absuelvan de la acusacion o que ordenen el sobreseimiento definitivo, solo produciran cosa juzgada en materia civil, cuando se funden en alguna de las circunstancias siguientes:

Primera. La no existencia del delito o cuasi-delito que ha sido materia del proceso. No se entenderan comprendidos en este número los casos en que la absolucion o sobreseimiento provengan de la existencia de circunstancias que eximan de responsabilidad criminal;

Segunda. No existir relacion alguna entre el hecho que se persigue i la persona acusada, sin perjuicio de la responsabilidad civil que pueda afectarle por actos de terceros, o por daños que resultaren de accidentes, en conformidad a lo establecido en el Título treinta i cinco, Libro cuarto, del Código Civil; i

Tercera. No existir en autos indicio alguno en contra del acusado, no pudiendo en tal caso alegarse la cosa juzgada sino respecto de las personas que hubieren intervenido en el proceso criminal como partes directas o coadyuvantes.

Las sentencias absolutorias o de sobreseimiento en

materia criminal relativas a los tutores, curadores, albaceas, síndicos, depositarios, tesoreros i demas personas que hayan recibido valores u objetos muebles por un título de que nazca obligacion de devolverlos, no produciran en ningun caso cosa juzgada en materia civil.

## Art. 203

(202 del Proyecto)

Siempre que la sentencia criminal produzca cosa juzgada en juicio civil, no será lícito en éste tomar en consideracion pruebas o alegaciones incompatibles con lo resuelto en dicha sentencia o con los hechos que le sirvan de necesario fundamento.

## Art.ᵒ 204

(203 del Proyecto)

Los autos i decretos firmes se ejecutaran i mantendran desde que adquieran este carácter, sin perjuicio de la facultad del tribunal que los hubiere pronunciado para modificarlos o dejarlos sin efecto, si se hicieren valer nuevos antecedentes que así lo exijan.

Aun sin estos antecedentes, podrá pedirse, ante el tribunal que dictó el auto o decreto, su reposicion, dentro de cinco dias fatales despues de notificado. La resolucion que niegue lugar a esta solicitud será inapelable; sin perjuicio de la apelacion del fallo reclamado, si fuere procedente el recurso.

## Art. 205

**(204 del Proyecto)**

Notificada una sentencia definitiva o interlocutoria a alguna de las partes, no podrá el tribunal que la dictó alterarla o modificarla en manera alguna. Podrá, sin embargo, a solicitud de parte, aclarar los puntos oscuros o dudosos, salvar las omisiones i rectificar los errores de copia, de referencia o de cálculos numéricos que aparecieren de manifiesto en la misma sentencia.

## Art. 206

**(205 del Proyecto)**

Hecha la reclamacion, podrá el tribunal pronunciarse sobre ella sin mas trámite o despues de oir a la otra parte; i miéntras tanto suspenderá o no los trámites del juicio o la ejecucion de la sentencia, segun la naturaleza de la reclamacion.

## Art. 207

**(206 del Proyecto)**

Los tribunales, en el caso del artículo doscientos cinco, podrán tambien de oficio rectificar, dentro de los cinco dias siguientes a la primera notificacion de la sentencia, los errores indicados en dicho artículo.

## Art. 208

(207 del Proyecto)

Las aclaraciones, agregaciones o rectificaciones mencionadas en los tres artículos precedentes, podrán hacerse no obstante la interposicion de recursos sobre la sentencia a que aquéllas se refieren.

# TÍTULO XVIII

## DE LA APELACION

## Art. 209

(208 del Proyecto)

El recurso de apelacion tiene por objeto obtener del tribunal superior respectivo que enmiende, con arreglo a derecho, la resolucion del inferior.

## Art. 210

(209 del Proyecto)

Son apelables todas las sentencias definitivas i las interlocutorias de primera instancia, salvo en los casos en que la lei deniegue espresamente este recurso.

## Art. 211

(210 del Proyecto)

Los autos i decretos no son apelables cuando ordenan trámites necesarios para la sustanciacion regular del juicio; pero son apelables cuando alteran dicha sustanciacion o recaen sobre trámites que no están espresamente ordenados por la lei.

ART. 212

(211 del Proyecto)

La apelacion deberá interponerse en el término fatal de cinco dias, contados desde la notificacion de la parte que entabla el recurso.

ART. 213

(212 del Proyecto)

El término para apelar no se suspende por la solicitud de reposicion a que se refiere el artículo doscientos cuatro.

Tampoco se suspende por la solicitud de aclaracion, agregacion o rectificacion de la sentencia definitiva o interlocutoria. El fallo que resuelva acerca de dicha solicitud o en que de oficio se hagan rectificaciones conforme al artículo doscientos siete, será apelable en todos los casos en que lo seria la sentencia a que se refiera, con tal que la cuantía de la cosa declarada, agregada o rectificada admita el recurso.

ART. 214

(213 del Proyecto)

Cuando la apelacion comprenda los efectos *suspensivo* i *devolutivo* a la vez, se suspenderá la jurisdiccion del tribunal inferior para seguir conociendo de la causa.

Podrá, sin embargo, entender en todos los asuntos en que por disposicion espresa de la lei conserve jurisdiccion, especialmente en las jestiones a que dé oríjen la interposicion del recurso hasta que se eleven los autos al superior, i en las que se hicieren para declarar desierta o prescrita la apelacion ántes de la remision del espediente.

### Art. 215

(214 del Proyecto)

Cuando la apelacion proceda solo en el efecto *devolutivo*, seguirá el tribunal inferior conociendo de la causa hasta su terminacion, inclusa la ejecucion de la sentencia definitiva.

### Art. 216

(215 del Proyecto)

Cuando se otorga simplemente apelacion, sin limitar sus efectos, se entenderá que comprende el devolutivo i el suspensivo.

### Art. 217

(216 del Proyecto)

Sin perjuicio de las escepciones espresamente establecidas en la lei, se concederá apelacion solo en el efecto devolutivo:

Primero. De las resoluciones dictadas contra el demandado en los juicios ejecutivos i sumarios;

Segundo. De los autos i decretos cuyos resultados serian eludidos, admitiéndose la apelacion en ambos efectos;

Tercero. De las resoluciones pronunciadas en el incidente sobre ejecucion de una sentencia firme, definitiva o interlocutoria; i

Cuarto. De todas las demas resoluciones que por disposicion de la lei solo admitan apelacion en el efecto devolutivo.

### Art. 218

(217 del Proyecto)

Fuera de los casos determinados en el artículo precedente, la apelacion deberá otorgarse en ambos efectos.

### Art. 219

(218 del Proyecto)

Si el tribunal inferior otorgare apelacion en el efecto devolutivo, debiendo concederla tambien en el suspensivo, la parte agraviada podrá pedir al superior que desde luego declare admitida la apelacion en ámbos efectos; sin perjuicio de que pueda solicitarse igual declaracion, por via de reposicion, del tribunal que concedió el recurso.

Lo mismo se observará cuando se conceda apelacion en ambos efectos, debiendo otorgarse únicamente en el devolutivo, i cuando la apelacion concedida fuere improcedente. En este último caso podrá tambien de oficio el tribunal superior declarar sin lugar el recurso.

Las declaraciones que haga el superior en conformidad a los dos incisos anteriores, se comunicaran al inferior para que se abstenga, o siga conociendo del negocio, segun los casos.

### ART. 220

(219 del Proyecto)

Cuando se conceda apelacion solo en el efecto devolutivo, el tribunal inferior hará dejar, a costa del apelante, copia del fallo apelado i de las demas piezas que estime necesarias para la marcha del juicio, remitiendo los autos orijinales. Podrá, sin embargo, conservar éstos i remitir copia de las piezas necesarias para la resolucion de la apelacion, si, observándose el procedimiento contrario, fuere mucho mayor el gasto ocasionado al apelante.

### ART. 221

(220 del Proyecto)

La remision del proceso se hará por el tribunal inferior en el dia siguiente al de la última notificacion.

En el caso del artículo anterior, podrá ampliarse este plazo por todos los dias que, atendida la estension de las copias que hubieren de sacarse, estime necesario dicho tribunal.

### ART. 222

(221 del Proyecto)

Si el apelante, requerido para que haga sacar las copias a que se refieren los artículos doscientos veinte i doscientos veintiuno, no lo hiciere dentro del plazo que se le señale al efecto, podrá el tribunal que concedió la apelacion declararla desierta, sin mas trámite.

## ART. 223

(222 del Proyecto)

Las partes tendran el plazo de tres dias para comparecer ante el tribunal superior a seguir el recurso interpuesto, contado este plazo desde que se reciban los autos en la secretaria del tribunal de segunda instancia.

Cuando los autos se remitan de un tribunal de primera instancia que funcione fuera de la cabecera del departamento en que resida el de alzada, o en otro departamento diverso, se aumentará este plazo en la misma forma que el de emplazamiento para contestar demandas, segun lo dispuesto en los artículos doscientos cincuenta i cinco i doscientos cincuenta i seis.

## ART. 224

(223 del Proyecto)

Si no compareciere el apelante o no espresare agravios oportunamente, el apelado pedirá que se declare desierta la apelacion.

El tribunal, en el primer caso, resolverá con solo el mérito del certificado del secretario; pudiendo pedirse siempre dentro de tercero dia reposicion del fallo que se dictare, si se hubiere fundado en un error de hecho.

## Art. 225

**(224 del Proyecto)**

Si no compareciere el apelado, se seguirá el juicio en su rebeldia.

## Art. 226

**(225 del Proyecto)**

Si el tribunal inferior denegare un recurso de apelacion que ha debido concederse, la parte agraviada podrá ocurrir al superior respectivo, dentro del plazo que concede el artículo doscientos veintitres, contado desde la notificacion de la negativa, para que declare admisible dicho recurso.

## Art. 227

**(226 del Proyecto)**

El tribunal superior pedirá al inferior informe sobre el asunto en que hubiere recaido la negativa, i con el mérito de lo informado resolverá si es o no admisible el recurso.

Podrá el tribunal superior ordenar al inferior la remision del proceso, siempre que a su juicio fuere necesario examinarlo para dictar una resolucion acertada.

Podrá asimismo ordenar que no se innove cuando hubiere antecedentes que justifiquen esta medida.

## Art. 228

(227 del Proyecto)

Si el tribunal superior declarase inadmisible el recurso, lo comunicará al inferior devolviéndole el proceso si se hubiere elevado.

Si el recurso fuere declarado admisible, el tribunal superior ordenará al inferior la remision del proceso, o lo retendrá si se hallare en su poder, i le dará la tramitacion que corresponda.

## Art. 229

(228 del Proyecto)

En el caso del segundo inciso del artículo precedente, quedarán sin efecto las jestiones posteriores a la negativa del recurso i que sean una consecuencia inmediata i directa del fallo apelado.

## Art. 230

(229 del Proyecto)

Sin perjuicio de las facultades concedidas por el artículo ciento sesenta i seis, pueden los tribunales de alzada admitir a las partes las pruebas que no hubieren producido en primera instancia; pero la testimonial solo cuando no se hubiere podido rendir en dicha instancia i acerca de hechos que no figuren en la prueba rendida i que sean estrictamente necesarios en concepto del tribunal para la acertada resolucion del juicio.

### ART. 231

(230 del Proyecto)

Podrá el tribunal de alzada fallar las cuestiones ventiladas en primera instancia i sobre las cuales no se hubiere pronunciado la sentencia apelada por ser incompatibles con lo resuelto en ella, sin que se requiera nuevo pronunciamiento del tribunal inferior.

### ART. 232

(231 del Proyecto)

Del mismo modo podrá el tribunal de segunda instancia, previa audiencia del ministerio público, hacer de oficio en su sentencia las declaraciones que por la lei son obligatorias a los jueces, aun cuando el fallo apelado no las contenga.

Si en virtud de estas declaraciones se estableciere la incompetencia del tribunal para entender en la cuestion sometida a su conocimiento, podrá apelarse de la resolucion para ante el tribunal superior que corresponda, salvo que la declaracion fuere hecha por la Corte Suprema.

## Art. 233

(232 del Proyecto)

Las resoluciones que recaigan en los incidentes que se promuevan en segunda instancia, se dictarán solo por el tribunal de alzada i no serán apelables.

## Art. 234

(233 del Proyecto)

Si, concedida una apelacion, dejaren las partes trascurrir mas de un año sin que se haga jestion alguna para que el recurso se lleve a efecto i quede en estado de fallarse por el superior, podrá cualquiera de ellas pedir al tribunal en cuyo poder exista el espediente que declare firme la resolucion apelada. El plazo será de seis meses cuando la apelacion versare sobre autos o decretos.

Interrúmpese esta prescripcion por cualquiera jestion que se haga en el juicio ántes de alegarla.

## Art. 235

(234 del Proyecto)

Del fallo que declare admitida la prescripcion en el caso del artículo precedente podrá pedirse reposicion dentro de tercero dia, si apareciere fundado en un error de hecho.

# TITULO XIX

## DE LA EJECUCION DE LAS RESOLUCIONES

### Párrafo Primero

### DE LAS RESOLUCIONES PRONUNCIADAS POR TRIBUNALES CHILENOS

#### ART. 236

(235 del Proyecto)

La ejecucion de las resoluciones corresponde a los tribunales que las hubieren pronunciado en primera o en única instancia. Se procederá a ella una vez que las resoluciones queden ejecutoriadas en conformidad al artículo ciento noventa i siete, i se devuelvan los autos por el superior que hubiere conocido de los recursos interpuestos.

No obstante, los tribunales que conozcan de los recursos de apelacion, casacion o revision, ejecutarán los fallos que dictaren para la sustanciacion de dichos recursos. Podrán tambien decretar el pago de las costas adeudadas a los funcionarios que hubieren intervenido en ellos, reservando el de las demas costas para que sea decretado por el tribunal de primera instancia.

#### ART. 237

(236 del Proyecto)

La ejecucion de las resoluciones que ordenen el cumplimiento de una obligacion de dar, de hacer o de no hacer se sujetará a los trámites establecidos en los Títulos primero i segundo del Libro tercero de este Código, para los juicios ejecutivos que tratan del cumplimiento de esta clase de obligaciones.

## Art. 238

### (237 del Proyecto)

Siempre que la ejecucion de una sentencia definitiva hiciere necesaria la iniciacion de un nuevo juicio, podrá éste deducirse ante el tribunal que menciona el inciso primero del artículo doscientos treinta i seis, o ante el que sea competente en conformidad a los principios jenerales establecidos por la lei, a eleccion de la parte que hubiere obtenido en el pleito.

## Párrafo Segundo

### DE LAS RESOLUCIONES PRONUNCIADAS POR TRIBUNALES ESTRANJEROS

## Art. 239

### (238 del Proyecto)

Las resoluciones pronunciadas en pais estranjero tendran en Chile la fuerza que les concedan los tratados respectivos; i para su ejecucion se seguiren los procedimientos que establezca la lei chilena, en cuanto no aparezcan modificados por dichos tratados.

## Art. 240

### (239 del Proyecto)

Si no existieren tratados relativos a esta materia con la nacion de que procedan las resoluciones, se les dará la misma fuerza que en ella se diere a los fallos pronunciados en Chile.

## Art. 241

### (240 del Proyecto)

Si la resolucion procede de un pais en que no se da cumplimiento a los fallos de los tribunales chilenos, no tendrá fuerza en Chile.

## Art. 242

### (241 del Proyecto)

En los casos en que no pudiere aplicarse ninguno de los tres artículos precedentes, las resoluciones de tribunales estranjeros tendran en Chile la misma fuerza que si se hubieren dictado por tribunales chilenos, con tal que reunan las circunstancias siguientes:

Primera. Que no contengan nada contrario a las leyes de la República. Pero no se tomaran en consideracion las leyes de procedimiento a que hubiera debido sujetarse en Chile la sustanciacion del juicio;

Segunda. Que tampoco se opongan a la jurisdiccion nacional;

Tercera. Que no hayan sido dictadas en rebeldia; i

Cuarta. Que estén ejecutoriadas en conformidad a las leyes del pais en que hubieren sido pronunciadas.

## ART. 243

**(242 del Proyecto)**

Las reglas de los artículos precedentes son aplicables a las resoluciones espedidas por jueces árbitros. En este caso se hará constar su autenticidad i eficacia por el visto-bueno u otro signo de aprobacion emanado de un tribunal superior ordinario del pais donde se hubiere dictado el fallo.

## ART. 244

**(243 del Proyecto)**

En todos los casos a que se refieren los artículos precedentes, la resolucion que se trate de ejecutar se presentará a la Corte Suprema en copia legalizada.

## ART. 245

**(244 del Proyecto)**

En los casos de jurisdiccion contenciosa, se dará conocimiento de la solicitud a la parte contra quien se pidiere la ejecucion, la cual tendrá para esponer lo que estime conveniente un término igual al de emplazamiento para contestar demandas.

Con la contestacion de la parte o en su rebeldía, i con previa audiencia del ministerio público, el tribunal declarará si debe o no darse cumplimiento a la resolucion.


## Art. 246

(245 del Proyecto)

En los asuntos de jurisdiccion no contenciosa, el tribunal resolverá con solo la audiencia del ministerio público.


## Art. 247

(246 del Proyecto)

Si el tribunal lo estima necesario, podrá abrir un término de prueba ántes de resolver, en la forma i por el tiempo que este Código establece para los incidentes.


## Art. 248

(247 del Proyecto)

Mandada cumplir una resolucion pronunciada en pais estranjero, se pedirá su ejecucion al tribunal a quien habria correspondido conocer del negocio en primera o en única instancia, si el juicio se hubiera promovido en Chile.

# TÍTULO XX

## DE LAS MULTAS

### ART. 249

(248 del Proyecto)

Todas las multas que este Código establece o autoriza se impondran a beneficio fiscal, salvo que espresamente se disponga otra cosa. Las que deban ingresar en arcas fiscales se destinaran anualmente al fomento de las instituciones de ahorro i de beneficencia que designe el Presidente de la República.

Siempre que se impusiere una multa a beneficio fiscal, el tribunal lo comunicará al Tribunal de Cuentas i al tesorero del departamento para que éste haga efectivo su pago.

# LIBRO SEGUNDO

## DEL JUICIO ORDINARIO

### TÍTULO PRIMERO

#### DE LA DEMANDA

ART. 250

(249 del Proyecto)

Todo juicio ordinario comenzará por demanda del actor, sin perjuicio de lo dispuesto en el Título III de este Libro.

ART. 251

(250 del Proyecto)

La demanda debe contener:
Primero. La designacion del tribunal ante quien se entabla;

Segundo. El nombre, domicilio i profesion u oficio del demandante i de las personas que lo representen, i la naturaleza de la representacion;

Tercero. El nombre, domicilio i profesion u oficio del demandado;

Cuarto. La esposicion clara de los hechos i fundamentos de derecho en que se apoya; i

Quinto. La enunciacion precisa i clara, consignada en la conclusion, de las peticiones que se sometan al fallo del tribunal.

## ART. 252

(251 del Proyecto)

El actor deberá presentar con su demanda los instrumentos en que la funde.

Si no se diere cumplimiento a esta disposicion, exijiéndolo el demandado, los instrumentos que se presentaren despues solo se tomaran en consideracion si el demandado los hiciere tambien valer en apoyo de su defensa, o si se justifica o aparece de manifiesto que no pudieron ser presentados ántes, o si se refieren a hechos nuevos alegados en el juicio con posterioridad a la demanda.

En estos casos, si la presentacion se hiciere despues de espirado el término probatorio o no hubiere habido lugar a este trámite, podrá el tribunal, a peticion del demandado, abrir un término especial con relacion a los nuevos instrumentos acompañados; i se tramitará esta jestion en pieza separada, segun las reglas establecidas para los incidentes, suspendiéndose el juicio principal solo en el momento de dictar sentencia definitiva, si el incidente no hubiere terminado.

## Art. 253

(252 del Proyecto)

Puede el juez de oficio no dar curso a la demanda que no contenga las indicaciones ordenadas en los tres primeros números del artículo doscientos cincuenta i uno, espresando el defecto de que adolece.

## Art. 254

(253 del Proyecto)

Admitida la demanda, se conferirá traslado de ella al demandado para que la conteste.

## Art. 255

(254 del Proyecto)

El término de emplazamiento para contestar la demanda será de quince dias, si el demandado fuere notificado en el lugar donde funciona el tribunal.

Se aumentará este término con tres dias mas si el demandado se encontrare en el mismo departamento, pero fuera de los límites urbanos de la poblacion que sirva de asiento al tribunal.

## Art. 256.

(255 del Proyecto)

Si el demandado se encuentra en un departamento diverso o fuera del territorio de la República, el término para contestar la demanda será de dieziocho dias, i a mas el aumento que corresponda al lugar en que se encontrare. Este aumento será determinado en conformidad a una tabla que cada cinco años formará la Corte Suprema con tal objeto, tomando en consideracion las distancias i las facilidades o dificultades que existan para las comunicaciones.

Esta tabla se formará en el mes de noviembre del año que preceda al del vencimiento de los cinco años indicados, para que se ponga en vigor en toda la República desde el primero de marzo siguiente; se publicará en el *Diario Oficial,* i se fijará, a lo ménos, dos meses ántes de su vijencia, en los oficios de todos los secreta·rios de cortes i juzgados de letras.

### Art. 257

(256 del Proyecto)

Si los demandados fueren varios, sea que obren separada o conjuntamente, el término para contestar la demanda correrá para todos a la vez, i se contará hasta que espire el último término parcial que corresponda a los notificados.

### Art. 258

(257 i 258 del Proyecto)

Notificada la demanda a cualquiera de los demandados i ántes de la contestacion, podrá el demandante hacer en ella las ampliaciones o rectificaciones que estime convenintes.

Estas modificaciones se consideraran como una demanda nueva para los efectos de su notificacion, i solo desde la fecha en que esta dilijencia se practique correrá el término para contestar la primitiva demanda.

## TÍTULO II

### DE LA JACTANCIA

### Art. 259

(259 del Proyécto)

Cuando alguna persona manifestare corresponderle un derecho de que no estuviere gozando, todo aquel a quien su jactancia pudiera afectar podrá pedir que se la obligue a deducir demanda dentro del plazo de diez dias, bajo apercibimiento, si no lo hiciere, de no ser oida despues sobre aquel derecho. Este plazo podrá ampliarse por el tribunal hasta treinta dias, habiendo motivo fundado.

### Art. 260

(260 del Proyecto)

Se entenderá haber jactancia siempre que la manifestacion del jactancioso constare por escrito, o se haya hecho de viva voz, a lo ménos, delante de dos personas hábiles para dar testimonio en juicio civil.

Habrá tambien lugar a deducir demanda de jactancia contra el que hubiere jestionado como parte en un proceso criminal de que puedan emanar acciones civiles contra el acusado, para el ejercicio de estas acciones.

## Art. 261

(261 del Proyecto)

La demanda de jactancia se someterá a los trámites establecidos para el *juicio sumario*.

Si se diere lugar a ella, i venciere el plazo concedido al jactancioso para deducir su accion sin que cumpla lo ordenado, deberá la parte interesada solicitar que se declare por el tribunal el apercibimiento a que se refiere el artículo doscientos cincuenta i nueve. Esta solicitud se tramitará como incidente.

## Art. 262

(262 del Proyecto)

La accion de jactancia prescribe en seis meses, contados desde que tuvieron lugar los hechos en que pudiera fundarse.

# TITULO III

## DE LAS MEDIDAS PREJUDICIALES

## Art. 263

(263 del Proyecto)

El juicio ordinario podrá prepararse, exijiendo el que pretende demandar de aquel contra quien se propone dirijir la demanda:

Primero. Declaracion jurada acerca de algun hecho relativo a su capacidad para parecer en juicio, o a su personalidad o al nombre i domicilio de sus representantes;

Segundo. La exhibicion de la cosa que haya de ser objeto de la accion que se trata de entablar;

Tercero. La exhibicion de sentencias, testamentos, inventarios, tasaciones, títulos de propiedad u otros instrumentos públicos o privados que por su naturaleza puedan interesar a diversas personas.

Cuarto. Exhibicion de los libros de contabilidad relativos a negocios en que tenga parte el solicitante, sin perjuicio de lo dispuesto en los artículos cuarenta i dos i cuarenta i tres del Código de Comercio; i

Quinto. El reconocimiento jurado de firma, puesta en instrumento privado.

La dilijencia espresada en el número quinto se decretará en todo caso; las de los otros cuatro solo cuando, a juicio del tribunal, sean necesarias para que el demandante pueda entrar en el juicio.

## Art. 264

(264 del Proyecto)

Si, decretada la dilijencia a que se refiere el número primero del artículo anterior, se rehusare prestar la declaracion ordenada o ésta no fuere categórica, en conformidad a lo mandado, podran imponerse al desobediente multas que no excedan de quinientos pesos, o arrestos hasta de dos meses, determinados prudencialmente por el tribunal; sin perjuicio de repetir la órden i el apercibimiento.

## Art. 265

**(265 del Proyecto)**

La exhibicion, en el caso del número segundo del artículo doscientos sesenta i tres, se hará mostrando el objeto que deba exhibirse, o autorizando al interesado para que lo reconozca i dándole facilidades para ello, siempre que el objeto se encuentre en poder de la persona a quien se ordene la exhibicion.

Si el objeto se hallare en poder de terceros, cumplirá la persona a quien se ordene la exhibicion, espresando el nombre i residencia de dichos terceros, o el lugar donde el objeto se encuentre.

## Art. 266

**(266 del Proyecto)**

Si se rehusare hacer la exhibicion en los términos que indica el artículo precedente, podrá apremiarse al desobediente con multa o arresto en la forma establecida por el artículo doscientos sesenta i cuatro, i aun decretarse allanamiento del local donde se hallare el objeto cuya exhibicion se pide.

Iguales apremios podran decretarse contra los terceros que, siendo meros tenedores del objeto, se nieguen a exhibirlo.

## Art. 267

**(267 del Proyecto)**

Siempre que se diere lugar a las medidas mencionadas en los números tercero i cuarto del artículo doscientos sesenta i tres, i la persona a quien incumba su cumplimiento desobedeciere, existiendo en su poder los instrumentos o libros a que las medidas se refieran, perderá el derecho de hacerlos valer despues, salvo en la forma que establece el artículo doscientos cincuenta i dos. Lo cual se entiende sin perjuicio de lo dispuesto en el artículo precedente i en el párrafo segundo, título segundo, libro primero del Código de Comercio.

## Art. 268

**(268 del Proyecto)**

Si se rehusare el reconocimiento de firma decretado en el caso del número quinto del artículo doscientos sesenta i tres, se procederá en conformidad a las reglas establecidas para el reconocimiento judicial de documentos en el *juicio ejecutivo*.

## Art. 269

**(269 del Proyecto)**

Podran solicitarse como medidas prejudiciales las precautorias de que trata el Título IV de este Libro, existiendo para ello motivos graves i calificados, i concurriendo las circunstancias siguientes: primera, que se determine el monto de los bienes sobre que deben recaer las medidas precautorias; i segunda, que se rinda fianza u otra garantia suficiente a juicio del tribunal, para responder por los perjuicios que se orijinaren i multas que se impusieren.

## Art. 270

(270 del Proyecto)

Aceptada la solicitud a que se refiere el artículo anterior, deberá el solicitante presentar su demanda en el término de diez dias i hacer en ella formal peticion para que se mantengan las medidas decretadas. Este plazo podrá ampliarse hasta sesenta dias por motivos fundados.

Si no se dedujere demanda oportunamente, o no se pidiere en ella que continuen en vigor las medidas precautorias decretadas, o al resolver sobre esta peticion el tribunal no mantuviere dichas medidas, por este solo hecho quedará responsable el que las hubiere solicitado de los perjuicios causados, considerándose doloso su procedimiento.

## Art. 271

(271 del Proyecto)

Puede pedirse prejudialmente la inspeccion personal del tribunal, reconocimiento de peritos nombrados por el mismo tribunal, o certificado del ministro de fe, cuando exista peligro inminente de un daño o perjuicio, o se trate de hechos que puedan fácilmente desaparecer.

Para la ejecucion de estas medidas se dará previamente conocimiento a la persona a quien se trata de demandar, si se encontrare en el lugar del asiento del tribunal que las decreta, o donde deban ejecutarse. En los demas casos se procederá con intervencion del defensor de ausentes.

## Art. 272

**(272 del Proyecto)**

Si aquel a quien se intenta demandar espusiere ser simple tenedor de la cosa de que procede la accion o que es objeto de ella, podrá tambien ser obligado:

Primero. A declarar bajo juramento el nombre i residencia de la persona en cuyo nombre la tiene;

Segundo. A exhibir el título de su tenencia; i si espresare no tener título escrito, a declarar bajo juramento que carece de él.

En caso de negativa para practicar cualquiera de las dilijencias mencionadas en este artículo, se le podrá apremiar con multa o arresto en la forma dispuesta por el artículo doscientos sesenta i cuatro.

## Art. 273

**(273 del Proyecto)**

Siempre que el actor lo exijiere, se dejará en el proceso copia de las piezas que se presentaren, o de su parte conducente, i una razon de la clase i estado actual de los objetos exhibidos.

## Art. 274

**(274 del Proyecto)**

Si hubiere motivo fundado para temer que una persona se ausente en breve tiempo del pais, podrá exijírsele como medida prejudicial que absuelva posiciones sobre hechos calificados previamente de conducentes por el tribunal, el que, sin ulterior recurso, señalará dia i hora para la práctica de la dilijencia.

Si se ausentare dicha persona dentro de los treinta dias subsiguientes al de la notificacion sin absolver las posiciones, o sin dejar apoderado con autorizacion e instrucciones bastantes para hacerlo durante la secuela del juicio, se le dará por confesa en el curso de éste, salvo que apareciere suficientemente justificada la ausencia sin haber cumplido la órden del tribunal.

## Art. 275

### (275 del Proyecto)

En el caso del inciso primero del artículo anterior, podrá tambien pedirse que aquel cuya ausencia se teme constituya en el lugar donde va a entablarse el juicio apoderado que le represente i que responda por las costas i multas en que fuere condenado, bajo apercibimiento de nombrársele un curador de bienes.

## Art. 276

### (276 del Proyecto)

Se podrá asimismo solicitar ántes de la demanda el exámen de aquellos testigos cuyas declaraciones, por razon de impedimentos graves, hubiere fundado temor de que no puedan recibirse oportunamente. Las declaraciones versaran sobre los puntos que indique el actor, calificados de conducentes por el tribunal.

Para practicar esta dilijencia se dará previamente conocimiento a la persona a quien se trata de demandar, solo cuando se hallare en el lugar donde se espidió la órden o donde deba tomarse la declaracion; i en los demas casos se procederá con intervencion del defensor de ausentes.

## Art. 277

### (277 del Proyecto)

Para decretar las medidas de que trata este Título, deberá el que las solicite espresar la accion que se propone deducir i someramente sus fundamentos.

## Art. 278

### (278 del Proyecto)

Toda persona que fundadamente tema ser demandada podrá solicitar las medidas que mencionan el número quinto del artículo doscientos sesenta i tres i los artículos doscientos setenta i uno, doscientos setenta i cuatro i doscientos setenta i seis, para preparar su defensa.

## Art. 279

### (279 del Proyecto)

Las dilijencias espresadas en este Título pueden decretarse sin audiencia de la persona contra quien se piden, salvo los casos en que espresamente se exije su intervencion.

# TÍTULO IV

## DE LAS MEDIDAS PRECAUTORIAS

### Art. 280

(280 del Proyecto)

Para asegurar el resultado de la accion, puede el demandante en cualquier estado del juicio, aun cuando no estuviere contestada la demanda, pedir una o mas de las siguientes medidas.

Primera. El secuestro de la cosa que es objeto de la demanda;

Segunda. El nombramiento de uno o mas interventores;

Tercera. La retencion de bienes determinados; i

Cuarto. La prohibicion de celebrar actos o contratos sobre bienes determinados.

### Art. 281

(281 del Proyecto)

Habrá lugar al secuestro judicial en el caso del artículo novecientos uno del Código Civil, o cuando se entablaren otras acciones con relacion a cosa mueble determinada i hubiere motivo de temer que se pierda o deteriore en manos de la persona que, sin ser poseedora de dicha cosa, la tuviere en su poder.

## Art. 282

(282 del Proyecto)

Son aplicables al secuestre las disposiciones que el párrafo segundo del Título primero del Libro tercero establece respecto del depositario de los bienes embargados.

## Art. 283.

(283 del Proyecto)

Hai lugar al nombramiento de interventor:

Primero. En el caso del inciso segundo del artículo novecientos dos del Código Civil;

Segundo. En el del que reclama una herencia ocupada por otro, si hubiere el justo motivo de temor que el citado inciso espresa;

Tercero. En el del comunero o socio que demanda la cosa comun, o que pide cuentas al comunero o socio que administra;

Cuarto. Siempre que hubiere justo motivo de temer que se destruya o deteriore la cosa sobre que versa el juicio, o que los derechos del demandante puedan quedar burlados; i

Quinto. En los demas casos espresamente señalados por las leyes.

## Art. 284

(284 del Proyecto)

Las facultades del interventor judicial se limitaran a llevar cuenta de las entradas i gastos de los bienes sujetos a intervencion, pudiendo para el desempeño de este cargo imponerse de los libros. papeles i operaciones del demandado.

Estará ademas el interventor obligado a dar al interesado o al tribunal noticia de toda malversacion o abuso que notare en la administracion de dichos bienes; i podrá en este caso decretarse el depósito i retencion de los productos líquidos en un establecimiento de crédito o en poder de la persona que el tribunal designe, sin perjuicio de las otras medidas mas rigurosas que el tribunal estimare necesario adoptar.

### Art. 285

**(285 del Proyecto)**

La retencion de dineros o de cosas muebles podrá hacerse en poder del mismo demandante, del demandado, o de un tercero, cuando las facultades del demandado no ofrecieren suficiente garantia, o hubiere motivc racional para creer que procurará ocultar sus bienes, i en los demas casos determinados por la lei.

Podrá el tribunal ordenar que los valores retenidos se trasladen a un establecimiento de crédito o de la persona que el tribunal designe cuando lo estime conveniente para la seguridad de dichos valores.

### Art. 286

**(286 del Proyecto)**

La prohibicion de celebrar actos o contratos podrá decretarse con relacion a los bienes que son materia del juicio, i tambien respecto de otros bienes determinados del demandado, cuando sus facultades no ofrecieren suficiente garantia para asegurar el resultado del juicio.

Para que los objetos que son materia del juicio se consideren comprendidos en el número cuarto del artículo mil cuatrocientos sesenta i cuatro del Código Civil, será necesario que el tribunal decrete prohibicion respecto de ellos.

## ART. 287

### (287 del Proyecto)

Cuando la prohibicion recayere sobre bienes raices se inscribirá en el rejistro del Conservador respectivo, i sin este requisito no producirá efecto respecto de terceros.

Cuando versare sobre cosas muebles, solo producirá efecto respecto de los terceros que tuvieren conocimiento de ella al tiempo del contrato; pero el demandado será en todo caso responsable de fraude, si hubiere procedido a sabiendas.

## ART. 288

### (288 del Proyecto)

Las medidas de que trata este título se limitaran a los bienes necesarios para responder a los resultados del juicio; i para decretarlas deberá el demandante acompañar comprobantes qne constituyan a lo ménos presuncion grave del derecho que se reclama. Podrá tambien el tribunal, cuando lo estime necesario i no tratándose de medidas espresamente autorizadas por la lei, exijir caucion al actor para responder de los perjuicios que se orijinen.

## Art. 289

(289 del Proyecto)

En casos graves i urjentes podran los tribunales conceder las medidas precautorias de que trata este Título, aun cuando falten los comprobantes requeridos, por un término que no exceda de diez dias, miéntras se presentan dichos comprobantes, exijiendo caucion para responder por los perjuicios que resultaren. Las medidas así decretadas quedaran de hecho canceladas si no se renovaren en conformidad al artículo doscientos setenta.

## Art. 290

(290 del Proyecto)

Estas providencias no escluyen las demas que autorizan las leyes.

## Art. 291

(291 del Proyecto)

Todas estas medidas son esencialmente provisionales. En consecuencia, deberan hacerse cesar siempre que desaparezca el peligro que se ha procurado evitar o se otorguen cauciones suficientes.

## Art. 292

**(292 del Proyecto)**

El incidente a que dieren lugar las medidas de que trata este Título se tramitará en conformidad a las reglas jenerales i por cuerda separada.

Podran, sin embargo, llevarse a efecto dichas medidas ántes de notificarse a la persona contra quien se dictan, siempre que existan razones graves para ello i el tribunal así lo ordenare. Trascurridos cinco dias sin que la notificacion se efectue, quedaran sin valor las dilijencias practicadas. El tribunal podrá ampliar este plazo por motivos fundados.

La notificacion a que se refiere este artículo podrá hacerse por cédula, si el tribunal así lo ordena.

# TÍTULO V

## DE LAS ESCEPCIONES DILATORIAS

## Art. 293

**(293 del Proyecto)**

Solo son admisibles como escepciones dilatorias:

Primera. La incompetencia del tribunal ante quien se hubiere presentado la demanda;

Segunda. La falta de capacidad del demandante, o de personeria o representacion legal del que comparece en su nombre;

Tercera. La lítis-pendencia;

Cuarta. La ineptitud del libelo por razon de falta de algun requisito legal en el modo de proponer la demanda;

Quinta· El beneficio de escusion; i

Sesta. En jeneral, las que se refieran a la correccion del procedimiento sin afectar al fondo de la accion deducida.

### Art. 294

(294 del Proyecto)

Podran tambien oponerse i tramitarse del mismo modo que las dilatorias la escepcion de cosa juzgada, la de transaccion i la de inadmisibilidad de que trata el párrafo segundo del Título octavo, Libro tercero del Código de Comercio; pero, si fueren de lato conocimiento, se mandará contestar la demanda, i se reservaran para fallarlas en la sentencia definitiva.

### Art. 295

(295 del Proyecto)

Las escepciones dilatorias deben oponerse todas en un mismo escrito i dentro del término de emplazamiento fijado por los artículos doscientos cincuenta i cinco a doscientos cincuenta i siete.

Si así no se hiciere, se podran oponer en el progreso del juicio solo por via de alegacion o defensa, i se estará a lo dispuesto en los artículos ochenta i ocho i ochenta i nueve.

Las escepciones primera i tercera del artículo doscientos noventa i tres podran oponerse en segunda instancia en forma de incidente.

## Art. 296

(296 del Proyecto)

Todas las escepciones propuestas conjuntamente se fallaran a la vez; pero si entre ellas figura la de incompetencia i el tribunal la acepta, se abstendrá de pronunciarse sobre las demas. Lo cual se entiende sin perjuicio de lo dispuesto por el artículo doscientos treinta i tres.

## Art. 297

(297 del Proyecto)

Las escepciones dilatorias se tramitaran como incidentes.

## Art. 298

(298 del Proyecto)

Desechadas las escepciones dilatorias o subsanados por el demandante los defectos de que adolezca la demanda, tendrá diez dias el demandado para contestarla, cualquiera que sea el lugar en donde le hubiera sido notificada.

# TÍTULO VI

## DE LA CONTESTACION I DEMAS TRÁMITES HASTA EL ESTADO DE PRUEBA O DE SENTENCIA

### Art. 299

(304 del Proyecto)

La contestacion a la demanda debe contener:

Primero. La designacion del tribunal ante quien se presente;

Segundo. El nombre, domicilio i profesion u oficio del demandado;

Tercero. Las escepciones que se oponen a la demanda i la esposicion clara de los hechos i fundamentos de derecho en que se apoyan; i

Cuarto. La enunciacion precisa i clara, consignada en la conclusion, de las peticiones que se sometan al fallo del tribunal.

Son tambien aplicables a la contestacion de la demanda i al demandado las disposiciones del artículo doscientos cincuenta i dos.

### Art. 300

(Agregado por la Comision

No obstante lo dispuesto en el artículo anterior, las escepciones de prescripcion, cosa juzgada, transaccion i pago efectivo de la deuda, cuando ésta se funde en un antecedente escrito, podran oponerse en cualquier estado de la causa; pero no se admitiran si no se alegan por escrito ántes de la citacion para sentencia en primera instancia, o de la vista de la causa en segunda.

Si se formulan en primera instancia, despues de recibida la causa a prueba, se tramitaran como incidentes, que pueden recibirse a prueba, si el tribunal lo estima necesario, i se reservará su resolucion para definitiva.

Si se deducen en segunda, se seguirá igual procedimiento, pero en tal caso el tribunal de alzada se pronunciará sobre ellas en única instancia.

## Art. 301

### (306 del Proyecto)

De la contestacion se comunicará traslado al actor por el término de seis dias, i de la réplica al demandado por igual término.

## Art. 302

### (305 del Proyecto)

En los escritos de réplica i dúplica podran las partes ampliar, adicionar o modificar las acciones i escepciones que hayan formulado en la demanda i contestacion, pero sin que puedan alterar las que sean objeto principal del pleito.

## Art. 303

### (307 del Proyecto)

Si el demandado acepta llanamente las peticiones del demandante, o si en sus escritos no contradice en materia sustancial i pertinente los hechos sobre que versa el juicio, el tribunal mandará citar a las partes para oir sentencia definitiva, una vez evacuado el traslado de la réplica.

Igual citacion se dispondrá cuando las partes pidan que se falle el pleito sin mas trámite.

## TITULO VII

### DE LA RECONVENCION

#### ART. 304

(308 del Proyecto)

Si el demandado reconviene al actor, deberá hacerlo en el escrito de contestacion, sujetándose a las disposiciones de los artículos doscientos cincuenta i uno, doscientos cincuenta i dos i doscientos cincuenta i ocho; i se considerará, para este efecto, como demandada la parte contra quien se deduzca la reconvencion.

#### ART. 305

(309 del Proyecto)

No podrá deducirse reconvencion sino cuando el tribunal tenga competencia para conocer de ella, estimada como demanda, o cuando sea admisible la prórroga de jurisdiccion. Podrá tambien deducirse aun cuando por su cuantia la reconvencion debiera ventilarse ante un juez inferior.

Para estimar la competencia, se considerará el monto de los valores reclamados por via de reconvencion separadamente de los que son materia de la demanda.

## Art. 306

### (310 del Proyecto)

La reconvencion se sustanciará i fallará conjuntamente con la demanda principal, sin perjuicio de lo establecido en el artículo ciento noventa i cinco.

No se concederá, sin embargo, en la reconvencion aumento estraordinario de término para rendir prueba fuera de la República cuando no deba concederse en la cuestion principal.

## Art. 307

### (311 del Proyecto)

Contra la reconvencion hai lugar a las escepciones dilatorias enumeradas en el artículo doscientos noventa i tres. las cuales se propondran dentro del término de seis dias i en la forma espresada en el artículo doscientos noventa i cinco.

## TITULO VIII

### DE LA PRUEBA EN JENERAL

## Art. 308

### (312 del Proyecto)

Concluidos los trámites que deben preceder a la prueba, ya se proceda con la contestacion espresa del demandado o en su rebeldía, el tribunal examinará por sí mismo los autos, i si estimare que hai o puede haber controversia sobre algun hecho sustancial i pertinente en el juicio, ordenará que cada parte presente dentro de cinco dias una minuta de los puntos sobre que piense rendir prueba de testigos, numerados i especificados con claridad i precision. Lo cual se entiende sin perjuicio de lo dispuesto en el inciso segundo del artículo trescientos tres.

Igual resolucion dictará el tribunal cuando todas las partes lo solicitaren.

## ART. 309

### (313 i 314 del Proyecto)

Espirado el plazo de cinco ·dias que menciona el artículo anterior, sea que las partes hayan o no presentado sus minutas, el tribunal recibirá la causa a prueba i fijará en la misma resolucion los puntos sobre que debe recaer la prueba de testigos.

Solo podran fijarse como puntos de prueba los hechos sustanciales controvertidos en los escritos anteriores a la resolucion que ordena recibirla.

## ART. 310

### (315 del Proyecto)

No obstante lo dispuesto en el artículo anterior, es admisible la ampliacion de la prueba cuando dentro del término probatorio ocurre algun hecho sustancialmente relacionado con el asunto que se ventila.

Será tambien admisible la ampliacion a hechos verificados i no alegados ántes de recibirse a prueba la causa, con tal que jure el que los aduce que solo entónces han llegado a su conocimiento. Para dar curso a esta solicitud, dispondrá el tribunal que previamente se consigne una cantidad que no baje de ciento ni suba de mil pesos, la cual quedará aplicada al Fisco si en la sentencia definitiva no se aceptan como probados los nuevos hechos o no se declara escusable, por motivos fundados, la conducta de la parte que hubiere hecho la consignacion.

## Art. 311

### (316 del Proyecto)

Al responder la otra parte el traslado de la solicitud de ampliacion, podrá tambien alegar hechos nuevos que reunan las condiciones mencionadas en el artículo anterior, o que tengan relacion con los que en dicha solicitud se mencionan.

El incidente de ampliacion se tramitará en conformidad a las reglas jenerales, en ramo separado, i no suspenderá el término probatorio.

Lo dispuesto en este artículo se entiende sin perjuicio de lo que el artículo ochenta i nueve establece.

## Art. 312

### (317 del Proyecto)

Cuando hubiere de rendirse prueba en un incidente, la resolucion que lo ordene determinará los puntos sobre

que debe recaer, i su recepcion se hará en conformidad
a las reglas establecidas para la prueba principal.

## ART. 313

(318 del Proyecto)

Toda dilijencia probatoria debe practicarse previo
decreto del tribunal que conoce en la causa, notificado
a las partes.

## ART. 314

(319 del Proyecto)

En los tribunales colejiados podran practicarse las
dilijencias probatorias ante uno solo de sus miembros
comisionado al efecto por el tribunal.

## ART. 315

(320 del Proyecto)

Es apelable la resolucion en que esplícita o implícitamente se niegue el trámite de recepcion de la causa a
prueba, salvo el caso del inciso segundo del artículo
trescientos tres. Es asimismo apelable la que admite
dicho trámite i fija los puntos sobre que debe rendirse
la prueba.

Son inapelables la resolucion que dispone la práctica
de alguna delijencia probatoria, la que da lugar a la
ampliacion de la prueba sobre hechos nuevos alegados
durante el término probatorio i la que se dicte en conformidad al artículo trescientos ocho.

# TÍTULO IX

## DEL TÉRMINO PROBATORIO

### ART. 316

(321 del Proyecto)

Todo término probatorio es comun para las partes.

### ART. 317

(322 del Proyecto)

Para rendir prueba dentro del departamento en que se sigue el juicio tendran las partes el término de treinta dias.

Podrá, sin embargo, reducirse este término por acuerdo unánime de las partes.

### ART. 318

(323 del Proyecto)

Cuando haya de rendirse prueba en otro departamento o fuera de la República, se aumentará el término ordinario a que se refiere el artículo anterior con un número de dias igual al que concede el artículo doscientos cincuenta i seis para aumentar el de emplazamiento.

## Art. 319

(324 del Proyecto)

El aumento estraordinario para rendir prueba dentro de la República se concederá siempre que se solicite, salvo que hubiere justo motivo para creer que se pide maliciosamente con el solo propósito de demorar el curso del juicio.

## Art. 320

(325 del Proyecto)

No se decretará el aumento estraordinario para rendir prueba fuera de la República sino cuando concurran las circunstancias siguientes:

Primera. Que del tenor de la demanda, de la contestacion o de otra pieza del espediente aparezca que los hechos a que se refieren las dilijencias probatorias solicitadas han acaecido en el pais en que deben practicarse dichas dilijencias, o que allí existen los medios probatorios que se pretende obtener;

Segunda. Que se determine la clase i condicion de los instrumentos de que el solicitante piensa valerse i el lugar en que se encuentran; i

Tercera. Que, tratándose de prueba de testigos, se esprese su nombre i residencia o se justifique algun antecedente que haga presumible la conveniencia de obtener sus declaraciones.

## ART. 321

(326 del Proyecto)

El aumento estraordinario para rendir prueba deberá solicitarse ántes de vencido el término ordinario, determinando el lugar en que dicha prueba debe rendirse.


## ART. 322

(327 del Proyecto)

Todo aumento del término ordinario continuará corriendo despues de éste sin interrupcion, i solo durará para cada localidad el número de dias fijado en la tabla respectiva.


## ART. 323

(328 del Proyecto)

Se puede, durante el término ordinario, rendir prueba en cualquier parte de la República i fuera de ella.


## ART. 324

(329 del Proyecto)

Vencido el término ordinario, solo podrá rendirse prueba en aquellos lugares para los cuales se hubiere otorgado aumento estraordinario del término.

## Art. 325

(330 del Proyecto)

El aumento estraordinario para rendir prueba dentro de la República se otorgará con previa citacion; el que deba producir efecto fuera del pais se decretará con audiencia de la parte contraria.

Los incidentes a que diere lugar la concesion de aumento estraordinario se tramitarán en pieza separada i no suspenderan el término probatorio.

Con todo, no se contaran en el aumento estraordinario los dias trascurridos miéntras dure el incidente sobre concesion del mismo.

## Art. 326

(331 del Proyecto)

La parte que hubiere obtenido aumento estraordinario del término para rendir prueba dentro o fuera de la República, i no la rindiere, o solo rindiere una impertinente, será obligada a pagar a la otra parte los gastos que ésta hubiere hecho para presenciar las dilijencias pedidas, sea personalmente, sea por medio de mandatarios.

Esta condenacion se impondrá en la sentencia definitiva i podrá el tribunal exonerar de ella a la parte que acredite no haberla rendido por motivos justificados.

## Art. 327

(332 del Proyecto)

Siempre que se solicitare aumento estraordinario para rendir prueba fuera de la República, exijirá el tribunal, para dar curso a la solicitud, que se consigne una cantidad que no baje de ciento ni suba de mil pesos.

Sin perjuicio de lo que dispone el artículo anterior, se mandará aplicar al Fisco la cantidad consignada si resultare establecida en el proceso alguna de las circunstancias siguientes:

Primera. Que no se ha hecho dilijencia alguna para rendir la prueba pedida;

Segunda. Que los testigos señalados, en el caso del artículo trescientos veinte, no tenian conocimiento de los hechos, ni se han hallado en situacion de conocerlos; i

Tercera. Que los testigos o documentos no han existido nunca en el pais en que se ha pedido que se practiquen las dilijencias probatorias.

## Art. 328

### (333 del Proyecto)

El término de prueba no se suspenderá en caso alguno, salvo que todas las partes lo pidan.

Si durante él ocurrieren entorpecimientos que imposibiliten la recepcion de la prueba, sea absolutamente, sea respecto de algun lugar determinado, podrá otorgarse por el tribunal un nuevo término especial por el número de dias que haya durado el entorpecimiento i para rendir prueba solo en el lugar a que dicho entorpecimiento se refiera.

No podrá usarse de este derecho si no se reclamare del obstáculo que impide la prueba en el momento de presentarse o dentro de los tres dias siguientes.

## Art. 329

(334 del Proyecto)

Las dilijencias de prueba de testigos solo podran practicarse dentro del término probatorio.

Sin embargo, las dilijencias iniciadas en tiempo hábil i no concluidas en él por impedimento cuya remocion no haya dependido de la parte interesada, podran practicarse dentro de un breve término que el tribunal señalará, por una sola vez, para este objeto. Este derecho no podrá reclamarse sino dentro del término probatorio o de los tres dias siguientes a su vencimiento.

# TÍTULO X

## DE LOS MEDIOS DE PRUEBA EN PARTICULAR

### Párrafo Primero

#### DISPOSICION JENERAL

## Art. 330

(335 del Proyecto)

Los medios de prueba de que puede hacerse uso en juicio son:

Instrumentos;

Testigos;

Confesion de parte;

Juramento deferido;
Inspeccion personal del tribunal;
Informes de peritos; i
Presunciones.

## Párrafo Segundo

### DE LOS INSTRUMENTOS

### Art. 331

(336 del Proyecto)

Seran considerados como instrumentos públicos en juicio, siempre que en su otorgamiento se hubieren cumplido las disposiciones legales que dan este carácter:

Primero. Los documentos orijinales;

Segundo. Las copias dadas con los requisitos que las leyes prescriban para que hagan fe respecto de toda persona, o, a lo ménos, respecto de aquella contra quien se hacen valér;

Tercero. Las copias que, obtenidas sin estos requisitos, no fueren objetadas como inexactas por la parte contraria dentro de los tres dias siguientes a aquel en que se le dió conocimiento de ellas;

Cuarto. Las copias que, objetadas en el caso del número anterior, fueren cotejadas i halladas conformes con sus orijinales o con otras copias que hagan fe respecto de la parte contraria; i

Quinto. Los testimonios que el tribunal mandare agregar durante el juicio, autorizados por su secretario u otro funcionario competente i sacados de los orijinales o de copias que reunan las condiciones indicadas en el número anterior.

## Art. 332

(337 del Proyecto)

Cuando las copias agregadas solo contuvieren una parte del instrumento orijinal, cualquiera de los interesados en el pleito podrá exijir que se agregue el todo o parte de lo omitido, a sus espensas, sin perjuicio de lo que se resuelva sobre pago de costas.

## Art. 333

(338 del Proyecto)

El cotejo de instrumentos se hará por el funcionario que hubiere autorizado la copia presentada en el juicio, por el secretario del tribunal o por otro ministro de fe que dicho tribunal designe.

## Art. 334

(339 del Proyecto)

Los instrumentos públicos otorgados fuera de Chile deberan presentarse debidamente legalizados, i se entenderá que lo estan cuando en ellos conste el carácter público i la verdad de las firmas de las personas que los han autorizado, atestiguadas ámbas circunstancias por los funcionarios que, segun las leyes o la práctica de cada pais, deban acreditarlas.

La autenticidad de las firmas i el carácter de estos funcionarios se comprobará en Chile por alguno de los medios siguientes:

Primero. El atestado de un ajente diplomático o consular chileno, acreditado en el pais de donde el instrumento procede, i cuya firma se compruebe con el respectivo certificado del Ministerio de Relaciones Esteriores;

Segundo. El atestado de un ajente diplomático o consular de una nacion amiga acreditado en el mismo pais, a falta de funcionario chileno, certificándose en este caso la firma por conducto del Ministerio de Relaciones Esteriores del pais a que pertenezca el ajente o del Ministro diplomático de dicho pais en Chile, i ademas por el Ministerio de Relaciones Esteriores de la República en ámbos casos; i

Tercero. El atestado del ajente diplomático acreditado en Chile por el Gobierno del pais en donde se otorgó el instrumento, certificándose su firma por el Ministerio de Relaciones Esteriores de la República.

## Art. 335

### (340 del Proyecto)

Los instrumentos privados se tendran por reconocidos:

Primero. Cuando así lo ha declarado en el juicio la persona a cuyo nombre aparece otorgado el instrumento o la parte contra quien se hace valer;

Segundo. Cuando igual declaracion se ha hecho en un instrumento público o en otro juicio diverso;

Tercero. Cuando, puestos en conocimiento de la parte contraria, no se alega su falsedad o falta de integridad dentro de los seis dias siguientes a su presentacion, debiendo el tribunal, para este efecto, apercibir a aquella parte con el reconocimiento tácito del instrumento si nada espusiese dentro de dicho plazo; i

Cuarto. Cuando se declare la autenticidad del instrumento por resolucion judicial.

## Art. 336

(341 del Proyecto)

Los instrumentos estendidos en lengua estranjera se mandaran traducir por el perito que el tribunal designe, a costa del que los presentare, sin perjuicio de lo que se resuelva sobre costas en la sentencia.

Si al tiempo de acompañarse se agregare su traduccion, valdrá ésta; salvo que la parte contraria exija, dentro de seis dias, que sea revisada por un perito, procediéndose en tal caso como lo dispone el inciso anterior.

## Art. 337

(342 del Proyecto)

Los instrumentos podran presentarse en cualquier estado del pleito, sin perjuicio de lo que ordenan los artículos doscientos cincuenta i dos i doscientos noventa i nueve, cuyas disposiciones seran aplicables aun cuando la presentacion se haga en segunda instancia.

## Art. 338

(343 del Proyecto)

Podrá decretarse, a solicitud de parte, la exhibicion de instrumentos que existieren en poder de la otra parte o de un tercero, con tal que tengan relacion directa con la cuestion debatida i que no revistan el caracter de secretos o confidenciales.

Los gastos que la exhibicion hiciere necesarios seran de cuenta del que la solicite, sin perjuicio de lo que se resuelva sobre pago de costas.

Si se rehusare la exhibicion sin justa causa, podrá apremiarse al desobediente en la forma establecida por el artículo doscientos sesenta i cuatro; i si fuere la parte misma, incurrirá ademas en el apercibimiento establecido por el artículo doscientos sesenta i siete.

Cuando la exhibicion hubiere de hacerse por un tercero, podrá éste exijir que en su propia casa u oficina se saque testimonio de los instrumentos por un ministro de fe.

## Art. 339

(344 del Proyecto)

Podrá pedirse el cotejo de letras siempre que se niegue por la parte a quien perjudique o se ponga en duda la autenticidad de un documento privado o la de cualquier documento público que carezca de matriz.

En este cotejo procederan los peritos con sujecion a lo dispuesto por los artículos cuatrocientos diecinueve hasta cuatrocientos veinticinco inclusive.

## Art. 340

(345 del Proyecto)

La persona que pida el cotejo designará el instrumento o instrumentos indubitados con que debe hacerse.

## Art. 341

(346 del Proyecto)

Se consideraran indubitados para el cotejo:

Primero. Los instrumentos que las partes acepten como tales, de comun acuerdo;

Segundo. Los instrumentos públicos no tachados de apócrifos o suplantados; i

Tercero. Los instrumentos privados cuya letra o firma hayan sido reconocidas en conformidad a los números primero i segundo del artículo trescientos treinta i cinco.

## Art. 342

(347 del Proyecto)

El tribunal hará por sí mismo la comprobacion despues de oir a los peritos revisores, i no tendrá que sujetarse al dictámen de éstos.

## Art. 343

(348 del Proyecto)

El cotejo de letras no constituye por sí solo prueba suficiente; pero podrá servir de base para una presuncion judicial.

## Art. 344

(349 del Proyecto)

En el incidente sobre autenticidad de un instrumento o sobre suplantaciones hechas en él, se admitiran como medios probatorios, tanto el cotejo de que tratan los cinco artículos precedentes, como los que las leyes autoricen para la prueba del fraude.

En la apreciacion de los diversos medios de prueba opuestos al mérito de un instrumento, el tribunal se sujetará a las reglas jenerales establecidas en el presente Título, i con especialidad a las consignadas en el párrafo noveno.

### Párrafo Tercero

DE LOS TESTIGOS I DE LAS TACHAS

### Art. 345

(350 del Proyecto)

Es hábil para testificar en juicio toda persona a quien la lei no declare inhábil.

### Art. 346

(351 del Proyecto)

No son hábiles para declarar como testigos:

Primero. Los menores de catorce años. Podran, sin embargo, aceptarse sus declaraciones sin previo juramento i estimarse como base para una presuncion judicial, cuando tengan discernimiento suficiente;

Segundo. Los que se hallen en interdiccion por causa de demencia;

Tercero. Los que al tiempo de declarar, o al de verificarse los hechos sobre que declaran, se hallen privados de la razon, por ebriedad u otra causa;

Cuarto. Los que carecieren del sentido necesario para percibir los hechos declarados, al tiempo de verificarse éstos;

Quinto. Los sordo-mudos que no puedan darse a entender por escrito;

Sesto. Los que en el mismo juicio hubieren sido cohechados, o hubieren cohechado o intentado cohechar a otros, aun cuando no se les haya procesado criminalmente;

Sétimo. Los vagos sin ocupacion u oficio conocido;

Octavo. Los que en concepto del tribunal sean indignos de fe por haber sido condenados por delito; i

Noveno. Los que hagan profesion de testificar en juicio.

## Art. 347

### (352 del Proyecto)

Son tambien inhábiles para declarar:

Primero. El cónyuje i los parientes lejítimos hasta el cuarto grado de consanguinidad i segundo de afinidad de la parte que los presenta como testigos;

Segundo. Los ascendientes, descendientes i hermanos ilejítimos, cuando haya reconocimiento del parentesco que produzca efectos civiles respecto de la parte que solicite su declaracion;

Tercero. Los pupilos por sus guardadores, i viceversa;

Cuarto. Los criados domésticos o dependientes de la parte que los presente.

Se entenderá por dependiente, para los efectos de este artículo, el que preste habitualmente servicios retribuidos al que lo hubiere presentado por testigo, aunque no viva en su casa;

Quinto. Los trabajadores i labradores dependientes de la persona que exije su testimonio;

Sesto. Los que a juicio del tribunal carezcan de la imparcialidad necesaria para declarar por tener en el pleito interes directo o indirecto; i

Sétimo. Los que tengan íntima amistad con la persona que los presenta o enemistad respecto de la persona contra quien declaren.

La amistad o enemistad deberan ser manifestadas por hechos graves que el tribunal calificará segun las circunstancias.

Las inhabilidades que menciona este artículo no podran hacerse valer cuando la parte a cuyo favor se hallan establecidas presentare como testigos a las mismas personas a quienes podrian aplicarse dichas tachas.

## Art. 348

### (353 del Proyecto)

Toda persona, cualquiera que sea su estado o profesion, está obligada a declarar i a concurrir a la audiencia que el tribunal señale con este objeto.

Cuando se exija la comparecencia de un testigo a sabiendas de que es inútil su declaracion, podrá imponer el tribunal a la parte que la hubiere exijido una multa de diez a cien pesos.

## Art. 349

(354 del Proyecto)

No seran obligados a declarar:

Primero. Los eclesiásticos, abogados, escribanos, procuradores, médicos i matronas, sobre hechos que se les hayan comunicado confidencialmente con ocasion de su estado, profesion u oficio;

Segundo. Las personas espresadas en los números primero, segundo i tercero del artículo trescientos cuarenta i siete; i

Tercero. Los que son interrogados acerca de hechos que afecten el honor del testigo o de las personas mencionadas en el número anterior, o que importen un delito de que pudiera ser criminalmente responsable el declarante o cualquiera de las personas referidas.

## Art. 350

(355 del Proyecto)

No estan obligados a concurrir a la audiencia espresada en el artículo trescientos cuarenta i ocho:

Primero. El Presidente de la República; los ministros de estado; los senadores i diputados; los intendentes i los gobernadores de departamento, dentro del territorio de su jurisdiccion; los miembros de la Corte Suprema o de alguna Corte de Apelaciones; los fiscales de estos tribunales; los jueces letrados; los jenerales; el Arzobispo i los obispos; los vicarios jenerales, los provisores, los vicarios i provicarios capitulares, i los párrocos, dentro de la parroquia de su cargo.

Segundo. Las personas que gozan en el pais de inmunidades diplomáticas;

Tercero. Los relijiosos, incluso los novicios;

Cuarto. Las mujeres, siempre que por su estado o posicion no puedan concurrir sin grave molestia; i

Quinto. Los que por enfermedad u otro impedimento, calificado por el tribunal, se hallaren en la imposibilidad de hacerlo.

## Art. 351

### (356 del Proyecto)

Las personas comprendidas en el número primero del artículo precedente prestaran su declaracion por medio de informes i espresaran que lo hacen en virtud del juramento que la lei exije a los testigos. Pero los miembros i fiscales de las Cortes i los jueces letrados que ejerzan sus funciones en el asiento de éstas no declararan sin previo permiso de la Corte Suprema, tratándose de algun miembro o fiscal de este tribunal, o de la respectiva Corte de Apelaciones en los demas casos. Este permiso se concederá siempre que no pareciere al tribunal que solo se trata de establecer, respecto del juez o fiscal presentado como testigo, una causa de recusacion.

Las comprendidas en el número segundo declararan tambien por medio de informe i con el juramento espresado, si se prestan voluntariamente a declarar. Pero no se podran escusar los chilenos que ejerzan en el pais funciones diplomáticas por encargo de un gobierno estranjero.

Las comprendidas en los tres últimos números seran
examinadas en su morada i en la forma establecida en
los artículos trescientos cincuenta i cuatro a trescientos
cincuenta i siete.

## Art. 352

### (357 del Proyecto)

Antes de examinar a cada testigo, se le hará prestar
juramento al tenor de la fórmula siguiente: «¿Jurais por
Dios decir verdad acerca de lo que se os va a preguntar?»— El interrogado responderá: «Si juro», conforme
a lo dispuesto en el artículo sesenta i cinco.

## Art. 353

### (358 del Proyecto)

Los testigos de cada parte seran examinados separada
i sucesivamente, principiando por los del demandante,
sin que puedan unos presenciar las declaraciones de los
otros.

El tribunal adoptará las medidas conducentes a evitar
que los testigos que vayan declarando puedan comunicarse con los que no hubieren prestado declaracion.

## Art. 354

### (359 del Proyecto)

Los testigos seran interrogados por el mismo tribunal, i cuando éste fuere colejiado, por uno de sus ministros, a presencia de las partes i sus defensores, si
concurrieren al acto. Las preguntas versaran sobre los

datos necesarios para establecer si existen causas que inhabiliten al testigo para declarar i sobre los puntos de prueba que se hubieren fijado. Podrá tambien el tribunal exijir que los testigos rectifiquen, esclarezcan o precisen las aseveraciones hechas.

## Art. 355

### (360 del Proyecto)

Cada parte tendrá derecho para dirijir, por conducto del juez, las interrogaciones que estime conducentes a fin de establecer las causales de inhabilidad legal que puedan oponerse a los testigos i a fin de que éstos rectifiquen, esclarezcan o precisen los hechos sobre los cuales se invoca su testimonio.

En caso de desacuerdo entre las partes sobre la conducencia de las preguntas, resolverá el tribunal i su fallo será apelable solo en lo devolutivo.

## Art. 356

### (361 del Proyecto)

Los testigos deben responder de una manera clara i precisa a las preguntas que se les hicieren, espresando la causa por que afirman los hechos aseverados. No se les permitirá llevar escrita su declaracion.

## Art. 357

### (362 del Proyecto)

La declaracion constituye un solo acto, que no puede interrumpirse sino por causas graves i urjentes.

## Art. 358

(363 del Proyecto)

El tribunal, atendido el número de testigos i el de los puntos de prueba, señalará una o mas audiencias para el exámen de los que se encuentren en el departamento.

Procurará tambien, en cuanto sea posible, que todos los testigos de cada parte sean examinados en la misma audiencia.

## Art. 359

(364 del Proyecto)

Las declaraciones se consignaran por escrito, conservándose en cuanto sea posible las espresiones de que se haya valido el testigo, reducidas al menor número de palabras. Despues de leidas por el receptor en alta voz i ratificadas por el testigo, seran firmadas por el juez, el declarante, si supiere, i las partes, si tambien supieren i se hallaren presentes, autorizándolas un receptor, que servirá tambien como actuario en las incidencias que ocurran durante la audiencia de prueba.

## Art. 360

(365 del Proyecto)

Si hubieren de declarar testigos que residan fuera del departamento en que se sigue el juicio, se practicará su exámen por el tribunal que corresponda, a quien se remitirá copia de los puntos de prueba fijados.

El exámen se practicará en la forma que establecen los artículos anteriores, pudiendo las partes hacerse representar por encargados, en conformidad al artículo setenta i seis.

## Art. 361

### (366 del Proyecto)

Seran admitidos a declarar solamente hasta seis testigos, por cada parte, sobre cada uno de los hechos que deban acreditarse.

Dentro de los cinco dias que concede el artículo trescientos ocho, deberá tambien acompañar cada parte una nómina de los testigos de que piensa valerse, con espresion del nombre i apellido, domicilio i profesion u oficio. Solo se examinaran testigos que figuren en dicha nómina.

Podrá, con todo, el tribunal admitir otros testigos en casos mui calificados, i jurando la parte que no tuvo conocimiento de ellos al tiempo de formar la nómina de que trata el inciso anterior.

## Art. 362

### (367 del Proyecto)

Solamente podran oponerse tachas a los testigos ántes de que presten su declaracion. En el caso del inciso final del artículo anterior, podran tambien oponerse dentro de los tres dias subsiguientes al exámen de los testigos.

Solo se admitiran las tachas que se funden en alguna de las inhabilidades mencionadas en los artículos tres-

cientos cuarenta i seis i trescientos cuarenta i siete, i
con tal que se espresen con la claridad i especificacion
necesarias para que puedan ser fácilmente comprendidas.

### ART. 363

(368 del Proyecto)

Opuesta la tacha i ántes de declarar el testigo, podrá
la parte que lo presentare pedir que se omita su declaracion i que se reemplace por la de otro testigo hábil de
los que figuran en la nómina respectiva.

### ART. 364

(369 del Proyecto)

Las tachas opuestas por las partes no obstan al exámen de los testigos tachados; pero podran los tribunales
repeler de oficio a los que notoriamente aparecieren
comprendidos en alguna de las que señala el artículo
trescientos cuarenta i seis.

La apelacion que se interpusiere en este caso se concederá solo en el efecto devolutivo.

### ART. 365

(370 del Proyecto)

Cuando el tribunal lo estime necesario para resolver
el juicio, recibirá las tachas a prueba, la cual se rendirá
dentro del término concedido para la cuestion principal.
Pero si estuviere éste vencido o lo que de él restare no

fuere suficiente, se ampliará para el solo efecto de rendir la prueba de tachas hasta completar diez dias, pudiendo ademas solicitarse el aumento estraordinario que concede el artículo trescientos dieciocho en los casos a que él se refiere.

## Art. 366

(371 del Proyecto)

Son aplicables a la prueba de tachas las disposiciones que reglamentan la prueba de la cuestion principal; pero los puntos sobre que debe recaer se determinaran por el tribunal sin previa presentacion de minutas por las partes.

## Art. 367

(372 del Proyecto)

No se admitirá prueba de testigos para inhabilitar a los que hubieren declarado sobre las tachas deducidas.

Lo cual no obsta para que el tribunal acepte otros medios probatorios, sin abrir término especial, i tome en cuenta las incapacidades que contra los mismos testigos aparecieren en el proceso.

## Art. 368

(373 del Proyecto)

Las resoluciones que ordenan recibir prueba sobre las tachas opuestas son inapelables.

No obstante lo dispuesto en el inciso anterior, la legalidad de las tachas i su comprobacion seran apreciadas i resueltas en la sentencia definitiva.

## Art. 369

(374 del Proyecto)

Siempre que lo pidiere alguna de las partes, mandará el tribunal que se cite a las personas designadas como testigos en la forma establecida por el artículo cincuenta i nueve, indicándose en la citacion el juicio en que debe prestarse la declaracion i el dia i hora de la comparecencia.

El testigo que legalmente citado no compareciere podrá ser compelido por medio de la fuerza a presentarse ante el tribunal que hubiere espedido la citacion, a ménos que compruebe que ha estado en imposibilidad de concurrir.

Si compareciendo se negare sin justa causa a declarar, podrá ser mantenido en arresto hasta que preste su declaracion.

Todo lo cual se entiende sin perjuicio de la responsabilidad penal que pudiere afectar al testigo rebelde.

## Art. 370

(375 del Proyecto)

Tiene el testigo derecho para reclamar de la persona que lo presenta, el abono de los gastos que le impusiere la comparecencia.

Se entenderá renunciado este derecho si no se ejerciere en el plazo de veinte dias contados desde la fecha en que se presta la declaracion.

En caso de desacuerdo, estos gastos seran regulados por el tribunal sin forma de juicio i sin ulterior recurso.

## Art. 371

### (376 del Proyecto)

Los incidentes a que diere lugar la agregacion de nuevos testigos en el caso del inciso final del artículo trescientos sesenta i uno, la admision i prueba de tachas, la citacion de los testigos o cualquiera otra peticion de las partes, se tramitaran en cuaderno separado i no suspenderan el término probatorio de la causa.

## Art. 372

### (Agregado por la Comision)

Si algun testigo no entendiere o no hablare castellano será examinado por medio de intérprete.

## Art. 373

### (377 del Proyecto)

Los testimonios de oidas, esto es, de testigos que relatan hechos que no han percibido por sus propios sentidos i que solo conocen por el dicho de otras personas, únicamente podran estimarse como base de una presuncion judicial.

Sin embargo, es válido el testimonio de oidas cuando

el testigo se refiere a lo que oyó decir a alguna de las partes, en cuanto de este modo se esplica o esclarece el hecho de que se trata.

## Art. 374

(378 del Proyecto)

Los tribunales apreciaran la fuerza probatoria de las declaraciones de los testigos conforme a las reglas siguientes:

Primera. La declaracion de un testigo imparcial i verídico constituye una presuncion judicial cuyo mérito probatorio será apreciado en conformidad al artículo cuatrocientos veintiocho.

Segunda. La de dos o mas testigos contestes en el hecho i en sus circunstancias esenciales, sin tacha, legalmente examinados i que den razon de sus dichos, podrá constituir prueba plena cuando no haya sido desvirtuada por otra prueba en contrario;

Tercera. Cuando las declaraciones de los testigos de una parte sean contradictorias con las de los testigos de la otra, tendran por cierto lo que declaren aquéllos que, aun siendo en menor número, parezca que dicen la verdad por estar mejor instruidos de los hechos, o por ser de mejor fama, mas imparciales i verídicos, o por hallarse mas conformes en sus declaraciones con otras pruebas del proceso;

Cuarta. Cuando los testigos de una i otra parte reunan iguales condiciones de ciencia, de imparcialidad i de veracidad, tendran por cierto lo que declare el mayor número, si este mayor número fuere de dos o mas. En caso contrario, tendran por no probado el hecho;

Quinta. Cuando los testigos de una i otra parte sean iguales en circunstancias i en número, de tal modo que la sana razon no pueda inclinarse a dar mas crédito a los unos que a los otros, tendran igualmente por no probado el hecho; i

Sesta. Cuando fueren contradictorias las declaraciones de los testigos de una misma parte, las que favorezcan a la parte contraria se consideraran presentadas por ésta, apreciándose el mérito probatorio de todas ellas en conformidad a las reglas precedentes.

## Párrafo Cuarto

### DE LA CONFESION EN JUICIO

### ART. 375

(379 del Proyecto)

Fuera de los casos espresamente previstos por la lei, todo litigante está obligado a declarar bajo juramento, contestada que sea la demanda, sobre hechos pertenecientes al mismo juicio, cuando lo exija el contendor o lo decrete el tribunal en conformidad al artículo ciento sesenta i seis.

Se practicará esta dilijencia en cualquier estado del juicio i sin suspender por ella el procedimiento.

Las partes solo podran exijir la confesion hasta dos veces en primera instancia i una vez en segunda; pero, si se alegaren hechos nuevos durante el juicio, podrá exijirse una vez mas.

## Art. 376

### (380 del Proyecto)

Los hechos acerca de los cuales se exija la confesion podran espresarse en forma asertiva o en forma interrogativa, pero siempre en términos claros i precisos, de manera que puedan ser entendidos sin dificultad.

## Art. 377

### (381 del Proyecto)

Miéntras la confesion no sea prestada, se mantendran en reserva las interrogaciones sobre que debe recaer.

## Art. 378

### (382 del Proyecto)

Si el tribunal no cometiere al secretario o a otro ministro de fe la dilijencia, mandará citar para dia i hora determinados al litigante que ha de prestar la declaracion.

Siempre que alguna de las partes lo pida, debe el tribunal recibir por sí mismo la declaracion del litigante.

Si el litigante se encontrare fuera del territorio del tribunal que conoce de la causa, será tomada su declaracion por el tribunal competente, quien procederá en conformidad a los dos incisos anteriores.

## Art. 379

(383 del Proyecto)

Estan exentos de comparecer ante el tribunal a prestar la declaracion de que tratan los artículos precedentes:

Primero. El Presidente de la República, los ministros de estado, los senadores i diputados, los intendentes dentro de la provincia en que ejercen sus funciones, los miembros de la Corte Suprema o de alguna Corte de Apelaciones, los fiscales de estos tribunales, el Arzobispo, los obispos, los vicarios jenerales, los provisores, i los vicarios i provicarios capitulares;

Segundo. Los que por enfermedad o por cualquier otro impedimento calificado por el tribunal se hallaren en imposibilidad de comparecer a la audiencia en que hubieren de prestar la declaracion; i

Tercero. Las mujeres, en caso que el tribunal estime prudente eximirlas de esta asistencia.

Cuando hubiere de prestar esta declaracion alguna de las personas esceptuadas en los números precedentes, el juez se trasladará a casa de ella con el objeto de recibirle la declaracion o comisionará para este fin al secretario.

En los tribunales colejiados se comisionará para esta dilijencia a alguno de los ministros del mismo o al secretario.

Si la persona que hubiere de prestar declaracion en la forma prevenida en este artículo, se encontrare fuera del territorio del tribunal que conoce de la causa, encargará éste la dilijencia al juez competente de la residencia actual del litigante. El juez exhortado practicará por sí mismo la dilijencia o la cometerá a su secretario.

No se podrá comisionar al secretario para tomar la confesion cuando la parte hubiere solicitado que se preste ante el tribunal.

## Art. 380

### (384 del Proyecto)

Antes de interrogar al litigante, se le tomará juramento de decir verdad en conformidad al artículo trescientos cincuenta i dos.

## Art. 381

### (385 del Proyecto)

La declaracion deberá prestarse inmediatamente, de palabra i en términos claros i precisos. Si el confesante fuere sordo-mudo, podrá escribir su confesion delante del tribunal o ministro de fe encargado de recibirla.

Si se tratare de hechos personales, deberá prestarse afirmándolos o negándolos. Podrá, sin embargo, el tribunal admitir la escusa de olvido de los hechos, en casos calificados, cuando ella se fundare en circunstancias verosímiles i notoriamente aceptables.

En todo caso podrá el confesante añadir las circunstancias necesarias para la recta i cabal intelijencia de lo declarado.

## Art. 382

### (386 del Proyecto)

Puede todo litigante presenciar la declaracion del contendor i hacer al tribunal las observaciones que estime conducentes para aclarar, esplicar o ampliar las preguntas que han de dirijírsele.

Puede tambien, ántes que termine la dilijencia i despues de prestada la declaracion, pedir que se repita si hubiere en las respuestas dadas algun punto oscuro o dudoso que aclarar.

## Art. 383

### (387 del Proyecto)

Si el litigante citado ante el tribunal para prestar declaracion no compareciere, se le volverá a citar bajo los apercibimientos que espresan los artículos siguientes.

## Art. 384

### (388 del Proyecto)

Si el litigante no compareciere al segundo llamamiento, o si, compareciendo, se negare a declarar o diere respuestas evasivas, se le dará por confeso, a peticion de parte, en todos aquellos hechos que estén categóricamente afirmados en el escrito en que se pidió la declaracion.

Si no estuvieren categóricamente afirmados los hechos, podran los tribunales imponer al litigante rebelde multas proporcionadas a sus facultades o arrestos hasta por seis meses, sin perjuicio de exijirle la declaracion. Si la otra parte lo solicita, podrá tambien suspenderse el pronunciamiento de la sentencia hasta que la confesion se preste.

Cuando el interrogado solicitare un plazo razonable

para consultar sus documentos ántes de responder,
podrá otorgársele, siempre que hubiere fundamento
plausible para pedirlo i el tribunal lo estime indispensable, o consienta en ello el contendor. La resolucion del
tribunal que conceda plazo será inapelable.

## Art. 385

### (389 del Proyecto)

Lo dicho en el artículo trescientos cincuenta i nueve
es aplicable a la declaracion de los litigantes.

## Art. 386

### (390 del Proyecto)

Podrá exijirse confesion al procurador de la parte
sobre hechos personales de él mismo en el juicio, aun
cuando no tenga poder para absolver posiciones.

## Art. 387

### (391 del Proyecto)

El procurador es obligado a hacer comparecer a su
mandante para absolver posiciones en el término razonable que el tribunal designe i bajo el apercibimiento
indicado en el artículo trescientos ochenta i cuatro.

La comparecencia se verificará ante el tribunal de la
. causa si la parte se encuentra en el lugar del juicio; en
el caso contrario, ante el juez competente del departamento en que resida o ante el respectivo ajente diplo-

mático o consular chileno si hubiere salido del territorio
de la República.

## Art. 388

(392 del Proyecto)

La confesion extra-judicial es solo base de presuncion
judicial, i no se tomará en cuenta, si fuere puramente
verbal, sino en los casos en que seria admisible la prueba
de testigos.

La confesion extra-judicial que se hubiere prestado a
presencia de la parte que la invoca, o ante juez incompetente pero que ejerza jurisdiccion, se estimará siempre
como presuncion grave para acreditar los hechos confesados. La misma regla se aplicará a la confesion prestada en otro juicio diverso; pero si éste se hubiere
seguido entre las mismas partes que actualmente litigan,
podrá darsele el mérito de prueba completa, habiendo
motivos poderosos para estimarlo así.

## Art. 389

(393 del Proyecto)

Los tribunales apreciaran la fuerza probatoria de la
confesion judicial en conformidad a lo que establece el
artículo mil setecientos trece del Código Civil i demas
disposiciones legales.

Si los hechos confesados no fueren personales del
confesante o de la persona a quien representa, producirá
tambien prueba la confesion.

## Art. 390

(394 del Proyecto)

La confesion tácita o presunta que establece el artículo trescientos ochenta i cuatro producirá los mismos efectos que la confesion espresa.

## Art. 391

(395 del Proyecto)

En jeneral, el mérito de la confesion no puede dividirse en perjuicio del confesante.

Podrá, sin embargo, dividirse:

Primero. Siempre que comprenda hechos diversos enteramente desligados entre sí; i

Segundo. Cuando, comprendiendo varios hechos ligados entre sí o que se modifiquen los unos a los otros, el contendor justifique con algun medio legal de prueba la falsedad de las circunstancias que, segun el confesante, modifican o alteran el hecho confesado.

## Art. 392

(396 del Proyecto)

No se recibirá prueba alguna contra los hechos personales claramente confesados por los litigantes en el juicio.

Podrá, sin embargo, admitirse prueba en este caso i aun abrirse un término especial para ella, si el tribunal lo estima necesario i hubiera espirado el probatorio de la causa, cuando el confesante alegare, para revocar su confesion, que ha padecido error de hecho i ofrezca justificar esta circunstancia.

Lo dispuesto en el inciso precedente se aplicará tambien al caso en que los hechos confesados no sean personales del confesante.

## Párrafo Quinto

### DEL JURAMENTO DEFERIDO

### Art. 393

(397 del Proyecto)

Puede deferirse al juramento de una de las partes:

Primero. La decision del juicio o de un incidente de él; i

Segundo. La valoracion de la cosa que se litiga o del daño reclamado.

En el primer caso el juramento se llama *decisorio;* en el segundo, *estimatorio.*

### Art. 394

(398 del Proyecto)

Puede deferirse el juramento en todas las causas que pueden resolverse sin mas prueba que la confesion judicial.

## Art. 395

(399 del Proyecto)

Solo puede deferir el juramento el interesado en el juicio que tenga la libre administracion de sus bienes, o su procurador especialmente autorizado al efecto. El procurador, sin embargo, solo podrá deferir el juramento a falta de toda otra prueba, salvo autorizacion espresa que amplie sus facultades; i bastará para la validez de la delacion que el mismo procurador afirme no tener pruebas, sin perjuicio de su responsabilidad para con el mandante.

## Art. 396

(400 del Proyecto)

Solo puede deferirse el juramento al interesado en el juicio que tenga la libre administracion de sus bienes, o a su procurador especialmente autorizado para deferirlo o para aceptar su delacion.

## Art. 397

(401 del Proyecto)

Si la parte a quien se defiere el juramento está obligada a prestarlo, solo podrá escusarse de ello refiriéndolo al contendor, siempre que tenga el que lo refiere facultad para deferir.

Se *refiere el juramento* cuando se exije su prestacion a la parte que lo defirió.

## Art. 398

(402 del Proyecto)

La parte a quien se refiere el juramento no puede escusarse de prestarlo; i, si se negare a jurar, se entenderá que reconoce el derecho alegado por el contendor.

La misma regla se aplicará al caso en que la parte a quien se defiere el juramento i que no pueda o no quiera referirlo, se negare a jurar.

## Art. 399

(403 del Proyecto)

El tribunal que conoce de la causa puede deferir el juramento estimatorio en los casos espresamente señalados por la lei.

## Art. 400

(404 del Proyecto)

Puede deferirse el juramento en cualquier estado del juicio.

## Art. 401

(405 del Proyecto)

La resolucion en que se apruebe la delacion del juramento o en que el tribunal defiera el estimatorio espresará los hechos sobre los cuales ha de recaer.

## Art. 402

### (406 del Proyecto)

El juramento debe prestarse ante el tribunal de la causa, o, por comision suya, ante el de la residencia del litigante que lo presta.

## Art. 403

### (407 del Proyecto)

Puede el contendor presenciar el juramento i hacer las observaciones que estime conducentes para aclarar los hechos.

## Art. 404

### (408 del Proyecto)

Prestado el juramento decisorio, el tribunal dará sentencia con arreglo a él, sin mas trámite.

En el juramento estimatorio podrá el tribunal moderar la cuantía jurada, si la juzga escesiva.

### Párrafo Sesto

DE LA INSPECCION PERSONAL DEL TRIBUNAL

## Art. 405

### (409 del Proyecto)

Fuera de los casos espresamente señalados por la lei, la inspeccion personal del tribunal solo se decretará

cuando éste la estime necesaria; i se designará dia i
hora para practicarla, con la debida anticipacion, a fin de
que puedan concurrir las partes con sus abogados.

La inspeccion podrá verificarse aun fuera del territorio señalado a la jurisdiccion del tribunal.

## Art. 406

### (410 del Proyecto)

Pueden las partes pedir que en el acto del reconocimiento se oigan informes de peritos, i lo decretará el
tribunal si, a su juicio, esta medida fuere necesaria para
el éxito de la inspeccion i se hubiere solicitado con la
anticipacion conveniente. La designacion de los peritos
se hará en conformidad a las reglas del párrafo siguiente.

## Art. 407

### (411 del Proyecto)

Se llevará a efecto la inspeccion con la concurrencia
de las partes i peritos que asistieren, o solo por el tribunal en ausencia de aquellas.

Si el tribunal fuere colejiado, podrá comisionar para
que practique la inspeccion a uno o mas de sus miembros.

## Art. 408

### (412 del Proyecto)

La parte que hubiere solicitado la inspeccion depositará, ántes de proceder a ella, en manos del secretario
del tribunal, la suma que éste estime necesaria para
costear los gastos que se causaren. Cuando la inspec-

cion fuere decretada de oficio u ordenada por la lei, el depósito se hará por mitad entre demandantes i demandados.

## Art. 409

(413 del Proyecto)

De la dilijencia de inspeccion se levantará acta, en la cual se espresaran las circunstancias o hechos materiales que el tribunal observe, sin que puedan dichas observaciones reputarse como una opinion anticipada sobre los puntos que se debaten.

Podran tambien las partes pedir, durante la dilijencia, que se consignen en el acta las circunstancias o hechos materiales que consideren pertinentes.

## Art. 410

(414 del Proyecto)

La inspeccion personal constituye prueba plena en cuanto a las circunstancias o hechos materiales que el tribunal establezca en el acta como resultado de su propia observacion.

## Párrafo Sétimo

### DEL INFORME DE PERITOS

## Art. 411

(415 del Proyecto)

Se oirá informe de peritos en todos aquellos casos en que la lei así lo disponga, ya sea que se valga de estas espresiones o de otras que indiquen la necesidad de consultar opiniones periciales.


## ART. 41.2

### (416 del Proyecto)

Cuando la lei ordene que se resuelva un asunto en juicio práctico o previo informe de peritos, se entenderan cumplidas estas disposiciones agregando el reconocimiento i dictámen pericial en conformidad a las reglas de este párrafo, al procedimiento que corresponda usar, segun la naturaleza de la accion deducida.


## ART. 413

### (417 del Proyecto)

Podrá tambien oirse el informe de peritos:

Primero. Sobre puntos de hecho para cuya apreciacion se necesiten conocimientos especiales de alguna ciencia o arte; i

Segundo. Sobre puntos de derecho referentes a alguna lejislacion estranjera.

Los gastos que en estos casos se orijinen por la dilijencia misma o por la comparecencia de la otra parte al lugar donde debe practicarse, seran de cargo al que la hubiere solicitado; salvo que el tribunal estime necesaria la medida para el esclarecimiento de la cuestion, i sin perjuicio de lo que en definitiva se resuelva sobre pago de costas.

## Art. 414

(418 del Proyecto)

El reconocimiento de peritos podrá decretarse en cualquier estado del juicio, ya sea de oficio o a solicitud de parte.

## Art. 415

(419 del Proyecto)

Salvo acuerdo espreso de las partes, no podrán ser peritos:

Primero. Los que fueren inhábiles para declarar como testigos en el juicio; i

Segundo. Los que no tuvieren título profesional espedido por autoridad competente, si la ciencia o arte cuyo conocimiento se requiera está reglamentada por la lei i hai en el departamento dos o mas personas tituladas que puedan desempeñar el cargo.

## Art. 416

(420 del Proyecto)

Para proceder al nombramiento de peritos, el tribunal citará a las partes a una audiencia, que tendrá lugar con solo las que asistan i en la cual se fijará primeramente por acuerdo de las partes, o en su defecto por el tribunal, el número de peritos que deban nombrarse, la calidad, aptitudes o título que deban tener i el punto o puntos materia del informe.

Si las partes no se pusieren de acuerdo sobre la designacion de las personas, hará el nombramiento el tribunal, no pudiendo recaer en tal caso en ninguna de las dos primeras personas que hubieren sido propuestas por cada parte.

La apelacion que se deduzca en los casos del inciso primero de este artículo no impedirá que se proceda a la designacion de los peritos en conformidad al inciso segundo. Solo despues de hecha esta designacion, se llevará adelante el recurso.

## Art. 417

(421 del Proyecto)

Se presume que no estan de acuerdo las partes cuando no concurren todas a la audiencia de que trata el artículo anterior; i en tal caso habrá lugar a lo dispuesto en el segundo inciso del mismo artículo.

## Art. 418

(422 del Proyecto)

Cuando el nombramiento se hiciere por el tribunal, se pondrá en conocimiento de las partes para que dentro de tercero dia deduzcan su oposicion, si tuvieren alguna incapacidad legal que reclamar contra el nombrado. Vencido este plazo sin que se formule oposicion, se entenderá aceptado el nombramiento.

## Art. 419

(423 del Proyecto)

El perito que acepta el cargo deberá declararlo así, jurando desempeñarlo con fidelidad.

De esta declaracion, que habrá de hacerse verbalmente o por escrito en el acto de la notificacion o dentro de los tres dias inmediatos, se dejará testimonio en los autos.

El perito encargado de practicar un reconocimiento deberá citar previamente a las partes para que concurran si quisieren.

## Art. 420

(424 del Proyecto)

Cuando fueren varios los peritos procederan unidos a practicar el reconocimiento, salvo que el tribunal los autorice para obrar de otra manera.

## Art. 421

(425 del Proyecto)

Las partes podran hacer en el acto del reconocimiento las observaciones que estimen oportunas. Podran tambien pedir que se hagan constar los hechos i circunstancias que juzguen pertinentes; pero no tomarán parte en las deliberaciones de los peritos, ni estaran en ellas presentes.

De todo lo obrado se levantará acta, en la cual se consignaran los acuerdos celebrados por los peritos.

## Art. 422

### (426 del Proyecto)

Los tribunales señalaran en cada caso el término dentro del cual deben los peritos evacuar su encargo; i podran, en caso de desobediencia, apremiarlos con multas, prescindir del informe o decretar el nombramiento de nuevos peritos, segun los casos.

## Art. 423

### (427 del Proyecto)

Cuando los peritos discordaren en sus dictámenes, podrá el tribunal disponer que se nombre un nuevo perito, si lo estima necesario para la mejor ilustracion de las cuestiones que debe resolver.

El nuevo perito será nombrado i desempeñará su cargo en conformidad a las reglas precedentes.

## Art. 424

### (428 del Proyecto)

Si no resultare acuerdo del nuevo perito con los anteriores, el tribunal apreciará libremente las opiniones de todos ellos, tomando en cuenta los demas antecedentes del juicio.

# Art. 425

(429 del Proyecto)

Los peritos podran emitir sus informes conjunta o separadamente.

# Art. 426

(430 del Proyecto)

Los incidentes a que diere lugar el nombramiento de los peritos i el desempeño de sus funciones se tramitaran en ramo separado.

# Art. 427

(431 del Proyecto)

Los tribunales apreciaran la fuerza probatoria del dictámen de peritos en conformidad a las reglas de la sana crítica.

## Párrafo Octavo

### DE LAS PRESUNCIONES

# Art. 428

(432 del Proyecto)

Las presunciones, como medios probatorios, se rejiran por las disposiciones del artículo mil setecientos doce del Código Civil.

Una sola presuncion puede constituir plena prueba cuando, a juicio del tribunal, tenga caractéres de gravedad i precision suficientes para formar su convencimiento.

## Art. 429

(433 del Proyecto)

Sin perjuicio de las demas circunstancias que, en concepto del tribunal o por disposicion de la lei, deban estimarse como base de una presuncion, se reputaran verdaderos los hechos certificados en el proceso por un ministro de fe a virtud de órden de tribunal competente, salvo prueba en contrario.

Igual presuncion existirá a favor de los hechos declarádos verdaderos en otro juicio entre las mismas partes.

### Párrafo Noveno

## DE LA APRECIACION COMPARATIVA DE LOS MEDIOS DE PRUEBA

## Art. 430

(434 del Proyecto)

Salvo las presunciones de derecho, el juramento deferido prevalece sobre todas las demas pruebas.

## Art. 431

(435 del Proyecto)

Entre dos o mas pruebas contradictorias, i a falta de lei que resuelva el conflicto, los tribunales preferiran la que crean mas conforme con la verdad.

## Art. 432

(436 del Proyecto)

Para que pueda invalidarse con prueba testimonial una escritura pública, se requiere la concurrencia de cinco testigos, que reunan las condiciones espresadas en la regla segunda del artículo trescientos setenta i cuatro, que acrediten que la parte que se dice haber asistido personalmente al otorgamiento, o el escribano, o alguno de los testigos instrumentales, ha fallecido con anterioridad o ha permanecido fuera del lugar en el dia del otorgamiento i en los setenta dias subsiguientes.

Esta prueba, sin embargo, queda sujeta a la calificacion del tribunal, quien la apreciará segun las reglas de la sana crítica.

La disposicion de este artículo solo se aplicará cuando se trate de impugnar la autenticidad de la escritura misma, pero no las declaraciones consignadas en una escritura pública auténtica.

# TÍTULO XI

## DE LOS PROCEDIMIENTOS POSTERIORES A LA PRUEBA

## Art. 433

(437 del Proyecto)

Concluido el término de prueba, ordenará el tribunal, a peticion verbal o escrita de cualquiera de las partes, que se entreguen los autos al demandante por el término de diez dias para alegar de bien probado, si no se hiciere oposicion dentro de segundo dia.

## ART. 434

(438 del Proyecto)

No será motivo para suspender el curso del juicio la circunstancia de no haberse devuelto la prueba rendida fuera del tribunal, la cual se agregará al espediente cuando se obtenga.

Solo se admitiran como causa para fundar la oposicion a la entrega de los autos, el convenio de las partes o la circunstancia de no estar vencido el término probatorio. El tribunal resolverá desde luego dicha oposicion o la tramitará como incidente.

## ART. 435

(439 del Proyecto)

Del alegato de bien probado del demandante se dará traslado por diez dias al demandado, entregándole los autos.

## ART. 436

(440 del Proyecto)

Presentados todos los alegatos, o dándose por evacuado en rebeldía este trámite, el tribunal citará a las partes para oir sentencia.

## Art. 437

(441 del Proyecto)

Citadas las partes para oir sentencia, no se admitirán escritos ni pruebas de ningun jénero.

Lo cual se entiende sin perjuicio de lo dispuesto por los artículos ochenta i siete, ciento sesenta i seis i doscientos ochenta.

# TÍTULO XII

## DE LOS TRAMITES DE LA APELACION

## Art. 438

(442 del Proyecto)

Elevado un proceso en apelacion, el tribunal superior examinará previamente si el recurso es admisible i si ha sido interpuesto dentro del término legal.

Si encontrare mérito el tribunal para considerar inadmisible o estemporáneo el recurso, lo declarará sin lugar desde luego o mandará traer los autos en relacion sobre este punto.

## Art. 439

(443 del Proyecto)

Si el tribunal superior declarare no haber lugar al recurso, devolverá el proceso al inferior para el cumplimiento del fallo.

En el caso contrario, mandará el tribunal que se entreguen los autos al apelante por el término de diez dias para que esprese agravios, si se tratare de sentencia definitiva, o dispondrá que se traigan en relacion, si versare el recurso sobre otra clase de resoluciones.

La espresion de agravios deberá contener las peticiones concretas que formule el apelante respecto de la sentencia apelada.

### ART. 440

(444 del Proyecto)

De la espresion de agravios del apelante se dará traslado al apelado, entregándole los autos, i tendrá diez dias para responder.

Presentada la respuesta del apelado, el tribunal ordenará traer los autos en relacion.

Si fueren varios los apelantes, cada espresion de agravios se tramitará con audiencia de todas las partes que figuran en la causa i en el órden en que se hubieren interpuesto los respectivos recursos.

### ART. 441

(445 del Proyecto)

Puede el apelado adherirse a la apelacion en la forma i dentro de los plazos que espresan los artículos siguientes.

*Adherirse a la apelacion* es pedir la reforma de la sentencia apelada en la parte en que la estime gravosa el apelado.

## Art. 442

### (446 del Proyecto)

La adhesion podrá efectuarse en primera instancia, ántes de elevarse los autos al superior, en solicitud escrita.

No será, sin embargo, admisible desde el momento en que el apelante hubiese presentado escrito para.desis-tirse de la apelacion.

En las solicitudes de adhesion i desistimiento se ano-tará por el secretario del tribunal la hora en que se entreguen.

## Art. 443

### (447 del Proyecto)

En segunda instancia, la adhesion podrá solo efec-tuarse, cuando se trate de sentencia definitiva, en el escrito de respuesta a la espresion de agravios, i, en los demas casos, dentro de los tres dias siguientes a la noti-ficacion del decreto que manda traer los autos en rela-cion, presentando solicitud escrita con este objeto, i sin que por ello se suspenda el decreto de *autos*.

## Art. 444

### (448 del Proyecto)

Del escrito en que el apelado se adhiera a la apelacion de sentencia definitiva se dará traslado al contendor por el término de seis dias, pero sin que se saque el espediente de la secretaría.

Presentada la respuesta del apelante, se mandarán traer los autos en relacion.

## Art. 445

(449 del Proyecto)

Las cuestiones accesorias que se susciten en el curso de la apelacion se fallarán por el tribunal de plano, o se tramitarán como incidentes, trayéndose en relacion los autos para resolver.

## Art. 446

(450 del Proyecto)

La notificacion de las resoluciones que se dictaren por el tribunal de alzada se practicará en la forma que establece el artículo cincuenta i tres, con escepcion de la primera, que debe ser personal.

Podrá, sin embargo, el tribunal ordenar que se haga por otro de los medios establecidos en la lei, cuando lo estime conveniente.

## Art. 447

(451 del Proyecto)

La vista de la causa se verificará hablando primero el abogado defensor del apelante i en seguida el del apelado. A ámbos será permitido rectificar errores de hecho, pero sin replicar en lo concerniente a puntos de derecho.

Se aplicará esta disposicion aun en el caso de haber apelado las dos partes.

Si fueren varios los apelantes, hablarán los abogados en el órden en que se hubieren interpuesto las apelaciones.

## Art. 448

### (452 del Proyecto)

Si la apelacion comprendiere dos o mas puntos independientes entre sí i susceptibles de resolucion aislada, podrá el tribunal alterar la regla del artículo precedente haciendo que los abogados aleguen separada i sucesivamente sobre cada punto.

## Art. 449

### (453 del Proyecto)

En la vista de la causa solo podrá alegar un abogado por cada parte, i no podrán hacerlo la parte i su abogado.

## Art. 450

### (454 del Proyecto)

Se prohibe presentar en la vista de la causa defensas escritas.

Se prohibe igualmente leer en dicho acto tales defensas.

## ART. 451

### (455 del Proyecto)

Vista la causa, queda cerrado el debate i el juicio en estado de dictarse resolucion.

Si, vista la causa, se decretare para mejor resolver, alguna de las dilijencias mencionadas en el artículo ciento sesenta i seis, no por esto dejarán de intervenir en la decision del asunto los mismos miembros del tribunal que asistieron a la vista en que se ordenó la dilijencia.

## ART. 452

### (Agregado por la Comision)

Los tribunales podrán mandar, a peticion de parte, informar en derecho.

## ART. 453

### (Agregado por la Comision)

El término para informar en derecho será el que señale el tribunal i no podrá exceder de sesenta dias, salvo acuerdo de las partes.

## ART. 454

### (Agregado por la Comision)

Un ejemplar impreso de cada informe en derecho, con las firmas del abogado i de la parte o de su procurador, i el certificado a que se refiere el número cuarto del artículo trescientos veinticinco de la lei de Organizacion i Atribuciones de los Tribunales, se entregará a cada uno de los ministros i otro se agregará a los autos.

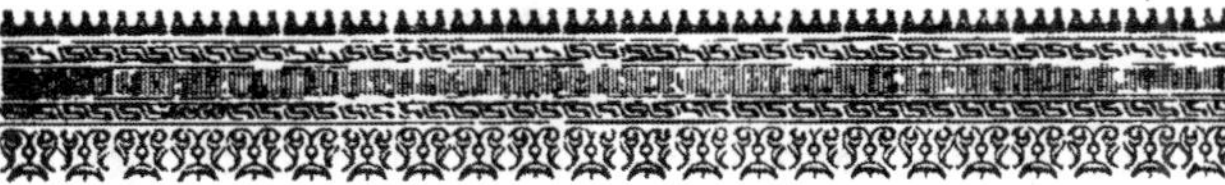

# LIBRO TERCERO

## DE LOS JUICIOS ESPECIALES

### TÍTULO I

#### DEL JUICIO EJECUTIVO EN LAS OBLIGACIONES DE DAR

Párrafo Primero

DEL PROCEDIMIENTO EJECUTIVO

ART. 455

(456 del Proyecto)

El juicio ejecutivo tiene lugar en las obligaciones de dar cuando para reclamar su cumplimiento se hace valer alguno de los siguientes títulos:

Primero. Sentencia firme, bien sea definitiva o interlocutoria;

Segundo. Escritura pública, con tal que sea primera copia, u otra posterior dada con decreto judicial i citacion de la persona a quien deba perjudicar o de su causante;

Tercero. Acta de avenimiento pasada ante tribunal competente i autorizada por un ministro de fe o por dos testigos de actuacion.

Cuarto. Instrumento privado, reconocido judicialmente o mandado tener por reconocido. Sin embargo, no será necesario este reconocimiento respecto del aceptante de una letra de cambio que no hubiere puesto tacha de falsedad a su aceptacion al tiempo de protestar la letra por falta de pago;

Quinto. Confesion judicial;

Sesto. Cualesquiera títulos al portador, o nominativos, lejítimamente emitidos, que representen obligaciones vencidas, i los cupones tambien vencidos de dichos títulos, siempre que los cupones confronten con los títulos, i éstos, en todo caso, con los libros talonarios.

Resultando conforme la confrontacion, no será obstáculo a que se despache la ejecucion la protesta de falsedad del título que en el acto hiciere el director o la persona que tenga la representacion del deudor, quien podrá alegar en forma la falsedad como una de las escepciones del juicio; i

Sétimo. Cualquiera otro título a que las leyes den fuerza ejecutiva.

### Art. 456

(457 del Proyecto)

Si, en caso de no tener el acreedor título ejecutivo, quisiere preparar la ejecucion por el reconocimiento de firma o por la confesion de la deuda, podrá pedir que se cite al deudor a la presencia judicial, a fin de que practique la que corresponda de estas dilijencias.

I, si el citado no compareciere o solo diere respuestas evasivas, se dará por reconocida la firma o por confesada la deuda.

## Art. 457

### (458 del Proyecto)

Reconocida la firma, quedará preparada la ejecucion, aunque se niegue la deuda.

## Art. 458

### (459 del Proyecto)

Para que proceda la ejecucion, se requiere ademas que la obligacion sea actualmente exijible.

## Art. 459

### (460 del Proyecto)

La ejecucion puede recaer:

Primero. Sobre la especie o cuerpo cierto que se deba i que exista en poder del deudor;

Segundo. Sobre el valor de la especie debida i que no exista en poder del deudor, haciéndose su avaluacion por un perito que nombrará el tribunal; i

Tercero. Sobre cantidad líquida de dinero o de un jénero determinado cuya avaluacion pueda hacerse en la forma que establece el número anterior.

Se entenderá cantidad líquida, no solo la que actualmente tenga esta calidad, sino tambien la que pueda

liquidarse mediante simples operaciones aritméticas con
solo los datos que el  mismo título ejecutivo suministre.

El acreedor espresará en la demanda ejecutiva la
especie o la cantidad líquida por la cual pide el mandamiento de ejecucion.

## ART. 460

### (461 del Proyecto)

Si del título apareciere una obligacion en parte líquida
e ilíquida en otra, podrá procederse ejecutivamente por
la primera,  reservándose al acreedor su  derecho para
reclamar el resto en via ordinaria.

## ART. 461

### (462 del Proyecto)

La avaluacion que, en conformidad al artículo cuatrocientos  cincuenta i nueve,  se  haga  para  determinar  el
monto  de la ejecucion, se  entenderá  sin  perjuicio  del
derecho de las partes para pedir  que se aumente o dis-
minuya.

## ART. 462

### (463 del Proyecto)

El tribunal  examinará  el título i despachará o denegará la ejecucion, sin audiencia ni notificacion del demandado,  aun cuando se  hubiere  éste apersonado  en  el
juicio.

Las jestiones que en tal caso  haga el demandado no

embarazarán en manera alguna el procedimiento ejecutivo, i solo podrán ser estimadas por el tribunal como datos ilustrativos para apreciar la procedencia o improcedencia de la accion.

Si denegado el mandamiento de ejecucion, se interpusiere apelacion de este fallo i hubiere lugar a ella, el tribunal elevará el proceso al superior, tambien sin notificacion del demandado.

## Art. 463

### (464 del Proyecto)

El tribunal denegará la ejecucion si el título presentado tuviere mas de diez años, contados desde que la obligacion se hubiere hecho exijible; salvo que se comprobare la subsistencia de la accion ejecutiva por alguno de los medios que sirven para deducir esta accion en conformidad al artículo cuatrocientos cincuenta i cinco.

## Art. 464

### (465 del Proyecto)

El mandamiento de ejecucion contendrá:

Primero. La órden de requerir de pago al deudor. Este requerimiento debe hacérsele personalmente; pero si no fuere habido, se procederá en conformidad al artículo cuarenta i siete, espresándose en la copia a que dicho artículo se refiere, a mas del mandamiento, la designacion del dia, hora i lugar que fije el ministro de fe para practicar el requerimiento. No concurriendo a esta citacion el deudor, se hará inmediatamente i sin mas trámite el embargo.

Cuando el deudor hubiere sido notificado personalmente o con arreglo al artículo cuarenta i siete para otra jestion anterior al requerimiento, se procederá a éste i a los demas trámites del juicio, en conformidad a lo establecido en los artículos cincuenta i uno a cincuenta i seis. La designacion del domicilio, exijida por el artículo cincuenta i dos, deberá hacerse en tal caso por el deudor dentro de los dos dias subsiguientes a la notificacion, o en su primera jestion si alguna hiciere ántes de vencido este plazo.

Segundo. La de embargarle bienes en cantidad suficiente para cubrir la deuda con sus intereses i las costas, si no pagare en el acto.

Tercero. La designacion de un depositario provisional, que deberá recaer en persona de reconocida honorabilidad i solvencia.

Si la ejecucion recayere sobre cuerpo cierto, o si el acreedor en la demanda hubiere señalado, para que se haga el embargo, bienes que la lei permita embargar, el mandamiento contendrá tambien la designacion de ellos.

Siempre que en concepto del tribunal hubiere fundado temor de que el mandamiento sea desobedecido, podrá solicitar, a peticion de parte, el auxilio de la fuerza pública para proceder a su ejecucion.

## Art. 465

### (Agregado por la Comision)

Si la ejecucion recayere sobre una empresa o establecimiento mercantil o industrial, o sobre cosa o conjunto de cosas que sean complemento indispensable para su esplotacion, podrá el juez, atendidas las circunstancias i la cuantía del crédito, ordenar que el embargo se haga efectivo, o en los bienes designados por el acreedor, o en otros bienes del deudor, o en la totalidad de la industria misma, o en las utilidades que ésta produjere, o en parte de cualquiera de ellas.

Embargada la industria o las utilidades, el depositario que se nombre tendrá las facultades i deberes de interventor judicial; i para ejercer las que correspondan al cargo de depositario, procederá en todo caso con autorizacion del juez de la causa.

## ART. 466

**(Agregado por la Comision)**

No son embargables:

Primero. Los sueldos, las gratificaciones i las pensiones de gracia, jubilacion, retiro i montepío que pagan el Estado i las Municipalidades;

Segundo. Los jornales i salarios de los jornaleros i criados;

Tercero. Las pensiones alimenticias· forzosas;

Cuarto. Las rentas periódicas que el deudor cobre de una fundacion o que deba a la liberalidad de un tercero, en la parte que estas rentas sean absolutamente necesarias para sustentar la vida del deudor, de su cónyuje i de los hijos que viven con él i a sus espensas.

Quinto. Las sumas que se depositen en las Cajas Nacionales de Ahorro o anexas a la Caja de Crédito Hipotecario i sus intereses, hasta la cantidad de dos mil pesos;

Sesto. Las pólizas de seguro sobre la vida i las sumas que, en cumplimiento de lo convenido en ellas, pague el asegurador. Pero, en este último caso, será embargable el valor de las primas pagadas por el que tomó la póliza.

Sétimo. Las sumas que se paguen a los empresarios de obras públicas durante la ejecucion de los trabajos. Esta disposicion no tendrá efecto respecto de lo que se adeude a los artífices u obreros por sus salarios insolutos i de los créditos de los proveedores en razon de los materiales u otros artículos suministrados para la construccion de dichas obras;

Octavo. El lecho del deudor, el de su mujer, los de los hijos que viven con él i a sus espensas, i la ropa necesaria para el abrigo de todas estas personas;

Noveno. Los libros relativos a la profesion del deudor hasta el valor de seiscientos pesos i a eleccion del mismo deudor;

Décimo. Las máquinas e instrumentos de que se sirve el deudor para la enseñanza de alguna ciencia o arte hasta dicho valor i sujetos a la misma eleccion;

Undécimo. Los uniformes i equipos de los militares, segun su arma i grado;

Duodécimo. Los objetos indispensables al ejercicio personal del arte u oficio de los artistas, artesanos i obreros de fábrica; i los aperos, animales de labor i material de cultivo necesarios al labrador o trabajador de campo para la esplotacion agrícola, hasta la suma de cuatrocientos pesos i a eleccion del mismo deudor;

Décimo tercero. Los utensilios caseros i de cocina, i los artículos de alimento i combustible que existan en poder del deudor, hasta concurrencia de lo necesario para el consumo de la familia durante un mes;

Décimo cuarto. La propiedad de los objetos que el deudor posee fiduciariamente;

Décimo quinto. Los derechos cuyo ejercicio es ente·
ramente personal, como los de uso i habitacion;

Décimo sesto. Los bienes raices donados o legados
con la espresion de no embargables, siempre que se
haya hecho constar su valor al tiempo de la entrega
por tasacion aprobada judicialmente; pero podrán embargarse por el valor adicional que despues adquirieren;

Décimo sétimo. Los bienes destinados a un servicio
que no pueda paralizarse sin perjuicio del tráfico o de
la hijiene públicos, como los ferrocarriles, empresas de
agua potable o desagüe de las ciudades, etc.; pero
podrá embargarse la renta líquida que produzcan,
observándose en este caso lo dispuesto en el artículo
anterior; i

Décimo octavo. Los demas bienes que leyes especiales prohiban embargar.

Son nulos i de ningun valor los contratos que tengan
por objeto la cesion, donacion o transferencia en cualquier forma, ya sea a título gratuito u oneroso, de las
rentas espresadas en el número primero de este artículo
o de alguna parte de ellas.

## Art. 467

(466 del Proyecto)

Aunque pague el deudor ántes del requerimiento,
serán de su cargo las costas causadas en el juicio.

## Art. 468

(467 del Proyecto)

Puede el acreedor concurrir al embargo i designar, si
el mandamiento no lo hiciere, los bienes del deudor que

hayan de embargarse, con tal que no excedan de los necesarios para responder a la demanda, haciéndose esta apreciacion por el ministro de fe encargado de la dilijencia, sin perjuicio de lo que resuelva el tribunal a solicitud de parte interesada.

## Art. 469

### (468 del Proyecto)

No designando el acreedor bienes para el embargo, se verificará éste en los que el deudor presente, si, en concepto del ministro de fe encargado de la dilijencia, fueren suficientes o si, no siéndolo, tampoco hubiere otros conocidos.

## Art. 470

### (469 del Proyecto)

Si no designaren bienes el acreedor ni el deudor, el ministro de fe guardará en el embargo el órden siguiente:

Primero. Dinero;
Segundo. Otros bienes muebles;
Tercero. Bienes raices; i
Cuarto. Salarios i pensiones.

## Art. 471

### (470 del Proyecto)

El embargo se entenderá hecho por la entrega real o simbólica de los bienes al depositario que se designe, aunque éste deje la especie en poder del mismo deudor.

La dilijencia que deberá estenderse contendrá la espresion individual i detallada de los bienes embargados, su calidad i estado, i será firmada por el ministro de fe que la practicare, por el depositario, i por el acreedor i el deudor si concurren.

Si el depositario no supiere escribir o si alguna de las partes se negare a firmar, se espresarán estas circunstancias.

## Art. 472

### (471 del Proyecto)

Los bienes embargados se pondrán a disposicion del depositario provisional i éste, a su vez, los entregará al depositario definitivo que nombrarán las partes en audiencia verbal o el tribunal en caso de desacuerdo.

Si los bienes embargados se encontraren en diversos departamentos o consistieren en especies de distinta naturaleza, podrá nombrarse mas de un depositario.

Cualquiera de las partes que ofrezca probar que el depositario no tiene responsabilidad bastante, será oida.

Si el embargo recayere sobre dinero, alhajas, especies preciosas o efectos públicos, el depósito podrá hacerse en un banco.

## Art. 473

### (472 del Proyecto)

Si el deudor no concurre a la dilijencia de embargo o si se niega a hacer la entrega al depositario, procederá a efectuarla el ministro de fe.

## Art. 474

(474 del Proyecto)

Si el embargo recayere sobre bienes raices o derechos reales constituidos en ellos, no producirá efecto alguno legal respecto de terceros sino desde la fecha en que se inscriba en el respectivo rejistro conservatorio del departamento en donde estuvieren situados los inmuebles.

El ministro de fe que practicare el embargo, a solicitud verbal del acreedor, requerirá la inscripcion i firmará con el conservador respectivo. Esta firma será bastante para los efectos del artículo ochenta i tres del Reglamento del rejistro de dichos conservadores.

## Art. 475

(475 del Proyecto)

Cuando la cosa embargada se hallare en poder de un tercero que se opusiere a la entrega alegando el derecho de gozarla a otro título que el de dueño, no se hará alteracion en este goce hasta el momento de la enajecion, ejerciendo miéntras tanto el depositario sobre la cosa los mismos derechos que ejercia el deudor.

Lo cual se entiende sin perjuicio del derecho que corresponda al tenedor de la cosa embargada para seguir gozándola aun despues de su enajenacion.

## Art. 476

(476 del Proyecto)

Verificado el embargo, el ministro ejecutor entregará inmediatamente la dilijencia en la secretaría, i el secretario pondrá testimonio del dia en que la recibe.

En el caso del artículo cuatrocientos setenta i cuatro, esta entrega se verificará inmediatamente despues de practicada la inscripcion de que dicho artículo trata.

## Art. 477

(477 del Proyecto)

Puede el acreedor pedir ampliacion del embargo en cualquier estado del juicio, siempre que haya justo motivo para temer que los bienes embargados no basten para cubrir la deuda i las costas.

El haber recaido el embargo sobre bienes difíciles de realizar será siempre justo motivo para la ampliacion. Lo será tambien la introduccion de cualquiera tercería sobre los bienes embargados.

Pedida la ampliacion despues de la sentencia definitiva, no será necesario el pronunciamiento de nueva sentencia para comprender en la realizacion los bienes agregados al embargo.

## Art. 478

(478 del Proyecto)

Puede el deudor en cualquier estado del juicio hacer cesar el embargo, consignando una cantidad suficiente para el pago de la deuda i las costas.

## Art. 479

**(479 del Proyecto)**

Se formará ramo separado con las dilijencias relativas al embargo, a su ampliacion i al procedimiento de apremio, que tiene por objeto realizar los bienes embargados i hacer pago al acreedor.

Se pondrá testimonio en el ramo principal, de la fecha en que se practiquen el embargo i la ampliacion.

Este cuaderno se tramitará independientemente del cuaderno ejecutivo, sin que la marcha del uno se retarde por los recursos que en el otro se dedujeren.

## Art. 480

**(480 del Proyecto)**

Si el deudor es requerido de pago en el lugar del asiento del tribunal, tendrá el término de cuatro dias útiles para oponerse a la ejecucion.

Este término se ampliará con cuatro dias, si el requerimiento se hace dentro del departamento en que se ha promovido el juicio, pero fuera del asiento del tribunal.

## Art. 481

**(481 del Proyecto)**

Si el requerimiento se hace en otro departamento de la República, la oposicion podrá presentarse ante el tribunal que hubiere ordenado cumplir el exhorto del que

entiende en el juicio, i los plazos para esta presentacion
serán los mismos que establece el artículo anterior. El
tribunal exhortado se limitará a remitir la solicitud de
oposicion al exhortante, para que éste provea sobre ella
lo que fuere de justicia.

El demandado gozará, sin embargo, en este caso,
para comparecer al juicio, de un plazo igual al que corresponderia como aumento del de emplazamiento en
conformidad a la tabla de que trata el artículo doscientos cincuenta i seis.

## Art. 482

### (482 del Proyecto)

Si se verifica el requerimiento fuera del territorio de
la República, el término para deducir oposicion será el
que corresponda segun la tabla a que se refiere el artículo
doscientos cincuenta i seis, como aumento estraordinario del plazo para contestar una demanda.

## Art. 483

### (483 del Proyecto)

El término para deducir la oposicion comienza a correr desde el dia del requerimiento de pago.

Si el requerimiento se verificare dentro de la República, el ministro de fe hará saber al deudor, en el mismo
acto, el término que la lei concede para deducir la oposicion, i dejará testimonio de este aviso en la dilijencia.
La omision del ministro de fe le hará responsable de
los perjuicios que pudieran resultar, pero no invalidará
el requerimiento.

## Art. 484

(484 del Proyecto)

Los términos que se espresan en los cuatro artículos anteriores son fatales.

## Art. 485

(485 del Proyecto)

La oposicion del ejecutado solo será admisible cuando se funde en alguna de las escepciones siguientes:

Primera. La incompetencia del tribunal ante quien se hubiere presentado la demanda;

Segunda. La falta de capacidad del demandante o de personería o representacion legal del que comparezca en su nombre;

Tercera. La litis-pendencia ante tribunal competente, siempre que el juicio que le da oríjen hubiere sido promovido por el acreedor, sea por via de demanda o de reconvencion;

Cuarta. La ineptitud del libelo por falta de algun requisito legal en el modo de formular la demanda, en conformidad a lo dispuesto en el artículo doscientos cincuenta i uno;

Quinta. El beneficio de escusion o la caducidad de la fianza;

Sesta. La falsedad del título;

Sétima. La falta de alguno de los requisitos o condiciones establecidos por las leyes para que dicho título tenga fuerza ejecutiva, sea absolutàmente, sea con relacion al demandado;

Octava. El exceso de avalúo en los casos de los incisos segundo i tercero del artículo cuatrocientos cincuenta i nueve;

Novena. El pago de la deuda.

Décima. La remision de la misma.

Undécima. La concesion de esperas o la prórroga del plazo;

Duodécima. La novacion;

Décima tercera. La compensacion;

Décima cuarta. La nulidad de la obligacion;

Décima quinta. La pérdida de la cosa debida, en conformidad a lo dispuesto en el Título diecinueve, Libro IV del Código Civil;

Décima sesta. La transaccion;

Décima sétima. La prescripcion de la deuda o solo de la accion ejecutiva; i

Décima octava. La cosa juzgada.

Estas escepciones pueden referirse a toda la deuda o a una parte de ella solamente.

## Art. 486

### (486 del Proyecto)

Todas las escepciones deberán oponerse en un mismo escrito, espresándose con claridad i precision los hechos i los medios de prueba de que el deudor intenta valerse para acreditarlas.

No obstará para que se deduzca la escepcion de incompetencia, el hecho de haber intervenido el demandado en las jestiones del demandante para preparar la accion ejecutiva. Deducida esta escepcion, podrá el tribunal pronunciarse sobre ella desde luego, o reservarla para la sentencia definitiva.

## Art. 487

(487 del Proyecto)

Del escrito de oposicion se comunicará traslado al ejecutante, dándosele copia de él, para que dentro de cuatro dias esponga lo que juzgue oportuno.

Vencido este plazo, haya o no hecho observaciones el demandante, se pronunciará el tribunal sobre la admisibilidad o inadmisibilidad de las escepciones alegadas.

Si las estimare inadmisibles, o si no considerare necesario que se rinda prueba para resolver, dictará desde luego sentencia definitiva. En caso contrario, recibirá a prueba la causa.

## Art. 488

(488 del Proyecto)

El ejecutante podrá, solo dentro del plazo de cuatro dias que concede el inciso primero del artículo anterior, desistirse de la demanda ejecutiva, con reserva de su derecho para entablar accion ordinaria sobre las mismos puntos que han sido materia de aquella.

Por el desistimiento perderá el derecho para deducir nueva accion ejecutiva, i quedarán *ipso facto* sin valor el embargo i demas resoluciones dictadas. Responderá el ejecutante de los perjuicios que se hubieren causado con la demanda ejecutiva, salvo lo que se resuelva en el juicio ordinario.

## Art. 489

(489 del Proyecto)

Cuando hubiere de recibirse a prueba la causa, el término para rendirla será de diez dias.

Podrá ampliarse este término hasta diez dias mas, a peticion del acreedor. La prórroga deberá solicitarse ántes de vencido el término legal, i correrá sin interrupcion despues de éste.

Por acuerdo de ámbas partes, podrán concederse los términos estraordinarios que ellas designen.

## Art. 490

(490 del Proyecto)

La prueba se rendirá del mismo modo que en el juicio ordinario, i el fallo que dé lugar a ella espresará los puntos sobre que deba recaer. Vencido el término probatorio, quedarán los autos en la secretaría por espacio de seis dias a disposicion de las partes, ántes de pronunciar sentencia. Durante este plazo podrán hacerse por escrito las observaciones que el exámen de la prueba sujiera, i una vez vencido, háyanse o no presentado escritos, i sin nuevo trámite, se llevarán los autos al tribunal para dictar sentencia definitiva.

## Art. 491

(491 del Proyecto)

La sentencia definitiva deberá pronunciarse dentro del término de diez dias contados desde que el pleito quede concluso.

## Art. 492

(492 del Proyecto)

Si en la sentencia definitiva se mandare seguir adelante en la ejecucion, se impondrán las costas al ejecutado.

I, por el contrario, si se absolviere al ejecutado, se condenará en las costas al ejecutante.

Si se admitieren solo en parte una o mas escepciones, se distribuirán las costas proporcionalmente; pero podrán imponerse todas ellas al ejecutado cuando en concepto del tribunal hubiere motivo fundado.

## Art. 493

(498 del Proyecto)

Si el ejecutado no dedujere oposicion legal, se pronunciará tambien, a peticion de parte, sentencia de pago o de remate.

## Art. 494

(494 del Proyecto)

Si, deduciendo el ejecutado oposicion legal, espusiere en el mismo acto que no tiene medios de justificarla en el término de prueba, i pidiere que se le reserve su derecho para el juicio ordinario i que no se haga pago al acreedor sin que caucione previamente las resultas de este juicio, el tribunal dictará sentencia de pago o remate i accederá a la reserva i caucion pedidas.

## Art. 495

**(495 del Proyecto)**

Si, en el caso del artículo precedente, no entablare el deudor su demanda ordinaria en el término de quince dias, contados desde que se le notifique la sentencia definitiva. se procederá a ejecutar dicha sentencia sin previa caucion, o quedará ésta *ipso facto* cancelada, si se hubiere otorgado.

## Art. 496

**(495 del Proyecto)**

Si se interpusiere apelacion de la sentencia de pago, no podrá procederse a la ejecucion de esta sentencia, pendiente el recurso, sino en caso que el ejecutante caucione las resultas del mismo.

## Art. 497

**(497 del Proyecto)**

En la apelacion del juicio ejecutivo no hai lugar al trámite de la espresion de agravios.

## Art. 498

**(498 del Proyecto)**

La accion ejecutiva rechazada por incompetencia del tribunal, incapacidad, ineptitud del libelo o falta de oportunidad en la ejecucion, podrá renovarse con arreglo a los preceptos de este Título.

## Art. 499

(499 del Proyecto)

La sentencia recaida en el juicio ejecutivo produce cosa juzgada en el juicio ordinario, tanto respecto del ejecutante como del ejecutado.

Con todo, si ántes de dictarse sentencia en el juicio ejecutivo, el actor o el reo pidieren que se les reserven para el ordinario sus acciones o escepciones, podrá el tribunal declararlo así, existiendo motivos calificados. Siempre se concederá la reserva respecto de las acciones i escepciones que no se refieran a la existencia de la obligacion misma que ha sido objeto de la ejecucioń.

En los casos del inciso precedente, la demanda ordinaria deberá interponerse dentro del plazo que señala el artículo cuatrocientos noventa i cinco, bajo pena de no ser admitida despues.

## Párrafo Segundo

### DE LA ADMINISTRACION DE LOS BIENES EMBARGADOS I DEL PROCEDIMIENTO DE APREMIO

## Art. 500

(500 del Proyecto)

La administracion de los bienes embargados correrá a cargo del depositario.

Si fueren muebles, podrá el depositario trasladarlos al lugar que creyere mas conveniente, salvo que el ejecutado caucione la conservacion de dichos bienes donde se encuentren.

Lo cual se entiende sin perjuicio de lo dispuesto en el inciso primero del artículo cuatrocientos setenta i uno i cuarto del artículo cuatrocientos setenta i dos.

### Art. 501

(501 del Proyecto)

Toda cuestion relativa a la administracion de los bienes embargados o a la venta de los que se espresan en el artículo quinientos cuatro, que se suscite entre el ejecutante o el ejecutado i el depositario, se sustanciará en audiencias verbales que tendrán lugar con solo el que asista.

### Art. 502

(502 del Proyecto)

Notificada que sea la sentencia de remate, se procederá a la venta de los bienes embargados, en conformidad a los artículos siguientes.

### Art. 503

(503 del Proyecto)

Los bienes muebles embargados se venderán en martillo, siempre que sea posible, sin necesidad de tasacion.

## Art. 504

(504 del Proyecto)

Venderá el depositario en la forma mas conveniente, sin previa tasacion, pero con autorizacion judicial, los bienes muebles sujetos a corrupcion, o susceptibles de próximo deterioro, o cuya conservacion sea difícil o mui dispendiosa.

## Art. 505

(505 del Proyecto)

Los efectos de comercio realizables en el acto, se venderán sin previa tasacion, por un corredor nombrado en la forma que establece el artículo cuatrocientos dieciseis.

## Art. 506

(506 del Proyecto)

Los demas bienes no comprendidos en los tres artículos anteriores, se tasarán i venderán en remate público ante el tribunal que conoce de la ejecucion, o ante el tribunal dentro de cuya jurisdiccion estuvieren situados los bienes, cuando así se resuelva a solicitud de parte i por motivos fundados.

## Art. 507

(507 del Proyecto)

La tasacion se practicará por peritos nombrados en la forma que dispone el artículo cuatrocientos dieciseis, haciéndose el nombramiento en la audiencia del segundo dia hábil despues de notificada la sentencia, sin necesidad de nueva notificacion.

Puesta en conocimiento de las partes la tasacion, tendrán el término de tres dias para impugnarla.

De la impugnacion de cada parte se dará traslado a la otra por igual término.

## Art. 508

### (508 del Proyecto)

Trascurridos los plazos que espresa el artículo anterior, i aun cuando no hubieren evacuado las partes el traslado de las impugnaciones, resolverá sobre ellas el tribunal, sea aprobando la tasacion, sea mandando que se rectifique por el mismo o por otro perito, sea fijando el tribunal por sí mismo el justiprecio de los bienes. Estas resoluciones son inapelables.

Si el tribunal mandare rectificar la tasacion, espresará los puntos sobre que deba recaer la rectificacion; i practicada ésta, se tendrá por aprobada, sin aceptarse nuevos reclamos.

## Art. 509

### (509 del Proyecto)

Aprobada la tasacion, se señalará dia i hora para la subasta, si estuviere ejecutoriada la sentencia de remate.

## Art. 510

(510 del Proyecto)

El remate, con el señalamiento del dia i hora en que debe tener lugar, se anunciará por medio de avisos repe·tidos, a lo ménos, cuatro veces en uno o mas periódicos del departamento, si los hubiere, i ademas, en todo caso, por carteles que se fijarán en el oficio del secretario durante ocho dias, si los bienes embargados fueren muebles, i durante veinte, si fueren raíces.

Si los bienes estuvieren en otro departamento, el remate se anunciará tambien en él, por el mismo tiempo i en la misma forma.

Los avisos serán redactados por el secretario i contendrán los datos necesarios para identificar los bienes que van a rematarse.

## Art. 511

(511 del Proyecto)

Antes de verificarse el remate, puede el deudor libertar sus bienes pagando la deuda i las costas.

## Art. 512

(512 del Proyecto)

El precio de los bienes que se rematen deberá pagarse de contado, salvo que las partes en audiencia verbal acuerden o que el tribunal, por motivos fundados, resuelva otra cosa.

Las demas condiciones para la subasta se fijarán

tambien de comun acuerdo por las partes, i, en caso de desacuerdo, por el tribunal, consultando la mayor facilidad i el mejor resultado en la enajenacion.

## Art. 513

### (Agregado por la Comision)

Si por un acreedor hipotecario de grado posterior se persiguiere una finca hipotecada contra el deudor personal que la poseyere, el acreedor o los acreedores de grado preferente, citados conforme al artículo dos mil cuatrocientos veintiocho del Código Civil, podrán, o exijir el pago de sus créditos sobre el precio del remate segun sus grados, o conservar sus hipotecas sobre la finca subastada, siempre que sus créditos no estuvieren devengados.

No diciendo nada, en el término del emplazamiento, se entenderá que optan por ser pagados sobre el precio de la subasta.

Si se hubiere abierto concurso a los bienes del poseedor de la finca perseguida, o se le hubiere declarado en quiebra, se estará a lo prescrito en el artículo dos mil cuatrocientos setenta i siete de dicho Código.

Los procedimientos a que dieren lugar las disposiciones anteriores, se verificarán en audiencias verbales con el interesado o los interesados que concurran.

## Art. 514

### (513 del Proyecto)

Salvo el caso de convenio espreso de las partes, no se admitirá postura que baje de los dos tercios de la tasacion.

## Art. 515

(514 del Proyecto)

Todo postor, para tomar parte en el remate, deberá rendir caucion suficiente, calificada por el tribunal, sin ulterior recurso, para responder de que se llevará a efecto la compra de los bienes rematados. La caucion será equivalente al diez por ciento de la valoracion de dichos bienes, i subsistirá hasta que se otorgue la escritura definitiva de compraventa, o se deposite a la órden del tribunal el precio o parte de él que deba pagarse de contado.

## Art. 516

(515 del Proyecto)

El acta de remate de la clase de bienes a que se refiere el inciso segundo del artículo mil ochocientos uno del Código Civil, se estenderá en el rejistro del secretario que interviniere en la subasta, i será firmada por el juez, el rematante i el secretario.

Esta acta valdrá como escritura pública, para el efecto del citado artículo del Código Civil; pero se estenderá sin perjuicio de otorgarse dentro de tercero dia la escritura definitiva con insercion de los antecedentes necesarios i con los demas requisitos legales.

Los secretarios que no fueren tambien notarios llevarán un rejistro de remates, en el cual asentarán las actas de que este artículo trata.

## Art. 517



En el acta de remate podrá el rematante indicar la persona para quien adquiere; pero miéntras ésta no se presentare aceptando lo obrado, subsistirá la responsabilidad del que ha hecho las posturas.

Subsistirá tambien la garantia constituida para tomar parte en la subasta, en conformidad al artículo quinientos quince.

## Art. 518



Para los efectos de la inscripcion, no admitirá el conservador sino la escritura definitiva de compraventa. Dicha escritura será suscrita por el rematante i por el juez, como representante legal del vendedor, i se entenderá autorizado el primero para requerir i firmar por sí solo la inscripcion en el Conservador, aun sin mencion espresa de esta facultad.

## Art. 519



En todo caso, se dejará en el proceso un estracto del acta de remate.

## Art. 520

### (519 del Proyecto)

Si no se presentaren postores en el dia señalado, podrá el acreedor solicitar cualquiera de estas dos cosas, a su eleccion:

Primero. Que se le adjudiquen por los dos tercios de la tasacion los bienes embargados; i

Segundo. Que se reduzca prudencialmente por el tribunal el avalúo aprobado. La reduccion no podrá exceder de una tercera parte de este avalúo.

## Art. 521

### (520 del Proyecto)

Si, puestos a remate los bienes embargados por los dos tercios del nuevo avalúo hecho en conformidad al número segundo del artículo anterior, tampoco se presentaren postores, podrá el acreedor pedir cualquiera de estas tres cosas, a su eleccion:

Primero. Que se le adjudiquen los bienes por los dichos dos tercios;

Segundo. Que se pongan por tercera vez a remate, por el precio que el tribunal designe; i

Tercero. Que se le entreguen en prenda pretoria.

## Art. 522

### (521 del Proyecto)

Cuando el acreedor pidiere, conforme a lo dispuesto en el artículo anterior, que se le entreguen en prenda pretoria los bienes embargados, podrá el deudor solicitar que se pongan por última vez a remate. En este caso no habrá mínimum para las posturas.

## ART. 523

(522 del Proyecto)

Cuando haya de procederse a nuevo remate en los casos determinados por los tres artículos precedentes, se observará lo dispuesto en el artículo quinientos diez, reduciéndose a la mitad los plazos fijados para los avisos i carteles. No se hará, sin embargo, reduccion alguna en estos plazos, si hubieren trascurrido mas de tres meses desde el dia designado para el anterior remate hasta aquel en que se solicite la nueva subasta.

## ART. 524

(523 del Proyecto)

La entrega de los bienes en prenda pretoria se hará bajo inventario solemne.

## ART. 525

(524 del Proyecto)

El acreedor a quien se entreguen bienes muebles o inmuebles en prenda pretoria, deberá llevar cuenta exacta, i en cuanto fuere dable documentada, de los productos de dichos bienes. Las utilidades líquidas que de ellos obtenga se aplicarán al pago del crédito, a medida que se perciban.

Para calcular las utilidades se tomarán en cuenta, a
mas de los otros gastos de lejítimo abono, el interes corriente de los capitales propios que el acreedor invierta,
i la cantidad que el tribunal fije como remuneracion de
los servicios que preste como administrador. No tendrá,
sin embargo, derecho a esta remuneracion el acreedor
que no rindiere cuenta fiel de su administracion, o que
se hiciere responsable de dolo o culpa grave.

## Art. 526

### (525 del Proyecto)

Salvo estipulacion en contrario, podrá el deudor, en
cualquier tiempo, pedir los bienes dados en prenda pretoria pagando la deuda i las costas, incluso todo lo que
el acreedor tuviere derecho a percibir en conformidad
a lo dispuesto en el último inciso del artículo precedente.

Podrá tambien el acreedor, en cualquier tiempo, poner
fin a la prenda pretoria i solicitar su enajenacion o el
embargo de otros bienes del deudor, en conformidad a
las reglas de este Título.

## Art. 527

### (526 del Proyecto)

El acreedor que tuviere bienes en prenda pretoria,
deberá rendir cuenta de su administracion, cada año si
fueren bienes inmuebles i cada seis meses si se trata de
muebles, bajo la pena, si no lo hiciere, de perder la remuneracion que le habria correspondido, en conformidad
al inciso final del artículo quinientos veinticinco, por los
servicios prestados durante el año.

## Art. 528

(527 del Proyecto)

Salvo lo dispuesto en los cuatro artículos. precedentes, la prenda pretoria queda sujeta a las reglas del Título treinta i ocho, Libro cuarto del Código Civil.

Cuando se constituyere en bienes muebles, tendrá ademas sobre ellos, el que los recibiere, los derechos i privilejios de un acreedor prendario.

## Art. 529

(528 del Proyecto)

Si los bienes embargados consistieren en el derecho de gozar una cosa o percibir sus frutos, podrá pedir el acreedor que se dé en arrendamiento o que se entregue en prenda pretoria este derecho.

El arrendamiento se hará en remate público, fijadas previamente por el tribunal, con audiencia verbal de las partes, las condiciones que hayan de tenerse como mínimum para las posturas.

Se anunciará al público el remate con anticipacion de veinte dias, en la forma i en los lugares espresados por el artículo quinientos diez.

## Art. 530

(529 del Proyecto)

Los fondos que resultaren de la realizacion de los bienes embargados se consignarán directamente por los compradores, ó por los arrendatarios en el caso del artículo anterior, a la órden del tribunal que conozca de la ejecucion en poder de la persona o institucion de crédito que el mismo tribunal designe.

## ART. 531

(530 del Proyecto)

Ejecutoriada la sentencia definitiva i realizados los bienes embargados, se hará la liquidacion del crédito i se determinarán, en conformidad al artículo cuatrocientos noventa i dos, las costas que deben ser de cargo al deudor, incluyéndose las causadas despues de la sentencia.

## ART. 532

(531 del Proyecto)

Practicada la liquidacion a que se refiere el artículo precedente, se ordenará hacer pago al acreedor con el dinero embargado o con el que resulte de la realizacion de los bienes de otra clase comprendidos en la ejecucion.

## ART. 533

(532 del Proyecto)

Si el embargo se hubiere trabado sobre la especie misma que se demanda, una vez ejecutoriada la sentencia de pago, se ordenará su entrega al ejecutante.

## Art. 534

(533 del Proyecto)

Sin estar completamente reintegrado el ejecutante, no podrán aplicarse las sumas producidas por los bienes embargados a ningun otro objeto que no haya sido declarado preferente por sentencia ejecutoriada.

Las costas procedentes de la ejecucion gozarán de preferencia aun sobre el crédito mismo.

## Art. 535

534 del Proyecto)

Luego que espire por cualquiera causa el cargo del depositario, éste rendirá cuenta de su administracion en la forma que la lei establece para los tutores i curadores. Podrá, sin embargo, el tribunal, a solicitud de parte, ordenarle que rinda cuentas parciales ántes de la terminacion del depósito.

Presentada la cuenta, jeneral o parcial, por el depositario, tendrán las partes el término de seis dias para examinarla; i si se hicieren reparos, se tramitarán como un incidente.

## Art. 536

(535 del Proyecto)

El depositario deberá consignar a la órden del tribunal, en la forma espresada en el artículo quinientos treinta, los fondos líquidos que obtenga correspondientes al depósito, tan pronto como lleguen a su poder; i abonará intereses corrientes por los que no hubiere consignado oportunamente.

## Art. 537

**(536 del Proyecto)**

Al pronunciarse sobre la aprobacion de la cuenta, fijará el tribunal la remuneracion del depositario, si hubiere lugar a ella, teniendo en cönsideracion la responsabilidad i trabajo que el cargo le hubiere impuesto.

La preferencia establecida por el inciso segundo del artículo quinientos treinta i cuatro se estiende a la remuneracion del depositario.

## Art. 538

**(537 del Proyecto)**

No tienen derecho a remuneracion:

Primero. El depositario que, encargado de pagar el salario o pension embargados, hubiere retenido a disposicion del tribunal la parte embargable de dichos salario o pension; i

Segundo. El que se hiciere responsable de dolo o culpa grave.

### Párrafo Tercero

### DE LAS TERCERIAS

## Art. 539

**(538 del Proyecto)**

En el juicio ejecutivo solo son admisibles las tercerías cuando el reclamante pretende:

Primero. Dominio de los bienes embargados;

Segundo. Derecho para ser pagado preferentemente; o

Tercero. Derecho para concurrir en el pago a falta de otros bienes.

En el primer caso la tercería se llama de *dominio*, en el segundo de *prelacion* i en el tercero de *pago*.


## Art. 540

### (539 del Proyecto)

Se sustanciará en la forma establecida para las tercerías de dominio la oposicion que se fundare en el derecho del comunero sobre la cosa embargada.

En la misma forma se tramitará la reclamacion del ejecutado para que se escluya del embargo alguno de los bienes a que se refiere el artículo cuatrocientos sesenta i seis.


## Art. 541

### (Agregado por la Comision)

Podrán tambien ventilarse conforme al procedimiento de las tercerías los derechos que hiciere valer el ejecutado invocando una calidad diversa de aquella en que se le ejecuta. Tales serian, por ejemplo, los casos siguientes:

Primero. El del heredero a quien se ejecutare en este carácter para el pago de las deudas hereditarias o testamentarias de otra persona cuya herencia no hubiere aceptado.

Segundo. El de aquel que sucediendo por derecho de representacion, ha repudiado la herencia de la persona a quien representa, i es perseguido por el acreedor de ésta;

Tercero. El del heredero que reclamare del embargo de sus bienes propios efectuado por accion de deudores hereditarios o testamentarios que hubieren hecho valer el beneficio de separacion de que trata el Título doce del libro tercero del Código Civil, i no trataren de pagarse del saldo a que se refiere el artículo mil trescientos ochenta i tres del mismo Código. Al mismo procedimiento se sujetará la oposicion cuando se dedujere por los acreedores personales del heredero;

Cuarto. El del heredero beneficiario cuyos bienes personales sean embargados por deudas de la herencia, cuando estuviere ejerciendo judicialmente alguno de los derechos que conceden los artículos mil doscientos sesenta i uno a mil doscientos sesenta i tres inclusive del Código Civil.

El ejecutado podrá, sin embargo, hacer valer su derecho en estos casos por medio de la escepcion que corresponda contra la accion ejecutiva, si a ello hubiere lugar.


## Art. 542

### (540 del Proyecto)

Las tercerías de dominio i de prelacion se seguirán en ramo separado con el ejecutante i el ejecutado, i por los trámites del juicio ordinario, pero sin escritos de réplica i dúplica. La tercería de pago se tramitará como incidente.

## Art. 543

(541 del Proyecto)

En ningun caso suspenderá la tercería los trámites del procedimiento ejecutivo.

## Art. 544

(542 del Proyecto)

La tercería de dominio suspenderá el procedimiento de apremio, si estuviere apoyada en instrumento público.

Si no lo estuviere, seguirá el procedimiento de apremio hasta que quede en estado de señalarse dia para el remate; i, salvo lo dispuesto en el artículo quinientos cuatro, en ningun caso podrán enajenarse ni darse en prenda pretoria los bienes embargados, a ménos que, satisfechas las demas condiciones legales, consienta tambien el tercer opositor.

## Art. 545

(543 del Proyecto)

En el caso del inciso primero del artículo quinientos cuarenta podrá el acreedor dirijir su accion sobre la parte o cuota que en la comunidad corresponda al deudor para que se enajene sin previa liquidacion, o exijir que con intervencion suya se liquide la comunidad. En este segundo caso, podrán los demas comuneros oponerse a la liquidacion, si existiere algun motivo legal que la impida, o si, de procederse a ella, hubiere de resultar grave perjuicio.

## Art. 546

(544 del Proyecto)

Si la tercería fuere de prelacion, seguirá el procedimiento de apremio hasta que quede terminada la realizacion de los bienes embargados.

Verificado el remate, el tribunal mandará consignar su producto hasta que recaiga sentencia firme en la tercería.

## Art. 547

(545 del Proyecto)

Si se hubieren embargado o se embargaren bienes no comprendidos en la tercería, seguirá sin restriccion alguna respecto de ellos el procedimiento de apremio.

## Art. 548

(546 del Proyecto)

Si, no teniendo el deudor otros bienes que los embargados, no alcanzaren a cubrirse con ellos los créditos del ejecutante i del tercerista, ni se justificare derecho preferente para el pago, se distribuirá el producto de los bienes entre ámbos acreedores, proporcionalmente al monto de los créditos ejecutivos que hicieren valer.

## Art. 549

### (547 del Proyecto)

Cuando la accion del segundo acreedor se dedujere ante diverso tribunal, podrá pedir se dirija oficio al que estuviere conociendo de la primera ejecucion para que retenga de los bienes realizados la cuota que proporcionalmente corresponda a dicho acreedor.

## Art. 550

### (548 del Proyecto)

El tercerista de pago podrá solicitar la remocion del depositario alegando motivo fundado; i, decretada la remocion, se designará otro de comun acuerdo por ámbos acreedores, o por el tribunal, si no se avinieren.

Podrá tambien el tercerista intervenir en la realizacion de los bienes, con las facultades de coadyuvante. Con las mismas facultades, podrá obrar el primer acreedor en la ejecucion que ante otro tribunal deduzca el segundo.

### Párrafo Cuarto

#### DE LA CESION DE BIENES A UN SOLO ACREEDOR

## Art. 551

### (549 del Proyecto)

El deudor que, encontrándose en el caso del artículo mil seiscientos catorce del Código Civil, hiciere cesion de bienes a su único acreedor, deberá presentarse por escrito ante el tribunal correspondiente, haciendo una esposicion circunstanciada de las causas directas e inmediatas de que procede el mal estado de sus negocios. Acompañará ademas una relacion detallada de los juicios que tuviere pendientes i de todos sus bienes, con espresion del lugar en que se encuentran, de su valor estimativo i de los gravámenes a que estuvieren afectos, indicando, al mismo tiempo, aquellos que, con arreglo a la lei, puedan eliminarse de la cesion.

## Art. 552

### (550 del Proyecto)

Puesta la solicitud en conocimiento del acreedor, tendrá éste el plazo de seis dias para oponerse a la cesion.

Si se hiciere oposicion, se tramitará como incidente.

## Art. 553

### (551 del Proyecto)

Si se hubiere deducido accion ejecutiva contra el deudor, solo podrá éste hacer cesion de bienes a su acreedor dentro del plazo concedido para oponer escepciones, sin suspender la ejecucion i formándose ramo separado.

En este caso tendrá, para acompañar la esposicion de causas i relacion de bienes a que se refiere el artículo quinientos cincuenta i uno, el plazo de seis dias contados desde que se hubiere presentado haciendo la cesion; i se procederá como lo dispone el artículo precedente.

## Art. 554

(552 del Proyecto)

Aceptada la cesion por anuencia del acreedor o por resolucion del tribunal, se procederá a la realizacion de los bienes cedidos, en conformidad a las reglas del párrafo segundo del presente Título.

El acreedor desempeñará las funciones de depositario i tendrá ademas la representacion judicial o estrajudicial de los derechos del deudor en todos los asuntos que afecten a los bienes cedidos; pero no podrá celebrar transacciones o compromisos voluntarios sin la anuencia del deudor.

Los fondos que se obtengan de la realizacion se aplicarán al pago del crédito a medida que se perciban, sin previa órden judicial.

## Art. 555

(553 del Proyecto)

Si el deudor tuviere la libre administracion de sus bienes, podrá entregar desde luego al acreedor, en pago de su obligacion, los que se comprendan en la cesion, apreciados de comun acuerdo.

Si entre los bienes cedidos hubiere alguno de la clase que se menciona en el inciso segundo, del artículo mil ochocientos uno del Código Civil, no valdrá el acuerdo miéntras no se otorgue escritura pública.

# TÍTULO II

## DEL PROCEDIMIENTO EJECUTIVO EN LAS OBLIGACIONES DE HACER I DE NO HACER

### Art. 556

(554 del Proyecto)

Hai accion ejecutiva en las obligaciones de hacer, cuando, siendo determinadas i actualmente exijibles, se hace valer para acreditarlas algun título que traiga aparejada ejecucion en conformidad al artículo cuatrocientos cincuenta i cinco.

### Art. 557

(555 del Proyecto)

Las reglas del párrafo primero del Título anterior tendrán cabida en el procedimiento de que trata el presente Título, en cuanto sean aplicables i no aparezcan modificadas por los artículos siguientes.

### Art. 558

(556 del Proyecto)

Si el hecho debido consiste en la suscripcion de un instrumento o en la constitucion de una obligacion por parte del deudor, podrá proceder a su nombre el juez que conozca del litijio, si, requerido aquél, no lo hiciere dentro del plazo que le señale el tribunal.

## Art. 559

(557 del Proyecto)

Cuando la obligacion consista en la ejecucion de una obra material, el mandamiento ejecutivo contendrá:

Primero. La órden de requerir al deudor para que cumpla la obligacion; i

Segundo. El señalamiento de un plazo prudente para que dé principio al trabajo.

## Art. 560

(558 del Proyecto)

A mas de las escepciones espresadas en el artículo cuatrocientos ochenta i cinco, que sean aplicables al procedimiento de que trata este Título, podrá oponer el deudor la de imposibilidad absoluta para la ejecucion actual de la obra debida.

## Art. 561

(559 del Proyecto)

Si no se opusieren escepciones, se omitirá la sentencia de pago, i bastará el mandamiento ejecutivo para que el acreedor haga uso de su derecho en conformidad a las disposiciones de los artículos siguientes.

## Art. 562

### (560 del Proyecto)

El acreedor podrá solicitar que se le autorice para
llevar a cabo por medio de un tercero, i a espensas del
deudor, el hecho debido, si a juicio de aquél fuere esto
posible, siempre que no oponiendo escepciones el deudor
se negare a cumplir el mandamiento ejecutivo; i cuando
desobedeciere la sentencia que deseche las escepciones
opuestas o dejare trascurrir el plazo a que se refiere el
número dos del artículo quinientos cincuenta i nueve,
sin dar principio a los trabajos.

Igual solicitud podrá hacerse cuando, comenzada la
obra, se abandonare por el deudor sin causa justificada.

## Art. 563

### (561 del Proyecto)

Siempre que hubiere de procederse en conformidad
al artículo anterior, presentará el demandante, junto con
su solicitud, un presupuesto de lo que importe la ejecucion de las obligaciones que reclama.

Puesto en noticia del demandado el presupuesto, tendrá el plazo de tres dias para examinarlo, i si nada
observare dentro de dicho plazo, se considerará aceptado.

Si se dedujeren objeciones, se hará el presupuesto
por medio de peritos, procediéndose en la forma que
establecen los artículos quinientos siete i quinientos

ocho para la estimacion de los bienes en el caso de remate.

## Art. 564

(562 del Proyecto)

Determinado el valor del presupuesto del modo que se establece en el artículo anterior, será obligado el deudor a consignarlo dentro de tercero dia a la órden del tribunal, para que se entreguen al ejecutante los fondos necesarios, a medida que el trabajo lo requiera.

## Art. 565

(563 del Proyecto)

Agotados los fondos consignados, podrá el acreedor solicitar aumento de ellos, justificando que ha habido error en el presupuesto o que han sobrevenido circunstancias imprevistas que aumentan el costo de la obra.

## Art. 566

(564 del Proyecto)

Una vez concluida la obra, deberá el acreedor rendir cuenta de la inversion de los fondos suministrados por el deudor.

## Art. 567

(565 del Proyecto)

Si el deudor no consignare a la órden del tribunal los fondos decretados, se procederá a embargarle i enajenar bienes suficientes para hacer la consignacion, con

arreglo a lo establecido en el Título precedente, pero
sin admitir escepciones para oponerse a la ejecucion.

## Art. 568

**(566 del Proyecto)**

Si el acreedor no pudiere o no quisiere hacerse cargo
de la ejecucion de la obra debida, en conformidad a las
disposiciones que preceden, podrá usar de los demas recursos que la lei concede para el cumplimiento de las
obligaciones de hacer, con tal que no haya el deudor
consignado los fondos exijidos para la ejecucion de la
obra, ni se hayan rematado bienes para hacer la consignacion en el caso del artículo quinientos sesenta i siete.

## Art. 569

**(567 del Proyecto)**

Cuando se pidiere apremio contra el deudor, podrá
el tribunal imponerle arresto hasta por quince dias o
multa proporcional, i repetir estas medidas para obtener el cumplimiento de la obligacion.

Cesará el apremio si el deudor paga las multas im-
puestas i rinde ademas caucion suficiente, a juicio del
tribunal, para asegurar la indemnizacion completa de
todo perjuicio al acreedor.

## Art. 570

**(568 del Proyecto)**

Las disposiciones que preceden se aplicarán tambien
a la obligacion de no hacer, cuando se convierta en la

de destruir la obra hecha, con tal que el título en que se apoye consigne de un modo espreso todas las circunstancias requeridas por el inciso segundo del artículo mil quinientos cincuenta i cinco del Código Civil, i no pueda tener aplicacion el inciso tercero del mismo artículo.

En el caso en que tenga aplicacion este último inciso, se procederá en forma de incidente.

## TÍTULO III

### DEL CONCURSO DE ACREEDORES

#### Párrafo Primero

DISPOSICIONES JENERALES

### Art. 571

(569 del Proyecto)

El concurso de acreedores es voluntario o necesario.

Es voluntario el promovido por el deudor, fuera del caso espresado en el número primero del artículo seiscientos noventa.

Es necesario el promovido por los acreedores o declarado de oficio en los casos de los números segundo i tercero del precitado artículo seiscientos noventa.

### Art. 572

(570 del Proyecto)

Aun cuando entre los acreedores haya personas que gocen de fuero especial segun la lei, conocerá no obstante del juicio de concurso el tribunal que seria competente sin esta circunstancia.

Pero si el fallido gozare de fuero especial, entenderá en su concurso el tribunal que corresponda en razon del fuero.

## Art. 573

### (571 del Proyecto)

El concurso produce para el fallido i sus acreedores un estado indivisible. Comprenderá todos los bienes de aquél i todas sus obligaciones, aun cuando no sean de plazo vencido, salvo aquellos bienes i obligaciones que la lei espresamente esceptúe.

## Art. 574

### (572 del Proyecto)

Declarado el concurso, se traerán ante el tribunal que de él conoce todas las causas ordinarias i ejecutivas que se hallaren pendientes contra el fallido en otros tribunales de cualquiera jurisdiccion i que puedan afectar sus bienes. La misma resolucion que admita o decrete el concurso dispondrá esta agregacion.

Sin embargo, los juicios posesorios, los de desahucio, los de que actualmente estuvieren conociendo jueces árbitros i los que, segun la lei, deban someterse a compromiso, seguirán sustanciándose o se promoverán ante el tribunal que conoce o debe conocer de ellos.

## Art. 575

(573 del Proyecto)

Los juicios ordinarios agregados al concurso seguirán tramitándose con arreglo al procedimiento que corresponda segun su naturaleza, hasta que quede ejecutoriada la sentencia definitiva. Condenado el fallido, se dará cumplimiento a lo resuelto en la forma ordinaria o en la que determine la sentencia de grados. En ella hará el tribunal declaracion espresa sobre este punto.

Los juicios ejecutivos se paralizarán en el estado en que se encuentren i los acreedores usarán de su derecho en la forma que establece este Título.

Lo cual se entiende sin perjuicio de lo dispuesto en los tres artículos siguientes.

## Art. 576

(574 del Proyecto)

Los acreedores prendarios o hipotecarios podrán ha cer efectivos sus derechos en los bienes que estuvieren respectivamente afectos a sus créditos, iniciando con tal objeto los procedimientos que correspondan o continuando los ya iniciados.

Sea que dichos acreedores hagan uso del derecho que este artículo les confiere, sea que dejen en manos del síndico la realizacion de los bienes gravados, podrán exijir el pago en la forma que establece el artículo seiscientos cincuenta i tres.

## Art. 577

(578 del Proyecto)

Formándose concurso particular a una finca gravada con hipotecas, no se podrán iniciar ni seguir contra ella ejecuciones parciales.

## Art. 578

(575 del Proyecto)

Cuando al tiempo de la declaracion del concurso hubiere pendiente algun juicio ejecutivo por obligacion de hacer i existieren depositados ya los fondos a que se refiere el artículo quinientos sesenta i cuatro, continuará la tramitacion establecida para esta clase de juicios hasta la total inversion de dichos fondos o hasta la conclusion de la obra que con ellos debe pagarse.

En los demas casos, solo podrá el acreedor continuar o iniciar sus jestiones para que se considere su crédito por el valor de los perjuicios declarados o que se declararen.

## Art. 579

(576 del Proyecto)

Cuando a algun acreedor corresponda el derecho de retencion en los casos señalados por las leyes, no podrá privársele de la cosa retenida sin que previamente se le pague o se le asegure el pago de su crédito.

Podrá, sin embargo, el síndico, autorizado judicial-

mente, exijir la entrega de la cosa retenida, depositando
a la órden del tribunal un valor equivalente a ella en
dinero, sobre el cual se hará efectiva la retencion.

## Art. 580

### (577 del Proyecto)

Los embargos i medidas precautorias que existieren
decretados en los juicios que se agreguen al concurso,
quedarán sin valor desde la declaracion de éste, solo
cuando se refieran a bienes que, sin aguardar el resul·
tado de dichos juicios, deban realizarse en el concurso
o ingresar a él.

## Art. 581

### (579 del Proyecto)

Los juicios ordinarios agregados al concurso i los ejecutivos de que tratan los artículos quinientos setenta i
seis i quinientos setenta i ocho se sustanciarán con el
síndico, sea provisional o definitivo.

Con el síndico se tramitarán tambien las nuevas causas que se iniciaren contra la masa del concurso, sea
sobre reivindicacion, sea por otro motivo.

## Art. 582

### (580 del Proyecto)

Siempre que hubieren de notificarse las resoluciones
que recaigan en el concurso por medio de avisos en los

periódicos, se fijarán tambien carteles con el mismo objeto en la secretaría del tribunal.

## Párrafo Segundo

### DEL CONCURSO VOLUNTARIO

### Art. 583

(581 del Proyecto)

El deudor que se presentare en concurso voluntario deberá acompañar con su solicitud:

Primero. Una relacion detallada e individual de todos sus bienes, con espresion del lugar en que se encuentran, de su valor estimativo i de los gravámenes a que estuvieren afectos;

Segundo. Una relacion de los bienes que, en conformidad a la lei, se esceptúen de la cesion;

Tercero. Una relacion de los juicios que tuviere pendientes, ya figure en ellos como demandante o demandado;

Cuarto. Un estado de las deudas, con espresion de los nombres i domicilios de los acreedores i de la naturaleza de los títulos en que consten; i

Quinto. Una memoria de las causas directas e inmediatas del mal estado de sus negocios; debiendo en ella dar cuenta de la inversion del producto de las deudas contraidas i de los demas bienes recibidos en el último año.

Se entenderá que no hace una esposicion circunstanciada i verídica del estado de sus negocios, el deudor que, presentándose en concurso voluntario, omitiere cualquiera de las enunciaciones que este artículo espresa i no diere razon satisfactoria de la omision.

## Art. 584

(582 del Proyecto)

Puede el deudor presentarse en concurso voluntario para hacer a sus acreedores cesion de bienes o proposiciones de convenio.

# I

## DE LA CESION DE BIENES

## Art. 585

(583 del Proyecto)

Puede hacer cesion de bienes todo deudor que no se encuentre en alguno de los casos espresados en el artículo seiscientos noventa, salvo lo dispuesto en el artículo mil cuatrocientos setenta i siete del Código de Comercio.

Lo cual se entiende sin perjuicio de lo establecido en el artículo mil seiscientos diecisiete del Código Civil.

## Art. 586

(584 del Proyecto)

La resolucion con que se dé curso a la solicitud de cesion contendrá:

Primero. El nombramiento de un síndico provisional que, por sí o por apoderado, tome la administracion de los bienes cedidos;

Segundo. La órden de convocar a los acreedores que residan en el territorio de la República, para que concurran con los documentos justificativos de sus créditos a una junta que tendrá lugar el dia i hora que el mismo tribunal designe;

Tercero. La órden de que se haga saber a todos los acreedores residentes en el territorio de la República que dentro del término de emplazamiento, deben présentarse en el lugar del juicio, por sí o por procurador, bajo apercibimiento de continuarse los procedimientos del concurso i hacerse el pago de los créditos, sin volver a citar a ningun ausente;

Cuarto. La órden de que se despachen los correspondientes exhortos para hacer saber la cesion de bienes a los acreedores que se hallen fuera de la República, mandándoles que en el término de emplazamiento (el cual término se espresará en cada exhorto) comparezcan en el lugar del juicio, bajo el apercibimiento dicho, i disponiendo que, miéntras tanto, sean representados por el defensor de ausentes; i

Quinto. La órden de que se anuncie la cesion de bienes, el nombramiento de síndico provisional i el dia señalado para la junta de acreedores, publicándose en estracto por cinco veces en uno o dos periódicos del departamento, si los hubiere, o en uno o dos de la cabecera de la provincia, en el caso contrario.

## Art. 587

### (585 del Proyecto)

No pueden ser síndicos provisionales:

Primero. Los menores de veinticinco años;

Segundo. Los fallidos que no estuvieren rehabilitados; i

Tercero. El deudor que hace la cesion, ni sus parientes dentro del cuarto grado de consanguinidad o segundo de afinidad.

## Art. 588

(586 del Proyecto)

Incumbe al síndico provisional:

Primero. Exijir la entrega de los bienes cedidos i de los libros i papeles de negocios del deudor;

Segundo. Cuidar de que se hagan las notificaciones i la publicacion que se previenen en el artículo quinientos ochenta i seis;

Tercero. Cobrar los créditos vencidos del activo del concursado;

Cuarto. Adoptar las providencias urjentes de administracion, reparacion i conservacion que requieran los bienes cedidos;

Quinto. Enajenar en martillo o en venta privada, previa autorizacion del tribunal, las especies que no puedan conservarse guardándose, i las que estén sujetas a pronto deterioro o a una inminente i considerable depreciacion.

La enajenacion no podrá llevarse a efecto sino despues de trascurridas veinticuatro horas desde la notificacion del fallido, si estuviere presente, a ménos que convenga espresamente en ella. Si durante este plazo hiciere observaciones, resolverá el tribunal, sin ulterior recurso, lo que estime prudente, consultando los intereses del concurso. En caso de no encontrarse el fallido en el lugar del juicio, se llevará a efecto desde luego la enajenacion.

Sesto. Reclamar la entrega de los bienes que el deudor hubiere omitido en su lista.

Sétimo. Representar los derechos de los acreedores, judicial i estrajudicialmente.

## Art. 589

**(587 del Proyecto)**

El síndico provisional depositará en un banco, o en poder de la persona que designe el tribunal i a la órden de éste, las alhajas, especies preciosas, efectos públicos i dinero que perciba, con deduccion de la cantidad que el mismo tribunal considere necesaria para los gastos de administracion.

## Art. 590

**(588 del Proyecto)**

Si el síndico provisional no tuviere fondos con que atender a los gastos que el ejercicio de su cargo le demande, pedirá al tribunal autorizacion para enajenar en la forma prevenida por el número quinto del artículo quinientos ochenta i ocho, bienes en cantidad suficiente; o para tomar dinero a interes, obligando los bienes cedidos, en caso de no ser éstos de fácil realizacion.

## Art. 591

**(589 del Proyecto)**

La junta de acreedores de que trata el número segundo del artículo quinientos ochenta i seis tendrá lugar con los que concurran, aun cuando no hayan sido individualmente citados todos los que residan fuera del asiento del tribunal.

A ella deberán tambien concurrir el deudor i el síndico provisional.

## Art. 592

(590 del Proyecto)

Esta primera junta tiene por objeto:

Primero. Deliberar acerca de la admision de la cesion de bienes;

Segundo. Nombrar síndico definitivo; i

Tercero. Determinar la remuneracion de los síndicos provisional i definitivo.

Pueden tambien los acreedores celebrar en esta junta los acuerdos que estimen convenientes, sea respecto a la administracion i enajenacion de los bienes cedidos, sea en lo concerniente a la sustanciacion del juicio del concurso.

## Art. 593

(591 del Proyecto)

Cuando en un solo dia no alcanzaren a terminarse los asuntos que deben tratarse en la primera junta, continuará ésta en los dias hábiles inmediatos, hasta que todos concluyan.

## Art. 594

(592 del Proyecto)

Cinco dias ántes del señalado para la junta, presentarán los acreedores los documentos justificativos de sus créditos en la secretaría del tribunal, i allí quedarán a la disposicion de los demas acreedores para su exámen. Se acompañará a los documentos una minuta de las cantidades que se deban por capital, intereses i costas, espresándose ademas los abonos hechos por el deudor.

El actuario dará recibo de los títulos de crédito i minutas que se presenten, aunque las partes no lo pidan.

Los acreedores que no tengan documentos, presentarán solo la minuta e indicarán en ella los medios probatorios de sus créditos.

### Art. 595

(593 del Proyecto)

Si cualquiera de los acreedores o el fallido pidiere que alguno o todos los concurrentes juren la efectividad de sus créditos, el tribunal lo ordenará inmediatamente.

### Art. 596

(594 del Proyecto)

Si se redarguyere de falso alguno de los créditos, o se objetare la capacidad o personería de alguno de los parecientes, o se suscitare cuestion sobre la cantidad por la cual debe considerarse su voto, el tribunal resolverá lo que corresponda en la misma audiencia i sin ulterior recurso, para el solo efecto de determinar los derechos de los acreedores en el acto de la votacion.

### Art. 597

(595 del Proyecto)

El acreedor o procurador que tenga mas de una representacion, solo tendrá un voto personal; pero los créditos que represente, se tomarán en cuenta para formar la mayoría de cantidad.

## Art. 598

### (596 del Proyecto)

Se prohibe fraccionar los créditos despues de la presentacion del deudor en concurso. Si se contraviniere a esta disposicion, ni el contraventor, ni ninguno de los que representen las porciones del crédito fraccionado tendrán voto en las juntas de acreedores.

Si el fraccionamiento tuviere lugar dentro de los treinta dias anteriores a la presentacion del deudor, todos los que hagan valer las porciones del crédito fraccionado se contarán como una sola persona i emitirán un solo voto, procediéndose en la forma establecida en el inciso final de este artículo.

No es aplicable esta disposicion al crédito dividido para verificar la particion de una herencia, de una sociedad o de una comunidad que no esté esclusivamente formada por dicho crédito.

El crédito perteneciente a una comunidad será representado por uno solo de los comuneros. Si no se avinieren en la designacion del representante, ninguno de ellos tendrá voto.

## Art. 599

### (597 del Proyecto)

Pueden en esta junta los acreedores:

Primero. Pedir al deudor esplicaciones sobre las causas de su atraso;

Segundo. Exijirle que justifique la inculpabilidad de su insolvencia; i

Tercero. Oponerse a la cesion de bienes en virtud de alguna de las causas señaladas por el artículo mil seiscientos diecisiete del Código Civil.

## ART. 600

### (598 del Proyecto)

Si alguno de los acreedores hubiere hecho uso del derecho que les confiere el artículo precedente, el tribunal, oido el deudor, resolverá en la misma audiencia, si le parecieren satisfactorias las esplicaciones dadas por éste.

En el caso contrario, mandará formar el tercer ramo del proceso.

## ART. 601

### (599 del Proyecto)

Los acreedores residentes dentro del territorio de la República que no hubieren sido citados ni hubieren comparecido a la primera junta, i los que, habiendo sido citados, no hubieren tenido para concurrir el término de emplazamiento, podrán oponerse a la admision de la cesion de bienes i a los demas acuerdos que se tomaren conforme al inciso final del artículo quinientos noventa i dos, siempre que dedujeren la oposicion dentro del término de emplazamiento que corresponda para el acreedor que la formula.

## ART. 602

### (600 del Proyecto)

En la primera junta se hará precisamente el nombramiento de síndico definitivo.

## Art. 603

(601 del Proyecto)

El nombramiento de síndico se hará por mayoría de votos.

Para que haya mayoría se requiere:

Primero. Que se reunan las dos terceras partes de los votos de los acreedores concurrentes a la junta; i

Segundo. Que los créditos de los que formen la mayoría importen, por lo ménos, las tres cuartas partes del total de los créditos de los concurrentes.

Si no se reuniere esta doble mayoría, hará el nombramiento el tribunal i su resolucion solo será apelable en el efecto devolutivo.

Las disposiciones del presente artículo se aplicarán en todos los casos en que deba obtenerse la mayoría de los acreedores, salvo que la lei establezca una regla diversa.

## Art. 604

(602 del Proyecto)

Si entre los bienes cedidos hubiere fincas gravadas con dos o mas hipotecas, podrán los acreedores hipotecarios nombrar un síndico particular que las administre i realice.

En cuanto a las fincas gravadas con una sola hipoteca, no tendrá lugar el nombramiento de síndico particular, i bastará que el que sea nombrado para el concurso lleve cuenta separada de todo lo concerniente a ellas.

## Art. 605

(603 del Proyecto)

Los síndicos particulares a que se refiere el artículo anterior serán nombrados en la misma forma que los jenerales, pero solo por los acreedores hipotecarios que tengan derecho a tomar parte en el concurso especial, i estarán sometidos a las mismas reglas que los síndicos jenerales.

Los síndicos jenerales podrán intervenir en los procedimientos del concurso especial, con las facultades de coadyuvantes, en interes de la masa.

## Art. 606

(604 del Proyecto)

No pueden ser síndicos definitivos los que no pueden serlo provisionales.

Podrá desempeñar aquel cargo el fallido mismo, si la unanimidad de los acreedores concurrentes lo nombra.

## Art. 607

(605 del Proyecto)

Los síndicos definitivos son mandatarios jenerales de los acreedores en lo concerniente al concurso i representan tambien los derechos del fallido en cuanto puedan interesar a la masa.

En consecuencia, les corresponde:

Primero. Representar a los acreedores en juicio i fuera de él;

Segundo. Administrar los bienes del concurso i realizarlos con arreglo a la lei;

Tercero. Dar cuenta del estado del concurso conforme al artículo seiscientos dieciocho; i

Cuarto. Liquidar i pagar los créditos en conformidad a lo que el tribunal ordenare.


## Art. 608

### (606 del Proyecto)

El cargo de síndico solo dura dieciocho meses, contados desde su aceptacion. Este plazo no podrá ampliarse; pero el síndico que cese en sus funciones, estando aun pendiente el concurso, podrá ser reelejido en la misma forma dispuesta para la primera eleccion.


## Art. 609

### (607 del Proyecto)

La remuneracion del síndico provisional o definitivo será la que determine la unanimidad de los acreedores concurrentes a la junta.

Si no hubiere unanimidad, se determinará por el tribunal la remuneracion, tomando en cuenta el trabajo del síndico i la cuantía de los bienes concursados, una vez terminado el cargo i aprobada la cuenta administratoria.

## Art. 610

(608 del Proyecto)

Los síndicos pueden ser removidos:

Primero. Por acuerdo unánime de los acreedores;

Segundo. A solicitud fundada i justificada de cualquiera de éstos;

Tercero. De oficio, siempre que el tribunal lo estime necesario o conveniente para los intereses de la masa, sea por fraude, colusion con el fallido o con alguno de los acreedores, impericia o neglijencia en la administracion, que aparecieren de manifiesto o que puedan fundadamente presumirse.

La solicitud de remocion se tramitará como incidente; i el fallo en que se diere lugar a ella, sea de oficio o a peticion de parte, solo será apelable en el efecto devolutivo.

Cuando la remocion se decretare de oficio, hará el tribunal por sí solo el nombramiento del nuevo síndico.

## Art. 611

(609 del Proyecto)

Para hacer efectiva la responsabilidad civil de los síndicos por abuso o descuido en el ejercicio de su cargo, se entablará demanda ordinaria i en este juicio no tendrá el valor de cosa juzgada el fallo dictado en el incidente de remocion.

## Art. 612

(610 del Proyecto)

Los acreedores i el deudor podrán tomar parte en los procedimientos del concurso, con las facultades de coadyuvantes, fuera de los casos en que segun la lei pueden o deben intervenir como partes directas.

## Art. 613

(611 del Proyecto)

Desde el nombramiento del síndico definitivo, el juicio de concurso voluntario seguirá en dos ramos:

El primero, que será el que contenga las actuaciones anteriores, se denominará *de Administracion del concurso.*

El segundo se destinará al reconocimiento i graduacion de créditos i se denominará *de Prelacion.*

## Art. 614

(612 del Proyecto)

Se formará un tercer ramo que se denominará *de Calificacion de la insolvencia:*

Primero. Cuando, ejercitándose por los acreedores alguno de los derechos a que se refiere el artículo quinientos noventa i nueve, no se pronunciare sobre el incidente el tribunal en la misma audiencia; i

Segundo. Cuando, habiéndose pronunciado el tribunal en la misma audiencia, se dedujere apelacion sobre el fallo.

**PRIMER RAMO**

## Art. 615

(613 del Proyecto)

Al síndico definitivo se le entregarán bajo inventario los bienes, libros i papeles del deudor, que éste o el síndico provisional tuvieren en su poder.

Si el nombramiento de síndico definitivo no recayere en el provisional, rendirá éste inmediatamente cuenta de su administracion.

Esta cuenta se actuará en el ramo de administracion i será examinada por el síndico definitivo en el término de seis dias. Si no la objetare dentro de este término, será aprobada, i si dedujere alguna reclamacion con-, tra ella, será sustanciada como incidente.

Lo dispuesto en este artículo se aplicará tambien al caso en que, cesando por cualquiera causa el síndico definitivo durante el concurso, ·deba ser reemplazado por otro.

## Art. 616

(614 del Proyecto)

En la administracion de los bienes del concurso, el síndico se conformará a las reglas siguientes:

Primera. No podrá por sí solo celebrar compromisos sino en los casos a que se refiere el artículo ciento setenta i seis de la Lei de Organizacion i Atribuciones de los Tribunales. Fuera de ellos, necesitará autorizacion judicial, si el valor de la cosa sobre que versa el compromiso no escede de dos mil pesos: escediendo de esta suma, se requerirá ademas la aceptacion de la mayoría de los acreedores.

El nombramiento del árbitro será en todo caso aprobado por el tribunal, a ménos que haya obtenido o deba obtener la aprobacion de otro tribunal de igual o superior jerarquía;

Segunda. Podrá transijir las cuestiones que interesen al concurso i cuyo valor no esceda de dos mil pesos, con aprobacion judicial, previa audiencia del fallido. Si excede su valor de la suma indicada, se requerirá ademas aceptacion de la mayoría de los acreedores;

Tercera. Podrá aceptar las demandas pendientes o que se promovieren contra el concurso, en la misma forma establecida para celebrar transacciones.

Si, acordada o decretada la aceptacion, alguno o algunos de los acreedores quisieren seguir el juicio de su cuenta i riesgo, i fuere esto posible sin comprometer los intereses del concurso, podrán hacerlo en su propio nombre. Las pérdidas i gastos que resultaren del pleito afectarán en este caso únicamente al acreedor o acreedores que hubieren litigado, i los beneficios líquidos que se obtuvieren corresponderán tambien solo a ellos, pero limitando su cobranza hasta el valor de sus respectivos créditos, o del saldo que no alcanzare a cubrirse con los demas bienes del concurso;

Cuarta. Podrá sustituirse por cuenta del concurso en los derechos i obligaciones del deudor en los casos en que la lei permite esta sustitucion, si obtuviere el acuerdo de la unanimidad de los acreedores.

Faltando este acuerdo, los acreedores que deseen la sustitucion podrán reclamarla en su propio nombre, siempre que sus créditos representen, a los ménos, una cuarta parte del pasivo total del concurso;

Quinta. Observará lo que se establece respecto del síndico provisional en los artículos quinientos ochenta i ocho, quinientos ochenta i nueve i quinientos noventa; i

Sesta. En lo demas, se estará a lo dispuesto por la lei respecto de los mandatarios, o a los acuerdos unánimes de los acreedores, en lo que no estuviere especialmente determinado por la lei o por el tribunal.

## Art. 617

### (615 del Proyecto)

Siempre que sea necesario obtener el acuerdo de los acreedores, se les citará a comparendo por medio de avisos publicados en un periódico del departamento, si lo hubiere, o de la cabecera de la provincia, en caso contrario.

Podrá tambien obtenerse este acuerdo notificándose personalmente a los acreedores para que espongan su opinion dentro del plazo que al efecto se designe.

En este último caso, la unanimidad o mayoría de que se trata en el artículo anterior se referirá a los acreedores que espongan su opinion dentro de dicho plazo.

## Art. 618

### (616 del Proyecto)

El primer dia útil de cada mes presentará el síndico una razon de las operaciones efectuadas i un estado de los fondos realizados en el mes anterior, para que se agreguen a los autos.

La infraccion de esta disposicion será causal bastante para remover al síndico, salvo que alegue justa escusa calificada por el tribunal.

El silencio de los acreedores sobre los datos que, segun este artículo, debe suministrar el síndico, no se estimará como aprobacion, ni impedirá que se objete la cuenta jeneral administratoria aun en lo que aparezca conforme a dichos datos.

## Art. 619

### (617 del Proyecto)

En este mismo ramo se actuará todo lo relativo a la enajenacion de los bienes del concurso, a la cual se procederá inmediatamente, si la unanimidad de los acreedores no acordare lo contrario.

## Art. 620

### (618 del Proyecto)

Son aplicables a la tasacion i enajenacion de los bienes del concurso las reglas dadas en el párrafo segundo del Título primero de este Libro para la tasacion i realizacion de los bienes embargados, salvo las modificaciones siguientes:

Primera. Se admitirán posturas inferiores a las dos terceras partes de la tasacion, siempre que convengan en ello el síndico, autorizado por todos los acreedores, i el deudor;

Segunda. Si no hubiere postura admisible se reducirá prudencialmente el avalúo en la forma establecida por el número segundo del artículo quinientos veinte;

Tercera. Si tampoco hubiere posturas por los dos tercios del nuevo avalúo, i los creedores no acordaren por mayoría legal pedir su adjudicacion por dichos dos tercios, se pondrán por tercera vez a remate sin fijacion de mínimum para la oferta; i

Cuarta. No ocurriendo postor alguno, el tribunal adjudicará los bienes a los acreedores por el precio que estime prudente, oyendo a los mismos acreedores i al deudor.

### ART. 621

#### (619 del Proyecto)

En este primer ramo, se actuará tambien la demanda del deudor que se arrepintiere de la cesion i pretendiere hacer uso del derecho que le confiere el artículo mil seiscientos veinte del Código Civil.

### ART. 622

#### (620 del Proyecto)

Hecho el pago de todos los créditos o de la parte de ellos que los bienes del concurso alcanzaren a cubrir, el síndico rendirá al tribunal la cuenta jeneral de su administracion, la cual permanecerá en el oficio del secretario durante quince dias a disposicion del deudor i de todos los acreedores.

La presentacion de la cuenta se anunciará a los acreedores en la forma establecida por el inciso primero del artículo seiscientos diecisiete.

En el caso del artículo mil seiscientos veinte del Código Civil, solo el deudor es parte para objetar la cuenta.

## Art. 623

### (621 del Proyecto)

Si no se hiciere oposicion dentro del plazo fijado en el artículo anterior, se dará por aprobada la cuenta, sin perjuicio de lo que dispone el artículo mil cuatrocientos sesenta i cinco del Código Civil.

El plazo se contará desde la fecha de la publicacion, o desde la primera que se haga, cuando el tribunal ordene hacer mas de una.

## Art. 624

### (622 del Proyecto)

Si se formularen objeciones contra la cuenta, se sustanciarán todas como un solo incidente, con intervencion del síndico i de los que hubieren formulado las objeciones, no dándose curso a éstas sino una vez espirado el plazo que concede el artículo seiscientos veintidos.

## Art. 625

### (623 del Proyecto)

Aprobada la cuenta del síndico o rectificada en su caso, i pagadas las deudas, se hará entrega al deudor de los bienes que hubieren quedado sobrantes i de sus libros i papeles.

## Art. 626

**(624 del Proyecto)**

Si no hubieren sido íntegramente pagadas las deudas, se conservarán unidos a los autos los libros i papeles del fallido.

## Art. 627

**(625 del Proyecto)**

En el caso a que se refiere el artículo seiscientos veintiuno, no será menester esperar la aprobacion de la cuenta jeneral del síndico para hacer al deudor la entrega de sus bienes.

## Art. 628

**(626 del Proyecto)**

Se sustanciará tambien en el primer ramo el incidente relativo al sobreseimiento del concurso, sea temporal o definitivo.

## Art. 629

**(627 del Proyecto)**

Tiene lugar el sobreseimiento temporal, cuando el activo no alcanza a cubrir los gastos necesarios para la prosecucion del concurso.

## Art. 630

(6?8 del Proyecto)

Tiene lugar el sobreseimiento definitivo:

Primero. Cuando todos los acreedores convienen en desistirse del concurso o remiten sus créditos; i

Segundo. Cuando el deudor, o un tercero por él, consigna el importe de las costas i de los créditos vencidos i cauciona los demas a satisfaccion de los acreedores.

## Art. 631

(629 del Proyecto)

En el caso del artículo seiscientos veintinueve, puede el síndico o cualquier acreedor solicitar el sobreseimiento temporal, i el tribunal ordenará que esta solicitud se publique durante diez dias en un periódico del departamento, si lo hubiere, o de la cabecera de la provincia, en el caso contrario.

Si alguno de los acreedores se opusiere durante este término, se tramitará como un incidente la oposicion.

No se dará lugar al sobreseimiento si se justificare la existencia de bienes suficientes o si alguno de los acreedores o un tercero anticipare los fondos necesarios para la prosecucion del concurso. Los anticipos hechos con tal objeto gozarán del privilejio concedido por la lei a las costas judiciales i se pagarán con los primeros fondos realizados.

## Art. 632

(630 del Proyecto)

El sobreseimiento temporal deja subsistente el estado de concurso, pero faculta a los acreedores para que puedan perseguir individualmente los bienes concursados para el pago de sus créditos.

## Art. 633

(631 del Proyecto)

La declaracion de sobreseimiento temporal no obsta para que pueda deducirse accion criminal contra el fallido.

## Art. 634

(632 del Proyecto)

En los casos del artículo seiscientos treinta, presentada la solicitud, se mandará publicar durante diez dias en la forma espresada por el artículo seiscientos treinta i uno.

Si durante este término no se dedujere oposicion, se accederá a la solicitud.

Si se dedujere oposicion, se tramitará como un incidente entre el deudor i el opositor.

## Art. 635

(633 del Proyecto)

Decretado el sobreseimiento definitivo, cesa el estado de concurso. En consecuencia, se entregarán al deudor

sus bienes i se observará lo dispuesto en los artículos
seiscientos veintidos i seiscientos veinticinco.

## Art. 636

### (634 del Proyecto)

El tribunal, de oficio o a instancia de los acreedores
o del deudor, correjirá cualquier abuso que note en la
administracion de los bienes concursados, adoptando
cuantas medidas estime necesarias al efecto.

Esta facultad se entiende con relacion al síndico provisional i al definitivo.

### SEGUNDO RAMO

## Art. 637

### (635 del Proyecto)

El segundo ramo se encabezará con testimonio literal del estado de las deudas presentado por el concursado, i a él se agregarán los documentos justificativos
de sus créditos que presenten los acreedores.

## Art. 638

### (636 del Proyecto)

Constituida la sindicatura definitiva, mandará el tribunal, de oficio o a peticion de parte, convocar a los
acreedores, inclusos los hipotecarios, hayan o no nombrado síndico particular, al deudor i a los síndicos, a

una segunda junta, con el objeto de proceder a la verificacion de los créditos.

Esta junta no podrá tener lugar ántes de vencido el término mas amplio de emplazamiento para los acreedores residentes dentro del territorio de la República, a ménos que dichos acreedores se hayan personado en el juicio.

## Art. 639

(637 del Proyecto)

El decreto que convoque a la segunda junta será publicado en la forma que determina el inciso primero del artículo seiscientos diecisiete, con anticipacion de quince dias, a lo ménos.

Esta publicacion se estimará como notificacion suficiente i se celebrará la junta con solo los que concurran.

Lo cual se entiende sin perjuicio de lo que hubieren unánimemente acordado los acreedores.

## Art. 640

(638 del Proyecto)

El síndico podrá en esta junta hacer valer sus propios créditos, si los tuviere, pero no representar a otro acreedor.

## Art. 641

(639 del Proyecto)

Reunida la junta, se procederá a la verificacion de los créditos que se presentaren por los respectivos acreedores, principiando por los hipotecarios i siguiendo respecto de los demas el órden que tuvieren en el estado del deudor.

Los acreedores que no hubieren jurado la verdad de sus créditos lo harán al tratarse de ellos en esta junta, si alguno de los otros acreedores o el deudor lo pidiere.

Si no alcanzare a terminarse la verificacion en una audiencia, se continuará en los dias inmediatos hábiles.

## Art. 642

### (640 del Proyecto)

El acta de esta junta espresará los créditos que se hayan verificado, las impugnaciones hechas i las preferencias reclamadas.

El acreedor que no reclame preferencia en la junta de verificacion podrá hacerlo ántes de que se dicte en primera instancia la sentencia de grados. La demanda de preferencia se notificará en este caso a todos los acreedores, a costa del demandante, por medio de avisos publicados en la forma que establece el inciso primero del artículo seiscientos diecisiete.

El no haberse reclamado formalmente preferencia no obsta para que el tribunal declare, en la sentencia de grados, las que consten de los títulos presentados.

## Art. 643

### (641 del Proyecto)

Tienen derecho de impugnar los créditos:
Primero. El deudor;

Segundo. Los acreedores cuyos créditos estén ya reconocidos; i

Tercero. Los que aparezcan en el estado presentado por el deudor.

Puede hacerse esta impugnacion, no solo en la junta misma, sino dentro de los ocho dias subsiguientes al exámen de cada crédito.

Los síndicos no podrán impugnar, pero sí hacer observaciones respecto de los créditos que se presentaren, i deberán suministrar los datos que se les pidieren de oficio por el tribunal, por los acreedores o por el fallido.

## Art. 644

### (642 del Proyecto)

Los créditos verificados que no se impugnaren oportunamente se tendrán por reconocidos.

## Art. 645

### (643 del Proyecto)

Sobre cada uno de los créditos impugnados se formará pieza separada, hasta que estén en estado de sentencia definitiva.

Las impugnaciones se sustanciarán en via ordinaria, pero sin escritos de réplica i dúplica, siendo partes los impugnadores i el acreedor cuyo crédito fuere impugnado.

## Art. 646

### (644 del Proyecto)

Los acreedores que no concurrieren a esta junta, pueden pedir la verificacion de sus créditos con citacion del deudor, del síndico i de los acreedores cuyos derechos estuvieren ya reconocidos, haciéndose las notificaciones personalmente, salvo que el tribunal por motivos fundados dispusiere se hagan por avisos en la forma que establece el inciso primero del artículo seiscientos diecisiete.

Al pedir esta verificacion presentarán los títulos de sus créditos i la minuta de que trata el artículo quinientos noventa i cuatro. Jurarán ademas la efectividad de dichos créditos, si alguno de los otros acreedores o el deudor lo exijieren.

Puede pedirse la verificacion en cualquier estado del concurso miéntras haya fondos por distribuir; pero los acreedores que comparecieren despues de vencido el término de emplazamiento pagarán las costas que se causen por el reconocimiento de sus créditos.

## Art. 647

### (645 del Proyecto)

En los casos del artículo precedente, el término para impugnar será de ocho dias contados para cada acreedor i para el deudor desde la respectiva notificacion personal, o desde la publicacion de los avisos, cuando así se hubiere dispuesto.

## Art. 648

### (646 del Proyecto)

Solo los acreedores tienen derecho de impugnar las preferencias reclamadas, i podrán hacerlo aun cuando sus propios créditos estuvieren impugnados.

Las cuestiones que acerca de ellas se susciten se tramitarán en via ordinaria, pero sin escritos de réplica i dúplica.

## Art. 649

### (647 del Proyecto)

Los acreedores que sostengan impugnaciones en beneficio de la masa tendrán derecho, si obtuvieren en el juicio, para que se les indemnice con los bienes del concurso de todo gasto i se les abone el honorario correspondiente a sus servicios.

En caso de pérdida, soportarán ellos solos los gastos i no tendrán derecho a remuneracion.

## Art. 650

### (Agregado por la Comision)

Podrán tambien impugnarse los acuerdos que se adopten, tanto en la primera junta de acreedores como en las posteriores, por defectos en las formas establecidas para la convocacion i celebracion de la junta o error en el cómputo de las mayorías requeridas por la lei.

Solo podrán hacer esta impugnacion el deudor o los acreedores que, habiendo presentado oportunamente los títulos de sus créditos o la minuta en su caso, no hubieren concurrido a la junta de que se trate, o los que, concurriendo, hayan protestado contra la validez del acto i se hubieren abstenido de votar. El término para deducirla será de tres dias contados desde la celebracion de la junta, pasados los cuales no será admitida.

Se sustanciará por los trámites establecidos para los

incidentes. Se formará pieza separada i no se suspenderá el curso de lo principal, salvo que el tribunal por motivos fundados resolviere lo contrario.

La sentencia que recaiga será apelable en ámbos efectos.

### ART. 651

(648 del Proyecto)

Trascurrido el término de emplazamiento para los acreedores que no hayan comparecido i puestas en estado de sentencia las cuestiones seguidas sobre verificacion o preferencia de créditos, dictará el tribunal la sentencia de grados, que contendrá:

Primero. La enunciacion de todos los créditos presentados, con espresion de su importe por capital, del título que lo acredita i del nombre del tenedor;

Segundo. La relacion breve de todas las cuestiones sobre impugnacion de créditos o sobre preferencia que se hayan promovido; i

Tercero. La resolucion de dichas cuestiones i, en consecuencia, el órden en que deben cubrirse los créditos, con designacion, en caso necesario, de los valores especialmente destinados a su pago.

### ART. 652

(649 del Proyecto)

A ningun acreedor puede pagársele el todo o parte de su crédito ántes que esté ejecutoriada la sentencia de grados.

Llegado este caso, el síndico presentará un estado de distribucion de los fondos con arreglo a lo fallado, el cual se pondrá en conocimiento de los acreedores por medio de avisos publicados en la forma dispuesta por el inciso primero del artículo seiscientos diecisiete, i se le dará curso, si no fuere objetado en el término de cinco dias.

## Art. 653

(650 del Proyecto)

Sin embargo de lo dispuesto en el artículo precedente, los créditos privilejiados o hipotecarios podrán ser pagados por el síndico aun ántes de la sentencia de grados, previa autorizacion del tribunal, siempre que resulte asegurado el pago de los otros créditos que gocen derecho preferente, o se consigne la cantidad necesaria para este objeto o se caucione su pago.

En cuanto a los acreedores que gocen del derecho de retencion, se observará lo dispuesto en el artículo quinientos setenta i nueve.

## Art. 654

(651 del Proyecto)

Si, pagados los acreedores hipotecarios i privilejiados i los gastos de administracion o reservada la cantidad necesaria para atender a estos objetos, quedaren en depósito fondos del concurso, el tribunal, con acuerdo de la mayoría de los acreedores, ordenará que se repar-

tan dichos fondos entre los acreedores comunes reconocidos a prorrata de sus créditos.

El estado de distribucion, que formará el síndico, designará las cuotas que correspondan a los acreedores
ausentes i a los que, habiendo comparecido al concurso,
no hubieren obtenido el reconocimiento de sus créditos
ántes de hacerse el reparto. Estas cuotas se mantendrán
en depósito hasta que, verificados i reconocidos sus créditos, las reclamen los respectivos acreedores o disponga
de ellas el tribunal conforme a lo establecido en el
artículo seiscientos cincuenta i seis.

Será aplicable en este caso lo ordenado por el inciso
segundo del artículo seiscientos cincuenta i dos.

## Art. 655

### (652 del Proyecto)

La demanda de los acreedores morosos no suspenderá la realizacion de los repartos decretados; pero si,
pendiente el reconocimiento de estos nuevos créditos, se
ordenare otro reparto, serán dichos acreedores comprendidos en él por la suma correspondiente, con calidad de
que sea mantenida en depósito hasta la terminacion del
juicio.

Si la resolucion de éste fuere favorable a los acreedores reclamantes, tendrán derecho para exijir que los
dividendos de sus créditos en las distribuciones precedentes sean de preferencia cubiertos con los fondos no
repartidos; pero no podrán demandar a los acreedores
pagados en los repartos anteriores la devolucion de cantidad alguna, aun cuando los bienes del concurso no
alcancen a cubrir íntegramente sus dividendos insolutos.

## Art. 656

(653 del Proyecto)

La cantidad reservada para los acreedores residentes fuera del territorio de la República permanecerá en depósito hasta el vencimiento del duplo del término de emplazamiento señalado, para el pais de la residencia de dichos acreedores, en la tabla que espresa el artículo doscientos cincuenta i seis; i, si no se presentaren i solicitaren dentro de este plazo el reconocimiento de sus créditos, se aplicará al pago de los créditos reconocidos.

## Art. 657

(654 del Proyecto)

Si algun acreedor comprendido en la sentencia de grados no ocurriere a recibir lo juzgado a su favor tres meses despues de aprobada la cuenta jeneral del sín-. dico, dispondrá el tribunal que se deposite en arcas fiscales la cantidad que corresponda a dicho acreedor, a la órden de éste, tomándose razon del depósito en la oficina respectiva i dejando testimonio en el proceso de todo lo obrado.

### TERCER RAMO

## Art. 658

(655 del Proyecto)

El tercer ramo se iniciará con testimonio literal del decreto en que el tribunal haya ordenado su formacion.

## Art. 659

**(656 del Proyecto)**

La contienda sobre admision de la cesion de bienes se sustanciará, en el caso del número primero del artículo seiscientos catorce, como un incidente, entre el deudor i el acreedor o acreedores que la hubieren promovido.

Si la oposicion fuere sostenida por la mayoría legal de los acreedores, podrán encomendar al síndico su representacion.

## Art. 660

**(657 del Proyecto)**

La sentencia de término que admite la cesion no impide que los acreedores que no han tomado parte en el incidente, puedan hacer uso del derecho que confiere el artículo quinientos noventa i nueve, ántes de la distribucion de los bienes realizados. La sentencia que no admite la cesion afecta a todos los acreedores.

## Art. 661

**(658 del Proyecto)**

Cuando de lo obrado en este ramo resultare mérito para proceder criminalmente contra el deudor o contra terceros, el tribunal de oficio lo pondrá en conocimiento del juez competente en lo criminal.

## II

## DEL CONVENIO

### Art. 662

(659 del Proyecto)

Las proposiciones de convenio pueden hacerse por el fallido o por cualquiera de los acreedores, tanto en el concurso voluntario como en el necesario, i en cualquier estado de estos juicios. Podrán tambien presentarse por el deudor ántes de iniciado el concurso, acompañadas con todos los antecedentes que determina el artículo quinientos ochenta i tres.

### Art. 663

(660 del Proyecto)

Las proposiciones de convenio pueden versar:
Primero. Sobre remision de parte de la deuda;
Segundo. Sobre ampliacion del plazo;
Tercero. Sobre lo uno i lo otro a la vez; i
Cuarto. Sobre cualquier otro objeto lícito relativo al pago de las deudas.

### Art. 664

(661 del Proyecto)

El convenio debe ser uno mismo para todos los acreedores, salvo unánime acuerdo de éstos.

Sin embargo, la ampliacion del plazo se contará respecto de todos desde el dia en que, conforme a lo dispuesto por el artículo seiscientos setenta i cinco, sea obligatorio el convenio.

Los acreedores privilejiados o hipotecarios i los que gocen del derecho de retencion no serán perjudicados por el acuerdo de la mayoría, si se hubieren abstenido de votar. Podrán, sin embargo, limitar la garantía a una parte de sus créditos i votar como acreedores comunes por el resto, obligándoles en esta parte los acuerdos que se celebraren.

El convenio no aprovecha a los fiadores del fallido cuando los respectivos acreedores se hubieren abstenido de votar.

### Art. 665

(662 del Proyecto)

No pueden hacer proposiciones de convenio:

Primero. Los deudores que estuvieren procesados por alguno de los delitos a que se refiere el artículo cuatrocientos sesenta i seis del Código Penal; i

Segundo. Los que hubieren sido condenados por alguno de estos mismos delitos, a no ser que hayan cumplido la pena.

### Art. 666

(663 del Proyecto)

Las proposiciones de convenio, ántes que sean aceptadas, no embarazan el ejercicio de las acciones ejecuti vas contra el deudor, sea que dichas acciones se hayan deducido o no en juicio.

## Art. 667

(664 del Proyecto)

Tampoco se suspenderá por las proposiciones de convenio ninguno de los ramos de la cesion de bienes ni del concurso necesario, a ménos que lo pida o consienta en ello la mayoría legal de los acreedores.

Con todo, pendientes las proposiciones de convenio, no podrá el síndico proceder a la realizacion de otros bienes del concurso que los espresados en el artículo quinientos cuatro, sin perjuicio de lo dispuesto en el artículo seiscientos ochenta.

## Art. 668

(665 del Proyecto)

Presentadas las proposiciones de convenio, el tribunal mandará convocar a los acreedores que se hallaren en el territorio de la República, a una junta que no podrá tener lugar ántes de vencer los quince dias siguientes o en el plazo fijado en el artículo seiscientos treinta i ocho, si el convenio se propone ántes de iniciado el concurso.

Los acreedores que se encontraren fuera del pais i que no tuvieren procurador, serán representados por el defensor de ausentes i considerados en todo caso como opuestos al convenio.

## Art. 669

(666 del Proyecto)

Reunidos los acreedores, se verificarán i jurarán previamente los créditos de todos los concurrentes que no hubieren cumplido ántes con estos requisitos, procediéndose en la forma dispuesta por los artículos quinientos noventa i cuatro, quinientos noventa i cinco i seiscientos cuarenta i uno, en su caso. El tribunal someterá en seguida a deliberacion las proposiciones de convenio; i el síndico, si lo hubiere, hará verbalmente o por escrito una esposicion de los antecedentes, del estado actual i de los resultados probables del concurso.

Tendrán voto en esta junta todos los acreedores concurrentes que hubieren verificado sus créditos, con escepcion del cónyuje, ascendientes i descendientes lejítimos i naturales, i hermanos lejítimos del deudor, cuyos créditos no se tomarán tampoco en cuenta en la determinacion del pasivo. Podrán, sin embargo, estas personas tener voto en el convenio cuando hubieren de negarle su aprobacion.

No se suspenderá la deliberacion sobre el convenio, ni por las impugnaciones que en esta junta se formulen contra uno o mas de los créditos presentados, ni por las que, deducidas con anterioridad, se encontraren aun sin resolverse. Tampoco se suspenderá la deliberacion por la alegacion de incapacidad legal del deudor para proponer el convenio. Los impugnadores, en estos casos, usarán de su derecho en la forma que establecen los artículos seiscientos setenta i dos i siguientes; i el tribunal resolverá lo que corresponda en la misma audiencia i sin ulterior recurso, para el solo efecto de determinar los derechos de los acreedores en el acto de la votacion.

## Art. 670

### (667 del Proyecto)

Para la aceptacion de las proposiciones se requiere mayoría de dos tercios de los acreedores concurrentes a quienes afecte el convenio, i mayoría de créditos que equivalga, a lo ménos, a las tres cuartas partes del total pasivo del concurso, escluidos los que correspondan a los acreedores privilejiados o hipotecarios que no hayan tomado parte en el convenio i a los que no tienen derecho de votar en él. Se considerarán concurrentes para este objeto los ausentes a que se refiere el inciso segundo del artículo seiscientos sesenta i ocho.

Se requiere unanimidad de votos de los acreedores concurrentes para acordar la remision de la mitad o mas de los créditos o para conceder un plazo que esceda de cuatro años.

Para computar los votos de los acreedores cuyos créditos hubieren sido impugnados, se observará lo dispuesto en el artículo quinientos noventa i seis.

En el acta que de lo obrado deberá levantarse se mencionarán detalladamente los acreedores que hubieren votado a favor i en contra del convenio, con espresion de los créditos que representaren.

## Art. 671

### (668 del Proyecto)

Acordado el convenio, se pondrá en conocimiento de los acreedores que no hubieren concurrido a la junta.

para los efectos de los artículos seiscientos setenta i
dos i seiscientos setenta i cinco.

### Art. 672

(669 del Proyecto)

El convenio puede ser impugnado por cualquier
acreedor que no haya concurrido a la junta o que haya
disentido del voto de la mayoría, si alegare alguna de
las causas siguientes:

Primera. Incapacidad legal del deudor para proponerlo;

Segunda. Defectos en las formas establecidas para la
convocacion i celebracion de la junta o error en el cómputo de las mayorías requeridas por la lei;

Tercera. Falsedad o exajeracion del crédito o incapacidad para votar en alguno de los que hayan concurrido con su voto a formar la mayoría, si, escluido este
acreedor, hubiera de desaparecer tal mayoría;

Cuarta. Intelijencia fraudulenta entre uno o mas acreedores i el deudor para votar a favor del convenio, o
para abtenerse de concurrir; i

Quinta. Error u omision sustancial en las listas de
bienes o de acreedores.

Podrán tambien oponerse al convenio los fiadores del
fallido, cuando los respectivos acreedores se hubieren
abstenido de votar.

### Art. 673

(670 del Proyecto)

El término para impugnar el convenio es de ocho
dias, contados desde la celebracion de la junta respecto

de los acreedores que hubieren concurrido a ella, i desde
la notificacion que se les hiciere en conformidad a lo
dispuesto en el artículo seiscientos setenta i uno, respecto de los demas.

## Art. 674

(671 del Proyecto)

La oposicion al convenio se seguirá como incidente
entre el deudor i el acreedor o acreedores que la hayan
formulado o el fiador en el caso del inciso último del
artículo seiscientos setenta i dos.

## Art. 675

(672 del Proyecto)

Si no se dedujere oposicion al convenio dentro del
plazo señalado por el artículo seiscientos setenta i tres,
se entenderá aprobado por los acreedores; i el tribunal lo
declarará así de oficio o a peticion de cualquier interesado.

El convenio comenzará a rejir desde que cause ejecutoria esta declaracion. Si se dedujere oposicion i fuere
desechada, rejirá desde que cause ejecutoria la sentencia que ponga término al incidente de oposicion.

## Art. 676

(673 del Proyecto)

En la misma junta en que se acuerde el convenio resolverán los acreedores si el deudor debe o no quedar

sujeto a intervencion en el manejo de sus negocios, hasta que cumpla con las obligaciones que en dicho convenio se hubiere impuesto.

Señalarán tambien las funciones del interventor i la remuneracion que por ellas habrá de gozar, la cual será determinada en conformidad a lo que establece respecto de los síndicos el artículo seiscientos nueve.

Para dispensar al deudor de la intervencion i para acordar las funciones del interventor, se requiere mayoría legal.

Si no se reuniere la mayoría necesaria para determinar las funciones del interventor, se limitará éste a ejercer las que espresa el artículo doscientos ochenta i cuatro i en tal caso los acreedores por mayoría legal o, en desacuerdo de ellos, el tribunal, designarán una o dos personas a quienes deba darse el aviso a que dicho artículo se refiere.

## Art. 677

### (674 del Proyecto)

Aprobado el convenio, se devolverán al tribunal de su oríjen, para que continúe conociendo de ellos, los procesos ordinarios o ejecutivos agregados al juicio de concurso i que no hubieren terminado con el convenio, siempre que lo exija, ántes de cualquiera otra jestion, alguna de las personas que fueren parte en dichos procesos.

En caso contrario, continuará conociendo de ellos el tribunal que hubiere entendido en el concurso.

## Art. 678

(675 del Proyecto)

La no comparecencia del deudor a la junta en que debe deliberarse sobre las proposiciones de convenio i su omision en la práctica de las citaciones i demas dilijencias necesarias para que tenga lugar dicha junta, harán presumir el abandono del convenio, salvo escusa justificada.

## Art. 679

(676 del Proyecto)

Rechazadas las proposiciones de convenio por no haber obtenido la mayoría necesaria para su aprobacion, puede el deudor reiterarlas por una sola vez, si se presentaren apoyadas por la mayoría absoluta de los acreedores hábiles para votar sobre ellas.

Desechado el convenio por defecto en las formas establecidas para la convocacion i celebracion de la junta, por error en el cómputo de las mayorías, por incapacidad para votar en él, de alguno de los acreedores que hubieren concurrido a celebrarlo, o por error u omision sustancial en las listas de bienes o de acreedores, puede el deudor proponerlo de nuevo, subsanándose la falta.

Desechado por cualquiera de las otras causas, no podrá proponerse de nuevo ni en la misma ni en diversa forma.

## Art. 680

### (677 del Proyecto)

Propuesto nuevamente el convenio en el caso del inciso primero del artículo anterior, continuará, sin embargo, la marcha del concurso i la realizacion de los bienes del deudor, salvo que se acuerde lo contrario por mayoría legal de los acreedores. Si la renovacion del convenio se hiciere en los casos del inciso segundo del artículo precedente, se estará a lo dispuesto en el artículo seiscientos sesenta i siete.

## Art. 681

### (678 del Proyecto)

El convenio aprobado no impide las acciones que contra el fallido puedan hacer valer los acreedores que se hubieren opuesto espresamente a su aceptacion i los que no hubieren tomado parte en las deliberaciones por encontrarse fuera del pais. Podrá, sin embargo, el deudor oponerse a dichas acciones pagando a los respectivos acreedores, dentro de un breve plazo que el tribunal designará, la cuota que les habria correspondido percibir en el concurso. La estimacion de esta cuota i la fijacion del plazo se hará prudencialmente por el tribunal, oyendo al deudor, a los acreedores interesados i al síndico, si lo hubiere.

## Art. 682

### (679 del Proyecto)

Aprobado el convenio, cesará el estado de concurso

i se devolverán al deudor sus bienes, libros i documentos, sin perjuicio de las restricciones establecidas en el convenio mismo.

Los síndicos presentarán sus cuentas administrativas como en el caso del artículo seiscientos veintidos.

### Art. 683

(680 del Proyecto)

Los acreedores que no hubieren comparecido a verificar oportunamente sus créditos podrán exijir que se cumpla el convenio a su favor en cualquier tiempo, miéntras no hubieren prescrito las acciones que del convenio resulten. Las cuestiones que sobre la efectividad o cuantía de los créditos se promuevan, se tramitarán solo con el deudor.

### Art. 684

(681 del Proyecto)

La aprobacion del convenio no impide las acciones criminales que puedan deducirse contra el deudor con relacion a su falencia.

### Art. 685

(682 del Proyecto)

No se admitirán otras acciones de nulidad contra el convenio aprobado que las que se funden en la condenacion superviniénte del fallido por alguno de los delitos a que se refiere el artículo cuatrocientos sesenta i seis del Código Penal, perpetrado con anterioridad al convenio.

Anulado el convenio, se estinguen de derecho las cauciones constituidas para asegurar su cumplimiento.

## Art. 686

(683 del Proyecto)

El convenio podrá resolverse por inobservancia de sus estipulaciones, a solicitud de cualquier interesado.

## Art. 687

(684 del Proyecto)

Las acciones para reclamar la nulidad i la resolucion del convenio prescriben en seis meses, contados, en el caso de nulidad, desde la fecha de la sentencia condenatoria, i en el de resolucion, desde que pueda intentarse dicha accion.

## Art. 688

(685 del Proyecto)

Declarada la nulidad o la resolucion, se considerará por este solo hecho concursado el deudor, i el tribunal dictará de oficio las medidas necesarias para la seguridad de los bienes i para la notificacion de los acreedores, en conformidad a las reglas establecidas para el concurso necesario.

## Art. 689

(686 del Proyecto)

Los actos i contratos del deudor, ejecutados o cele‑ brados en el tiempo que medie entre la aprobacion i la anulacion o resolucion del convenio, podrán rescindirse en conformidad al artículo dos mil cuatrocientos sesenta i ocho del Código Civil. El año que dicho artículo fija para la prescripcion se contará desde la fecha de la sen‑ tencia que declare la nulidad o la resolucion.

Toca a los síndicos, como mandatarios de los acreedo‑ res, deducir las acciones correspondientes para solicitar la rescision, sin perjuicio del derecho de los acreedores para deducirlas por su parte o coadyuvar a las que hubieren interpuesto los síndicos. Su tramitacion se ajus‑ tará a las reglas del juicio ordinario.

### Párrafo Tercero

### DEL CONCURSO NECESARIO

## Art. 690

(687 del Proyecto)

Tiene lugar el concurso necesario:

Primero. Cuando, habiendo hecho el deudor cesion de bienes, se declara por sentencia ejecutoriada que los acreedores no están obligados a admitirla;

Segundo. Cuando, existiendo tres o mas títulos eje‑ cutivos i vencidos contra el deudor e iniciadas dos ejecu‑

ciones, a lo ménos, no se consignare al dia siguiente del requerimiento cantidad bastante para el pago, o no se presentaren bienes suficientes para responder a él. Cualquiera de los acreedores con título ejecutivo i vencido podrá, en tal caso, solicitar la formacion de concurso. Podrán solicitarla tambien los demas acreedores, siempre que justifiquen breve i sumariamente las circunstancias necesarias para impetrar el beneficio que concede el artículo mil cuatrocientos noventa i seis del Código Civil.

Tercero. Cuando, siendo notorio el desaparecimiento o fuga del deudor, lo soliciten dos o mas acreedores, aunque no sean de plazo vencido.

En el primero de los casos espresados en este artículo, podrá el tribunal decretar de oficio el concurso necesario.

## Art. 691

(688 del Proyecto)

La resolucion que disponga la formacion del concurso necesario consignará ademas todos los puntos que espresa el artículo quinientos ochenta i seis; pero omitirá lo relativo al nombramiento de síndico provisional si se hubiere ya designado alguno en la cesion de bienes.

## Art. 692

(689 del Proyecto)

Todos los procedimientos del concurso voluntario serán aplicables al necesario, en cuanto la naturaleza de este último lo permita.

Se omitirá la formacion del tercer ramo. Pero el tribunal, de oficio, comunicará al respectivo juez en lo criminal la fuga del deudor, en el caso del número tercero del artículo seiscientos noventa, i todo hecho que resultare del proceso i que pudiere ser perseguido criminalmente de oficio.

## Art. 693

(690 del Proyecto)

Tiene el deudor el término de cinco dias para oponerse a la formacion del concurso.

La oposicion se seguirá con el síndico i se tramitará como incidente.

## Art. 694

(691 del Proyecto)

Cuando el concurso se decretare por el desaparecimiento o fuga del deudor, se le nombrará, con intervencion del defensor de ausentes, un curador de bienes que lo represente.

## Art. 695

(692 del Proyecto)

Ejecutoriada la declaracion del concurso, presentará el concursado, dentro de cinco dias, los estados de bienes i deudas i la memoria de que trata el artículo quinientos ochenta i tres, si no se hubieren acompañado con la cesion de bienes.

Si no lo hiciere podrá el tribunal ponerlo en arresto hasta por treinta dias; i, si trascurrido este término, tampoco cumpliere con la obligacion que este artículo le impone, se le perseguirá como culpable de ocultacion, salvo impedimento justificado.

En caso de fuga o desaparecimiento del deudor, las disposiciones de este artículo serán cumplidas por el curador que se le nombre, bajo pena de remocion.

## TÍTULO IV

### (Agregado por la Comision)

### DE LOS EFECTOS DEL DERECHO LEGAL DE RETENCION

### Art. 696

Para que sea eficaz el derecho de retencion que en ciertos casos conceden las leyes, es necesario que su procedencia se declare judicialmente a peticion del que pueda hacerlo valer.

Podrá solicitarse la retencion como medida precautoria del derecho que garantiza, i, en tal caso, se procederá conforme a lo dispuesto en los artículos doscientos ochenta i nueve, doscientos noventa i doscientos noventa i dos.

### Art. 697

Los bienes retenidos por resolucion ejecutoriada serán considerados, segun su naturaleza, como hipotecados o constituidos en prenda para los efectos de su realizacion

i de la preferencia a favor de los créditos que garantizan. El decreto judicial que declare procedente la retencion de inmuebles deberá inscribirse en el Rejistro de
Hipotecas.

## Art. 698

De la misma preferencia establecida en el artículo
anterior gozarán las cauciones legales que se presten
en sustitucion de la retencion.

## Art. 699

Podrá el juez, atendidas las circunstancias i la cuantía
del crédito, restrinjir la retencion a una parte de los bienes muebles que se pretenda retener, que basten para
garantizar el crédito mismo i sus accesorios.

# TÍTULO V

## DE LOS INTERDICTOS

### Párrafo Primero

DEFINICIONES I REGLAS JENERALES

## Art. 700

(693 del Proyecto)

Los interdictos o juicios posesorios sumarios pueden
intentarse:

Primero. Para conservar la posesion de bienes raíces
o de derechos reales constituídos en ellos;

Segundo. Para recuperar esta misma posesion;

Tercero. Para obtener el restablecimiento en la posesion o mera tenencia de los mismos bienes, cuando dichas posesion o mera tenencia hubieren sido violentamente arrebatadas;

Cuarto. Para impedir una obra nueva;

Quinto. Para impedir que una obra ruinosa o peligrosa cause daño; i

Sesto. Para hacer efectivas las demas acciones posesorias especiales que enumera el Título catorce, Libro segundo del Código Civil.

En el primer caso, el interdicto se llama *querella de amparo*; en el segundo, *querella de restitucion*; en el tercero, *querella de restablecimiento*; en el cuarto, *denuncia de obra nueva*; en el quinto, *denuncia de obra ruinosa*; i en el último, *interdicto especial*.

## Art. 701

### (694 del Proyecto)

Los interdictos se reputan de mayor cuantía, cualquiera que sea el valor de los bienes a que se refieran, i solo es competente para conocer de ellos el juez letrado del departamento en que estuvieren situados dichos bienes. Si los bienes por su situacion pertenecieren a varios departamentos, será competente el juez de cualquiera de éstos.

## Art. 702

### (695 del Proyecto)

Las apelaciones en los juicios posesorios se concederán solo en el efecto devolutivo, salvo que la lei espresamente las mande otorgar en ámbos efectos o que el fallo apelado no dé lugar al interdicto; i en todo caso su tramitacion se ajustará a las reglas establecidas para los incidentes.

## Párrafo Segundo

### DE LA QUERELLA DE AMPARO

### ART. 703

(696 del Proyecto)

El que intente querella de amparo espresará en su demanda, a mas de las circunstancias enumeradas en el artículo doscientos cincuenta i uno, las siguientes:

Primera. Que personalmente o agregando la de sus antecesores, ha estado en posesion tranquila i no interrumpida durante un año completo del derecho en que pretende ser amparado; i

Segunda. Que se le ha tratado de turbar o molestar su posesion o que en el hecho se le ha turbado o molestado por medio de actos que espresará circunstanciadamente.

Si pidiere seguridades contra el daño que fundadamente teme, especificará las medidas o garantías que solicite contra el perturbador.

Deberán tambien espresarse en la querella los medios probatorios de que intente valerse el querellante; i, si fueren declaraciones de testigos, el nombre, profesion u oficio i residencia de éstos.

## Art. 704

(597 del Proyecto)

Presentada la querella, señalará el tribunal el quinto dia hábil despues de la notificacion al querellado, para una audiencia, a la cual deberán concurrir las partes con sus testigos i demas medios probatorios.

Esta audiencia tendrá lugar con solo la parte que asista.

## Art. 705

(698 del Proyecto)

La notificacion de la querella se practicará en conformidad a lo que dispone el Título sesto del Libro primero; pero en el caso del artículo cuarenta i siete se hará la notificacion en la forma indicada en el inciso segundo de dicho artículo, aunque el querellado no se encuentre en el lugar del juicio.

En estos casos, si el querellado no se hubiere hecho parte en primera instancia ántes del pronunciamiento de la sentencia definitiva, se pondrá ésta en conocimiento del defensor de ausentes, quien podrá deducir i seguir los recursos a que hubiere lugar.

## Art. 706

(699 del Proyecto)

Cuando el querellado quisiere rendir prueba testimonial, deberá indicar el nombre, profesion u oficio i residencia de los testigos, en una lista que entregará en la secretaría i se agregará al proceso, por lo ménos ántes de las doce del dia que preceda al designado para la audiencia.

No se examinarán testigos que no estuvieren mencionados en dichas listas, salvo acuerdo espreso de las partes.

## ART. 707

### (700 del Proyecto)

Cada parte solo puede presentar hasta cuatro testigos sobre cada uno de los hechos que deben ser acreditados.

## ART. 708

### (701 del Proyecto)

Se interrogará a los testigos acerca de los hechos mencionados en la demanda, i de los que indiquen las partes en la audiencia, si el tribunal los estima pertinentes.

## ART. 709

### (702 del Proyecto)

Las tachas deberán oponerse a los testigos ántes de su exámen; i si no pudiere rendirse en la misma audiencia la prueba para justificarlas i el tribunal lo estimare necesario para resolver el juicio, señalará una nueva audiencia con tal objeto, la cual deberá verificarse dentro de los tres dias subsiguientes a la terminacion del exámen de los testigos de la querella.

## ART. 710

703 del Proyecto)

Cuando no alcanzare a rendirse toda la prueba en una sola audiencia, continuará el tribunal recibiéndola en los dias hábiles inmediatos hasta concluir.

## ART. 711

(704 del Proyecto)

Las reglas establecidas para el exámen de los testigos i para sus tachas en el Párrafo tercero, Título diez del Libro segundo de este Código, son aplicables a la querella de amparo, en cuanto no aparezcan modificadas por los artículos precedentes. No se podrá en ningun caso hacer el exámen de los testigos por otro tribunal que el que conozca de la querella.

## ART 712

(705 del Proyecto)

De todo lo obrado en la audiencia se levantará acta, espresándose con claridad i precision lo espuesto por las partes i las pruebas presentadas.

## ART. 713

(706 del Proyecto)

La sentencia definitiva se pronunciará tan pronto como estuviere concluida la prueba, o, a lo mas, dentro de los tres dias subsiguientes.

## Art. 714

(707 del Proyecto)

Si se diere lugar a la querella, se condenará en costas al demandado.

En el caso contrario, al actor.

## Art. 715

(708 del Proyecto)

Cualquiera que sea la sentencia, queda siempre a salvo a los que resulten condenados el ejercicio de la accion ordinaria que corresponda con arreglo a derecho, pudiendo comprenderse en dicha accion el resarcimiento de las costas i perjuicios que hubieren pagado o que se les hubieren causado con la querella.

No será admisible ninguna otra demanda que tienda a enervar lo resuelto en el interdicto.

## Párrafo Tercero

### DE LA QUERELLA DE RESTITUCION

## Art. 716

(709 del Proyecto)

El que intentare la querella de restitucion espresará en su demanda, a mas de las circunstancias enumeradas en el artículo doscientos cincuenta i uno, las siguientes:

Primera. Que personalmente o agregando la de sus antecesores, ha estado en posesion tranquila i no interrumpida durante un año completo, del derecho en que pretende ser amparado; i

Segunda. Que ha sido despojado de la posesion por medio de actos que indicará con la posible claridad i especificacion.

## ART. 717

### (710 del Proyecto)

Son aplicables a la querella de restitucion las disposiciones del Párrafo segundo del presente Título.

## Párrafo Cuarto

### DE LA QUERELLA DE RESTABLECIMIENTO

## ART. 718

### (711 del Proyecto)

El que intentare la querella de restablecimiento espondrá clara i determinadamente en su demanda, a mas de las circunstancias indicadas en el artículo doscientos cincuenta i uno, la violencia con que ha sido despojado de la posesion o tenencia en que pretende ser restablecido.

## ART. 719

### (712 del Proyecto)

Es aplicable a la querella de restablecimiento lo dispuesto en los artículos setecientos cuatro a setecientos catorce inclusive para la querella de amparo.

## Art. 720

**(713 del Proyecto)**

La sentencia pronunciada en este juicio deja a salvo a las partes, no solo el ejercicio de la accion ordinaria en conformidad al artículo setecientos quince, sino tambien el de las acciones posesorias que les correspondan.

### Párrafo Quinto

#### DE LA DENUNCIA DE OBRA NUEVA

## Art. 721

**(714 del Proyecto)**

Presentada la demanda para la suspension de una obra nueva denunciable, el juez decretará provisionalmente dicha suspension i mandará que se tome razon del estado i circunstancias de la obra i que se aperciba al que la estuviere ejecutando con la demolicion o destruccion, a su costa, de lo que en adelante se hiciere. En la misma resolucion mandará el tribunal citar al denunciante i al denunciado para que concurran a la audiencia del quinto dia hábil despues de la notificacion del demandado, debiendo en ella presentarse los documentos i demas medios probatorios en que las partes funden sus pretensiones.

## Art. 722

**(715 del Proyecto)**

No es necesaria la notificacion del denunciado para llevar a efecto la suspension decretada. Bastará para

esta suspension la notificacion del que estuviere diri-
jiendo o ejecutando la obra.

## Art. 723

**(716 del Proyecto)**

Suspendida la obra, i miéntras esté pendiente el interdicto, solo podrá hacerse en ella lo que sea absolutamente indispensable para que no se destruya lo edificado.

Es necesaria la autorizacion del tribunal para ejecutar las obras a que se refiere el inciso precedente. El tribunal se pronunciará sobre esta autorizacion con la urjencia que el caso requiera, i procederá de plano, o, en caso de duda i para mejor proveer, oyendo el dictámen de un perito nombrado por él, el cual no podrá ser recusado.

## Art. 724

**(717 del Proyecto)**

Si las partes quisieren rendir prueba testimonial, se sujetarán a lo prevenido a este respecto en el Párrafo segundo de este Título.

Si alguna de las partes lo pidiere, i en concepto del tribunal fueren necesarios conocimientos periciales, se oirá el dictámen de un perito, que se espedirá dentro de un breve plazo que aquél señalará.

## Art. 725

**(718 del Proyecto)**

El tribunal pronunciará sentencia definitiva dentro de

tercero dia despues de la audiencia, o de la presentacion
del dictámen del perito, en su caso.

En la sentencia se ratificará la suspension provisional
decretada o se mandará alzarla, dejando a salvo, en todo
caso, al vencido el ejercicio de las acciones ordinarias que
le competan, para que se declare el derecho de continuar la obra o de hacerla demoler.

Podrá, sin embargo, el tribunal, a peticion de parte,
ordenar en la misma sentencia la demolicion, cuando
estimare que el mantenimiento aun temporal de la obra
ocasiona grave perjuicio al denunciante i diere éste suficiente caucion para responder por los resultados del
juicio ordinario.

La sentencia que ordene la demolicion será apelable
en ámbos efectos.

En todo caso, la sentencia llevará condenacion de
costas.

Art. 726

(719 del Proyecto)

Si se ratificare la suspension de la obra, podrá el vencido pedir autorizacion para continuarla, llenando las
condiciones siguientes:

Primera. Acreditar que de la suspension de la obra
se le siguen graves perjuicios;

Segunda. Dar caucion suficiente para responder de la
demolicion de la obra i de la indemnizacion de los perjuicios que de continuarla puedan seguirse al contendor,
en caso que a ello fuere condenado por sentencia firme; i

Tercera. Deducir, al mismo tiempo de pedir dicha

autorizacion, demanda ordinaria para que se declare su derecho de continuar la obra.

La primera de las condiciones espresadas i la calificacion de la caucion, serán materia de un incidente.

### Párrafo Sesto

### DE LA DENUNCIA DE OBRA RUINOSA

### Art. 727

#### (720 del Proyecto)

Si se pidiere la demolicion o enmienda de una obra ruinosa o peligrosa, o el afianzamiento o estraccion de árboles mal arraigados o espuestos a ser derribados por casos de ordinaria ocurrencia, el tribunal practicará, a la mayor brevedad, asociado de un perito nombrado por él mismo i con notificacion de las partes i asistencia de la que concurra, una inspeccion personal de la construccion o árboles denunciados. Podrá tambien cada parte, si lo estima conveniente, asociarse para este acto de un perito; i en el acta que de lo obrado se levante se harán constar las opiniones o informes periciales, las observaciones conducentes que hicieren los interesados i lo que acerca de ello notare el juez que practica la dilijencia.

Cuando el reconocimiento hubiere de practicarse a mas de cinco kilómetros de distancia de los límites urbanos de la poblacion en que funciona el tribunal, podrá éste cometer la dilijencia al juez inferior que corresponda o a otro ministro de fe, quienes procederán asociados del perito que el tribunal designe i en la forma que dispone el inciso anterior.

## Art. 728

**(721 del Proyecto)**

Con el mérito de la dilijencia ordenada por el artículo precedente fallará el tribunal dentro de tercero dia, sea denegando lo pédido por el querellante, sea decretando la demolicion, enmienda, afianzamiento o estraccion a que hubiere lugar.

Cuando la dilijencia de reconocimiento no hubiere sido practicada por el tribunal, podrá éste, ántes de dictar sentencia, disponer que se rectifique o amplie en los puntos que estime necesarios.

## Art. 729

**(722 del Proyecto)**

Es aplicable a la denuncia de obra ruinosa lo dispuesto en el artículo setecientos cinco.

## Art. 730

**(723 del Proyecto)**

En la misma sentencia que ordena la demolicion, enmienda, afianzamiento o estraccion, puede el tribunal decretar desde luego las medidas urjentes de precaucion que considere necesarias, i ademas que se ejecuten dichas medidas, sin que de ello pueda apelarse.

## Art. 731

**(724 del Proyecto)**

Sin perjuicio de lo dispuesto en el artículo precedente, la apelacion de la sentencia definitiva en este interdicto se concederá en ámbos efectos.

## Art. 732

**(725 del Proyecto)**

Cuando se diere lugar al interdicto, no se entenderá reservado el derecho de ejercer en via ordinaria ninguna accion que tienda a dejar sin efecto lo resuelto.

### Párrafo Sétimo

### DE LOS INTERDICTOS ESPECIALES

## Art. 733

**(726 del Proyecto)**

Si se pidiere la destruccion o modificacion de las obras a que se refieren los artículos novecientos treinta i seis i novecientos treinta i siete del Código Civil, se procederá en la forma dispuesta por los artículos setecientos veintisiete, setecientos veintiocho, setecientos veintinueve i setecientos treinta del presente Código.

## Art. 734

**(727 del Proyecto)**

Si por parte del querellado se alegare que el interdicto no es admisible por haber trascurrido tiempo bastante para constituir un derecho de servidumbre, se dará a esta oposicion la tramitacion de un incidente i se recibirá a prueba, sin perjuicio de practicarse la inspeccion por el tribunal.

Para recibir esta prueba, el tribunal señalará la audiencia correspondiente al quinto dia hábil despues de la última notificacion, i a ella deberán concurrir las partes con sus testigos i demas medios probatorios. Dicha audiencia tendrá lugar con solo el interesado que asista.

La parte que quisiere rendir prueba testimonial deberá entregar en secretaría, para que se agregue al proceso ántes de las doce del dia que preceda al de la audiencia, una lista de los testigos de que piense valerse, con espresion de su nombre, profesion u oficio i residencia.

Son aplicables en este caso las disposiciones de los artículos setecientos siete a setecientos doce inclusive.

## Art. 735

**(728 del Proyecto)**

Las acciones que se conceden por los artículos novecientos treinta i nueve, novecientos cuarenta i uno i novecientos cuarenta i dos del Código Civil, se sujetarán al procedimiento establecido en los artículos setecientos

veintisiete, setecientos veintiocho, setecientos veintinueve i setecientos treinta del presente Código.

Si se alegare la escepcion a que se refiere el inciso
final del artículo novecientos cuarenta i uno del Código
Civil, se procederá como lo dispone el artículo precedente.

## ART. 736

### (729 del Proyecto)

Si se pidiere la suspension de las obras de que tratan
los artículos ochocientos setenta i cuatro, ochocientos
setenta i cinco, ochocientos setenta i ocho i novecientos
cuarenta i cuatro del Código Civil, el tribunal procederá
como en el caso de la denuncia de obra nueva.

## ART. 737

### (730 del Proyecto)

El derecho que para hacer cegar un pozo concede el
artículo novecientos cuarenta i cinco del Código Civil es
materia de un juicio ordinario.

## ART. 738

### (731 del Proyecto)

Las sentencias que se dictaren en los interdictos de
que trata este párrafo dejan a salvo su derecho a las
partes para deducir en via ordinaria las acciones que
por la lei les correspondan.

### Párrafo Octavo

## DISPOSICIONES COMUNES A LOS DOS PÁRRAFOS PRECEDENTES

### ART. 739

**(732 del Proyecto)**

Si la denuncia, en los casos a que se refieren los dos párrafos precedentes, se dedujere por accion popular i se reclamare la recompensa que establece el artículo novecientos cuarenta i ocho del Código Civil, se pronunciará sobre ella el tribunal en la misma sentencia que dé lugar al interdicto; pero la cuantía de esta recompensa la fijará prudencialmente dentro de los límites que señala dicho artículo, oyendo en audiencia verbal a los interesados, despues de la ejecucion de la sentencia.

### ART. 740

**(733 del Proyecto)**

Lo dispuesto en los párrafos sesto i sétimo de este Título se entiende sin perjuicio de las medidas administrativas o de policía a que haya lugar segun las leyes.

## TÍTULO VI

## DE LA CITACION DE EVICCION

### ART. 741

**(299 del Proyecto)**

La citacion de eviccion deberá hacerse ántes de recibirse la causa a prueba; o, si no fuere procedente la prueba, ántes de citarse a las partes para oir sentencia definitiva.

Para que se ordene la citacion de eviccion deberán acompañarse antecedentes que hagan aceptable la solicitud.

## Art. 742

### (300 del Proyecto)

Decretada la citacion, se suspenderán los trámites del juicio por el término de diez dias si la persona a quien debe citarse reside en el departamento en que se sigue el pleito. Si se encuentra en otro departamento o fuéra del territorio de la República, se aumentará dicho término en la forma establecida en el artículo doscientos cincuenta i seis.

Vencidos estos plazos sin que el demandado haya hecho practicar la citacion, podrá el demandante pedir que se declare caducado el derecho de aquél para exijirla i que continúen los trámites del juicio, o que se le autorice para llevarla a efecto a costa del demandado.

## Art. 743

### (301 del Proyecto)

Las personas citadas de eviccion tendrán para comparecer al juicio el término de emplazamiento que corresponda en conformidad a los artículos doscientos cincuenta i cinco i siguientes, suspendiéndose miéntras tanto el procedimiento. Si a peticion de ellas se hiciere igual citacion a otras personas, gozarán tambien éstas del mismo derecho.

## Art. 744

(303 del Proyecto)

Si comparecieren al juicio las personas citadas, se observará lo dispuesto en el artículo mil ochocientos cuarenta i cuatro del Código Civil, continuando los trámites de aquél segun el estado que a la sazon tuvieren. En caso contrario, vencido el término de emplazamiento, continuará sin mas trámite el procedimiento.

# TÍTULO VII

## DE LOS JUICIOS ESPECIALES DEL CONTRATO DE ARRENDAMIENTO

### Párrafo Primero

#### DEL DESAHUCIO, DEL LANZAMIENTO I DE LA RETENCION

## Art. 745

(Agregado por la Comision)

El desahucio de la cosa arrendada puede efectuarse judicial o estrajudicialmente.

La prueba del desahucio estrajudicial se sujetará a las reglas jenerales del Título veintiuno, Libro cuarto del Código Civil i a los procedimientos que establece el presente Código.

El desahucio judicial se efectuará notificando al arrendador o arrendatario, en conformidad al artículo setecientos cinco, el decreto en que el juez manda poner en conocimiento de uno u otro la noticia anticipada a que se refiere el artículo mil novecientos cincuenta i uno del Código Civil.

## Art. 746

(734 del Proyecto)

Cuando el arrendador o el arrendatario desahuciado reclamare contra este desahucio, citará el tribunal a las partes para la audiencia del quinto dia hábil despues de la última notificacion, a fin de que concurran con sus medios de prueba i espongan lo conveniente a su derecho.

## Art. 747

(735 del Proyecto)

Esta reclamacion solo podrá entablarse dentro de los diez dias subsiguientes a la noticia del desahucio.

## Art. 748

(736 del Proyecto)

La reclamacion se notificará al que hace el desahucio en la forma que dispone el artículo setecientos cinco, debiendo intervenir el defensor de ausentes en los casos i para los efectos que allí se espresan.

## Art. 749

(737 del Proyecto)

La audiencia señalada tendrá lugar con solo la parte que concurra.

Si hubiere de rendirse prueba testimonial, se procederá en conformidad con lo dispuesto en los artículos setecientos seis a setecientos doce inclusive.

### Art. 750

#### (738 del Proyecto)

En el acta que se levante, a mas de las pruebas acompañadas, se mencionarán con brevedad las alegaciones de las partes. Sin otro trámite, pronunciará el tribunal sentencia inmediatamente, o, a mas tardar, dentro de tercero dia.

### Art. 751

#### (739 del Proyecto)

Si la reclamacion apareciere interpuesta fuera del plazo que concede el artículo setecientos cuarenta i siete o si los fundamentos en que se apoya no fueren legales, o no resultaren comprobados, será desechada por el tribunal, manteniéndose el desahucio i designándose en la misma sentencia el dia en que deba hacerse la restitucion de la cosa arrendada.

En caso contrario, se declarará sin lugar el desahucio

### Art. 752

#### (740 del Proyecto)

Si, ratificado el desahucio, llegare el dia señalado para la restitucion sin que el arrendatario haya desalojado la finca arrendada, éste será lanzado de ella a su costa, previa órden del tribunal notificada en la forma establecida por el artículo cincuenta i uno.

## Art. 753

(741 del Proyecto)

Si el arrendatario desahuciado retardare la restitucion de la cosa mueble arrendada, o si se tratare de un desahucio de arrendamiento de servicios, se procederá a la ejecucion de la sentencia en conformidad a las reglas jenerales.

## Art. 754

(742 del Proyecto)

Cuando el arrendatario desahuciado reclamare indemnizaciones, haciendo valer el derecho de retencion que otorga el artículo mil novecientos treinta i siete del Código Civil, deberá interponer su reclamo dentro del plazo de diez dias que concede el artículo setecientos cuarenta i siete del presente Código, i se tramitará i fallará en la misma forma que la oposicion al desahucio. El tribunal, sin perjuicio de lo que se estableciere sobre el desahucio, resolverá si hai o no lugar a la retencion solicitada.

## Art. 755

(Agregado por la Comision)

Si el arrendatario pretendiera burlar el derecho de retencion que concede al arrendador el artículo mil novecientos cuarenta i dos del Código Civil, estrayendo los objetos a que dicho artículo se refiere, podrá el arrendador solicitar el auxilio de cualquier funcionario de policía para impedir que se saquen esos objetos de la propiedad arrendada.

El funcionario de policía prestará este auxilio solo por el término de dos dias, salvo que trascurrido este plazo le exhibiere el arrendador copia autorizada de la órden de retencion espedida por el tribunal competente.

## Art. 756

### (743 del Proyecto)

Los gastos hechos por el arrendatario en la cosa arrendada con posterioridad al desahucio no le autoriza rán para pedir su retencion.

## Art. 757

### (744 del Proyecto)

Si, ratificado el desahucio i llegado el momento de la restitucion, existiere retencion decretada a favor del arrendatario, i no hubiere el arrendador caucionado el pago de las indemnizaciones debidas, no podrá éste pedir lanzamiento sin que préviamente pague dichas indemnizaciones o asegure su pago a satisfaccion del tribunal.

## Art. 758

### (745 del Proyecto)

Si hubiere labores o plantíos que el arrendatario reclamare como de su propiedad, o mejoras útiles cuyos materiales pudiere separar i llevarse sin detrimento de la cosa arrendada, se estenderá dilijencia espresiva de la clase, estension i estado de las cosas reclamadas.

Esta reclamacion no será un obstáculo para el lanzamiento.

## Art. 759

**(746 del Proyecto)**

En los casos a que se refiere el artículo precedente, se procederá al avalúo de las labores, plantíos o materiales reclamados, por peritos nombrados en la forma que espresa el artículo cuatrocientos dieciseis.

## Art. 760

**(747 del Proyecto)**

Practicada esta dilijencia, podrá el arrendatario reclamar el abono de la cantidad en que haya sido apreciado lo que creyere corresponderle, o que se le permita separar i llevarse los materiales.

Esta reclamacion se tramitará como incidente.

## Art. 761

**(748 del Proyecto)**

El procedimiento establecido en este párrafo se observará tambien cuando se exija la restitucion de la cosa arrendada por la espiracion del tiempo estipulado para la duracion del arrendamiento, o por la estincion del derecho del arrendador.

El plazo para oponerse a la restitucion o para hacer valer el derecho de retencion por indemnizaciones debidas, correrá desde que el que pide la terminacion del arrendamiento haga saber a la otra parte su intencion de exijirla.

Cuando se tratare de bienes inmuebles, la misma sentencia que deseche la reclamacion ordenará ademas el lanzamiento, si estuviere vencido el plazo del contrato; salvo que existieren retenciones decretadas a favor del arrendatario por no haberse otorgado las cauciones a que se refiere el artículo setecientos cincuenta i siete.

### Art. 762

#### (749 del Proyecto)

Cuando la terminacion del arrendamiento resultare de sentencia judicial, en los casos previstos por la lei, podrá adoptarse el procedimiento del artículo anterior o el que corresponda para la ejecucion de dicha sentencia, a eleccion de la parte a quien ella favorezca.

### Art. 763

#### (750 del Proyecto)

Las sentencias en que se ratifique el desahucio o se ordene el lanzamiento, las que den lugar a la retencion, i las que dispongan la restitucion de la cosa arrendada, en los casos de los dos artículos anteriores, solo serán apelables en el efecto devolutivo, i la apelacion se tramitará como en los incidentes.

## Párrafo Segundo

### DE LA TERMINACION INMEDIATA DEL ARRENDAMIENTO

### Art. 764

(751 del Proyecto)

Cuando la lei autorice al arrendador para pedir la terminacion inmediata del arrendamiento, como en los casos previstos por los artículos mil novecientos setenta i dos i mil novecientos setenta i tres del Código Civil, señalará el tribunal la audiencia del quinto dia hábil despues de la notificacion del demandado, a fin de que concurran las partes con sus medios de prueba i espongan lo conveniente a su derecho. Tendrá lugar la audiencia con solo el interesado que asista.

Si hubiere de rendirse prueba testimonial, se procederá con arreglo a lo establecido en los últimos incisos del artículo setecientos treinta i cuatro.

### Art. 765

(752 del Proyecto)

Es aplicable a la notificacion de la demanda en este caso lo dispuesto por el artículo setecientos cinco.

### Art. 766

(753 del Proyecto)

Cuando el tribunal lo estime necesario, podrá, ántes de dictar sentencia, nombrar un perito que informe sobre los hechos alegados o practicar una inspeccion personal.

## Art. 767

(754 del Proyecto)

Terminada la audiencia o practicadas las dilijencias a que se refiere el artículo anterior, el tribunal pronunciará su resolucion inmediatamente o, a mas tardar, dentro de tercero dia.

## Art. 768

(755 del Proyecto)

Cuando la terminacion del arrendamiento se pidiere por falta de pago de la renta, en conformidad a lo dispuesto por el artículo mil novecientos setenta i siete del Código Civil, la segunda de las reconvenciones a que dicho artículo se refiere se practicará ocurriendo al tribunal respectivo, quien citará a las partes a una audiencia inmediata i procederá en lo demas con arreglo a lo establecido en los artículos precedentes.

## Art. 769

(756 del Proyecto)

El arrendador que pretenda hacer uso de los derechos concedidos por el artículo mil novecientos setenta i nueve del Código Civil, se ajustará a lo establecido en el Título doce de este Libro sobre el *procedimiento sumario*.

## Art. 770

(757 del Proyecto)

En los casos de los artículos mil novecientos ochenta i nueve i dos mil nueve del Código Civil, la terminacion del arrendamiento se someterá a las disposiciones del artículo setecientos sesenta i uno.

## Art. 771

(758 del Proyecto)

Cuando las sentencias dictadas en los casos de que trata el presente párrafo dieren lugar a la terminacion del arrendamiento, solo serán apelables en el efecto devolutivo, i el recurso se tramitará como en los incidentes.

### Párrafo Tercero

#### DISPOSICION COMUN A LOS DOS PÁRRAFOS PRECEDENTES

## Art. 772

(759 del Proyecto)

Las sentencias que se pronuncien en conformidad a los dos párrafos precedentes no privarán a las partes del ejercicio de las acciones ordinarias a que tengan derecho, sobre las mismas cuestiones resueltas por aquéllas.

# TÍTULO VIII

## DE LOS JUICIOS SOBRE CONSENTIMIENTO · PARA EL MATRIMONIO

### Art. 773

(760 del Proyecto)

Cuando el menor a quien se niegue el consentimiento para contraer matrimonio, en los casos en que debe espresarse la causa del disenso, quisiere reclamar de esta negativa, ocurrirá, sin necesidad de un curador especial, al tribunal respectivo i éste designará dia i hora para una audiencia a la cual asistirán personalmente los interesados.

En caso de impedimento grave i permanente o de larga duracion, podrá hacerse representar el impedido por medio de procurador. Si el impedimento fuere accidental o pasajero, i se hiciere valer ántes del momento de la audiencia, podrá ésta suspenderse hasta por segunda vez, señalándose nuevo dia para su celebracion.

Fuera del caso previsto en el final del inciso precedente, la audiencia tendrá lugar con solo el que concurra; i, si la persona que debe prestar el consentimiento no comparece, se entenderá que retira el disenso.

### Art. 774

(761 del Proyecto)

En esta audiencia procurará el tribunal en todo caso un avenimiento amigable.

## Art. 775

**(762 del Proyecto)**

Si no se alegare causa legal para el disenso, el tribunal lo declarará ineficaz, i autorizará al menor para contraer matrimonio.

## Art. 776

**(763 del Proyecto)**

Si, espresando el demandado causa legal, no reconociere el menor la existencia de los hechos en que se funda, señalará el tribunal otra audiencia para que las partes concurran con sus medios de prueba i aleguen lo conveniente a su derecho.

Esta audiencia tendrá lugar con solo el que asista, pudiendo en ella i en los trámites posteriores del juicio hacerse representar las partes por procuradores.

## Art. 777

**(764 del Proyecto)**

Tres dias a lo ménos ántes de la audiencia, presentará cada parte una lista de sus testigos, con espresion del nombre, profesion u oficio i residencia de cada uno de ellos.

No se examinarán testigos que no estuvieren mencionados en dichas listas, salvo acuerdo espreso de las partes.

## Art. 778

(765 del Proyecto)

Cada parte solo puede presentar hasta cuatro testigos sobre lo principal o sobre tachas en este juicio.

## Art. 779

(766 del Proyecto)

El exámen de los testigos se hará en la forma ordinaria, i se les interrogará sobre los hechos consignados en el acta de la primera audiencia para fundar o para impugnar el disenso, siempre que tales hechos sean pertinentes, a juicio del tribunal.

## Art. 780

(767 del Proyecto)

Si se dedujeren tachas, se procederá en la forma prevista en el artículo setecientos nueve.

La tacha que se funde en parentesco del testigo con la parte que lo presenta, será apreciada prudencialmente por el tribunal i podrá admitirla o desecharla, con tal que en este segundo caso el testigo sea tambien pariente de la parte que deduce la tacha.

## Art. 781

(768 del Proyecto)

Cuando una audiencia no bastare, continuará el tribunal ocupándose en el mismo asunto en los dias hábiles inmediatos hasta concluir.

El acta contendrá, a mas de las pruebas presentadas, la enunciacion breve de las alegaciones de las partes.

Terminada la audiencia o audiencias que hubieren sido necesarias, el tribunal pronunciará sentencia sin mas trámite.

### Art. 782

#### (769 del Proyecto)

Podrá el tribunal, si lo estima conveniente, designar una casa particular para que en ella se verifiquen las audiencias que tengan lugar en estos juicios.

### Art. 783

#### (770 del Proyecto)

La apelacion en este juicio se tramitará como en los incidentes.

## TÍTULO IX

### DEL JUIOIO ARBITRAL

#### Párrafo Primero

##### DEL JUICIO SEGUIDO ANTE ARBITROS DE DERECHO

### Art. 784

#### (774 del Proyecto)

Los árbitros de derecho se someterán, tanto en la tramitacion como en el pronunciamiento de la sentencia definitiva, a las reglas que la lei establece para los jueces ordinarios, segun la naturaleza de la accion deducida.

Sin embargo, en los casos en que la lei lo permita, podrán concederse al árbitro de derecho las facultades de arbitrador en cuanto al procedimiento, i limitarse al pronunciamiento de la sentencia definitiva la aplicacion estricta de la lei. La tramitacion se ajustará en tal caso a las reglas del párrafo siguiente.

Por motivos de manifiesta conveniencia podrán los tribunales autorizar la concesion al árbitro de derecho de las facultades de que trata el inciso anterior, aun cuando uno o mas de los interesados en el juicio sean incapaces.

## Art. 785

### (775 del Proyecto)

En los juicios arbitrales se harán las notificaciones personalmente o por cédula, salvo que las partes unánimemente acordaren otra forma de notificacion.

## Art. 786 ·

### (777 del Proyecto)

Si los árbitros fueren dos o mas, todos ellos deberán concurrir al pronunciamiento de la sentencia i a cualquier acto de sustanciacion del juicio, a ménos que las partes acordaren otra cosa.

No poniéndose de acuerdo los árbitros, se reunirá con ellos el tercero, si lo hubiere, i la mayoría pronunciará resolucion.

## Art. 787

### (778 del Proyecto)

En caso de no resultar mayoría en el pronunciamiento de la sentencia definitiva o de otra clase de resoluciones, siempre que ellas no fueren apelables, quedará sin efecto el compromiso, si éste fuere voluntario. Si fuere forzoso, se procederá a nombrar nuevos árbitros.

Cuando pueda deducirse el recurso, cada opinion se estimará como resolucion distinta, i se elevarán los antecedentes al tribunal de alzada, para que resuelva como fuere de derecho sobre el punto que hubiere motivado el desacuerdo de los árbitros.

## Art. 788

### (779 del Proyecto)

Toda la sustanciacion de un juicio arbitral se hará ante un ministro de fe designado por el árbitro, sin perjuicio de las implicancias o recusaciones que pudieren las partes reclamar; i si estuviere inhabilitado o no hubiere ministro de fe en el lugar del juicio, ante una persona que, en calidad de actuario, designe el árbitro.

Cuando el árbitro deba practicar dilijencias fuera del lugar en que se siga el compromiso, podrá intervenir otro ministro de fe o un actuario designado en la forma que espresa el inciso anterior i que resida en el lugar donde dichas dilijencias han de practicarse.

## Art. 789

### (780 del Proyecto)

No podrá el árbitro compeler a ningun testigo a que concurra a declarar ante él. Solo podrá tomar las declaraciones de los que voluntariamente se presten a darlas en esta forma.

Cuando alguno se negare a declarar, se pedirá por conducto del árbitro al tribunal ordinario correspondiente que practique la dilijencia, acompañándole los antecedentes necesarios para este objeto.

Los tribunales de derecho podrán cometer esta dilijencia al árbitro mismo asistido por un ministro de fe.

## ART. 790

### (781 del Proyecto)

Para el exámen de testigos i para cualquiera otra dilijencia fuéra del lugar del juicio, se procederá en la forma dispuesta por el inciso segundo del artículo precedente, dirijiéndose por el árbitro la comunicacion que corresponda al tribunal que deba entender en dichas dilijencias.

## ART. 791

### (782 del Proyecto)

Para la ejecucion de la sentencia definitiva se podrá ocurrir al árbitro que la dictó, si no estuviere vencido el plazo por que fué nombrado, o al tribunal ordinario correspondiente, a eleccion del que pida su cumplimiento.

Tratándose de otra clase de resoluciones, corresponde al árbitro ordenar su ejecucion.

Sin embargo, cuando el cumplimiento de la resolucion arbitral exijiere procedimientos de apremio o el empleo de otras medidas cómpulsivas, o cuando hubiere de afectar a terceros que no sean parte en el compromiso, deberá ocurrirse a la justicia ordinaria para la ejecucion de lo resuelto.

## Párrafo Segundo

### DEL JUICIO SEGUIDO ANTE ARBITRADORES

### ART. 792

(783 del Proyecto)

El arbitrador no está obligado a guardar en sus procedimientos i en su fallo otras reglas que las que las partes hayan espresado en el acto constitutivo del compromiso.

Si las partes nada hubieren dicho a este respecto, se observarán las reglas establecidas en los artículos que siguen.

### ART. 793

(784 del Proyecto)

El arbitrador oirá a los interesados; recibirá i agregará al proceso los instrumentos que le presenten; practicará las dilijencias que estime necesarias para el conocimiento de los hechos, i dará su fallo en el sentido que la prudencia i la equidad le dictaren.

Podrá oir a los interesados por separado, si no le fuere posible reunirlos.

### ART. 794

(785 del Proyecto)

Si el arbitrador creyere necesario recibir la causa a prueba, decretará este trámite.

Es aplicable a este caso lo dispuesto en los artículos setecientos ochenta i nueve i setecientos noventa.

## Art. 795

(786 del Proyecto)

El arbitrador practicará solo o con asistencia de un ministro de fe, segun lo estimare conveniente, los actos de sustanciacion que decretare en el juicio; i consignará por escrito los hechos que pasaren ante él i cuyo testimonio le exijieren los interesados, si fueren necesarios para el fallo.

Las dilijencias probatorias concernientes al juicio de compromiso que se practicaren ante los tribunales ordinarios se someterán a las reglas establecidas para éstos.

## Art. 796

(787 del Proyecto)

La sentencia del arbitrador contendrá:

Primero. La designacion de las partes litigantes;

Segundo. La enunciacion breve de las peticiones deducidas por el demandante;

Tercero. La misma enunciacion de la defensa alegada por el demandado;

Cuarto. Las razones de prudencia o de equidad que sirven de fundamento a la sentencia; i

Quinto. La decision del asunto controvertido.

La sentencia espresará, ademas, la fecha i el lugar en que se espide; llevará al pié la firma del arbitrador, i

será autorizada por un ministro de fe o por dos testigos
en su defecto.

## Art. 797

(788 del Proyecto)

Si fueren dos o mas los arbitradores, deberán todos
ellos concurrir al pronunciamiento de la sentencia i a
cualquier otro acto de sustanciacion, salvo que las partes acordaren otra cosa.

Cuando no hubiere acuerdo entre los arbitradores, se
llamará al tercero, si lo hubiere; i la mayoría formará
resolucion.

No pudiendo obtenerse mayoría en el pronunciamiento de la sentencia definitiva o de otra clase de resoluciones, quedará sin efecto el compromiso si no pudiere
deducirse apelacion. Habiendo lugar a este recurso, se
elevarán los antecedentes a los arbitradores de segunda
instancia, para que resuelvan como estimen conveniente
sobre la cuestion que motiva el desacuerdo.

## Art. 798

(789 del Proyecto)

Solo habrá lugar a la apelacion de la sentencia del
arbitrador cuando las partes, en el instrumento en que
constituyen el compromiso, espresaren que se reservan
dicho recurso para ante otros árbitros del mismo carácter i designaren las personas que han de desempeñar
este cargo.

## Art. 799

**(Agregado por la Comision)**

La ejecucion de las sentencias de los arbitradores se sujetará a lo dispuesto en el artículo setecientos noventa i uno.

### Párrafo Tercero

#### DISPOSICION COMUN A LOS DOS PARRAFOS PRECEDENTES

## Art. 800

**(790 del Proyecto)**

Los espedientes fallados por árbitros o arbitradores se archivarán en el departamento donde se hubiere constituido el compromiso, en el oficio del funcionario a quien corresponderia su custodia si se hubiera seguido el juicio ante los tribunales ordinarios.

# TÍTULO X

## DE LOS JUICIOS SOBRE PARTICION DE BIENES

## Art. 801

**(791 del Proyecto)**

Fuera de los casos en que la lei autoriza a los comuneros para hacer por sí solos la division de las cosas comunes, podrán proceder de esta manera, aunque entre ellos hubiere personas que no tengan la libre dispo-

sicion de sus bienes, siempre que no se presentaren
cuestiones que resolver i todos estuvieren de acuerdo
sobre la manera de hacer la division.

Serán, sin embargo, necesarias en este caso la tasacion de los bienes por peritos i la aprobacion de la particion por la justicia ordinaria, del mismo modo que lo
serian si se procediera ante un partidor.

## ART. 802

(792 del Proyecto)

Cuando hubiere de nombrarse partidor, cualquiera de
los comuneros ocurrirá al tribunal que corresponda, pidiéndole que cite a todos los interesados a fin de hacer
la designacion, i se procederá a ella en la forma establecida para el nombramiento de peritos.

Si hubiere partidor nombrado por los interesados, o
por el difunto en el caso del artículo mil trescientos veinticuatro del Código Civil, i fuere necesaria la aprobacion judicial del nombramiento en conformidad a la lei,
bastará el fallo que la conceda para que el partidor
pueda ejercer sus funciones, previa su aceptacion i el
juramento legal.

## ART. 803

(793 del Proyecto)

El término que la lei, el testador o las partes concedan
al partidor para el desempeño de su cargo se contará desde
que éste sea aceptado, deduciendo el tiempo durante el
cual, por la interposicion de recursos o por otra causa, hu-

biere estado totalmente interrumpida la jurisdiccion del partidor.

## Art. 804

(794 del Proyecto)

Se estenderán a los partidores las reglas establecidas respecto de los árbitros en el Título precedente, en cuanto no aparezcan modificadas por las del presente Título i sean aplicables a las cuestiones que aquéllos deben resolver. Sin embargo, las partes mayores de edad i libres administradores de sus bienes, podrán darles el carácter de arbitradores.

Los actos de los partidores serán en todo caso autorizados por un notario o secretario de un juzgado de letras.

## Art. 805

(795 del Proyecto)

Las materias sometidas al conocimiento del partidor se ventilarán en audiencias verbales, consignándose en las respectivas actas sus resultados; o por medio de solicitudes escritas, cuando la naturaleza e importancia de las cuestiones debatidas así lo exijan. Las resoluciones que se dicten con tal objeto serán inapelables.

## Art. 806

(796 del Proyecto)

Cuando se designaren dias determinados para las audiencias ordinarias, se entenderá que en ellas pueden celebrarse válidamente acuerdos sobre cualquiera de los asuntos comprendidos en el juicio, aun cuando no estén presentes todos los interesados, a ménos que se trate de revocar acuerdos ya celebrados, o que sea necesario el consentimiento unánime en conformidad a la lei o a los acuerdos anteriores de las partes.

Modificada la designacion de dia para las audiencias ordinarias, no producirá ella efecto miéntras no se notifique a todos los que tengan derecho de concurrir.

## ART. 807

### (797 del Proyecto)

Entenderá el partidor en todas las cuestiones relativas a la formacion e impugnacion de inventarios i tasaciones, a las cuentas de los albaceas, comuneros i administradores de los bienes comunes, i en todas las demas que la lei especialmente le encomiende, o que, debiendo servir de base para la reparticion, no sometiere la lei de un modo espreso al conocimiento de la justicia ordinaria.

Lo cual se entiende sin perjuicio de la intervencion de la justicia ordinaria en la formacion de los inventarios, i del derecho de los albaceas, comuneros, administradores i tasadores para ocurrir tambien a ella en cuestiones relativas a sus cuentas i honorarios, siempre que no hubieren aceptado el compromiso, o que éste hubiere caducado o no estuviere constituido aun.

## Art. 808

(798 del Proyecto)

Podrá el partidor fijar plazo a las partes para que formulen sus peticiones sobre las cuestiones que deban servir de base a la particion.

Cada cuestion que se promueva será tramitada separadamente, con audiencia de todos los que en ella tengan interes, sin entorpecer el curso de las demas i sin que se paralice en unas la jurisdiccion del partidor por los recursos que en otras se deduzcan. Podrán, sin embargo, acumularse dos o mas de dichas cuestiones cuando fuere procedente la acumulacion en conformidad a las reglas jenerales.

Las cuestiones parciales podrán fallarse durante el juicio divisorio o reservarse para la sentencia final.

## Art. 809

(799 del Proyecto)

Miéntras no se haya constituido el juicio divisorio o cuando falte el árbitro que debe entender en él, corresponderá a la justicia ordinaria decretar la forma en que han de administrarse *pro-indiviso* los bienes comunes i nombrar a los administradores, si no se pusieren de acuerdo en ello los interesados.

Organizado el compromiso i miéntras subsista la jurisdiccion del partidor, a él corresponderá entender en estas cuestiones, i continuar conociendo en las que se hubieren ya promovido o se promovieren con ocasion de las medidas dictadas por la justicia ordinaria para la administracion.de los bienes comunes.

## ART. 810

### (800 del Proyecto)

Para acordar o resolver lo conveniente sobre la administracion *pro-indiviso*, se citará a todos los interesados a comparendo, el cual se celebrará con solo los que concurran. No estando todos presentes, solo podrán acordarse, por mayoría absoluta de los concurrentes que represente a lo ménos la mitad de los derechos de la comunidad o por resolucion del tribunal a falta de mayoría, todas o algunas de las medidas siguientes:

Primera. Nombramiento de uno o mas administradores, sea de entre los mismos interesados o estraños;

Segunda. Fijacion de los salarios de los administradores i de sus atribuciones i deberes;

Tercera. Determinacion del jiro que deba darse a los bienes comunes durante la administracion *pro-indiviso* i del máximum de gastos que puedan en ella hacerse; i

Cuarta. Fijacion de las épocas en que deba darse cuenta a los interesados, sin perjuicio de que ellos puedan exijirlas estraordinariamente, si hubiere motivo justificado, i vijilar la administracion sin embarazar los procedimientos de los administradores.

## ART. 811

### (801 del Proyecto)

Para poner término al goce gratuito de alguno o algunos de los comuneros sobre la cosa comun, bastará la reclamacion de cualquiera de los interesados; salvo que este goce se funde en algun título especial.

## ART. 812

### (802 del Proyecto)

Los ⸢terceros acreedores que tengan derechos que hacer valer sobre los bienes comprendidos en la particion, podrán ocurrir al partidor o a la justicia ordinaria, a su eleccion.

## ART. 813

### (803 del Proyecto)

Para adjudicar o licitar los bienes comunes, se apreciarán por peritos nombrados en la forma ordinaria.

Podrá, sin embargo, omitirse la tasacion, si el valor de los bienes se fijare por acuerdo unánime de las partes, o de sus representantes, aun cuando hubiere entre aquéllas incapaces o personas jurídicas, con tal que existan en los autos antecedentes que justifiquen la apreciacion hecha por las partes, o que se trate de bienes muebles, o de fijar un mínimum para licitar bienes raíces con admision de postores estraños.

## ART. 814

### (804 del Proyecto)

Para proceder a la licitacion pública de los bienes comunes bastará su anuncio por medio de avisos en un periódico del departamento, o de la cabecera de la provincia, si en aquél no lo hubiere.

Cuando entre los interesados haya incapaces o personas jurídicas, la publicacion de avisos se hará por cuatro veces a lo ménos, mediando entre la primera publicacion i el remate un espacio de tiempo que no baje de veinte dias, i fijándose ademas por todo este tiempo carteles en la oficina del actuario. Si, por no efectuarse el remate, fuere necesario hacer nuevas publicaciones, se procederá en conformidad a lo establecido en el artículo quinientos veintitres.

## Art. 815

(805 del Proyecto)

En las enajenaciones que se efectuaren por conducto del partidor se considerará a éste representante legal de los vendedores, i en tal carácter suscribirá los instrumentos que, con motivo de dichas enajenaciones, hubiere necesidad de otorgar. Podrá tambien autorizar al comprador o adjudicatario o a un tercero para que por sí solo suscriba la inscripcion de la transferencia en el conservador respectivo.

Todo acuerdo de las partes o resolucion del partidor que contenga adjudicacion de bienes raíces se reducirá a escritura pública, i sin esta solemnidad no podrá efectuarse su inscripcion en el Conservador.

## Art. 816

(806 del Proyecto)

Salvo acuerdo unánime de las partes, los comuneros que durante el juicio divisorio reciban bienes en adjudicacion, por un valor que exceda del ochenta por ciento de lo que les corresponda percibir, pagarán de contado dicho exceso. La fijacion provisional de éste se hará prudencialmente por el partidor.

## Art. 817

(807 del Proyecto)

Los valores que reciban los comuneros durante la particion a cuenta de sus derechos devengarán el interes que las partes fijen, o el legal cuando tal fijacion no se hubiere hecho, sin perjuicio de lo que en casos especiales dispongan las leyes.

## Art. 818

(808 del Proyecto)

En las adjudicaciones de propiedades raices que se hagan a los comuneros durante el juicio divisorio o en la sentencia final, se entenderá constituida hipoteca sobre las propiedades adjudicadas, para asegurar el pago de los alcances que resultaren en contra de los adjudicatarios, siempre que no se pague de contado el exceso a que se refiere el artículo ochocientos dieciseis. Al inscribir el conservador el título de adjudicacion inscribirá a la vez la hipoteca por el valor de los alcances.

Podrá reemplazarse esta hipoteca por otra caucion suficiente calificada por el partidor.

## Art. 819

(809 del Proyecto)

Los resultados de la particion se consignarán en un *Laudo* o sentencia final, que resuelva o establezca todos los puntos de hecho i de derecho que deben servir de base para la distribucion de los bienes comunes, i en una *Ordenata* o liquidacion, en que se hagan los cálculos numéricos necesarios para dicha distribucion.

## Art. 820

(810 del Proyecto)

Se entenderá practicada la notificacion del *Laudo* i *Ordenata* desde que se notifique a las partes el hecho de su pronunciamiento, salvo el caso previsto en el artículo ochocientos veintidos. Los interesados podrán imponerse de sus resoluciones en la oficina del actuario i deducir los recursos a que hubiere lugar dentro del plazo de quince dias.

## Art. 821

(811 del Proyecto)

En el Laudo podrá hacer el partidor la fijacion de su honorario, i cualquiera que sea su cuantía, habrá derecho para reclamar de ella. La reclamacion se interpondrá en la misma forma i en el mismo plazo que la ape-

lacion, i será resuelta por el tribunal de alzada en única
instancia.

## Art. 822

(812 del Proyecto)

Cuando la particion deba ser aprobada por la justicia
ordinaria, el término para apelar será tambien de quince
dias, i se contará desde que se notifique la resolucion
del juez que apruebe o modifique el fallo del partidor.

## TÍTULO XI

### DE LOS JUICIOS SOBRE DISTRIBUCION DE AGUAS

## Art. 823

(813 del Proyecto)

Para proceder a la distribucion de aguas pertenec:en-
tes a varios dueños i conducidas por un mismo cauce,
natural o artificial, citará el juez letrado respectivo a
todos los interesados, a solicitud de cualquiera de ellos,
a una reunion que deberá celebrarse con solo los que
asistan.

La citacion se hará con quince dias por lo ménos de
anticipacion, por medio de carteles fijados en la puerta
del juzgado, i de tres avisos que se publicarán en un
periódico del departamento o de la cabecera de la provincia, si en aquél no lo hubiere.

## Art. 824

**(Agregado por la Comision)**

Si el cauce, natural o artificial, separare o atravesare diversos departamentos de una misma provincia, será juez competente para conocer de los juicios, a que este Título se refiere, el de la. cabecera de la provincia, i si separare o atravesare dos provincias, será competente para conocer en dichos juicios, el juez de la cabecera de la provincia de mas antigua creacion.

## Art. 825

**(814 del Proyecto)**

En esta reunion harán valer los interesados los títulos o antecedentes que sirvan para establecer su derecho en el agua comun. Si no hubiere acuerdo sobre este particular, el juez resolverá sin mas antecedentes que los acompañados.

## Art. 826

**(815 del Proyecto)**

Los comuneros que no hubieren asistido a la reunion i a quienes no se haya asignado la parte que les corresponda en la distribucion, podrán presentarse reclamándola en cualquier tiempo, i a solicitud de ellos se citará a todos los interesados, procediéndose como se indica en los artículos ochocientos veintitres i ochocientos veinticinco, pero sin que miéntras tanto se altere lo que existiere acordado o resuelto.

Las costas que se orijinen de las nuevas jestiones serán de cuenta esclusiva de los que las solicitaren.

## Art. 827

(816 del Proyecto)

En la reunion a que se refiere el artículo ochocientos veintitres podrán adoptarse todas o algunas de las siguientes medidas:

Primera. Nombramiento de uno o mas repartidores que distribuyan las aguas comunes, i determinacion de sus honorarios;

Segunda. Fijacion de los gastos ordinarios comunes para las obras estraordinarias que fuere necesario hacer i de las cantidades con que deban contribuir los comuneros;

Tercera. Privacion del uso del agua a los que retarden el pago de sus cuotas, o fijacion de un interes penal en caso de mora;

Cuarta. Imposicion de multas o de privacion de agua para los que alteren la distribucion hecha por el repartidor;

Quinta. Obligacion de designar, para cada uno de los ramales que se deriven del cauce comun, un representante nombrado por los que en él tengan parte, i suspencion del agua hasta que esta designacion se haga; i

Sesta. Nombramiento de una junta de vijilancia o de

un delegado de la comunidad, para que haga efectivos los acuerdos o resoluciones adoptados.

Para la adopcion de otras medidas será necesaria la concurrencia de todos los interesados o la aquiescencia de los no concurrentes.

### Art. 828

(817 del Proyecto)

Cuando se trate de aguas que corren por cauces naturales, podrán agregarse a las medidas que menciona el artículo precedente la fijacion de la época en que deba someterse a rateo proporcional o a turno la distribucion, i podrá tambien concederse al repartidor o repartidores que se nombren, las facultades que corresponderian a la junta de vijilancia o al delegado de que trata el número seis del citado artículo.

### Art. 829

(818 del Proyecto)

Cuando no hubiere acuerdo para la adopcion de las medidas a que se refieren los artículos ochocientos veintisiete i ochocientos veintiocho, se establecerán como reglas para la administracion i goce de las aguas comunes las que obtengan mayoría absoluta de votos, que representen a lo ménos la mitad de los derechos de la comunidad.

Si no resultare èsta mayoría, elejirá el tribunal entre las medidas que hubieren obtenido mayorías mas altas

## Art. 830

(819 del Proyecto)

Los acuerdos i resoluciones que se adopten podrán ser modificados al cabo de un año de vijencia en la forma espresada en los artículos anteriores.

Las agregaciones que se hagan despues de la primera reunion, en el caso del artículo ochocientos veintiseis i las modificaciones que se introduzcan en conformidad al artículo siguiente, cualquiera que sea la época en que se adoptaren, solo durarán hasta la espiracion del plazo a que se refiere el inciso anterior.

## Art. 831

(820 del Proyecto)

Si ántes de la espiracion de dicho plazo se propusieren, en interes de la comunidad i por un número de interesados que represente una tercera parte de los derechos de ella, nuevas medidas que alteren las reglas establecidas para la distribucion, se procederá en conformidad a lo dispuesto por los artículos ochocientos veintitres, ochocientos veintisiete, ochocientos veintiocho i ochocientos veintinueve. Solo se dará lugar a las modificaciones que reunan dos tercios de los votos de los concurrentes, que representen a lo ménos dos tercios del total de los derechos de la comunidad.

## Art. 832

(821 del Proyecto)

Cualquiera de los interesados podrá reclamar de los procedimientos de los repartidores, del delegado o de la junta de vijilancia, ante el juez letrado respectivo, quien resolverá oyendo en audiencia verbal a las partes a quienes directamente afecte la resolucion.

## Art. 833

(822 del Proyecto)

Las resoluciones que se espidan en conformidad al presente Título solo serán apelables en el efecto devolutivo, i la apelacion se tramitará como en los incidentes.

## Art. 834

(823 del Proyecto)

Los acuerdos o resoluciones se notificarán a las partes por medio de carteles fijados en la puerta del juzgado i por avisos publicados en un periódico del departamento, o de la cabecera de la provincia, cuando allí no lo hubiere.

## Art. 835

(824 del Proyecto)

Las sentencias ejecutorias dictadas en juicio ordinario que modifiquen los acuerdos o resoluciones adop-

tados en conformidad al presente Título, se aplicarán
con preferencia a éstos, desde que se reclame su cumplimiento. No podrán, sin embargo, en los juicios que
se promuevan durante el vigor de dichos acuerdos o resoluciones, decretarse medidas precautorias que impidan
o embaracen su ejecucion.

## Art. 836

**(825 del Proyecto)**

Lo dispuesto en este Título se entenderá sin perjuicio de las facultades que corresponden a la autoridad
administrativa en materia de policía i de concesion de
mercedes de agua.

A la misma autoridad incumbirá facilitar los auxilios
necesarios para que los repartidores de aguas puedan
hacerse respetar en el desempeño de sus funciones, bastando para ello que exhiban el título de su nombramiento.

Los dueños de fundos en que se haga la distribucion
de aguas no podrán impedir que el repartidor entre al
fundo cuando sea menester para el desempeño de sus
funciones, bajo multa que podrá el juez señalar.

# TÍTULO XII

## DEL PROCEDIMIENTO SUMARIO

## Art. 837

**(826 del Proyecto)**

El procedimiento de que trata este Título se aplicará
en defecto de otra tramitacion especial:

Primero. A los casos en que la lei ordene proceder sumariamente, o breve i sumariamente, o en otra forma análoga;

Segundo. A las cuestiones que se susciten sobre el ejercicio de servidumbres naturales o legales, o sobre las prestaciones a que ellas dieren lugar; i

Tercero. En jeneral, a los casos en que la accion deducida, por su naturaleza, requiera tramitacion rápida para que sea eficaz, siempre que no estén sometidos por la lei a otra clase de procedimiento.

## Art. 838

(827 del Proyecto)

Iniciado el procedimiento sumario, podrá decretarse su continuacion conforme a las reglas del juicio ordinario, si existieren motivos fundados para ello.

Por la inversa, iniciado un juicio como ordinario, podrá continuar con arreglo al procedimiento sumario, si apareciere la necesidad de aplicarlo.

La solicitud en que se pida la sustitucion de un procedimiento a otro se tramitará como incidente.

## Art. 839

(828 del Proyecto)

El procedimiento sumario será verbal; pero las partes podrán, si quisieren, presentar minutas escritas en que se establezcan los hechos invocados i las peticiones que se formulen.

## Art. 840

(829 del Proyecto)

Deducida la demanda, citará el tribunal a la audiencia del quinto dia hábil despues de la última notificacion, ampliándose este plazo, si el demandado no estuviere en el lugar del juicio, con todo o parte del aumento que concede el artículo doscientos cincuenta i seis.

A esta audiencia concurrirá el respectivo oficial del ministerio público o defensor público, cuando deban intervenir conforme a la lei, o cuando el tribunal lo juzgue necesario. Con el mérito de lo que en ella se esponga se resolverá la contienda o se recibirá a prueba la causa.

## Art. 841

(830 del Proyecto)

En rebeldía del demandado, se recibirá a prueba la causa o, si el actor lo solicitare con fundamento plausible, se accederá provisionalmente a lo pedido en la demanda.

En este segundo caso, podrá el demandado formar oposicion dentro del término de cinco dias, contados desde su notificacion; i una vez formulada, se citará a nueva audiencia, procediéndose como se dispone en el artículo anterior, pero sin que se suspenda el cumpli·miento provisional de lo decretado con esta calidad, ni se altere la condicion jurídica de las partes.

## Art. 842

(831 del Proyecto)

No deduciéndose oposicion, el tribunal recibirá la causa a prueba, o pronunciará sentencia definitiva, segun lo estime de derecho.

## Art. 843

(832 del Proyecto)

La prueba, cuando hubiere lugar a ella, se rendirá en el plazo i en la forma establecidos para los incidentes.

## Art. 844

(833 del Proyecto)

Vencido el término probatorio, fallará el tribunal sin nueva audiencia de las partes.

## Art. 845

(834 del Proyecto)

Toda resolucion en el procedimiento sumario deberá dictarse tan pronto como se encuentre en estado el proceso, o, a mas tardar, dentro de segundo dia.

## Art. 846

(835 del Proyecto)

Cuando hubiere de oirse a los parientes, se citará en términos jenerales a los que designa el artículo cuarenta i dos del Código Civil, para que asistan a la primera audiencia o a otra posterior, notificándose personalmente a los que pudieren ser habidos. Los demas podrán concurrir aun cuando solo tuvieren conocimiento privado del acto.

Compareciendo los parientes el tribunal les pedirá informe verbal sobre los hechos que considere conducentes.

Si el tribunal notare que no han concurrido algunos parientes cuyo dictámen estime de influencia i que residan en el lugar del juicio, podrá suspender la audiencia i ordenar que se les cite determinadamente.

## Art. 847

(836 del Proyecto)

Los incidentes deberán promoverse i tramitarse en la misma audiencia, conjuntamente con la cuestion principal, sin paralizar el curso de ésta. La sentencia definitiva se pronunciará sobre la accion deducida i sobre los incidentes, o solo sobre éstos, cuando sean previos o incompatibles con aquélla.

## Art. 848

(837 del Proyecto)

La sentencia definitiva i la resolucion que dé lugar al procedimiento sumario en el caso del inciso segundo del artículo ochocientos treinta i ocho, serán apelables en ámbos efectos, salvo que, concedida la apelacion en esta forma, hubieran de eludirse sus resultados.

Las demas resoluciones, inclusa la que acceda provisionalmente a la demanda, solo serán apelables en el efecto devolutivo.

La tramitacion del recurso se ajustará en todo caso a las reglas establecidas para los incidentes.

## Art. 849

(838 del Proyecto)

En segunda instancia, podrá el tribunal de alzada, a solicitud de parte, pronunciarse por via de apelacion sobre todas las cuestiones que se hubieren debatido en primera para ser falladas en definitiva, aun cuando no hubieren sido resueltas en el fallo apelado.

# TÍTULO XIII

## JUICIO SOBRE CUENTAS

## Art. 850

(839 del Proyecto)

El que deba rendir una cuenta la presentará en el plazo que la lei designe o que se establezca por convenio de las partes o por resolucion judicial.

## Art. 851

### (840 del Proyecto)

Presentada la cuenta, se pondrá en conocimiento de la otra parte, concediéndole el tribunal un plazo prudente para su exámen. Si, vencido el plazo, no se hubiere formulado observacion alguna, se dará la cuenta por aprobada.

En caso de haber observaciones, continuará el juicio sobre los puntos observados con arreglo al procedimiento que corresponda segun las reglas jenerales, considerándose la cuenta como demanda i como contestacion las observaciones.

## Art. 852

### (841 del Proyecto)

Si el obligado a rendir cuenta no la presentare en los plazos a que se refiere el artículo ochocientos cincuenta, podrá formularla la otra parte interesada. Puesta en noticia del primero, se tendrá por aprobada si no la objetare dentro del plazo que el tribunal le conceda para su exámen.

Si se formularen observaciones, continuará el juicio como en el caso del inciso segundo del artículo anterior.

En la apreciacion de la prueba, el tribunal estimará siempre la omision del que debe presentar la cuenta como una presuncion grave para establecer la verdad de las partidas objetadas.

## Art. 853

**(842 del Proyecto)**

Lo establecido en el inciso primero del artículo anterior se entenderá sin perjuicio del derecho que corresponda para exijir por accion ejecutiva el cumplimiento
de la obligacion de presentar la cuenta, cuando dicha
accion fuere procedente.

## TÍTULO XIV

### DE LOS JUICIOS SOBRE PAGO DE CIERTOS HONORARIOS

**(Agregado por la Comision)**

## Art. 854

En los juicios que tengan por objeto el pago de honorarios por los servicios a que se refiere el artículo
dos mil ciento dieciocho del Código Civil i cuya cuantía
exceda de trescientos pesos, el tribunal, despues de
contestada la demanda, citará a las partes a comparendo
para alguno de los diez dias siguientes.

En este comparendo, que se verificará con solo la
parte que asista, se fijarán las cuestiones debatidas,
atendiéndose para ello a lo que resulte de los escritos
de demanda i contestacion i de la esposicion verbal de
las partes.

Si no existiere desacuerdo en cuanto a los hechos
que deben servir de fundamento al fallo, el tribunal ci-

tará para oir sentencia, sin perjuicio de lo dispuesto en el artículo ciento sesenta i seis.

Si fuere necesario el esclarecimiento de algun hecho, se recibirá la causa a prueba, espresándose en el decreto respectivo los puntos sobre que ella debe recaer.

### Art. 855

La prueba se rendirá conforme al procedimiento or dinario.

### Art. 856

Vencido el término probatorio, podrán las partes disponer del plazo de seis dias para alegar por escrito lo que estimaren conveniente a su derecho, pudiendo examinar los autos en secretaría, i espirado este plazo, se entenderán citadas para oir sentencia.

### Art. 857

La sentencia definitiva deberá pronunciarse dentro de los diez dias siguientes.

En ella se hará la estimacion del honorario reclamado, si hubiere lugar al pago.

### Art. 858

Cuando el honorario procediere de servicios profesionales prestados en el juicio, el acreedor podrá, a su arbitrio, perseguir su estimacion i pago con arreglo al procedimiento establecido en el presente Título o bien interponiendo su reclamacion ante el tribunal que hubiere conocido en la primera instancia del juicio.

En este último caso la peticion será sustanciada i resuelta en la forma prescrita para los incidentes.

# TÍTULO XV

## DE LOS JUICIOS DE MENOR CUANTIA

### Art. 859

**(843 del Proyecto)**

Se aplicará el procedimiento de que trata este Título a los juicios cuya cuantía no esceda de trescientos pesos.

### Art. 860

**(844 del Proyecto)**

La demanda se interpondrá verbalmente i el tribunal espedirá por escrito una órden en que esprese las peticiones del demandante i cite a las partes para que comparezcan a hacer uso de su derecho en el dia i hora que se designe.

### Art. 861

**(845 del Proyecto)**

Esta órden se notificará al demandado por medio de un receptor, si lo hubiere, i no habiéndolo o estando inhabilitado, por medio de un vecino de la confianza del tribunal, que sea mayor de veinte años i sepa leer i escribir.

Si la notificacion no pudiere hacerse personalmente al demandado, se hará por medio de cédula con copia íntegra de la órden, en la forma establecida en el inciso segundo del artículo cuarenta i siete.

## Art. 862

### (846 del Proyecto)

El demandante al tiempo de su presentacion i el demandado en su primera comparecencia, deberán designar, en la forma indicada en el inciso segundo del artículo cincuenta i dos, el domicilio en donde ha de buscárseles para las notificaciones posteriores, las cuales se harán por medio de cédulas. A falta de esta designacion, se entenderán notificados desde que se estiendan en el proceso las respectivas resoluciones.

El actuario hará saber al demandante cuando presente su demanda i al demandado al tiempo de notificarlo la disposicion precedente, poniendo testimonio de esta dilijencia.

La misma regla se observará con respecto a los mandatarios que constituyan las partes con arreglo al artículo siguiente.

## Art. 863

### (847 del Proyecto)

No se admitirán escritos a las partes en estos juicios. Al tiempo de presentarse o constituirse el poder, deberá designarse el domicilio del mandatario para los efectos determinados en el artículo anterior.

No podrá ser mandatario sino persona que sepa leer i escribir i tenga domicilio conocido. Si el mandatario no procediere correctamente en el juicio, o fuere persona de notoria mala conducta, podrá el juez declarar cancelado el poder o negarse a aceptarlo como parte.

El auto que así lo resuelva deberá ser fundado, i se pondrá en conocimiento del mandante, notificándole en la forma espresada en el artículo ochocientos sesenta i uno.

## Art. 864

### (848 del Proyecto)

Concurriendo las partes a la primera audiencia, espondrán por su órden lo que crean conducente; i si el tribunal estimare innecesario recibir a prueba la causa, dictará sentencia inmediatamente, o citará a las partes para oirla, i la pronunciará dentro de los tres dias siguientes.

En esta audiencia se presentarán los documentos i se pedirán las copias de los que existan en algun archivo público.

## Art. 865

### (849 del Proyecto)

Si alguna de las partes ofreciere rendir prueba testimonial, i el tribunal la estimare necesaria, se designará una audiencia próxima para recibirla; debiendo desde luego, o a mas tardar en el siguiente dia hábil, espresarse i anotarse en el proceso el nombre, profesion u oficio i domicilio de los testigos que cada parte ofrezca presentar. Sin este requisito no será admitida la prueba.

La confesion judicial podrá solicitarse hasta por dos veces en primera instancia, i por una sola vez en segunda i en cualquier estado del juicio, citándose a la parte para que comparezca al tribunal con tal objeto.

El reconocimiento de peritos i la inspeccion personal del juez se decretarán de oficio o a peticion de parte cuando el tribunal lo estimare útil, sea en primera o en segunda instancia,

Podrá deferirse el juramento en cualquier estado del juicio.

## Art. 866

### (850 del Proyecto)

En esta segunda audiencia, que tendrá lugar con solo el que concurra, se examinarán los medios probatorios que se hicieren valer, i se interrogará a los testigos, cuyo número no podrá exceder de cinco por cada parte, sobre cada uno de los hechos cuestionados.

Las declaraciones se prestarán bajo de juramento, a presencia de los interesados que asistan, quienes podrán dirijir preguntas a los testigos contrarios por conducto del juez.

Antes de la declaracion de cada testigo, podrá la otra parte deducir contra él algunas de las tachas espresadas en los artículos trescientos cuarenta i seis i trescientos cuarenta i siete; i la prueba para justificarla se rendirá

en la misma audiencia a continuacion de la prueba principal.

Si una sola audiencia no fuere bastante, continuará
el exámen de los medios probatorios en los dias hábiles
inmediatos hasta concluir.

Lo mismo se hará cuando lo reclamare la parte a
quien se ha tachado uno o mas testigos, cuya habilidad
no pueda probar en la misma audiencia.

Terminada la prueba, el tribunal dictará sentencia
inmediatamente, o a mas tardar dentro de tercero dia.

## Art. 867

### (851 del Proyecto)

De todo lo obrado en la primera audiencia i en las
demas que se celebren, se levantará acta a continuacion
de la órden de citacion, firmándola el juez, las partes,
los testigos que hubieren declarado i un ministro de fe,
o en defecto de éste, una persona que, en calidad de
actuario, nombre el tribunal.

Las resoluciones se estenderán en el mismo espediente.

Se dejará tambien copia íntegra de ellas i de todo avenimiento o transaccion que ponga término al juicio, en
el libro de sentencias que llevará el tribunal, con la firma
del juez de la causa i del actuario.

Las sentencias definitivas deberán espresar con claridad el nombre, profesion u oficio i domicilio de las partes, la cuestion debatida, las razones que les sirvan de
fundamentos i la resolucion que sobre ella se dicte.

La apreciacion de la prueba se sujetará a las reglas
del artículo trescientos setenta i cuatro.

## Art. 868

(852 del Proyecto)

Solo podrá pedirse postergacion de la audiencia seña·
lada para la prueba, alegando motivo fundado e inde-
pendiente de la voluntad del que la pide.

## Art. 869

(853 del Proyecto)

Contra los testigos que debidamente citados se negaren sin justa escusa a comparecer, o compareciendo se
negaren a declarar, se procederá en la forma prescrita
por el artículo trescientos sesenta i nueve.

Si el testigo tuviere escusa legal para concurrir a la
sala del tribunal, se trasladará éste al domicilio de aquél
para tomar allí la declaracion.

## Art. 870

(854 del Proyecto)

Cuando hubieren de practicarse dilijencias probatorias
fuera de la sala de despacho, podrá el tribunal proceder
por sí solo o con notificacion de las partes, segun lo estime conveniente.

La prueba que haya de rendirse en otro distrito ju-
risdiccional se recibirá por el juez de igual o superior jerarquía que corresponda, a quien se dirijirá oficio con
tal objeto, indicándole los puntos sobre que debe recaer

dicha prueba. En tal caso no se pronunciará sentencia miéntras no se devuelva dilijenciado el oficio, o no espire el plazo que el tribunal fije para que el interesado obtenga su devolucion.

## Art. 871

(855 del Proyecto)

Si el demandado no compareciere, debidamente citado, ni manifestare motivo justo para escusar su inasistencia, decretará el tribunal, a solicitud del demandante, que se le cite segunda vez a su costa, bajo apercibimiento de que se procederá en su rebeldía.

## Art. 872

(856 del Proyecto)

Si no compareciere el demandante a la audiencia señalada i no hiciere valer justo motivo de escusa, fijará prudencialmente el tribunal, a solicitud del demandado, el valor de los gastos i perjuicios que se hubieren orijinado a éste con la comparecencia; i miéntras no le pague el demandante dicho valor no podrá obligarle a que concurra nuevamente a contestar la demanda.

## Art. 873

(857 del Proyecto)

No se admitirán otras escepcíones dilatorias que las de incompetencia del tribunal i falta de personería.

Las demas escepciones serán alegadas juntamente con la contestacion de la demanda i resueltas en la sentencia definitiva. Si en ésta se diere lugar a alguna escepcion dilatoria, se abstendrá el tribunal de pronunciarse sobre la cuestion principal.

## Art. 874

### (858 del Proyecto)

Si la accion deducida fuere ejecutiva i el tribunal la estimare procedente, en vez de la órden de comparecencia a que se refiere el artículo ochocientos sesenta espedirá mandamiento de embargo contra el deudor, espresando en él la cantidad que se demanda, el título en que se funda la cobranza i la órden de embargar bienes suficientes para responder al pago. El mandamiento determinará, si fuere posible, los bienes o la parte de ellos sobre que debe recaer el embargo.

La notificacion del mandamiento i el embargo se harán por un ministro de fe, si lo hubiere, i en caso contrario por dos vecinos designados por el tribunal, mayores de veinte años, que sepan leer i escribir.

## Art. 875

### (859 del Proyecto)

Si en el embargo se comprendieren bienes raices o derechos reales constituidos en ellos, sus efectos respecto de terceros se rejirán por lo dispuesto en el artículo cuatrocientos setenta i cuatro.

Podrá el tribunal, si lo estima oportuno, disponer que

los bienes embargados queden depositados en poder del deudor.

El depositario nombrado se entenderá con el carácter de definitivo i permanecerá en sus funciones a ménos que fuere removido.

## Art. 876

(860 del Proyecto)

Si el deudor no fuere habido para notificarle personalmente el mandamiento, se le notificará por medio de cédula, en la forma dispuesta por el inciso segundo del artículo ochocientos sesenta i uno; espresándose en ella, por el encargado de la dilijencia, el dia i hora que éste designe para el embargo, al cual se procederá sin otro trámite.

## Art. 877

(861 del Proyecto)

Si, practicado el embargo, no se formulare oposicion por parte del demandado dentro de segundo dia, el tribunal nombrará un tasador para los bienes embargados; i hecha la tasacion, ordenará que se rematen dichos bienes previa citacion de las partes, publicándose avisos con quince dias de anticipacion en un diario del departamento, si lo hubiere, i fijándose ademas carteles en la puerta del tribunal por igual tiempo.

Las partes podrán hacer observaciones sobre la tasacion dentro de tres dias, contados desde que se ponga en su conocimiento, i serán resueltas sin otro trámite por el tribunal, fijando prudencialmente el valor de los bienes embargados.

Si manifiestamente valieren menos de cien pesos las especies embargadas solo se anunciará la subasta por medio de carteles fijados en la puerta del tribunal.

Las posturas empezarán por los dos tercios de la tasacion aprobada.

### ART. 878

(862 del Proyecto)

Si el demandado se opusiere a la demanda dentro del plazo que señala el inciso primero del artículo precedente, el tribunal citará a las partes a una audiencia, i se procederá como se dispone en los artículos ochocientos sesenta i siguientes, hasta dictar sentencia, mandando llevar adelante la ejecucion o absolviendo al demandado.

### ART. 879

(863 del Proyecto)

Cuando hubieren de enajenarse propiedades raíces, la escritura provisional de remate se estenderá en el libro copiador de sentencias del tribunal, i será autorizada por el juez, un ministro de fe, si lo hubiere, i dos testigos de actuacion, o solo por el juez i los testigos, a falta de ministro de fe.

La escritura definitiva se otorgará en el rejistro de un notario, i será suscrita por el juez ante quien se hubiere hecho el remate, o si residiere fuera de la capital del departamento, por la persona a quien él comisione con tal objeto en la escritura provisional.

## Art. 880

(864 del Proyecto)

En los casos no previstos por los artículos precedentes, serán aplicables las reglas del juicio ejecutivo de mayor cuantía, si la cuestion deducida fuere tambien ejecutiva.

## Art. 881

(865 del Proyecto)

Interpuesta i concedida la apelacion en los juicios de menor cuantía. se hará saber a las partes que deben comparecer sin nueva notificacion ante el tribunal de segunda instancia, dentro de cinco dias contados desde que se reciba por dicho tribunal el espediente, o su copia si el recurso solo se concede en el efecto devolutivo.

## Art. 882

(866 del Proyecto)

Recibidos los autos o la copia por el tribunal de alzada, citará él a las partes a comparendo para uno de los diez dias siguientes; i con lo que espusieren verbalmente resolverá segun el mérito del proceso, i aun cuando ninguna hubiere comparecido, confirmando, revocando o enmendando el fallo de primera instancia.

Lo cual se entiende sin perjuicio de lo dispuesto por el artículo ciento sesenta i seis del presente Código.

## Art. 883

(867 del Proyecto)

La resolucion que se pronuncie sobre fijacion de la cuantía del juicio es siempre apelable.

## Art. 884

(868 del Proyecto)

En los juicios de menor cuantía el plazo para que se entienda abandonada la instancia será de seis meses.

# TÍTULO XVI

## DE LOS JUICIOS DE COMERCIO

### Párrafo Primero

DE LOS JUICIOS DE COMERCIO EN JENERAL [1]

## Art. 885

(869 del Proyecto)

Los juicios de comercio cuya cuantía no esceda de trescientos pesos se tramitarán verbalmente, conforme a las reglas establecidas para los juicios de menor cuantía en el Título precedente.

Las resoluciones que se dicten serán autorizadas por el respectivo secretario, i de ellas se dejará testimonio bajo la firma del mismo funcionario en un libro especial que al efecto se llevará en cada tribunal.

Las funciones que en el procedimiento de menor cuantía se encomiendan a un ministro de fe podrán ser desempeñadas por el portero del tribunal.

## Art. 886

(870 del Proyecto)

Para oir i fallar demandas verbales señalará el tribunal a lo ménos tres dias en cada semana, anunciándose las horas de audiencia por medio de carteles fijados en la puerta del tribunal.

## Art. 887

(871 del Proyecto)

El procedimiento en los juicios de comercio cuya cuantía esceda de trescientos pesos será el establecido para los juicios civiles de mayor cuantía; pero no habrá en ellos escritos de réplica y dúplica ni alegatos de bien probado, sino cuando el tribunal lo ordene. La resolucion que sobre este particular dicte será inapelable.

## Párrafo Segundo

### DEL JUICIO SOBRE ARREGLO DE LA AVERÍA COMUN

### Art. 888

(872 del Proyecto)

Para justificar i liquidar la avería comun se presentará el capitan, i si él no lo hiciere, el naviero, cargador, consignatario o cualquier otro interesado, ante el tribunal designado por el Código de Comercio, pidiendo el nombramiento de peritos que juramentados reconozcan i presencien la apertura de las escotillas, i acto continuo informen por escrito acerca del estado de la nave i carga.

Si el capitan no presentare el acta o relacion de que tratan los artículos mil noventa i nueve i mil ciento uno del Código de Comercio, podrá cualquiera de los interesados pedir que se le obligue a exhibirla, i el tribunal lo decretará inmediatamente.

## Art. 889

### (873 del Proyecto)

Si el capitan o cualquiera de los interesados pidiere que las personas que hubieren firmado el acta o relacion espresadas se ratifiquen en su contenido, tambien lo decretará así de plano el tribunal.

## Art. 890

### (874 del Proyecto)

Los peritos serán nombrados en conformidad a las reglas establecidas en el párrafo sétimo, Título décimo del Libro segundo, i procederán a desempeñar su cometido con notificacion de las personas a que se refiere el artículo mil ciento cuatro del Código de Comercio, i de las demas que se hubieren personado en el juicio.

## Art. 891

**(875 del Proyecto)**

Si al dia siguiente de hecha saber a las partes la presentacion del informe de los peritos no se dedujere demanda sobre ilejitimidad de la avería, pedirá el capitan que se declare su lejitimidad i se haga la clasificacion ordenada por el artículo mil ciento diez del Código de Comercio.

El tribunal dará traslado de esta peticion por el término de tres dias a los interesados. Este término será comun para todos ellos, en el caso de haber mas de uno.

## Art. 892

**(876 del Proyecto)**

Contestada la demanda del capitan, o en rebeldía de los demandados, el tribunal fallará sin otro trámite, o recibirá a prueba la causa por un término que no esceda de diez dias. En este segundo caso se dictará sentencia, una vez espirado el término probatorio, sin nueva notificacion de las partes.

## Art. 893

**(877 del Proyecto)**

Si alguno de los interesados presentare demanda sobre ilejitimidad de la avería ántes que se pida la declaracion de lejitimidad, se dará traslado de aquélla por tres dias al capitan i se procederá, en lo demas, conforme a lo dispuesto en el artículo precedente.

Si comparecieren otros interesados, se les admitirá como coadyuvantes.

## Art. 894

(878 del Proyecto)

Declarada la lejitimidad de la avería, se procederá en la forma ordinaria al nombramiento de los peritos que espresa el inciso segundo del artículo mil ciento diez del Código de Comercio.

## Art. 895

(879 del Proyecto)

Presentadas las operaciones de la liquidacion, se pondrán en conocimiento de los interesados presentes, quienes tendrán el término de tres dias para examinarlas en el oficio del secretario.

Si no se dedujeren oportunamente reparos, el tribunal aprobará la cuenta.

Si se dedujeren, se tramitarán como un incidente.

## Art. 896

(880 del Proyecto)

Si la avería fuere declarada ilejítima, la determinacion de los daños i perjuicios que corresponde pagar al capitan será materia de un juicio ordinario de comercio.

## Párrafo Tercero

### DE LOS PROCEDIMIENTOS DE LA QUIEBRA

### ART. 897

(881 del Proyecto)

Son aplicables a la quiebra las reglas establecidas en el Título tercero de este Libro para el concurso de acreedores, en cuanto no aparezcan modificadas por los artículos siguientes.

### ART. 898

(882 del Proyecto)

La manifestacion de quiebra del fallido deberá hacerse en el plazo i en la forma que disponen los artículos mil trescientos cuarenta i cinco, mil trescientos cuarenta i seis i mil trescientos cuarenta i siete del Código de Comercio.

### ART. 899

(883 del Proyecto)

El acreedor que, teniendo capacidad legal para ello, solicite la declaracion de quiebra de su deudor, deberá cumplir con lo prevenido en los artículos mil trescientos cincuenta i uno i mil trescientos cincuenta i dos del Código de Comercio.

## Art. 900

(884 del Proyecto)

Para que el tribunal pueda hacer de oficio la declaracion de quiebra, en el caso del artículo mil trescientos
cincuenta i seis del Código de Comercio, es menester
que se hagan constar previamente, a lo ménos con la
declaracion jurada de dos testigos, las circunstancias
positivas que dicho artículo espresa, i que no se presente quien administre los negocios i dé cumplimiento
a las obligaciones del deudor ausente u oculto.

## Art. 901

(885 del Proyecto)

Incumbe a los síndicos provisionales requerir la ejecucion del auto declaratorio de quiebra i su fijacion,
así como hacer las publicaciones que ordena el artículo
mil trescientos cincuenta i siete del Código de Comercio.

Requerirán la fijacion del auto declaratorio de quiebra al dia siguiente hábil de aquel en que acepten su
nombramiento, i harán las publicaciones en el mas
breve plazo.

Si omitieren estas publicaciones, las harán los síndicos
definitivos en el mismo dia en que acepten el cargo.

## Art. 902

(886 del Proyecto)

El auto denegatorio de la declaracion de quiebra no
es susceptible del recurso especial de reposicion a que se

refieren los artículos mil trescientos ochenta i siguientes del Código de Comercio.

## ART. 903

(887 del Proyecto)

Del auto declaratorio de quiebra i del que determina la fecha de la cesacion de pagos-podrá pedirse reposicion por las personas i dentro de los plazos determinados en los artículos mil trescientos ochenta, mil trescientos ochenta i uno, mil trescientos ochenta i dos, mil trescientos ochenta i tres i mil trescientos ochenta i cuatro del Código de Comercio.

Interpuesto el recurso, el tribunal lo recibirá a prueba por un término que no esceda de diez dias, con notificacion de las personas que deben ser oidas, conforme a lo dispuesto en el artículo mil trescientos ochenta i seis del citado Código.

Concluido el término concedido, el secretario agregará de oficio las pruebas rendidas; el proceso quedará a disposicion de las partes en el oficio del secretario por el término de dos dias, contados desde el de dicha agregacion, i con lo que ellas espusieren en dicho plazo o, si nada espusieren, con solo el mérito de la prueba, resolverá el tribunal lo que fuere de derecho, en los términos del artículo mil trescientos ochenta i ocho del precitado Código.

## ART. 904

(888 del Proyecto)

Es siempre apelable la sentencia que recaiga en el artículo de reposicion, cualquiera que sea la cuantía de la quiebra.

La apelacion se concederá en ámbos efectos o solo en el devolutivo, conforme a lo dispuesto en el artículo mil trescientos ochenta i nueve del Código de Comercio.

## Art. 905

### (889 del Proyecto)

Las apelaciones incidentales a que hubiere lugar en el artículo de reposicion del auto declaratorio de quiebra se otorgarán solo en el efecto devolutivo.

## Art. 906

### (890 del Proyecto)

La accion de daños i perjuicios que compete al deudor en el caso del inciso tercero del artículo mil trescientos ochenta i ocho del Código de Comercio se tramitará como un juicio ordinario de comercio, en el ramo de administracion.

## Art. 907

### (891 del Proyecto)

Si los síndicos solicitaren del juzgado de comercio autorizacion para continuar provisionalmente el jiro de los establecimientos comerciales del fallido, se dará a éste traslado de la solicitud; i, con lo que él espusiere, o en su rebeldía, el tribunal concederá o denegará la autorizacion.

## Art. 908

(892 del Proyecto)

Si, para obtener la unanimidad exijida por el artículo
mil cuatrocientos veintinueve del Código de Comercio,
se hiciere valer el derecho que otorga el inciso tercero
de dicho artículo, el tribunal accederá a esta peticion,
con tal que los acreedores que la formulen se allanen a
pagar inmediatamente la cuota que corresponda a los
disidentes.

## Art. 909

(893 del Proyecto)

Las apelaciones a que hubiere lugar contra la autorizacion concedida a los síndicos para continuar el jiro del
fallido se otorgarán solo en el efecto devolutivo.

## Art. 910

(894 del Proyecto)

El tercer ramo en el procedimiento de la quiebra se
encabecerá con testimonio de la memoria que deben
presentar los síndicos i del balance i memoria del fallido.

La formacion de este ramo queda a cargo de los síndicos, quienes deberán solicitarla dentro de tercero dia
despues de presentada la memoria, estimándose la omision de este deber como causa bastante de remocion.

## Art. 911

**(895 del Proyecto)**

El tribunal dará al fallido traslado de la memoria de los síndicos, por el término de tres dias.

Evacuado este traslado, se pasará el proceso en vista, por el término de seis dias, al respectivo oficial del ministerio público.

## Art. 912

**(896 del Proyecto)**

Si fuere menester, el tribunal abrirá un término de prueba en el procedimiento de calificacion.

El término ordinario para rendir esta prueba no podrá esceder de quince dias.

## Art. 913

**(897 del Proyecto)**

Si no resultare mérito para calificar la quiebra de culpable o fraudulenta, el tribunal la declarará fortuita.

En el caso contrario, sin pronunciarse sobre el carácter de la quiebra, mandará pasar este ramo al tribunal que ejerza jurisdiccion en lo criminal, o procederá a formar el correspondiente proceso, si ejerciere tambien esta jurisdiccion.

## Art. 914

### (898 del Proyecto)

Podrá pedirse la nulidad del convenio aprobado, no solo por los motivos a que se refiere el artículo seiscientos ochenta i cinco del presente Código, sino tambien por los que espresa el artículo mil cuatrocientos ochenta i cinco del de Comercio.

## Art. 915

### (Agregado por la Comision)

Las demandas de nulidad o de rescision del convenio se sustanciarán por los trámites del juicio ordinario de comercio.

Esceptúase la demanda de nulidad por quiebra fraudulenta del fallido, la cual se resolverá con la simple exhibicion de la respectiva sentencia ejecutoriada i citacion del fallido o de su representante.

## Art. 916

### (899 del Proyecto)

Lo dispuesto en el artículo seiscientos ochenta i nueve del presente Código es aplicable al caso en que se solicite la nulidad o rescision de los actos i contratos del fallido con arreglo a lo que establece el artículo mil cuatrocientos noventa del Código de Comercio.

## Art. 917



La demanda de rehabilitacion del fallido será sustanciada por los trámites del juicio ordinario de comercio i conforme a las disposiciones del Título once del Libro cuarto del Código de Comercio.

# TÍTULO XVII

## DE LOS JUICIOS DE MINAS

## Art. 918



Los juicios de minas, entendiéndose por tales aquellos en que se ventilen derechos rejidos especialmente por el Código de Minería, se sustanciarán conforme a los trámites establecidos para los de comercio en el párrafo primero del Título diciseis de este Libro.

## Art. 919



Se someterán al procedimiento sumario establecido en el Título doce:

Primero. Las cuestiones relativas a la constitucion i ejercicio de las servidumbres que reconociere la lei en favor de las minas i establecimientos de beneficio, i a las indemnizaciones consiguientes;

Segundo. Las que se susciten con motivo del ejercicio del derecho que los mineros colindantes tienen para visitar las minas vecinas i para obtener la suspension provisional de los trabajos i fijacion de sellos en las labores internadas; i

Tercero. Las que se refieran al ejercicio de la administracion de la mina por el acreedor ejecutante a quien se hubiere entregado en prenda pretoria.

## ART. 920

### (903 del Proyecto)

El requerimiento de los acreedores del minero fallido, de que trata el artículo ciento sesenta del Código de Minería, se hará en la primera junta a que fueren convocados.

Cualquiera cuestion que se suscite acerca del derecho que dicho artículo les confiere, se sustanciará como un incidente.

# TÍTULO XVIII

## DE LOS JUICIOS DE HACIENDA

### ART. 921

### (904 del Proyecto)

Los juicios en que tenga interes el Fisco i cuyo conocimiento corresponda a los tribunales ordinarios, se sustanciarán siempre por escrito, con arreglo a los trámites establecidos para los juicios ordinarios de mayor cuantía, salvas las modificaciones que en los siguientes artículos se espresan.

## Art. 922

### (905 del Proyecto)

Se omitirán en el juicio ordinario los escritos de réplica i dúplica, siempre que la cuantía del negocio no pase de quinientos pesos.

## Art. 923

### (906 del Proyecto)

En los negocios en que el ministerio público no figure como parte principal, debe ser oido ántes de la prueba i ántes de la sentencia definitiva en una i otra instancia. El tribunal le pasará al efecto en vista el proceso.

## Art. 924

### (907 del Proyecto)

Toda sentencia definitiva pronunciada por los jueces de letras en juicios de hacienda i de que no se apelare, se elevará en consulta a la Corte de Apelaciones respectiva, previa notificacion de las partes.

Recibidos los autos, el tribunal mandará traerlos en relacion.

Si, a juicio del tribunal, la sentencia no perjudica los derechos fiscales, la aprobará.

En caso de duda retendrá el conocimiento del negocio, i procederá como si efectivamente se hubiera interpuesto en tiempo apelacion por parte del Fisco.

## Art. 925

### (908 i 909 del Proyecto)

Ejecutoriada que sea la sentencia, el tribunal remitirá en copia autorizada al Ministerio que corresponda las sentencias de primera i segunda instancia

Se dejará testimonio en el proceso del hecho de haberse remitido dichas copias i se agregará al mismo el oficio en que el Ministerio acuse recibo de ellas.

La ejecucion de toda sentencia que condene al Fisco a cualquiera prestacion se llevará a efecto espidiendo el Presidente de la República el respectivo decreto.

## TÍTULO XIX

### DE LOS JUICIOS DE ÑULIDAD DE MATRIMONIO I DE DIVORCIO

## Art. 926

### (910 del Proyecto)

Las contiendas sobre nulidad de matrimonio i sobre divorcio perpetuo se sustanciarán conforme a las reglas del juicio ordinario. Cuando la sentencia que diere lugar a la nulidad o al divorcio perpetuo no fuere apelada, deberá elevarse en consulta al tribunal superior, i si él estimare dudosa la legalidad del fallo consultado, retendrá el conocimiento del negocio i procederá como si en realidad se hubiera interpuesto oportunamente apelacion, oyendo al ministerio público. En caso contrario, aprobará la sentencia.

## Art. 927

(911 del Proyecto)

El juicio sobre divorcio temporal se someterá a los trámites del *procedimiento sumario*.

## Art. 928

(912 del Proyecto)

La fijacion de la residencia de la mujer durante el juicio, de la cuantía i forma de los alimentos i de las espensas para la lítis, la designacion del cónyuje u otra persona a quien deba confiarse el cuidado personal de los hijos, i la determinacion de la manera cómo pueden éstos visitar al otro cónyuje o ser visitados por él, serán materia de incidentes del juicio de nulidad o de divorcio, i se tramitarán como tales en ramos separados, sin paralizar el curso de la accion principal.

## Art. 929

(913 del Proyecto)

En estos juicios podrá disponerse que el proceso se mantenga reservado, siempre que el tribunal lo estime conveniente.

## Art. 930

(914 del Proyecto)

Lo dispuesto en el presente Título se aplicará tambien a los casos en que fuere necesario confiar accidentalmente el cuidado personal de los menores o dementes a otra persona que aquella que los tiene actualmente a su cargo.

# TÍTULO XX

## DE LA ACCION DE DESPOSEIMIENTO CONTRA TERCEROS POSEEDORES DE LA FINCA HIPOTECADA O ACENSUADA

## Art. 931

(915 del Proyecto)

Para hacer efectivo el pago de la hipoteca, cuando la finca gravada se posea por otro que el deudor personal, se notificará previamente al poseedor, señalándole un plazo de diez dias para que pague la deuda o abandone ante el juzgado la propiedad hipotecada.

## Art. 932

(916 del Proyecto)

Si el poseedor no efectuare el pago o el abandono en el plazo espresado en el artículo anterior, podrá desposeérsele de la propiedad hipotecada para hacer con ella pago al acreedor.

Esta accion se someterá a las reglas del juicio ordinario o a las del ejecutivo, segun fuere la calidad del título en que se funde, procediéndose contra el poseedor en los mismos términos en que podria hacerse contra el deudor personal.

## Art. 933

(Agregado por la Comision)

Efectuado el abandono o el desposeimiento de la finca perseguida, se procederá conforme a lo dispuesto en los artículos dos mil trescientos noventa i siete i dos mil cuatrocientos veinticuatro del Código Civil, sin necesidad de citar al deudor personal. Pero si éste compareciere a la incidencia, será oido en los trámites de tasacion i de subasta.

## Art. 934

(Agregado por la Comision)

Si el deudor personal no fuere oido en el trámite de tasacion, esta dilijencia deberá hacerse, con intervencion del ministerio público, por peritos que nombrará el juez de la causa en la forma prescrita por este Código. La tasacion, en este caso, no impide que el deudor personal pueda objetar la determinacion del saldo de la obligacion principal por el cual se le demandare, si comprueba en el juicio correspondiente que se ha procedido en fraude de sus derechos.

## Art. 935

**(Agregado por la Comision)**

Lo dispuesto en el artículo quinientos trece se aplicará tambien al caso en que se persiga la finca hipotecada contra terceros poseedores.

## Art. 936

**(917 del Proyecto)**

La accion del censualista sobre la finca acensuada se rije por las disposiciones del presente Título.

# TÍTULO XXI

## DE LOS RECURSOS DE CASACION

### Párrafo Primero

DISPOSICIONES JENERALES

## Art. 937

**(918 del Proyecto)**

El recurso de casacion se concede para invalidar una sentencia en los casos espresamente señalados por la lei.

## Art. 938

**(919 del Proyecto)**

El recurso de casacion es de dos especies: de casacion en el *fondo* i de casacion en la *forma*.

Es de casacion en el fondo en el caso del artículo novecientos cuarenta.

Es de casacion en la forma en los casos del artículo novecientos cuarenta i uno.

## Art. 939

(921 del Proyecto)

En jeneral, solo se concede el recurso de casacion contra las sentencias definitivas.

Se concede contra las interlocutorias, cuando ponen término al juicio o hacen imposible su continuacion.

## Art. 940

(920 i 923 del Proyecto)

El recurso de casacion en el fondo tiene lugar contra sentencia pronunciada con infraccion de lei, siempre que esta infraccion haya influido sustancialmente en lo dispositivo de la sentencia.

Solo se concederá este recurso contra las sentencias inapelables de las Cortes de Apelaciones o de un tribunal arbitral de segunda instancia constituido por árbitros de derecho en los casos en que estos árbitros hubieran conocido de negocios de la competencia de dichas Cortes.

## Art. 941

(922 del Proyecto)

El recurso de casacion en la forma ha de fundarse precisamente en algunas de las causas siguientes:

Primera. En haber sido la sentencia pronunciada por un tribunal incompetente o integrado en contravencio n a lo dispuesto por la lei;

Segunda. En haber sido pronunciada por un juez, o con la concurrencia de un juez, legalmente implicado, o cuya recusacion estuviere pendiente o hubiere sido declarada por tribunal competente;

Tercera. En haber sido acordada en los tribunales colejiados por menor número de votos o pronunciada por menor número de jueces que el requerido por la lei o con la concurrencia de jueces que no asistieron a la vista de la causa, i vice-versa;

Cuarta. En haber sido dada *ultra petita*, esto es, otorgando mas de lo pedido por las partes, o estendiéndola a puntos no sometidos a la decision del tribunal, sin perjuicio de la facultad que éste tenga para fallar de oficio en los casos determinados por la lei;

Quinta. En haber sido pronunciada con omision de cualquiera de los requisitos enumerados en el artículo ciento noventa i tres;

Sesta. En haber sido dada contra otra, pasada en autoridad de cosa juzgada, siempre que ésta se hubiere alegado oportunamente en el juicio;

Sétima. En contener decisiones contradictorias;

Octava. En haber sido dada en una apelacio n legalmente declarada desierta. prescrita o desistida; i

Novena. En haberse faltado a algun trámite o dilijencia declarados esenciales por la lei o a cualquier otro requisito por cuyo defecto las leyes prevengan espresamente que hai nulidad.

## Art. 942

### (Agregado por la Comision)

El recurso de casacion en la forma se concede, por escepcion, contra las sentencias interlocutorias cuando en la segunda instancia se dictasen sin previo emplazamiento de la parte agraviada, o sin señalar dia para la vista de la causa.

## Art. 943

### (925 del Proyecto)

El que intente interponer el recurso deberá anunciarlo al tribunal que ha pronunciado la sentencia, en el término de cinco dias.

Hecho este anuncio, tendrá el recurrente el plazo de otros cinco dias para formalizar el recurso de casacion en la forma i de otros diez para formalizar el recurso de casacion en el fondo.

Si no se anunciare o no se formalizare el recurso en los plazos indicados, la sentencia quedará firme.

La cuarta parte de la suma que debe consignarse, segun el artículo novecientos setenta i uno, se aplicará a beneficio fiscal si la parte que hubiera anunciado el recurso no lo formalizare en el término legal.

## Art. 944

### (926 del Proyecto)

El recurso debe interponerse por la parte agraviada ante el tribunal que hubiere pronunciado la sen-

tencia que se trata de invalidar i para ante aquel a
quien corresponde conocer de él conforme a la lei.


## Art. 945

### (941 del Proyecto)

En el escrito en que se interponga el recurso se hará
mencion espresa i determinada del vicio o defecto en
que se funda, de la lei o leyes infrinjidas i de la que
concede el recurso por la causal que se invoca.


## Art. 946

### (294 del Proyecto)

Para que pueda ser admitido el recurso de casacion
en la forma es indispensable que el que lo entabla
haya reclamado la subsanacion de la falta, ejerciendo
oportunamente i en todos sus grados los recursos establecidos por la lei.

No es necesaria esta reclamacion cuando la lei no
admite recurso alguno contra la resolucion en que se
haya cometido la falta, ni cuando ésta haya tenido lugar
en el pronunciamiento mismo de la sentencia que se
trata de casar, ni cuando dicha falta hubiere llegado al
conocimiento de la parté despues de pronunciada la
sentencia.

La reclamacion a que se refiere el inciso primero de
este artículo deberá hacerse por la parte o su abogado
ántes de verse la causa, en el caso del número primero
del artículo novecientos cuarenta i uno.

## Art. 947

(929 del Proyecto)

El recurso de casacion suspende la ejecucion de la sentencia, escepto en los casos siguientes:

Primero. Cuando se interpusiere por el demandado contra la sentencia definitiva pronunciada en el juicio ejecutivo, en los juicios posesorios, en los de desahucio i en los de alimentos; i

Segundo. Cuando la parte favorecida por el fallo diere fianza de resultas a satisfaccion del tribunal que haya dictado la sentencia recurrida, siempre que de otorgarse libremente el recurso quedara dicha sentencia de hecho eludida o retardada con grave daño en su ejecucion i en sus efectos.

## Art. 948

(927 del Proyecto)

Interpuesto el recurso, no puede hacerse en él variacion de ningun jénero.

Por consiguiente, aun cuando en el progreso del recurso se descubra alguna nueva causa en que hubiera podido fundarse, la sentencia recaerá únicamente sobre las alegadas en tiempo i forma.

## Art. 949

(928 del Proyecto)

No obstante lo dispuesto en el artículo anterior, pueden los tribunales, conociendo por via de apelacion o de casacion, invalidar de oficio las sentencias cuando aparece de manifiesto en ellas alguna de las causas que dan lugar a la casacion en la forma.

## Art. 950

(942 del Proyecto)

Deducido el recurso, el tribunal *a quo* examinará si concurren en él las circunstancias siguientes:

Primera. Si la sentencia objeto del recurso es de aquellas contra las cuales lo concede la lei;

Segunda. Si se ha interpuesto en tiempo;

Tercera. Si se hace mencion espresa i determinada de la causa en que se funda;

Cuarta. Si la causa espresada es de las señaladas por la lei; i

Quinta. Si se ha hecho debidamente la reclamacion de que trata el artículo novecientos cuarenta i seis, en su caso.

## Art. 951

(942 del Proyecto)

Concurriendo las circunstancias indicadas en el artículo anterior, el tribunal concederá el recurso i remitirá el proceso orijinal al tribunal que corresponda, al dia siguiente hábil despues de la última notificacion.

En el caso en que deba procederse a la ejecucion de la sentencia, con arreglo a lo que establece el artículo novecientos cuarenta i siete se observará lo dispuesto en el artículo doscientos veinte.

## Art. 952

(Agregado por la Comision)

Si el recurrente no franqueare la remision del proceso, podrá pedirse al tribunal que se le requiera para ello, bajo apercibimiento de declararse no interpuesto el recurso.

## Art. 953

(943 i 953 del Proyecto)

. Cuando el tribunal *a quo* estimare que no concurren en el recurso las circunstancias enumeradas en el artículo novecientos cincuenta lo declarará inadmisible.

Esta resolucion, que debe ser fundada, es siempre apelable.

## Art. 954

(944 i 954 del Proyecto)

Si, elevado el proceso en apelacion, encontrare mérito el tribunal para considerar inadmisible el recurso, mandará traer los autos en relacion sobre este punto, i si lo estimare tambien improcedente lo declarará así i devolverá el proceso al tribunal inferior para el cumplimiento de la sentencia.

## Art. 955

(Agregado por la Comision)

Es aplicable al recurso de casacion lo dispuesto en el artículo doscientos veintitres; i trascurrido el término de emplazamiento el tribunal superior tramitará i fallará dicho recurso sin esperar la comparecencia de las partes.

## ART. 956

(959 del Proyecto)

En la vista de la causa se observarán las reglas establecidas para las apelaciones.

## ART. 957

(Agregado por la Comision)

El recurso de casacion se sujetará ademas a las disposiciones especiales de los párrafos segundo, tercero i cuarto de este Título, segun sea la naturaleza del juicio en que se haya pronunciado la sentencia recurrida.

## ART. 958

(930 del Proyecto)

Cuando la Corte Suprema invalidare una sentencia por casacion en el fondo, dictará acto continuo i sin nueva vista, pero separadamente, sobre la cuestion materia del juicio, la sentencia que crea conforme a la lei i al mérito de los hechos tales como se han dado por establecidos en el fallo recurrido.

## Art. 959

(931 del Proyecto)

En los casos de casacion en la forma, la misma sentencia que declare la casacion determinará el estado en que queda el proceso. el cual se remitirá para su conocimiento al tribunal correspondiente.

Este tribunal es aquel a quien tocaria conocer del negocio en caso de recusacion del juez o jueces que pronunciaron la sentencia casada.

## Art. 960

(932 del Proyecto)

Siempre que se declare inadmisible o sin lugar el recurso de casacion se condenará en costas al litigante que lo hubiere interpuesto.

### Párrafo Segundo

DISPOSICIONES ESPECIALES DEL RECURSO DE CA-
SACION CONTRA SENTENCIA PRONUNCIADA EN
JUICIOS DE MENOR CUANTÍA.

## Art. 961

(933 del Proyecto)

En los juicios de menor cuantía solo hai lugar al recurso de casacion en la forma, en los casos de los números primero, segundo, cuarto, sesto, sétimo i noveno del artículo novecientos cuarenta i uno.

## ART. 962

### (934 del Proyecto)

En estos juicios solo se considerarán dilijencias o trámites esenciales, el emplazamiento del demandado en la forma prescrita por la lei para que conteste la demanda, el acta en que deben consignarse las peticiones de las partes i el emplazamiento de las mismas para que ocurran ante el tribunal de segunda instancia a seguir el recurso de apelacion, cuando se hubiere interpuesto i procediere.

## ART. 963

### (935 del Proyecto)

El recurso se interpondrá verbalmente o por escrito i solo se hará mencion espresa de la causa en que se funde. Si se interpusiere verbalmente, se dejará de ella testimonio en una acta que firmarán el juez i el recurrente.

## ART. 964

### (936 del Proyecto)

El término de emplazamiento será, en estos juicios, de diez dias i el tribunal *a quo* remitirá el proceso al superior sin calificar la admisibilidad del recurso.

## Art. 965

(937 del Proyecto)

La casacion se sustanciará en la misma forma que la apelacion en estos juicios.

Si la causal alegada necesitare probarse, se abrirá un término con tal objeto i se rendirá la prueba segun las reglas establecidas para los incidentes, procediéndose con intervencion solo de la parte o partes que comparezcan. El auto de prueba se publicará por medio de carteles fijados en la puerta del tribunal durante cinco dias a lo ménos.

### Párrafo Tercero

DISPOSICIONES ESPECIALES DE LOS RECURSOS DE CASACION CONTRA SENTENCIAS PRONUNCIADAS EN PRIMERA O EN ÚNICA INSTANCIA EN JUICIOS DE MAYOR CUANTÍA.

## Art. 966

(939 del Proyecto)

En jeneral, son trámites o dilijencias esenciales en la primera o en la única instancia en los juicios de mayor cuantía:

Primero. El emplazamiento de las partes en la forma prescrita por la lei;

Segundo. El recibimiento de la causa a prueba cuando procediere con arreglo a la lei;

Tercero. La práctica de dilijencias probatorias cuya omision podria producir indefension;

Cuarto. La agregacion de los instrumentos presentados por las partes i la citacion de aquella contra quien se presenten;

Quinto. La citacion para alguna dilijencia de prueba; i

Sesto. La citacion para oir sentencia definitiva, salvo que la lei no establezca este trámite.

## Art. 967

### (940 del Proyecto)

En los juicios de mayor cuantía seguidos ante arbitradores son trámites esenciales los que las partes espresen en el acto constitutivo del compromiso, i, si nada hubieren ellas espresado acerca de esto, solo los comprendidos en los números primero i cuarto del artículo precedente.

## Art. 968

### (945 del Proyecto)

Elevado el proceso o encontrando el tribunal admisible el recurso, en el caso del artículo novecientos cincuenta i cuatro, mandará que se traigan sobre él los autos en relacion.

## Art. 969

### (946 del Proyecto)

Cuando la causa alegada necesitare de prueba, el tribunal abrirá para rendirla un término prudencial que no 'exceda de treinta dias.

### Párrafo Cuarto

DISPOSICIONES ESPECIALES DE LOS RECURSOS DE CASACION CONTRA SENTENCIAS PRONUNCIADAS EN SEGUNDA INSTANCIA EN JUICIOS DE MAYOR CUANTÍA.

## Art. 970

(948 del Proyecto)

En jeneral, son trámites o dilijencias esenciales en la segunda instancia de los juicios de mayor cuantía:

Primero. El emplazamiento de las partes, hecho ántes de que el superior conozca del recurso;

Segundo. La espresion de agravios i su contestacion, cuando, segun la lei, deba tener lugar este trámite;

Tercero. La agregacion de los instrumentos presentados por las partes en tiempo hábil i la citacion de la parte contra la cual se presentaren;

Cuarto. La contestacion al escrito de adhesion a la apelacion deducida en tiempo i forma;

Quinto. La citacion para oir sentencia definitiva;

Sesto. La fijacion de la causa en tabla para su vista en los tribunales colejiados, en la forma establecida en el artículo ciento setenta.

Sétimo. Los indicados en los números sergundo, tercero i quinto del artículo novecientos sesenta i seis, cuando en la segunda instancia proceda el trámite de recibir la causa a prueba.

## Art. 971

(949 del Proyecto)

Al anunciar que se va a interponer el recurso de casacion contra sentencia de segunda instancia, es menester que se acompañe certificacion de haberse consignado en arcas fiscales:

Si la casacion fuere en el fondo, ciento cincuenta pesos, no excediendo de diez mil pesos la cuantía del juicio, i trescientos pesos cuando exceda de dicha suma.

Si la casacion fuere en la forma, cien pesos cuando la cuantía del juicio no pase de diez mil pesos, i doscientos pesos, si excede de ellos.

Si se interpusieren conjuntamente los recursos de casacion en el fondo i en la forma, se consignará la cantidad exijida para el primero, mas la tercera parte de la del segundo.

## Art. 972

### (950 del Proyecto)

Si la cuantía del pleito no fuere de fácil o pronta apreciacion, conforme a las reglas dadas en la Lei de Organizacion i Atribuciones de los Tribunales para fijar la competencia, o si no versare sobre materia apreciable en dinero, se considerará dicha cuantía, para los efectos del artículo precedente, como de ménos de diez mil pesos.

## Art. 973

### (951 del Proyecto)

Ni los oficiales del ministerio público, ni los representantes del Fisco, ni los defensores públicos, ni los que gozan del beneficio de pobreza estarán obligados a hacer consignacion alguna para interponer recursos de casacion.

## ART. 974

(952 del Proyecto)

En estos juicios, el tribunal *a quo* examinará si concurre en el recurso, a mas de las circunstancias indicadas en el artículo novecientos cincuenta, la de haberse hecho la consignacion a que se refieren los artículos precedentes.

## ART. 975

(955 del Proyecto)

Elevado el proceso o encontrando el tribunal superior admisible el recurso en el caso del artículo novecientos cincuenta i cuatro i siendo éste de casacion en el fondo, se entregará por diez dias el proceso a la parte o partes que hubieren interpuesto dicho recurso, a fin de que, por su órden, lo funden por escrito.

De este escrito se comunicará traslado tambien por el término de diez dias al contendor o contendores.

Oidas las partes, o en su rebeldía, se pasará el proceso en estudio a uno de los ministros del tribunal, segun el turno que éste acordare, a fin de que en el término de quince dias dictamine por escrito. Este ministro no concurrirá a la vista ni al acuerdo de la sentencia.

Evacuado este trámite, mandará el tribunal que se traigan los autos a la vista para resolver.

## Art. 976

**(956 del Proyecto)**

Cuando el recurso fuere de casacion en la forma, dispondrá el tribunal que se traigan los autos en relacion.

## Art. 977

**(957 del Proyecto)**

En el recurso de casacion en el fondo, no se podrán admitir ni decretar de oficio para mejor proveer pruebas de ninguna clase que tiendan a establecer o esclarecer los hechos controvertidos en el juicio en que hubiere recaido la sentencia recurrida.

Si la casacion fuere en la forma, tendrá lugar lo dispuesto en el artículo novecientos sesenta i nueve.

## Art. 978

**(958 del Proyecto)**

Si se interpusieren conjuntamente recursos de casacion en el fondo i en la forma, se resolverá previamente el segundo; i si se diere lugar a él, se tendrá como no interpuesto el primero.

## Art. 979

**(960 del Proyecto)**

La cantidad consignada se devolverá a la parte siempre que el tribunal case la sentencia. Si devolviere el proceso sin pronunciarse acerca de la casacion, sea por convenio de las partes o por desistimiento del recurrente, tendrá lugar lo dispuesto en el inciso cuarto del artículo novecientos cuarenta i tres. En los demas casos se aplicará a beneficio fiscal.

En el caso del inciso final del artículo novecientos setenta i uno, se entenderá que se han hecho dos consignaciones, una íntegra para el recurso de casacion en el fondo, la otra parcial para el de casacion en la forma; i se devolverán a la parte o se aplicarán a beneficio fiscal las cantidades consignadas en conformidad a lo dispuesto en el inciso precedente.

## TÍTULO XXII

**(Agregado por la Comision)**

### DEL RECURSO DE REVISION

### Art. 980

La Corte Suprema de Justicia podrá rever una sentencia firme en los casos siguientes:

Primero. Si se hubiere fundado en documentos declarados falsos por sentencia ejecutoria, dictada con posterioridad a la sentencia que se trata de rever;

Segundo. Si, pronunciada en virtud de prueba de testigos, hubieren sido éstos condenados por falso testimonio, dado en las declaraciones que sirvieron de fundamento a la sentencia;

Tercero. Si la sentencia firme se hubiere ganado injustamente en virtud de cohecho, violencia u otra maquinacion fraudulenta, cuya existencia hubiere sido declarada por sentencia de término; i

Cuarto. Si se hubiera pronunciado contra otra pasada en autoridad de cosa juzgada i que no se alegó en el juicio en que la sentencia firme recayó.

## Art. 981

El recurso de revision solo podrá interponerse dentro de un año contado desde la fecha de la última notificacion de la sentencia objeto del recurso.

Si se presentare pasado este plazo, se rechazará de plano.

Sin embargo, si al terminar el año no se hubiere aun fallado el juicio dirijido a comprobar la falsedad de los documentos, el perjurio de los testigos o el cohecho, violencia u otra maquinacion fraudulenta a que se refiere el articulo anterior, bastará que el recurso se interponga dentro de aquel plazo, haciéndose presente en él esta circunstancia, i debiendo proseguirse inmediatamente despues de obtenerse sentencia firme en dicho juicio.

## Art. 982

El recurrente acompañará, junto con el escrito en que dedujere el recurso, un documento justificativo de haber consignado en arcas fiscales una suma igual a la que se exije para entablar el recurso de casacion en el fondo, a ménos de encontrarse en alguno de los casos indicados en el artículo novecientos setenta i tres.

Esta suma se devolverá al recurrente o se aplicará a beneficio fiscal, en conformidad a lo dispuesto en el artículo novecientos setenta i nueve.

## Art. 983

Presentado el recurso, el tribunal ordenará que se traigan a la vista todos los antecedentes del juicio en que recayó la sentencia impugnada i citará a las personas a quienes afecte dicha sentencia para que comparezcan en el término de emplazamiento a hacer valer su derecho.

Los trámites posteriores al vencimiento de este término se seguirán conforme a lo establecido para la sustanciacion de los incidentes, oyéndose al ministerio público ántes de la vista de la causa,

## Art. 984

Por la interposicion de este recurso no se suspenderá la ejecucion de la sentencia impugnada.

Podrá, sin embargo, el tribunal, en vista de las circunstancias, a peticion del recurrente, i oido el ministerio público, ordenar que se suspenda la ejecucion de la sentencia, siempre que aquél diere fianza bastante para satisfacer el valor de lo litigado i los perjuicios que se causen con la inejecucion de la sentencia, para el caso de que el recurso fuere desestimado.

## Art. 985

Si el tribunal estimare procedente la revision por haberse comprobado, con arreglo a la lei, los hechos en que se funda, lo declarará así, i anulará en todo o en parte la sentencia impugnada.

En la misma sentencia que acepte el recurso de revision declarará el tribunal si debe o no seguirse nuevo juicio. En el primer caso determinará ademas el estado en que queda el proceso, el cual se remitirá para su conocimiento al tribunal de que proceda.

Servirán de base al nuevo juicio las declaraciones que se hubieren hecho en el recurso de revision, las cuales no podrán ser ya discutidas.

## ART. 986

Cuando el recurso de revision se declare improcedente, se condenará en las costas del juicio al que lo hubiere promovido i se ordenará que sean devueltos al tribunal que corresponda los autos mandados traer a la vista.

## TÍTULO XXIII

### SUPRESION DE FUERO PERSONAL EN ALGUNOS JUICIOS

## ART. 987

(962 del Proyecto)

En los juicios de minas, posesorios, sobre distribucion de aguas, particiones, i en aquellos que se tramiten breve i sumariamente, no se tomará en consideracion el fuero que gocen las partes para fijar la competencia del tribunal que debe conocer de ellos.

# LIBRO CUARTO

---

## DE LOS ACTOS JUDICIALES
### NO CONTENCIOSOS

---

## TÍTULO PRIMERO

### DISPOSICIONES JENERALES

#### Art. 988

(963 del Proyecto)

Son actos judiciales no contenciosos aquellos que
segun la lei requieren la intervencion del juez i en que
no se promueve contienda alguna entre partes.

#### Art. 989

(964 del Proyecto)

Aunque los tribunales hayan de proceder en algunos
de estos actos *con conocimiento de causa,* no es necesario

que se les suministre este conocimiento con las solemni-
dades ordinarias de las pruebas judiciales.

Así, pueden acreditarse los hechos pertinentes por
medio de *informaciones sumarias.*

Se entiende por *información sumaria* la prueba de
cualquiera especie, rendida sin notificacion ni intervencion de contradictor i sin previo señalamiento de término
probatorio.

## ART. 990

(965 del Proyecto)

Los tribunales en estos negocios apreciarán prudencialmente el mérito de las justificaciones i pruebas de
cualquiera clase que se produzcan.

## ART. 991

(966 del Proyecto)

Asimismo decretarán de oficio las dilijencias informativas que estimen convenientes.

## ART. 992

(967 del Proyecto)

Pueden los tribunales, variando las circunstancias, i a
solicitud del interesado, revocar o modificar las resoluciones negativas que hubieren dictado, sin sujecion a
los términos i formas establecidos para los asuntos contenciosos.

Podrán tambien en igual caso revocar o modificar las
resoluciones afirmativas, con tal que esté aun pendiente
su ejecucion.

## Art. 993

(968 del Proyecto)

Contra las resoluciones dictadas podrán entablarse
los recursos de apelacion i de casacion, segun las reglas
jenerales. Los trámites de la apelacion serán los establecidos para los incidentes.

## Art. 994

(969 del Proyecto)

Si a la solicitud presentada se hiciere oposicion por
lejítimo contradictor, se hará contencioso el negocio i se
sujetará a los trámites del juicio que corresponda.

Si la oposicion se hiciere por quien no tiene derecho,
el tribunal, desestimándola de plano, dictará resolucion sobre el negocio principal.

## Art. 995

(970 del Proyecto)

En los negocios no contenciosos que no tuvieren
señalada una tramitacion especial en el presente Código,
procederá el tribunal de plano, si la lei no le ordenare
obrar con conocimiento de causa.

Si la lei exije este conocimiento, mandará rendir previamente informacion sumaria acerca de los hechos que lejitimen la peticion, i oirá despues al ministerio público o al respectivo defensor público, segun corresponda.

## Art. 996

### (971 del Proyecto)

En todos los casos en que hubiere de obtenerse el dictámen por escrito de los oficiales del ministerio público o de los defensores públicos, se les pasará al efecto el proceso en la forma establecida en el articulo cuarenta.

## Art. 997

### (972 del Proyecto)

Las sentencias definitivas en los negocios no contenciosos espresarán el nombre, profesion u oficio i domicilio de los solicitantes, las peticiones deducidas i la resolucion del tribunal. Cuando éste deba proceder con conocimiento de causa, se establecerán ademas las razones que motiven la resolucion.

Estas sentencias, como las que se espiden en las causas entre partes, se compiarán en el libro respectivo que llevará el secretario del tribunal.

## Art. 998

### (973 del Proyecto)

En los asuntos no contenciosos no se tomará en consideracion el fuero personal de los interesados para establecer la competencia del tribunal.

## Art. 999

(974 del Proyecto)

Los procesos que se formen sobre actos no contenciosos quedarán en todo caso archivados, como los de negocios contenciosos.

Si se diere copia de todo o parte del proceso, se dejará en él testimonio de este hecho con espresion del contenido de las copias que se hubieren dado.

## TÍTULO II

### DE LA HABILITACION PARA COMPARECER EN JUICIO

(Agregado por la Comision) .

## Art. 1000

En los casos en que la lei autorice al juez para suplir la autorizacion del marido a fin de que la mujer casada pueda parecer en juicio, ocurrirá ésta ante el tribunal correspondiente manifestándole, por escrito, el juicio o juicios en que necesite actuar como demandante o demandada, los motivos que aconsejan su comparecencia i el hecho de que el marido le niegue la autorizacion o el impedimento que lo imposibilita para prestarla.

El tribunal concederá o negará la habilitacion, con conocimiento de causa, si la estimare necesaria, i oyendo en todo caso al defensor de menores. Citará ademas al marido cuando esté presente i no estuviere inhabilitado.

## Art. 1001

Lo dispuesto en el artículo anterior se aplicará al caso en que el hijo de familia tenga que litigar como actor contra su padre o éste le negare o no pudiere prestarle su consentimiento o representacion para parecer en juicio contra un tercero, ya sea como demandante o demandado.

En el auto en que se conceda la habilitacion se dará al hijo de familia un curador para la lítis, con arreglo a lo dispuesto en el artículo mil treinta.

## Art. 1002

El juicio que tenga por objeto la habilitacion, por negarse el padre o marido a representar o a autorizar al hijo o a la mujer para parecer en juicio, se sustanciará en conformidad a los trámites establecidos para los incidentes.

Lo mismo sucederá cuando, ántes de otorgarse la que se haya pedido por ausencia o ignorado paradero del padre o marido, compareciere alguno de éstos oponiéndose.

## Art. 1003

Si la presentacion del padre o marido tuviere lugar despues de concedida la habilitacion, su oposicion se tramitará tambien como un incidente, i miéntras no recaiga sentencia firme, surtirá todos sus efectos la habilitacion.

# TÍTULO III

## DE LA LEJITIMACION DE HIJOS INCAPACES POR EL MATRIMONIO POSTERIOR DE LOS PADRES

### ART. 1004

(975 del Proyecto)

Cuando fuere necesaria la aprobacion judicial para aceptar o repudiar la lejitimacion, se pedirá que la escritura pública, testamento o acta de matrimonio en que se haya hecho dicha lejitimacion, se notifique al tutor o curador jeneral del hijo, si lo tiene, o que, en caso de no tenerlo, se le nombre un curador especial a fin de que acepte o repudie la lejitimacion o preste su consentimiento al menor adulto.

El tutor o curador manifestará al tribunal si a su juicio es o no conveniente aceptar la lejitimacion, i el tribunal, previo conocimiento de causa en la forma que establece el inciso segundo del artículo novecientos noventa i cinco concederá o denegará la autorizacion solicitada, segun fuere de justicia.

### ART. 1005

(976 del Proyecto)

Cuando en el caso del inciso segundo del artículo doscientos once del Código Civil hubiere de solicitarse autorizacion judicial por faltar el consentimiento del marido, se procederá como se dispone en el artículo precedente, en cuanto fuere aplicable.

## Art. 1006

(977 del Proyecto)

En todo caso mandará el tribunal que se estienda la escritura pública de aceptacion o repudiacion, en conformidad al artículo doscientos doce del Código Civil.

En dicha escritura se insertará, a mas del discernimiento de la tutela o curaduría en su caso, la resolucion que autoriza la lejitimacion o que niega lugar a ella.

# TÍTULO IV

## DE LA EMANCIPACION VOLUNTARIA

## Art. 1007

(978 del Proyecto)

Para obtener la aprobacion judicial de la emancipacion voluntaria se presentarán por escrito al tribunal el padre i el hijo, declarando el primero que quiere emancipar al hijo i el segundo que consiente en ello.

El tribunal, previo conocimiento de causa en la forma espresada en el inciso segundo del artículo novecientos noventa i cinco, autorizará la emancipacion i mandará reducirla a escritura pública, si la encontrare ventajosa para el hijo, o denegará la autorizacion en caso contrario.

# TÍTULO V

## DEL RECONOCIMIENTO DE HIJO NATURAL EN FAVOR DE UN INCAPAZ

### ART. 1008

(979 del Proyecto)

La autorizacion judicial del reconocimiento de hijo natural, cuando sea necesaria segun la lei, se solicitará por conducto del representante legal del incapaz.

El tribunal procederá, para concederla o negarla, conforme a lo establecido en el inciso segundo del artículo mil siete i, en caso de otorgarla, ordenará que se reduzcan a escritura pública el reconocimiento i la aceptacion.

# TÍTULO VI

## DE LA HABILITACION DE EDAD

### ART. 1009

(980 del Proyecto)

El menor que, teniendo las cualidades que la lei exije, quisiere obtener habilitacion de edad en los casos a que se refiere el inciso segundo del artículo doscientos noventa i ocho del Código Civil, se presentará ante el tribunal competente justificando poseer aquellas cualidades, i pedirá se cite a sus parientes, a su curador i al defensor de menores.

El tribunal señalará dia para la audiencia i mandará

citar a ella a las personas designadas, mediando a lo ménos treinta dias entre la resolucion i el dia señalado.

La citacion i comparecencia de los parientes se hará en la forma prevenida en el artículo ochocientos cuarenta i seis.

Se anunciará, ademas, la audiencia por tres veces en un periódico del lugar, si lo hubiere, o de la cabecera de la provincia en caso contrario, colocándose en todo caso carteles en la puerta del tribunal por el término de quince dias.

### Art. 1010

(981 del Proyecto)

Concurriendo los parientes personalmente o por medio de apoderados constituidos en forma legal, elejirá el tribunal cinco de ellos para que informen en la misma audiencia sobre la habilitacion. En esta eleccion preferirá a los ascendientes i a los colaterales mas cercanos.

Se procederá a la audiencia aun cuando concurran solo dos parientes, el curador i el defensor de menores.

Si no se reuniere este número, se repetirá la citacion con un intervalo de tiempo que no baje de ocho dias entre ella i el señalado para la audiencia. Se repetirá tambien, por una vez, el aviso en un periódico.

Repetida así la citacion, se procederá a la audiencia, aunque solo concurran el curador o el defensor de menores.

### Art. 1011

(982 del Proyecto)

Los parientes i el curador informarán sobre la aptitud del menor para la administracion de sus bienes, toman-

do en cuenta su moralidad i conocimientos; i el defensor
de menores, si se encontrare presente, hará sobre la
solicitud misma i sobre el mérito de los informes las
observaciones que estime convenientes.

Las personas que asistan al comparendo informarán
tambien sobre la existencia ·de otros parientes dentro
del departamento. I si resultare que uno o mas de
dichos parientes no han sido citados en la forma preve·
nida por la lei, podrá el tribunal designar otro dia para
la reunion; u ordenar que el acta se ponga en conocimiento de los citados, para que en el término de ter
cero dia espresen por escrito su opinion sobre la solicitud. Si nada dijeren, se entenderá que la aprueban,
considerándose esta opinion .como espuesta en el comparendo.

### Art. 1012

(983 del Proyecto)

Se levantará acta en la forma legal.

### Art. 1013

(984 del Proyecto)

Si no hubiere en la audiencia persona alguna que
informe en sentido contrario la solicitud, i si tampoco
apareciere que el menor se encuentra en alguno de los
casos del artículo doscientos noventa i nueve del Código
Civil, para lo cual se hará estensiva la informacion tambien a este punto, el tribunal concederá la habilitacion.

## Art. 1014

(985 del Proyecto)

Si ninguno de los informantes apoya la solicitud, el tribunal denegará la habilitacion.

## Art. 1015

(986 del Proyecto)

Discordando los informes, resolverá el tribunal lo que estime conveniente.

# TÍTULO VII

## DEL NOMBRAMIENTO DE TUTORES I CURADORES I DEL DISCERNIMIENTO DE ESTOS CARGOS

### Párrafo Primero

DEL NOMBRAMIENTO DE TUTORES I CURADORES

## Art. 1016

(987 del Proyecto)

Cuando haya de procederse al nombramiento de tutor o curador lejítimo para un menor, en los casos previstos por el Código Civil, se acreditará que há lugar a la guarda lejítima, que la persona designada es la que debe desempeñarla en conformidad a la lei, i que ella tiene las condiciones exijidas para ejercer el cargo.

## Art. 1017

(988 del Proyecto)

Para conferir la tutela o curaduría lejítima del menor a su padre o madre lejítimos o a los demas ascendientes de uno u otro sexo, procederá el tribunal oyendo solo al defensor de menores.

En los demas casos de tutela o curaduría lejítima, para la eleccion del tutor o curador oirá el tribunal al defensor de menores i a los parientes del pupilo.

Al defensor de menores se le pedirá dictámen por escrito; pero si hubiere de consultarse a los parientes del pupilo, bastará que se le cite para la misma audiencia a que deben éstos concurrir, en la cual será tambien oido el defensor.

Si el defensor no concurriere a la reunion, se le pasarán los antecedentes en vista.

La notificacion i audiencia de los parientes tendrán lugar en la forma que establece el artículo ochocientos cuarenta i seis.

### Art. 1018

(989 del Proyecto)

Cuando haya de nombrarse tutor o curador dativo, se acreditará la procedencia legal del nombramiento, designando el menor la persona del curador si le corresponde hacer esta designacion, i se observarán en lo demas las disposiciones de los cuatro últimos incisos del artículo anterior.

### Art. 1019

(990 del Proyecto)

Pueden en todo caso provocar el nombramiento de tutor el defensor de menores i cualquiera persona del pueblo, por intermedio de este funcionario.

Si el nombramiento de curador dativo no fuere pedido por el menor sino por otra de las personas que segun la lei tienen derecho a hacerlo, se notificará a aquél para que designe al que haya de servir el cargo, cuando le corresponda hacer tal designacion, bajo apercibimiento de que ésta se hará por el tribunal si el menor no la hiciere en el plazo que al efecto se le fije.

## Art. 1020

### (991 del Proyecto)

En los casos del artículo trescientos setenta i uno del Código Civil pueden los tribunales nombrar de oficio tutor o curador interino para el menor.

No es necesaria para este nombramiento la audiencia del defensor de menores ni la de los parientes del pupilo.

## Art. 1021

### (992 del Proyecto)

Declarada por sentencia firme la interdiccion del disipador, del demente o del sordo-mudo, se procederá al nombramiento de curador, en la forma prescrita por el artículo mil diecisiete.

Pueden pedir este nombramiento el defensor de menores i las mismas personas que, conforme a los artículos cuatrocientos cuarenta i tres, cuatrocientos cuarenta i cuatro i cuatrocientos cincuenta i nueve del Código Civil, pueden provocar el respectivo juicio de interdiccion.

Declarada la interdiccion provisional, habrá lugar al nombramiento de curador, conforme a las reglas establecidas en el Código Civil.

## Art. 1022

(993 del Proyecto)

Habrá lugar al nombramiento de curador de bienes del ausente, fuera de los casos espresamente previstos por la lei, en el que menciona el artículo doscientos setenta i cinco del presente Código.

## Art. 1023

(994 del Proyecto)

La primera de las circunstancias espresadas en el artículo cuatrocientos setenta i tres del Código Civil para el nombramiento de curador de bienes del ausente, se justificará a lo ménos con declaracion de dos testigos contestes o de tres singulares, que den razon satisfactoria de sus dichos. Podrá tambien exijir el tribunal, para acreditar esta circunstancia, que se compruebe por medio de informacion sumaria cuál fué el último domicilio del ausente, i que no ha dejado allí poder a ninguno de los procuradores del número, ni lo ha otorgado ante los notarios de ese domicilio durante los dos años que precedieron a la ausencia, o que dichos poderes no están vijentes.

Las dilijencias espresadas se practicarán con citacion del defensor de ausentes; i si este funcionario pidiere que se practiquen tambien algunas otras para la justificacion de las circunstancias requeridas por la lei, el tribunal accederá a ello, si las estimare necesarias para la comprobacion de los hechos.

### Art. 1024

(Agregado por la Comision)

Siempre que el mandatario de un ausente cuyo paradero se ignora, careciere de facultades para contestar nuevas demandas, asumirá la representacion del ausente el defensor respectivo, miéntras el mandatario nombrado obtiene la habilitacion de su propia personería o el nombramiento de otro apoderado especial para este efecto conforme a lo previsto en el artículo doce.

### Art. 1025

(995 del Proyecto)

La ocultacion a que se refiere el inciso final del artículo cuatrocientos setenta i cuatro del Código Civil, se hará constar, con citacion del defensor de ausentes, a lo ménos en la forma que espresa el inciso primero del artículo mil veintitres.

### Art. 1026

(996 del Proyecto)

Se sacarán de los bienes del ausente las espensas de la litis, así como los fondos necesarios para dar cumplimiento a los fallos que se espidieren en su cóntra i para cubrir los gastos que ocasione la curaduría.

### Art. 1027

(997 del Proyecto)

Declarada yacente la herencia en conformidad a lo prevenido en el párrafo respectivo de este Libro, se

procederá inmediatamente al nombramiento de curador
de la misma, con audiencia del ministerio público, cumplidas en su caso las disposiciones de los artículos cuatrocientos ochenta i dos i cuatrocientos ochenta i tres
del Código Civil.

### Art. 1028

(998 del Proyecto)

Para proceder al nombramiento de curador de los derechos eventuales del que está por nacer, bastará la de-
nunciacion o declaracion de la madre que se creyere
embarazada, i en el caso de haberse nombrado ese curador por el padre, bastará el hecho del testamento i la
comprobacion de la muerte de éste.

### Art. 1029

(999 del Proyecto)

El nombramiento de curador adjunto se hará como
el de curador dativo.

El nombramiento recaerá en la persona designada
por el donante o testador, con tal que sea idónea, siempre que hubiere de nombrarse curador para la adminis.
tracion particular de bienes donados o asignados por
testamento con la condicion de que no los administre el
padre, marido o guardador jeneral del donatario o asignatario.

### Art. 1030

(1000 del Proyecto)

Los curadores especiales serán nombrados por el tribunal, con audiencia del defensor respectivo, sin perjui-

cio de la designacion que corresponda al menor en conformidad a la lei.

### Párrafo Segundo

DEL DISCERNIMIENTO DE LA TUTELA O CURADURIA

### Art. 1031

(1001 del Proyecto)

El tutor o curador testamentario que pidiere el discernimiento de la tutela o curaduría, presentará el nombramiento que se le hubiere hecho i hará constar que se han verificado las condiciones legales necesarias para que el nombramiento tenga lugar.

Encontrando justificada la peticion, el tribunal aprobará el nombramiento i mandará discernir el cargo, previa audiencia del defensor de menores.

### Art. 1032

(1002 del Proyecto)

El decreto judicial que autoriza al tutor o curador para ejercer su cargo, se reducirá a escritura pública, la cual será firmada por el juez que apruebe o haga el nombramiento.

No es necesaria esta solemnidad respecto de los curadores para pleito o *ad litem*, ni de los demas tutores o curadores, cuando la fortuna del pupilo fuere escasa a juicio del tribunal. En tales casos servirá de título la resolucion en que se nombre el guardador o se apruebe su designacion.

Salvo las escepciones establecidas en el inciso precedente, solo se entenderá discernida la tutela o curaduría desde que se otorgue la escritura prescrita en el inciso primero de este artículo.

### Art. 1033

(1003 del Proyecto)

Para que el tribunal mande otorgar la escritura de discernimiento o dar copia del título, en el caso del segundo inciso del artículo anterior, es necesario que preceda el otorgamiento por escritura pública de la fianza a que el tutor o curador esté obligado.

Esta fianza debe ser aprobada por el tribunal, con audiencia del defensor respectivo.

### Art. 1034

(Agregado por la Comision)

No están dispensados de la fianza los curadores interinos que hayan de durar o hayan durado tres meses o mas en el ejercicio de su cargo.

### Art. 1035

(1004 del Proyecto)

En el escrito en que se solicita el discernimiento de una tutela o curaduría se podrá ofrecer la fianza necesaria; i el tribunal se pronunciará en una misma resolucion sobre lo uno i lo otro.

Podrán tambien ser una misma la escritura de fianza i la de discernimiento.


# TÍTULO VIII

## DEL INVENTARIO SOLEMNE

### Art. 1036

(1005 del Proyecto)

Es inventario solemne el que se hace, previo decreto judicial, por el funcionario competente i con los requisitos que en el artículo siguiente se espresan.

Pueden decretar su formacion los jueces árbitros en los asuntos de que conocen.


### Art. 1037

(1006 del Proyecto)

El inventario solemne se estenderá con los requisitos que siguen:

Primero. Se hará ante un notario i dos testigos varones, mayores de dieciocho años, que sepan leer i escribir i sean conocidos del notario. Con autorizacion del tribunal podrá hacer las veces de notario otro ministro de fe o un juez de menor cuantía;

Segundo. El notario o el funcionario que lo reemplace, si no conociere a la persona que hace la manifestacion, la cual deberá ser, siempre que esté presente, el tenedor de los bienes, se cerciorará ante todo de su identidad i la hará constar en la dilijencia;

Tercero. Se espresará en letras el lugar, dia, mes i año en que comienza i concluye cada parte del inventario;

Cuarto. Antes de cerrado, el tenedor de los bienes o el que hace la manifestacion de ellos, declarará bajo de juramento que no tiene otros que manifestar i que deban figurar en el inventario; i

Quinto. Será firmado por dicho tenedor o manifestante, por los interesados que hubieren asistido, por el ministro de fe i por los testigos.

## Art. 1038

### (1007 del Proyecto)

Se citará a todos los interesados conocidos i que segun la lei tengan derecho de asistir al inventario.

Esta citacion se hará personalmente a los que sean condueños de los bienes que deban inventariarse, si residen en el departamento. A los otros condueños i a los demas interesados, se les citará por medio de avisos publicados durante diez dias en un periódico del departamento, o de la cabecera de la provincia, cuando allí no lo hubiere.

En representacion de los que residan en pais estranjero se citará al defensor de ausentes, a ménos que por ellos se presente procurador con poder bastante.

## Art. 1039

### (1008 del Proyecto)

Todo inventario comprenderá la descripcion o noticia de los bienes inventariados en la forma prevenida por los

artículos trescientos ochenta i dos i trescientos ochenta
i cuatro del Código  Civil.

## ART.  1040

### (1009 del Proyecto)

Si hubiere  bienes que  inventariar en  otro departamento, se espedirán  exhortos a los jueces  respectivos,
a fin de que  los  hagan  inventariar i remitan orijinales
las dilijencias obradas para unirlas a las  principales.

## ART. 1041

### (1010 del Proyecto)

Concluido el  inventario, se  protocolizará  en el rejistro del notario que  lo  hubiere  formado, o  en caso de
haber  intervenido otro ministro de fe,  en el  protocolo
que designe el tribunal.

## ART.  1042

### (1011 del Proyecto)

Es estensiva  a  todo inventario la disposicion del artículo trescientos ochenta i tres del Código  Civil.

## ART.  1043

### (1012 del Proyecto)

Cuando la lei ordene que al inventario se agregue la
tasacion de los bienes, podrá  el  tribunal,  al tiempo de

disponer que se inventarien, designar tambien peritos para que hagan la tasacion, o reservar para mas tarde esta operacion.

Si se tratare de objetos muebles podrá designarse al mismo notario o funcionario que haga sus veces para que practique la tasacion.

# TÍTULO IX

## DE LOS PROCEDIMIENTOS A QUE DA LUGAR LA SUCESION POR CAUSA DE MUERTE

### Párrafo Primero

#### DE LOS PROCEDIMIENTOS ESPECIALES DE LA SUCESION TESTAMENTARIA

### ART. 1044

(1013 del Proyecto)

El testamento abierto, otorgado ante funcionario competente i que no se hubiere protocolizado en vida del testador, será presentado despues de su fallecimiento i en el mencr tiempo posible al tribunal, para que ordene su protocolizacion. Sin este requisito no podrá procederse a su ejecucion.

### ART. 1045

(1014 del Proyecto)

La publicacion i protocolizacion de los testamentos otorgados solo ante testigos, se hará en la forma prevenida por el artículo mil veinte del Código Civil.

## Art. 1046

(1015 del Proyecto)

La apertura del testamento cerrado se hará en la forma establecida por el artículo mil veinticinco del Código Civil. Si el testamento se hubiera otorgado ante notario que no sea del último domicilio del testador, podrá ser abierto ante el juez del departamento a que pertenezca dicho notario, por delegacion del juez del domicilio que se espresa. En tal caso, el orijinal se remitirá con las dilijencias de apertura a este juez, i se dejará archivada ademas una copia autorizada en el protocolo del notario que autoriza el testamento.

## Art. 1047

(1016 del Proyecto)

Puede pedir la apertura, publicacion i protocolizacion de un testamento cualquiera persona capaz de parecer por sí misma en juicio.

## Art. 1048

(1017 del Proyecto)

Los testamentos privilejiados se someterán en su apertura, publicacion i protocolizacion a las reglas establecidas por el Código Civil respecto de ellos.

## Párrafo Segundo

### DE LA GUARDA DE LOS MUEBLES I PAPELES DE LA SUCESION

## ART. 1049

### (1018 del Proyecto)

Si el albacea o cualquier interesado pidiere que se guarden bajo llave i sello los papeles de la sucesion, el tribunal así lo decretará, i procederá por sí mismo a practicar estas dilijencias, o comisionará al efecto a su secretario o algun notario del departamento, quienes se asociarán con dos testigos varones, mayores de dieciocho años, que sepan leer i escribir i sean conocidos del secretario o notario.

Nombrará tambien una persona de notoria probidad i solvencia que se encargue de la custodia de las llaves, o las hará depositar en el oficio del secretario.

Puede el tribunal decretar de oficio estas dilijencias.

Si hubiere de procederse a ellas en diversos departamentos, cada tribunal, al mandar practicarlas, designará la persona que, dentro de su territorio, haya de encargarse de la custodia.

## ART. 1050

### (1019 del Proyecto)

Se procederá a la guarda i aposicion de sellos respecto de todos los muebles i papeles que se encuentren entre los bienes de la sucesion, no obstante cualquiera oposicion.

El funcionario que practique la dilijencia podrá pesquizar el testamento entre los papeles de la sucesion.

Si se interpusiere el recurso de alzada, se concederá solo en el efecto devolutivo.

Se esceptúan de lo dispuesto en el inciso primero del presente artículo los muebles domésticos de uso cuotidiano, respecto de los cuales bastará que se forme lista.

## Art. 1051

### (1020 del Proyecto)

Puede el tribunal, siempre que lo estime conveniente, eximir tambien el dinero i las alhajas de la formalidad de la guarda i aposicion de sellos. En tal caso mandará depositar estas especies en un banco o en las arcas del Estado, o las hará entregar al administrador o tenedor lejítimo de los bienes de la sucesion.

## Art. 1052

### (1021 del Proyecto)

Decretada la guarda i aposicion de sellos, se pueden practicar estas dilijencias aun cuando no esté presente ninguno de los interesados.

## Art. 1053

### (1022 del Proyecto)

La ruptura de los sellos deberá hacerse en todo caso judicialmente, con citacion de las personas que pueden tomar parte en la faccion del inventario, citadas en la forma que dispone el artículo mil treinta i ocho; salvo que por la urjencia del caso el tribunal ordene prescindir de este trámite, debiendo en este caso proceder con citacion del ministerio público.

## Párrafo Tercero

### DE LA DACION DE LA POSESION EFECTIVA DE LA HERENCIA

### Art. 1054

**(1023 del Proyecto)**

Se dará la posesion efectiva de la herencia al que la pida exhibiendo un testamento aparentemente válido en que se le instituya heredero.

### Art. 1055

**(1024 del Proyecto)**

Se dará igualmente al heredero abintestato que acredite el estado civil que le da derecho a la herencia, siempre que no conste la existencia de heredero testamentario, ni se presenten otros abintestatos de mejor derecho.

### Art. 1056

**(1025 del Proyecto)**

La posesion efectiva se entenderá dada a toda la sucesion, aun cuando uno solo de los herederos la pida.

En el decreto judicial se espresarán nominativamente las personas que forman la sucesion, segun el mérito de lo obrado.

## ART. 1057

(1026 del Proyecto)

Para dar la posesion efectiva de la herencia, se oirá al ministerio público si hubiere motivo para creer que el Fisco tiene interes en ella.

## ART. 1058

(1028 del Proyecto)

En la misma resolucion en que se dé la posesion efectiva de la herencia se mandarán hacer las inscripciones prevenidas por el artículo seiscientos ochenta i ocho del Código Civil.

Para las inscripciones especiales que deben hacerse en el lugar de los inmuebles, en conformidad a la regla segunda de dicho artículo, será título suficiente una copia autorizada de la resolucion que concede la posesion efectiva de la herencia.

Cuando entre los bienes hereditarios no hubiere inmuebles, la inscripcion de la posesion efectiva solo se hará en el Conservador del departamento en donde se hubiere concedido.

## ART. 1059

(1029 del Proyecto)

La resolucion que concede la posesion efectiva de una herencia, se publicará por cinco dias a lo ménos en un periódico del departamento, si lo hubiere, o en uno de la cabecera de la provincia, no habiéndolo allí, i se anunciará ademas por carteles fijados durante quince dias en. las oficinas de los Conservadores respectivos. Sin este requisito no se procederá a su inscripcion.

### Párrafo Cuarto

DE LA DECLARACION DE HERENCIA YACENTE I DE LOS PROCEDIMIENTOS SUBSIGUIENTES A ESTA DECLARACION.

### Art. 1060

(1030 del Proyecto)

La declaracion de herencia yacente se hará en conformidad a lo establecido en el artículo mil doscientos cuarenta del Código Civil.

Toca al curador que se nombrare cuidar de que se hagan la insercion i fijacion ordenadas en dicho artículo.

### Art. 1061

(1031 del Proyecto)

En el caso del artículo cuatrocientos ochenta i dos del Código Civil se hará saber por oficio dirijido al efecto al cónsul respectivo la resolucion que declara yacente la herencia, a fin de que en el término de cinco dias proponga, si lo tiene a bien, la persona o personas a quienes pueda nombrarse curadores.

Si el cónsul propusiere curador, se procederá conforme a lo dispuesto en el artículo cuatrocientos ochenta i tres del Código citado.

En el caso contrario, el tribunal hará el nombramiento de oficio o a propuesta del ministerio público.

## Párrafo Quinto

### DISPOSICIONES COMUNES A LOS PÁRRAFOS PRECEDENTES

#### Art. 1062

(1032 del Proyecto)

Para provocar las dilijencias o para pedir las declaraciones espresadas en los párrafos precedentes, es necesario acreditar la muerte, real o presunta, del testador o de la persona de cuya sucesion se trata.

#### Art. 1063

(1033 del Proyecto)

Se levantará acta circunstanciada de todas las dilijencias prescritas en este Título.

## TÍTULO X

### DE LA INSINUACION DE DONACIONES

#### Art. 1064

(1034 del Proyecto)

El que pidiere autorizacion judicial para una donacion que deba insinuarse, espresará:

Primero. El nombre del donante i del donatario, i si alguno de ellos se encuentra sujeto a tutela o curaduría o bajo potestad de padre o marido;

Segundo. La cosa o cantidad que se trata de donar;

Tercero. La causa de la donacion, esto es, si la donacion es remuneratoria o si se hace a título de lejítima, de mejora, de dote o solo por liberalidad; i

Cuarto. El monto líquido del haber del donante i sus cargas de familia.

## Art. 1065

(1035 del Proyecto)

El tribunal, segun la apreciacion que hiciere de los particulares comprendidos en el artículo precedente, concederá o denegará la autorizacion, conforme a lo dispuesto en el artículo mil cuatrocientos uno del Código Civil.

## TÍTULO XI

### DE LA AUTORIZACION JUDICIAL PARA ENAJENAR, GRAVAR O DAR EN ARRENDAMIENTO POR LARGO TIEMPO BIE· NES DE INCAPACES, O PARA OBLIGAR A ÉSTOS COMO FIADORES.

## Art. 1066

(1036 del Proyecto)

Cuando deba obtenerse autorizacion judicial para obli· gar como fiador a un incapaz, o para enajenar, gravar con hipoteca, censo o servidumbre, o para dar en arrendamiento sus bienes, se espresarán las causas o razones que exijan o lejitimen estas medidas, acompañando los documentos necesarios u ofreciendo informacion sumaria para acreditarlas.

En todo caso se oirá el dictámen del respectivo defensor ántes de resolverse en definitiva.

Si se concediere la autorizacion, fijará el tribunal un plazo para que se haga uso de ella.

En caso de no fijar plazo alguno, se entenderá caducada la autorizacion en el término de seis meses.

# TÍTULO XII

## DE LA VENTA EN PÚBLICA SUBASTA

### ART. 1067

(1037 del Proyecto)

La venta voluntaria en pública subasta, en los casos en que la lei ordene esta forma de enajenacion, se someterá a las reglas establecidas en el Título décimo del Libro tercero para la venta de bienes comunes, procediéndose ante el tribunal ordinario que corresponda.

### ART. 1068

(1038 del Proyecto)

Si no se hicieren posturas admisibles, podrán los interesados pedir que se señale otro dia para la subasta, manteniendo el valor asignado a los bienes, o reduciéndolo, o modificando como se estime conveniente la forma o condiciones del pago.

Si para autorizar la venta hubiere debido oirse a alguno de los defensores públicos, se le oirá tambien para aprobar la reduccion o modificacion indicadas.

## Art. 1069

### (Agregado por la Comision)

Se observarán tambien en la venta voluntaria en pública subasta las disposiciones de los artículos quinientos quince, quinientos dieciseis, quinientos diecisiete i quinientos dieciocho; pero la escritura definitiva de compraventa será suscrita por el rematante i por el propietario de los bienes, o su representante legal si fuere incapaz.

## TITULO XIII

## DE LAS TASACIONES

### Art. 1070

### (1039 del Proyecto)

Las tasaciones que ocurrieren en los negocios no contenciosos i las que se decretaren en los contenciosos, se harán por el tribunal que corresponda, oyendo a peritos nombrados en la forma establecida por el artículo cuatrocientos dieciseis.

## Art. 1071

(1040 del Proyecto)

Practicada la tasacion, se depositará en la oficina a disposicion de los interesados, los cuales serán notificados de ella por el secretario o por otro ministro de fe, sin necesidad de previo decreto del tribunal.

## Art. 1072

(1041 del Proyecto)

Los interesados tendrán el término de tres dias para impugnar la tasacion.

## Art. 1073

(1042 del Proyecto)

De la impugnacion de una de las partes se dará traslado a la otra, por el término de tres dias.

## Art. 1074

(1043 del Proyecto)

Oida la contestacion, el tribunal resolverá sobre la impugnacion, sea aprobando la operacion, sea mandando rectificarla por el mismo u otro perito, sea fijando por sí mismo el justiprecio de los bienes.

Si el tribunal mandare rectificar la operacion, espresará los puntos sobre los cuales debe recaer la rectificacion.

Presentada la operacion por el perito, hará el tribunal el justiprecio sin mas trámite.

## Art. 1075

### (1044 del Proyecto)

En el caso del número dieciseis del artículo cuatrocientos sesenta i seis de este Código, podrá el tribunal, aunque el interesado no reclame, negar su aprobacion a la tasacion i nombrar otro perito que la rectifique.

Se observará tambien en este caso lo dispuesto en el artículo precedente.

# TÍTULO XIV

## DE LA DECLARACION DEL DERECHO AL GOCE DE CENSOS

### Art. 1076

### (1045 del Proyecto)

El que pretendiere entrar en el goce de un censo de trasmision forzosa pedirá al tribunal competente que le declare su derecho, previa la comprobacion de los requisitos legales i de las formalidades necesarias.

Será tribunal competente el del departamento donde se hubiere inscrito el censo. Si el censo se hubiere redimido, el del departamento donde se hubiere inscrito la

redencion. Si el censo no estuviere inscrito ni se hubiere
redimido, el del departamento donde se hubiere declarado el derecho del último censualista.

## ART. 1077

(1046 del Proyecto)

Son requisitos legales para la declaracion de este derecho:

Primero. El fallecimiento del último censualista; i

Segundo. El llamamiento establecido a favor del compareciente por el acto constitutivo del censo o de la antigua vinculacion que se haya convertido en él, o por
la lei.

## ART. 1078

(1047 del Proyecto)

Reclamado este derecho, el tribunal llamará por medio de un edicto que se fijará por treinta dias en el oficio del secretario i se insertará por tres veces, de ocho
en ocho dias, en un periódico del departamento si lo
hubiere, o de la cabecera de la provincia, en el caso
contrario, a los que se crean llamados al goce del censo,
a fin de que hagan uso de su derecho.

## ART. 1079

(1048 del Proyecto)

Trascurridos los treinta dias de la fijacion del edicto,
el tribunal abrirá un término de prueba para que el
compareciente acredite su derecho.

Se rendirá esta prueba con citación del ministerio público, o del defensor de obras pias, cuando a éste corresponda intervenir.

## Art. 1080

### (1049 del Proyecto)

Comprobada la constitucion del censo i no presentándose contradictor (lo que certificará ántes del último decreto el secretario), el tribunal decretará el derecho del compareciente, si acreditare los requisitos establecidos en el artículo mil setenta i nueve.

## Art. 1081

### (1050 del Proyecto)

Compareciendo uno o mas contradictores, se seguirá còn ellos el juicio sobre mejor derecho al censo, sirviendo de demanda la solicitud de denuncio, i con las especialidades siguientes:

Primera. Serán admitidos en cualquier estado del juicio; i, salvo lo dispuesto en el número quinto del presente artículo, cada contradictor lo tomará en el estado en que lo encuentre;

Segunda. En la solicitud de oposicion fundará su derecho el que la presente;

Tercera. Trascurrido el plazo a que se refiere el inciso primero del artículo mil setenta i nueve se recibirá la causa a prueba sin previa discusion sobre el derecho de los comparecientes;

Cuarta. Las pruebas legales rendidas por cualquiera de los interesados, aun cuando lo hayan sido ántes de formulada alguna oposicion, afectarán a todos, como si efectivamente se hubieran producido con su citacion;

Quinta. A los que se presentaren despues del termino de prueba, se les concederá uno nuevo, que no escederá de la mitad del primero. Durante este término podrán tambien los otros interesados rendir prueba dirijida a destruir el derecho para cuya justificacion se hubiere concedido aquél;

Sesta. La prueba se rendirá en la forma establecida para los juicios ordinarios de mayor cuantía, fijándose por el tribunal los puntos sobre que debe recaer, al tiempo de decretarla; i

Sétima. Terminada la prueba, cada parte tendrá el plazo de seis dias para presentar su alegato, lo que harán en el órden en que hayan comparecido al juicio.

## Art. 1082

(1051 del Proyecto)

Todo lo dicho en este Título se aplica a las capellanías laicales a que estuviere afecto algun censo.

## Art. 1083

(1052 del Proyecto)

Queda vijente el procedimiento establecido por las leyes de la materia sobre exvinculaciones.

# TÍTULO XV

## DE LAS INFORMACIONES PARA PERPETUA MEMORIA

### Art. 1084

(1053 del Proyecto)

Los tribunales admitirán las informaciones de testigos que ante ellos se promovieren, con tal que no se refieran a hechos de que pueda resultar perjuicio a persona conocida i determinada.

### Art. 1085

(1054 del Proyecto)

En el mismo escrito en que. se pida que se admita la informacion, se articularán los hechos sobre los cuales hayan de declarar los testigos.

### Art. 1086

(1055 del Proyecto)

Para admitir estas informaciones los tribunales oirán previamente al ministerio público.

### Art. 1087

(1056 del Proyecto)

Admitida la informacion, serán examinados con citacion del ministerio público los testigos que el interesado presente.

Si los testigos fueren conocidos del juez o del ministro de fe que autoriza la dilijencia, se dejará en ella testimonio de esta circunstancia.

Si no lo fueren, se les exijirá que comprueben su identidad con dos testigos conocidos.

## ART. 1088

### (1057 del Proyecto)

Concluida la informacion, se pasará al ministerio público para que examine las cualidades de los testigos i si se ha acreditado su identidad por alguno de los medios espresados.

## ART. 1089

### (1058 del Proyecto)

Los tribunales aprobarán las informaciones rendidas con arreglo a lo dispuesto en este Título, siempre que los hechos aparezcan justificados con la prueba que espresa el número segundo del artículo trescientos setenta i cuatro, i mandarán archivar los antecedentes, dándose copia a los interesados.

Estas informaciones tendrán el valor de una presuncion legal.

# TÍTULO XVI

## DE LA ESPROPIACION POR CAUSA DE UTILIDAD PÚBLICA

### Art. 1090

(1059 del Proyecto)

Autorizada la espropiacion en la forma que dispone el número quinto del artículo diez de la Constitucion, el juez letrado dentro de cuya jurisdiccion se encontraren los bienes que han de espropiarse, a solicitud escrita del que pida la espropiacion, citará a éste i al propietario de los bienes a un comparendo, con el fin de nombrar peritos que hagan el justiprecio ordenado por dicho artículo.

### Art. 1091

(1060 del Proyecto)

El comparendo tendrá lugar aun cuando solo concurra el que pide la espropiacion. Cada parte nombrará un perito, i de comun acuerdo al que deba hacer las veces de tercero en discordia. No habiendo acuerdo para este nombramiento, lo hará el juez, al cual corresponderá tambien designar perito a nombre del propietario de los bienes, si éste no concurriere al comparendo.

### Art. 1092

(1061 del Proyecto)

Reunidos los peritos i el tercero en el dia i hora que designe el tribunal, bajo una multa de doscientos pesos

en caso de inasistencia, harán un avalúo circunstanciado
de los bienes que se trata de espropiar i de los daños i
perjuicios que con la espropiacion se causaren al propietario. No se tomará en cuenta para este avalúo el
mayor valor que pudieran obtener los bienes espropiados a consecuencia de las obras a que estuviere desti-
nada la espropiacion.

ART. 1093

(1062 del Proyecto)

Si la estimacion de los dos peritos fuere idéntica, o si
lo fuere la de uno de los peritos i la del tercero, se aceptará como valor de los bienes el que establecieren las
dos avaluaciones conformes.

No existiendo esta conformidad, se tendrá como valor
de los bienes el tercio de la suma de las tres operaciones; pero si entre ellas hubiere notable diferencia, podrá
el tribunal modificar prudencialmente ese valor.

ART. 1094

(1063 del Proyecto)

Declarado por el tribunal el valor de los bienes i
perjuicios con arreglo al artículo anterior, se mandará publicar esa declaracion por medio de avisos que se inser-
tarán a lo ménos cinco veces en un periódico del departamento, si lo hubiere, o de la cabecera de la provincia,
en caso contrario, i por medio de carteles fijados durante
quince dias en la puerta del tribunal, a fin de que los
terceros a que se refieren los artículos mil noventa i

ocho i mil noventa i nueve puedan solicitar las medidas precautorias que en dichos artículos se mencionan. Vencido este plazo,i no habiendo oposicion de terceros, el tribunal ordenará que el precio de la espropiacion se entregue al propietario, o si estuviere él ausente del departamento o se negare a recibir, que se consigne dicho valor en un establecimiento de crédito.

Verificado el pago o la consignacion, se mandará poner inmediatamente al interesado en posesion de los bienes espropiados, si fueren muebles, i si fueren raices, se ordenará el otorgamiento dentro del segundo dia de la respectiva escritura, la cual será firmada por el juez a nombre del vendedor, si éste se negare a hacerlo o estuviere ausente del departamento.

## Art. 1095

### (1064 del Proyecto)

Las notificaciones en esta jestion se harán en la forma que establece el artículo cincuenta i uno.

## Art. 1096

### (1065 del Proyecto)

Las apelaciones que se interpusieren se concederán solo en el efecto devolutivo.

## Art. 1097

### (1066 del Proyecto)

En segunda instancia podrá hacerse nueva estimacion pericial en la forma dispuesta por los artículos mil noventa a mil noventa i tres inclusive, si el tribunal lo juzga necesario.

## ART. 1098

(1067 del Proyecto)

Los juicios pendientes sobre la cosa espropiada no impedirán el procedimiento que este título establece.

En este caso, el valor de la espropiacion se consignará a la órden del tribunal, para que sobre él se hagan valer los derechos de los litigantes.

Aun cuando el actual poseedor de los bienes espropiados resultare vencido en el juicio de propiedad, se considerará firme la enajenacion a favor del espropiante, pudiendo el que fuere declarado dueño ejercer los derechos a que se refiere el inciso anterior i las demas acciones que le correspondan.

## ART. 1099

(1068 del Proyecto)

Tampoco será obstáculo para la espropiacion la existencia de hipotecas u otros gravámenes que afecten a la cosa espropiada; sin perjuicio de los derechos que sobre el precio puedan hacer valer los interesados. Las jestiones a que dé lugar el ejercicio de estos derechos se tramitarán como incidentes en ramo separado i no entorpecerán el cumplimiento de la espropiacion.

## ART. 1100

(1069 del Proyecto)

Las jestiones para reclamar la espropiacion deberán iniciarse dentro de los seis meses subsiguientes a la lei que la autorice, salvo que la misma lei fijare un plazo diverso.

# TÍTULO FINAL

## DE LA DEROGACION DE LAS LEYES DE PROCEDIMIENTO

### ARTÍCULO FINAL

Desde la vijencia de este Código quedarán derogadas todas las leyes preexistentes sobre las materias que en él se tratan, aun en la parte que no le fueren contrarias, salvo que ellas se refieran a los tribunales especiales no rejidos por la lei de 15 de octubre de 1875.

Sin embargo, los Códigos Civil, de Comercio i de Minería, la lei de Organizacion i Atribuciones de los Tribunales i las leyes que los hayan complementado o modificado, solo se entenderán derogados en lo que sean contrarios a las disposiciones de este Código.

# ÍNDICE

## LIBRO SEGUNDO

## DEL JUICIO ORDINARIO

# LIBRO TERCERO

## DE LOS JUICIOS ESPECIALES

# LIBRO CUARTO

## DE LOS ACTOS JUDICIALES

### NO CONTENCIOSOS

# FE DE ERRATAS

| Artículo | Línea | Dice | Debe decir |
|---|---|---|---|
| 102 | 2 | al colitigante | a la otra parte |
| 192 | 2 | espida, | espida, i |
| 296 | 5 i 6 | treinta i tres | treinta i uno |
| 488 | 4 | las mismos | los mismos |
| 588 | 27 | lista. | lista; i |
| 672 | 16 | abtenerse | abstenerse |
| 690 | 11 | de concurso | del concurso |
| 858 | 2 | en el juicio | en juicio |
| 866 | 4 i 5 | parte, sobre | parte sobre |
| 941 | 2 | algunas | alguna |
| 970 | 16 | sergundo | segundo |

# ACTAS

## DE LA

# COMISION MISTA

### de

## SENADORES I DIPUTADOS

ENCARGADA DE INFORMAR SOBRE LOS

PROYECTOS DE CÓDIGOS DE PROCEDIMIENTO CIVIL I CRIMINAL

**SANTIAGO DE CHILE**

IMPRENTA NACIONAL, CALLE DE LA MONEDA NÚM. 1155

**1901**

# ACTAS

DE LA

## COMISION MISTA DE SENADORES I DIPUTADOS

ENCARGADA DE INFORMAR SOBRE LOS

### Proyectos de códigos de Procedimiento Civil i Criminal

## SESION 1.ª EN 10 DE NOVIEMBRE DE 1900

Con esta fecha se reunió la Comision Mista de Senadores i Diputados encargada de informar sobre los proyectos de Códigos de Procedimiento Civil i Criminal, con asistencia de los Senadores señores German Riesco, Manuel Ejidio Ballesteros, Pedro Montt i Raimundo Silva Cruz, i de los Diputados señores Ramon Bañados Espinosa, Francisco Javier Concha, Frutos Osandon, Enrique Richards, Luis A. Vergara i Eliodoro Yáñez.

Se elijió Presidente al Senador don German Riesco, quien lo era de la Comision del Senado, i se encargó al abogado don Luis Barriga que continuara sirviendo el puesto de secretario para el cual habia sido llamado por dicha Comision.

Se acordó en seguida celebrar sesion los dias mártes i sábado de cada semana, a las cinco de la tarde, debiendo tener lugar la primera reunion el sábado próximo para que los señores Diputados pudieran así imponerse del estudio ya hecho por la Comision de Senadores.

A fin de evitar que dejara de reunirse la Comision por falta de asistencia, se resolvió fijar en tres el número de miembros con que pudiera funcionar.

Se convino por último ocuparse en la reunion próxima en el estudio de los diez primeros títulos del libro primero del Proyecto.

GERMAN RIESCO.

*Luis Barriga,*
Secretario.

---

## SESION 2.ª EN 17 DE NOVIEMBRE DE 1900

Se abrió la sesion presidida por el señor Riesco, con asistencia de los señores Ballesteros, Montt, Silva Cruz, Bañados Espinosa, Ossandon, Richard, Vergara, Yáñez i el Secretario.

Se leyó i aprobó el acta de la sesion anterior.

El señor Yáñez hace presente que a su juicio debiera tomarse por base para el estudio de la Comision el proyecto redactado el año 1874 a 1884, a fin de ajustarse a un acuerdo tomado por la Comision Mista nombrada por el Congreso en 1893.

Los señores Riesco i Ballesteros esponen que el actual proyecto es el sometido por el Ejecutivo al Congreso i el que la Comision del Senado habia empezado a estudiar en sus sesiones anteriores.

Se resolvió, en consecuencia, tomar por base este Proyecto ya que sobre él debe recaer el informe pedido a la Comision.

Al iniciar su estudio se acordó prescindir de los acuerdos tomados en las sesiones anteriores por la Comision del Senado, sin perjuicio de tener presentes dichos acuerdos cuando se trate de los artículos a que ellos se refieren.

El señor Yáñez insinúa la conveniencia de dar al Código el nombre de Código de Enjuiciamiento a fin de ajustarse a la designacion que le da el Código Civil.

Los señores Ballesteros i Osandon sostienen que la palabra *enjuiciamiento* se aplica con mas propiedad a los asuntos judiciales de carácter contencioso.

El señor Yáñez no formula indicacion sobre el particular i agrega que, en su concepto, la palabra *juicio* en sentido lato comprende, no solo los asuntos de la jurisdiccion contenciosa, sino tambien los de la voluntaria, i que el enjuiciamiento se refiere a unos i otros.

El señor Ballesteros espresa que este punto ha sido tratado por diversos comentadores i que estan ellos de acuerdo en que una lei de esta clase debe llamarse de *procedimiento*.

El señor Yáñez no insistió sobre el particular.

### ARTÍCULO 1.º

A indicacion del señor Yáñez se acordó modificar solo su redaccion en la forma siguiente:

«Art. 1.º Las disposiciones de este Código rijen
« el procedimiento de las contiendas civiles entre
« partes i de los actos de jurisdiccion no conten-
« ciosa, cuyo conocimiento corresponda a los Tri-
« bunales de Justicia.»

## Arts. 2.º, 3.º, 4.º i 5.º

Se aprobaron sin modificacion.

## Art. 6.º

La Comision estima que el otorgamiento de poderes ante los oficiales del Rejistro Civil, debe referirse a los funcionarios de esta clase, que segun la lei pueden hacerlo, por no ser éste lugar oportuno para hacer modificaciones que alteren las atribuciones conferidas a éstos funcionarios en la lei del Rejistro Civil.

Modificado así el artículo, cree el señor Yáñez que seria redundante el número 2.º del inciso 2.º, por cuanto es tambien escritura pública el poder otorgado en el rejistro de un oficial civil. Así lo estimaron los demas miembros de la Comision i, a fin de evitar dudas, se acordó reemplazar los números 1.º i 2.º de éste inciso por el siguiente:

«1.º El constituido por escritura pública otorga-
« da ante notario o ante oficial del Rejistro Civil, a
« quien la lei confiera esta facultad.»

Entiende tambien la Comision que en conformidad al número 4.º de este inciso puede conferirse ante el secretario de primera instancia, poder bastante para hacerlo valer en segunda i vice-versa; i para espresar esta idea con mas claridad, se sustituyó el número 4.º por el siguiente:

«4.º El que conste de una declaracion escrita del
« mandante autorizada por el secretario del tribu-
« nal que esté conociendo de la causa.»

Esta disposicion fué aceptada contra la opinion del señor Yáñez, que manifestó que debiera respetarse la disposicion del artículo 395 de la lei de 15 de octubre de 1875.

En cuanto al inciso 3.º, propuso el señor Richard, i lo aceptó la Comision, que en el caso a que dicho inciso se refiere, el tribunal deberia fijar un plazo prudencial para que el interesado aprobase lo que se hubiere hecho en su nombre.

En conformidad a éstos acuerdos quedó aprobado el artículo en la forma que sigue:

«Art. 6.º El que comparezca en juicio a nombre « de otro, en desempeño de un mandato o en ejer- « cicio de un cargo que requiera especial nombra- « miento, deberá exhibir el título que acredite su « representacion.

«Para obrar como mandatario se considerará « poder suficiente: 1.º El constituido por escritura « pública otorgada ante notario o ante oficial del « Rejistro Civil a quien la lei confiera esta facultad; « 2.º El que conste de una acta estendida, ante un « juez de letras o ante un juez árbitro, i suscrita « por todos los otorgantes; i 3.º El que conste de « una declaracion escrita del mandante autorizada « por el secretario del tribunal que esté conocien- « do de la causa.

«Podrá, sin embargo, admitirse la comparescen- « cia al juicio de una persona que obre sin poder en « beneficio de otra, con tal que ofrezca garantía de « que el interesado aprobará lo que se hubiere « obrado en su nombre. El tribunal para aceptar la « representacion calificará las circunstancias del « caso i la garantía ofrecida, i fijará un plazo para « la ratificacion del interesado.»

## ART. 7.º

Respecto del inciso 1.º manifiesta el señor Yáñez la conveniencia de aclarar el sentido de la frase *hasta la ejecucion completa de la sentencia definitiva*, a fin de que no se entienda que el mandatario está obligado a dar o hacer la cosa que ha sido materia del juicio.

El señor Ballesteros, por su parte, observa que los términos de este artículo habian sido materia de un detenido estudio de los redactores del Proyecto, a fin de evitar dudas respecto del alcance de los poderes otorgados en juicio. Se usó para ello la frase indicada, que comprende, en su concepto, todos los casos en que podrian suscitarse las dudas que se trató de salvar al redactarlo.

Los demas miembros de la Comision espusieron que la frase indicada debia referirse a la sola tramitacion del juicio hasta la conclusion definitiva del negocio que habia sido materia de él, i que se encontraba limitada por los casos en que la lei exije la intervencion personal de la parte misma, como sucede, por ejemplo, en el caso del artículo 465 del Proyecto.

Con relacion al inciso 2.º el señor Montt insinúa que no apelar de una providencia importa en realidad una renuncia tácita del espresado recurso i puede talvez entenderse que, dados los términos del inciso 3.º, el mandatario se encuentra en el deber de apelar de toda providencia desfavorable a su parte, a ménos que se le haya conferido espresamente la facultad de renunciar los recursos legales.

No lo estimaron así los demas miembros de la Comision i estuvieron de acuerdo en que no apelar de una providencia no constituye la renuncia de los recursos legales de que habla la disposicion en estudio.

En mérito de las observaciones indicadas quedó aprobado el artículo en la forma que aparece en el Proyecto.

## Art. 8.º

Respecto de este artículo todos los miembros de la Comision estuvieron de acuerdo en que su objeto era establecer que las sociedades civiles o comerciales tuvieran de representante a una sola persona i no un consejo, como sucede ordinariamente, i que habria conveniencia en hacer estensiva esta dispo-

sicion a las corporaciones o fundaciones que tengan
personería jurídica. Debe por consiguiente dejarse
entera libertad para designar en los estatutos el
representante de dichas sociedades i corporaciones
o fundaciones, siempre que esta designacion recaiga
en una persona determinada, entendiéndose que en
los casos de sociedades colectivas en que la administracion corresponda a dos o mas de los asociados, bastará la notificacion a cualquiera de ellos.

En consecuencia, conforme con estas ideas, se
acordó redactar el artículo en los términos siguientes:

«Art. 8.º El jerente o administrador de socie-
« dades civiles o comerciales o el presidente de las
« corporaciones o fundaciones con personería jurí-
« dica, se entenderán autorizados para litigar a
« nombre de ellas con las facultades que espresa el
« inciso primero del artículo anterior, no obstante
« cualquiera limitacion establecida en los estatutos
« o actos constitutivos de la sociedad o corpora-
« cion.»

ART. 9.º

Para mayor claridad se convino reemplazar la
frase *habérsele notificado*, contenida en este artículo,
por la de *haberse notificado a ésta*, quedando en consecuencia como sigue:

«Art. 9.º Si durante el curso del juicio terminare
« por cualquiera causa el carácter con que una per-
« sona representa por ministerio de la lei derechos
« ajenos, continuará no obstante la representacion
« i serán válidos los actos que ejecute, hasta la
« comparecencia de la parte representada, o hasta
« que haya testimonio en el proceso de haberse
« notificado a ésta la cesacion de la representacion
« i el estado del juicio. El representante deberá
« jestionar para que se practique esta dilijencia

« dentro del plazo que el tribunal designe, bajo
« pena de pagar una multa de diez a doscientos
« pesos i de abonar los perjuicios que resultaren.»


## ART. 10


Se acordó conservar el inciso 1.º i respecto del 2.º
se tuvo presente que el poder del procurador que
renuncia, no debia quedar subsistente hasta que se
presentara testimonio de haberse constituido nuevo
procurador, por cuanto esto importaba dejar ligado
el renunciante a un acto cuya ejecucion no depen-
dia de sus facultades, i obligado al mandante a litigar necesariamente por medio de procurador.

Se acordó, en consecuencia, modificar este inciso
en la forma siguiente:

«Art. 10, inciso 2.º Si la causa de la espiracion
« del mandato fuere la renuncia del procurador,
« estará éste obligado a ponerla en conocimiento
« de su mandante, junto con el estado del juicio, i
« se entenderá vijente el poder hasta que haya tras-
« currido el término de emplazamiento desde la
« notificacion de la renuncia al mandante.»


## ART. 11


Se acordó sustituir la frase *encargado de la administracion jeneral con ámplias facultades*, por la de
*encargado con poder jeneral de administracion*, quedando
modificada solo la redaccion del inciso primero en
la forma siguiente:

«Art. 11, inciso 1.º Cuando se ausentare de la
« República alguna persona, dejando procurador
« autorizado para obrar en juicio o encargado con
« poder jeneral de administracion, todo el que tenga
« interes en ello podrá exijir que tome la represen-
« tacion del ausente dicho procurador, justificando

« que ha aceptado el mandato espresamente o ha
« ejecutado una jestion cualquiera que importe
« aceptacion. »

### ART. 12

Se aprobó sin modificacion.

### ART. 13

El señor Richard observa que en el caso del inciso 1.º el nombramiento hecho por el juez debe
recaer en un procurador del número, porque considera que de este modo se facilita la correcta representacion i defensa de los interesados.

El señor Yáñez, por su parte, hizo presente que
si una de las partes concurria al juicio, debiera con-
ferírsele a ella la representacion de los rebeldes,
porque no era posible perjudicar por la ausencia de
algunos, que podian no tener interes en el juicio,
al que concurria a defenderse en la forma ordinaria, i por que el objeto de este artículo era solo
evitar la pluralidad de representaciones.

El señor Montt apoyó estas ideas que fueron
aceptadas por la Comision.

Con relacion al inciso 2.º el señor Vergara propuso, i la Comision aceptó, la redaccion que aparece
mas adelante.

El artículo quedó en la forma siguiente:

«Art. 13. Si por omision de todas las partes o
« por falta de avenimiento entre ellas no se hiciere
« el nombramiento dentro del término indicado en
« el artículo anterior, lo hará el tribunal que conoz-
« ca de la causa, debiendo en este caso, recaer el
« nombramiento en un procurador del número o en
« una de las partes que hubiere concurrido.»

«Si la omision fuere de alguna o algunas de las
« partes, el nombramiento hecho por la otra u otras
« valdrá respecto de todas.»

## Art. 14

Se aprobó el artículo con las siguientes modificaciones:

En el inciso primero, reemplazar la frase: *hubiere motivos graves que justifiquen la revocacion*, por la de: *hubiere motivos que justifiquen la revocacion.*

En el inciso segundo sustituir la frase: *por cuerda separada* por la de: *en cuaderno separado.*

En el inciso 3.º reemplazar a indicacion del señor Richard, la frase: *miéntras no se haya nombrado un nuevo procurador*, por la de: *miéntras no quede constituido el nuevo procurador*, a fin de que se entienda que el poder debe ser previamente aceptado por el mandatario.

En consecuencia se aprobó el artículo en los términos que siguen:

«Art. 14. Una vez hecho por las partes o por el
« el tribunal el nombramiento de procurador co-
« mun, prodrá revocarse por acuerdo unánime de
« las mismas partes, o por el tribunal a peticion de
« alguna de ellas, si en este caso hubiere motivos que
« justifiquen la revocacion.

«Los procedimientos a que dé lugar esta medida
« se seguirán en cuaderno separado i no suspende-
« rán el curso del juicio.

«Sea que se acuerde por las partes o que se
« decrete por el tribunal, la revocacion no comen-
« zará a producir sus efectos miéntras no quede
« constituido el nuevo procurador »

## Art. 15 i 16

Se levantó la sesion quedando pendiente la discusion de estos artículos.

German Riesco.

*Luis Barriga,*
Secretario.

## SESION 3.ª EN 20 DE NOVIEMBRE DE 1900

Se abrió la sesion presidida por el señor Riesco i con asistencia de los señores Ballesteros, Montt, Richard, Vergara, Yáñez i el Secretario.

Se leyó i aprobó el acta de la sesion anterior.

### Art. 15

Se formularon respecto de este artículo algunas observaciones con el objeto de modificarlo o suprimirlo, estimando que las disposiciones consignadas en él podrian importar una limitacion del derecho de las partes para defenderse en la forma que lo juzguen mas conveniente. Se resolvió, sin embargo, mantenerlo tomando para ello en cuenta que el artículo 16 resguarda debidamente el derecho de los interesados.

### Art. 16

Estudiando este artículo observó el señor Yáñez que en su segunda parte solo autoriza el ejercicio de los derechos que confiere a los litigantes en los casos en que el procurador no lo hiciere. Esta restriccion es, a su juicio, innecesaria para mantener la marcha regular del pleito, i ofrece en cambio el inconveniente de que en cada caso habria que aguardar el último momento del plazo para saber si el mandatario formula las peticiones i recursos que las partes desean interponer; a ménos que se obligue a éstos a presentar solicitudes condicionales, que exijirian providencias tambien condicionales, entorpeciendo sin objeto la tramitacion de la causa.

Así lo juzgaron los demas miembros de la Comision i aceptaron, en consecuencia, la indicacion del señor Yáñez para suprimir del artículo del proyecto la frase: *cuando el procurador no lo hiciere*, dejando de esta manera establecido que el derecho de la parte en este caso es el mismo del procurador. El artículo quedó redactado en la forma que sigue:

«Art. 16. Cualquiera de las partes representadas « por el procurador comun que no se conforme con « el procedimiento adoptado por él, podrá separa- « damente hacer las alegaciones i rendir las prue- « bas que estime conducentes, pero sin entorpecer « la marcha regular del juicio i usando de los mis- « mos plazos concedidos al procurador comun. Po- « drá sin embargo solicitar dichos plazos o su am- « pliacion, o interponer los recursos a que hubiere « lugar, tanto sobre las resoluciones que recaigan « en estas solicitudes, como sobre cualquiera sen- « tencia interlocutoria o definitiva.»

## ART. 17

. La Comision aceptó las disposiciones de este artículo i solo para mayor claridad se alteró como se indica a continuacion la redaccion del inciso segundo.

«Art. 17, inciso 2.º. Sin embargo, podrán pro- « ponerse en una misma demanda dos o mas acciones « incompatibles para que sean resueltas una como « subsidiaria de otra».

## ARTS. 18, 19 i 20

Se dejaron para segunda discusion estos artículos i la indicacion hecha por el señor Yáñez para reemplazar los dos últimos por el siguiente:

«Si fueren dos o mas las partes que litigan ya

« sea como demandantes o demandados podrá el
«juez, a petición de cualquiera de ellas; obligarlas
« a constituir un solo procurador siempre que no
« existiere incompatibilidad de intereses.»

## ART. 21

En cuanto al inciso primero, el señor Richard insinuó que habia conveniencia en fijar el término de
emplazamiento, que es un plazo equitativo i determinado de antemano, en lugar del término razonable que señala el artículo para hacer la declaracion
que en él se ordena i cuya determinacion, dejada
a la apreciacion del juez, puede dar lugar a incidencias que es útil evitar.

Respecto del inciso segundo se observó, por el
señor Riesco, que eran igualmente aplicables al caso en que esta disposicion se coloca, las del artículo
12 i las del artículo 13.

Como consecuencia de estas observaciones se
acordó modificar el artículo en la forma que se indica a continuacion.

«Art. 21. Si la accion ejercida por alguna perso-
« na correspondiere tambien a otra u otras perso-
« nas determinadas, podrán los demandados pedir
« que se ponga la demanda en conocimiento de las
« que no hubieren ocurrido a entablarla, quienes
« deberán espresar en el término de emplazamiento
« si se a lhieren a ella.»

« Si las dichas personas se adhirieren a la de-
« manda se aplicará lo dispuesto en los artículos 12
« i 13. Si declararen su resolucion de no adherir-
« se, caducará su derecho. I si nada dijeren dentro
« del término legal; les afectará el resultado del
« proceso, sin nueva citacion. En este último caso
« podrán comparecer en cualquier estado del jui-
« cio, pero respetando todo lo obrado con anterio-
« ridad.»

### ART. 22

Analizando esta disposicion espuso el señor Yáñez que habia conveniencia en facilitar la entrada de un tercero al pleito en que tiene interes a fin de que se ventile en un solo litijio lo que de otro modo exijiria dos contiendas sucesivas; pero desde el momento en que se le admite como parte, por calificar el juez que tiene interes en el juicio, debe figurar como parte directa i correr con él todos los plazos en la forma ordinaria, i no en la escepcional establecida en el artículo 16; pues no habria razon alguna para no concederle la amplitud de defensa que como a tal le corresponde. En consecuencia, hizo indicacion para que se reemplazara la palabra *admitirá* que emplea el artículo, por la frase *podrá el juez admitir*, i se suprimiera la frase *en la forma establecida en el artículo 16*.

El señor Riesco, por su parte, sostuvo que debia mantenerse el artículo en la forma en que está redactado, porque de esta manera se evita que la parte interesada en demorar el juicio pueda coludirse con un tercero que se presente con el solo objeto de prolongar su tramitacion. Agregó que el tercero no estaba obligado a entrar al pleito i a sujetarse por lo tanto a la disposicion del artículo en estudio, ya que tenia espedito su derecho para deducir su accion por separado.

Los señores Ballesteros i Montt sostuvieron las mismas ideas insinuadas por el señor Riesco.

El señor Richard cree que no solo debia limitarse el derecho de tercero en la forma que este artículo establece, sino que debia negársele en absoluto la entrada al juicio i suprimir, por lo tanto, dicho artículo para evitar los entorpecimientos consiguientes a su intervencion.

No lo estimaron así los demas miembros de la Comision, i contra la opinion de los señores Richard

i Yáñez se resolvió aprobar sin modificacion el artículo del Proyecto.

## ART. 23

Recordó a su respecto el señor Riesco que, a fin
de dejar claramente establecido que las personas a
que alude este artículo deben continuar el juicio
en el estado en que se encuentre, la Comision del
Senado habia resuelto agregar al párrafo primero
la frase *continuando el juicio en el estado en que se
encuentre.* Manifestó que habria conveniencia en
mantener esta agregacion para evitar dudas sobre el particular, i tomando en cuenta que, no
obstante las disposiciones anteriores, se consignó
espresamente en el artículo 22.

El señor Yáñez propone que se suprima la segunda parte del artículo.

Considera que la definicion que contiene el inciso segundo ofrece el inconveniente de establecer que en una incidencia de mero trámite, como
es el pronunciarse sobre la entrada al pleito de
un tercero, pueda dictarse una resolucion que afecta a la naturaleza de la accion, como es la calificacion de si el tercero tiene un derecho o una mera
espectativa. Agrega que este prejuzgamiento no
existiria refiriéndose solamente al interes actual,
como lo hace la primera parte del artículo, pues
este interes actual, que en jeneral es una cuestion
de hecho, no altera la naturaleza i alcance de los
derechos que el tercero pretende ejercitar. Por
último hace notar que la definicion indicada daria lugar a dificultades en la marcha misma del juicio,
por cuanto las partes se inclinarian a negar la existencia del derecho del tercero i a pedir que fuera
éste calificado de mera espectativa.

Los señores Montt, Richard i Vergara creen que
las dificultades de que ha hablado el señor Yáñez
se presentarian de igual manera con la definicion

3-4

objetada o sin ella i que, en cambio, hai positiva
ventaja en conservarla sino se quiere que pueda
darse un alcance que la lei no ha querido a lo que
ella entiende por interes actual.

Contra el voto del señor Yáñez se aprobó por
los demas miembros de la Comision el artículo del
Proyecto con la agregacion recordada por el señor
Riesco, quedando el artículo como sigue:

«Art. 23. Los que, sin ser parte directa en el jui-
« cio, tuvieren interes actual en sus resultados, po-
« drán en cualquier estado de él intervenir como
« coadyuvantes, i tendrán en tal caso los mismos
« derechos que concede el artículo 16 a cada una
« de las partes representadas por un procurador
« comun, continuando el juicio en el estado en que
« se encuentre.

«Se entenderá que hai interes actual siempre
« que existe comprometido un derecho i no una
« mera espectativa, salvo que la lei autorice espe-
« cialmente la intervencion fuera de estos casos.»

ART. 24

Aprobado sin modificacion.

ART. 25

Fué tambien aprobado sin otra alteracion que
reemplazar la frase, *i todas por igual,* que aparece en el inciso segundo, por la de, *i todas por cuotas iguales*; quedando aprobado el artículo i modificándose solo la redaccion del inciso segundo en
los términos siguientes:

«Art. 25, inciso 2.° Cada parte pagará los dere-
« chos correspondientes a las dilijencias que hu-
« biere solicitado, i todas por cuotas iguales los de
« las dilijencias comunes, sin perjuicio del reem-

« bolso a que haya lugar, cuando por la lei o por
« resolucion de los Tribunales corresponda a otras
« personas hacer el pago.»

### ARTS. 26 i 27

Se aceptaron sin modificacion.

### ART. 28

Al ocuparse en el estudio de este artículo manifestó el señor Yáñez que si se impone al procurador la obligacion de responder del pago de las cargas pecuniarias a que él se refiere, es solo a virtud
de una presuncion de la lei que lo considera debidamente espensado. Dado este antecedente juzga
que el artículo se redactaria con mas propiedad en
la forma siguiente: *Todo procurador judicial se reputa
suficientemente espensado i deberá en consecuencia satisfacer las cargas pecuniarios de que trata este título.*

Los señores Riesco i Montt consideran innecesaria la modificacion propuesta, porque, cualquiera
que sea la razon de la lei, el pago de las cargas
pecuniarios es una obligacion personal del procurador que emana de la lei misma i se contrae por
el solo hecho de la aceptacion del mandato.

Estas ideas fueron aceptadas por los demas miembros de la Comision i, contra el voto del señor Yáñez, se aprobó sin modificacion el artículo del proyecto.

### ART. 29

Fué aprobado sustituyendo la frase *que se presentaren o evacuaren*, que aparece en el inciso primero, por la de *que se presenten o verifiquen;*

«Art. 29, inciso 1.º Se formará el proceso con los

« escritos, documentos i actuaciones de toda espe ·
« cie que se presenten o verifiquen en el juicio.»

### ART 30

A indicacion del señor Yáñez se resolvió suprimir las frases, *con claridad, i, sin este requisito no será admitido por el secretario*, por estimar respecto de la segunda que no debe dejarse al arbitrio del secretario el dar o no curso a un escrito, ya que es al juez a quien debe corresponder apreciar si se ha cumplido o no con la obligacion que este artículo impone a los litigantes.

Por lo demas se aceptó la disposicion del artículo del Proyecto, cambiando solo su redaccion en la forma siguiente:

«Art. 30. Todo escrito deberá presentarse al tri ·
« bunal de la causa por conducto del secretario
« respectivo i se encabezará con una suma que in ·
« dique su contenido i el trámite de que se trata.»

### ART. 31

Puesto en discusion este artículo se suscitó un largo debate sobre la conveniencia de mantener o no la obligacion de presentar copia de los escritos, insistiendo el señor Richard en que esta medida, en lugar de facilitar la marcha del juicio, impondrá mayores gravámenes a las partes, dando ocasion a incidentes sobre la entrega o exactitud de las copias.

En el curso de la discusion, se indicó la conveniencia de restrinjir los términos jenerales de la disposicion en el sentido de que la copia solo debe darse a las partes a quienes sea necesario notificar la providencia que en el escrito recaiga, i esceptuar conforme al artículo 10 del Código de Enjuiciamiento de España, los escritos que tengan por objeto personarse en el juicio, acusar rebeldías, pedir apremios, prórroga de término, etc., i cualesquiera otras dilijencias de mera tramitacion.

Quedó pendiente la discusion de este artículo i se levantó la sesion.

GERMAN RIESCO.

*Luis Barriga,*
Secretario.

## SESION 4.ª EN 24 DE NOVIEMBRE DE 1900

Se abrió la sesion presidida por el señor Riesco i con asistencia de los señores Ballesteros, Montt, Silva Cruz, Bañados Espinosa, Richard, Vergara i el Secretario.

Se leyó i aprobó el acta de la sesion anterior.

### ARTÍCULO 31

De acuerdo con las ideas emitidas en la sesion anterior se resolvió sustituir el artículo por el siguiente:

Art. 31. «Junto con cada escrito deberán acom-
« pañarse en papel simple tantas copias cuantas
« sean las partes a quienes debe notificarse la pro-
« videncia que en él recaiga i confrontadas dichas
« copias por el secretario, se entregarán a la otra
« u otras partes, o se dejarán en la secretaría a
« disposicion de ellas cuando la notificacion no
« se hiciere personalmente o por cédula.

«Se esceptúan de esta disposicion los escritos que
« tengan por objeto personarse en el juicio, acusar
« rebeldías, pedir apremios, prórroga de términos,
« publicacion de probanzas, señalamiento de vistas,

« su suspension i cualesquiera otras dilijencias de
« mera tramitacion.

«Si resultare disconformidad sustancial entre las
« copias i el escrito orijinal, podrá el tribunal im-
« poner una multa de diez a doscientos pesos, sin
« perjuicio de las demas acciones que competan.»

### ARTS. 32, 33 i 34.

Se aprobaron sin modificaciou alguna.

### ART. 35

Observó a su respecto el señor Vergara que habria conveniencia en que eu la foja que se ordena
agregar en lugar de las piezas desglosadas, se indi-
cara tambien el número que corresponde en el espediente a las fojas estraidas.

Los demas miembros de la Comision aceptaron
la idea del señor Vergara, pero creyeron que estaba comprendida en los términos del artículo del
Proyecto.

Cree tambien la Comision que es evidente, como
lo insinuó el señor Ballesteros, que deben ser de
papel sellado las fojas que se agreguen al proceso
a virtud de la disposicion en estudio, i solo para
evitar dudas se deja de ello testimonio en la presente acta.

En esta intelijencia fué aprobado el artículo.

### ART. 36

Se hizo presente que podria ampliarse el derecho de sacar el espediente al caso en que las partes lo pidieran de comun acuerdo; pero la Comision juzgó innecesario i aun inconveniente establecerlo en esta disposicion. ya que es indiscutible el
derecho de las partes no solo para sacarlos de la

secretaría, sino aun para destruirlos en los casos en que procedan de comun acuerdo.

## ART. 37

Fué aprobado sin alteracion.

## ART. 38

A indicacion del señor Riesco se acordó suprimir la palabra *graves*, que aparece al final del inciso segundo, por estimar, de acuerdo con el señor Silva Cruz i demas miembros de la Comision, que la idea que ella espresa está comprendida en la frase, *que autoricen desde luego esta medida*, con que concluye dicho inciso.

Se resolvió tambien dejar establecido que la frase, *ser apremiado*, contenida en el mismo inciso comprende en este caso el hecho de llevarse a efecto el apremio con el arresto del procurador.

## ART. 39

En cuanto a la primera parte del artículo observa el señor Montt que ésta disposicion importa una innovacion en la práctica actual, que autoriza a las partes para sacar i devolver los espedientes en que se pide dictámen al ministerio o a los defensores públicos, i que talvez habria conveniencia en mantener esta práctica.

Los señores Riesco i Richard consideran preferible la disposicion del artículo del Proyecto, porque con ella se evita que la parte impuesta de una vista desfavorable a sus intereses, espedida por un defensor de menores, por ejemplo, retenga en su poder este dictámen para llevar mas tarde el espediente a otro de los funcionarios que ejerzan el mis-

mo cargo, confiada en que puede apreciar su derecho en términos que le sean favorables.

Creen tambien, como los demas miembros de la
Comision, que con arreglo al artículo del Proyecto
los funcionarios a que él se refiere deben devolver
directamente al secretario los espedientes que éste
les ha entregado bajo recibo.

Entiende por último la Comision, como lo indicó
el señor Bañados Espinosa, que la última parte
del artículo no se refiere a la remision del espediente que se hace de primera a segunda instancia i vice-versa.

## Arts. 40 i 41

Se aprobaron sin modificacion.

## Art. 42

Estudiando en seguida la forma de notificacion
que establece este artículo, cree la Comision que
si bien es cierto que la presencia de los testigos
que exije el Proyecto daria mayor seriedad a la
notificacion, no es sin embargo, una garantía indispensable. De acuerdo con esta idea, i a fin de evitar las dificultades a que en la práctica daria lugar
la formalidad indicada, se acordó suprimirla, quedando el artículo redactado en la forma adoptada
por la Comision del Senado, que es la siguiente:

Art. 42. «En toda jestion judicial, la primera no-
« tificacion a las partes o personas a quienes hayan
« de afectar sus resultados, deberá hacérseles per-
« sonalmente, dándose lectura de la resolucion al
« notificado si fuere el actor, i si fuere el deman-
« dado o reo, entregándole copia íntegra de la re-
« solucion i de la solicitud en que hubiere recaido,
« cuando fuere escrita.»

Como consecuencia de la alteracion introducida
en este artículo, se acordó suprimir el 46 i modifi-

car los artículos 45, 47, 48 i 50 en cuanto se rela-
cionan con la presencia de los testigos en el acto
de la notificacion i en los términos que se indicarán mas adelante.

### Art. 43

Fué aprobado sin alteracion alguna.

### Art. 44

El señor Vergara observa que, dada la importancia que la lei atribuye a la primera notificacion, hai
manifiesta conveniencia en que el ministro de fe
deje constancia detallada en el espediente de las
indagaciones que ha hecho para averiguar el domicilio de la persona a quien se va a notificar, a fin
de que el juez pueda hacer uso de la facultad que
este artículo le confiere con pleno conocimiento
de causa.

Estimando justificadas estas observaciones se
acordó modificar con arreglo a ellas el artículo del
proyecto en la forma siguiente:

Art. 44. «Podrá el tribunal ordenar que se haga
« la notificacion en otros lugares que los espresa-
« dos en el artículo anterior, cuando la persona a
« quien se trate de notificar no tuviere habitacion
« conocida en el lugar en que ha de ser notificada.
« Esta circunstancia se acreditará por certificado
« de un ministro de fe que afirme haber hecho las
« indagaciones posibles de las cuales dejará testi-
« monio detallado en la respectiva dilijencia.»

### Art. 45

A virtud de ls resuelto al tratar del artículo 42
se reemplazó por el siguiente:

Art. 45. La notificacion se hará constar en el
« proceso por dilijencia que suscribirá el notifica-

« do i el ministro de fe i si el primero no pudiere
« o no quisiere firmar, se dejará testimonio de este
« hecho en la misma dilijencia.

«Se espresará ademas el lugar en que se verifi-
« que el acto i la fecha con indicacion de la hora
« a lo ménos aproximada.

### Art. 46

Suprimido en conformidad a lo acordado al modificar el citado artículo 42.

### Art. 47

Al tratar de este artículo se hizo presente que la Comision del Senado consideró de toda evidencia que, en conformidad al inciso primero, solo podian aplicarse las disposiciones del inciso segundo cuando la parte hubiera sido buscada en su habitacion o en el lugar donde ordinariamente ejerce su industria, profesion o empleo. Sin embargo para evitar que pudiera dar lugar a dudas la referencia que hace el inciso primero al artículo 43, que establece ademas otros lugares hábiles para los efectos de la notificacion, estimó preferible suprimir esta referencia i redactar el inciso de acuerdo con las ideas enunciadas.

Estimó tambien la Comision del Senado que no habia razon alguna para imponer al vecino de un litigante la obligacion de recibir i entregar las copias a que alude el inciso segundo; i que, por el contrario, el procedimiento indicado se presta a que la parte obtenga del vecino que declare no haberle entregado dichas copias, pudiendo así anularse el procedimiento en conformidad con la parte final del artículo del Proyecto i sin otra sancion que una multa de uno a cincuenta pesos.

Por estas razones juzgó que en lugar de entregarse al vecino las copias referidas era preferible

que la notificacion se hiciera fijando en la puerta de
la morada donde se va a practicar, un aviso que diera noticia de la demanda con especificacion exacta
de las partes, materia de las causa, juez que conocia
en ella i de la resolucion que se va a notificar.

Tuvo presente tambien la Comision que podia
ocurrir el caso en que los moradores de la casa
donde se va a hacer la notificacion se negaran a
recibir las copias de que habla este artículo o im-
pidieran la entrada al ministro de fe i estimó que
en estos casos deberia adoptarse tambien el procedimiento indicado.

En conformidad con estas ideas, que fueron aceptadas por todos los miembros de la Comision, se
sustituyó el artículo en estudio por el siguiente:

«Art. 47 Si buscada en dos dias distintos en la
« habitacion del notificado o en el lugar donde ha-
« bitualmente ejerce su industria, profesion o em-
« pleo, no fuere habida la persona a quien debe
« notificarse, se acreditará por medio de una infor-
« macion sumaria que ella se encuentra en el lugar
« del juicio i cual es su morada, bastando para com-
« probar la primera circunstancia la declaracion de
« testigos singulares.

«Establecidos ámbos hechos, ordenará el tribu-
« nal que la notificacion se haga entregando las
« copias a que se refiere el artículo 42 a cualquiera
« persona adulta que se encuentre en la morada del
« que se va a notificar; i si nadie hubiere allí, o si
« por cualquiera otra causa no fuere posible entre-
« gar dichas copias a las personas que en ella se
« encuentren, se fijará en la puerta un aviso que
« dé noticia de la demanda, con especificacion
« exacta de ias partes, materia de la causa, juez
« que conoce en ella i de las resoluciones que se
« notifican.»

El señor Bañados E. habria deseado que se adop-
tara un procedimiento mas seguro para dar noticia
a las partes de las resoluciones que se les notifican

en esta forma; pero aceptó el artículo en los términos espresados, tomando en cuenta la disposicion
del artículo 49.

### ART. 48

Esta disposicion fué aprobada sin otra modificacion que suprimirle la referencia a los testigos i
quedó redactada como sigue:

«Art. 48. La dilijencia de notificacion en el caso
« del artículo precedente se estenderá en la forma
« que determine el artículo 45, siendo obligada a
« suscribirla la persona que reciba las copias, si
« pudiere hacerlo, dejándose testimonio de su nom-
« bre, edad profesion i domicilio.»

### ART. 49

Sostuvo el señor Richard que no habia razon para
exijir que se hiciera gratuitamente el servicio de
correos para la remision de las cartas que este artículo ordena dirijir a las partes, i formuló, en
consecuencia, indicacion para suprimir la palabra
*gratuitamente*. Esta idea fué aceptada por el señor Montt i objetada por el señor Ballesteros por
estimar que no es equtiativo imponer al secretario la obligacion de hacer un gasto que muchas
veces puede quedar insoluto. Para salvar este inconveniente propone que la carta se dirija por el
ministro de fe que puede reclamar el pago al exijírsele la devolucion de los antecedentes.

Los señores Montt, Bañados E. i Richard juzgan
preferible esta última indicacion, teniendo tambien
presente que el ministro de fe puede dirijir la carta
el mismo dia en que practica la notificacion, lo
que de ordinario no podrá hacer el secretario, que
tiene que esperar la devolucion de los autos, quedando así en manos dél ministro de fe hacer inútil

el aviso por carta con solo demorar la entrega de la pieza a la secretaría.

El señor Silva Cruz considera que ofrece mas garantía el sistema del Proyecto que da intervencion a dos funcionarios distintos, a lo que observa el señor Montt que los libros del correo serán el mejor comprobante de las omisiones en que pudieran incurrir los ministros de fe.

Aceptadas por la Comision las indicaciones de los señores Ballesteros i Richard, se acordó modificar en los términos siguientes el artículo del Proyecto:

«Art. 49. Cuando la notificacion se efectuare en « conformidad al artículo 47, el ministro de fe de-« berá dar aviso de ella el mismo dia al notificado, « dirijiéndole con tal objeto carta certificada por la « oficina respectiva de correo. Del envío se dejará « testimonio en los autos; pero su omision no inva-« lidará la notificacion i solo hará responsable al « infractor de los perjuicios que se orijinen, pudien-« do ademas el tribunal que entendiere en el juicio « imponerle una multa de 10 a 100 pesos.

«El mismo aviso se dará en los casos de los ar-« tículos 51 i 53.»

Este segundo inciso se agregó al artículo del Proyecto por las razones que se tuvieron presentes al tratar del citado artículo 51.

## Art. 50

Los señores Richard i Vergara pidieron que se suprimiera por innecesaria la palabra *válidamente* del inciso segundo i se acordó esta supresion i la de la frase final del incso primero, *pudiendo en estos casos disponer que se proceda sin la intervencion de testigos*, a virtud de lo anteriormente resuelto sobre la presencia de éstos en el acto de la notificacion. El artículo quedó, en consecuencia, reducido a los términos siguientes:

«Art. 50. La forma de notificacion de que tratan
« los artículos precedentes se empleará siempre que
« la lei disponga que se notifique a alguna persona
« para la validez de ciertos actos, o cuando los tri-
« bunales lo ordenaren espresamente,

«Podrá, ademas, usarse en todo caso.»

## ART. 51

Analizando esta disposicion espone el señor Bañados E. que, dadas las garantías adoptadas para
asegurar la seriedad de la primera notificacion,
considera innecesarias las demas que este artículo
prescribe, salvo el caso de reconvencion, ya que esta
importa en realidad una nueva demanda.

Los demas miembros de la Comision estiman útiles las notiticaciones que deben practicarse en conformidad a este artículo del Proyecto; porque juzgan
de manifiesta conveniencia que lleguen seguramen-
te a conocimiento de las partes los trámites esenciales del pleito i sobre todo la sentencia definitiva.

Con este procedimiento se evitan los perjuicios
que puede ocasionar a los litigantes un descuido
involuntario en el ejercicio oportuno de sus derechos de defensa, i que podrian ser irreparables si
hubiera de aplicarse la forma de notificacion que
establece el artículo 53 a las resoluciones que menciona el artículo en estudio. En cambio, tratándose
solo de una notificacion por cédula, no hai peligro
de retardar con ella la tramitacion de la causa.

A virtud de estas consideraciones se aceptó en
jeneral el artículo i se adoj tó el último inciso agregado al artículo 49.

Sin embargo, a indicacion del señor Vergara, i
como consecuencia de las alteraciones introducidas en los artículos 42, 47 i 49, se modificaron los
incisos segundo i tercero, agregando a este último
la frase *i de la circunstancia de haberse dado el aviso ordenado en el artículo 49.*

Quedó, en consecuencia, redactado el artículo en la forma siguiente:

«Art. 51. Las sentencias definitivas, las resolu-
« ciones en que se dé curso a una reconvencion, se
« reciba a prueba la causa, se cite para sentencia
« definitiva o se ordene la comparecencia personal
« de las partes, se notificarán por medio de cédulas
« que contengan la copia íntegra de la resolucion i
« los datos necesarios para su acertada intelijencia.»

«Estas cédulas se entregarán por un ministro de
« fe en el domicilio del notificado, en la forma esta-
« blecida en el inciso segundo del artículo 47.»

«Se pondrá en los autos testimonio de la notifi-
« cacion con espresion del dia i lugar, del nombre,
« edad, profesion i domicilio de la persona a quien se
« hiciere la entrega i de la circunstancia de haberse
« dado el aviso ordenado en el artículo 49.»

«El procedimiento que establece este artículo
« podrá emplearse en otros casos que los que indica
« el inciso primero, cuando el tribunal espresamen-
« te lo ordene.»

## Art. 52

Con relacion a este artículo, juzga la Comision que, dada la estension considerable que comprende la jurisdiccion de los jueces de letras, hai manifiesta conveniencia en que el domicilio que debe designar el litigante se fije dentro de los límites urbanos i que debiera así establecerse como regla jeneral.

Es verdad que el juez puede ordenarlo en cada caso particular, a virtud de lo dispuesto en el inciso segundo; pero como en la jeneralidad de los casos se reclamará, sin duda, el ejercicio de esta facultad, es preferible evitar un incidente a este respecto, consignando la regla jeneral propuesta.

Estas ideas sin embargo, no seria posible aplicarlas a los juicios que se tramitan ante los jueces de subdelegacion o distrito, sobre todo en las secciones rurales, i con relacion a ellos podrian rejir las disposiciones del artículo del proyecto. Se acordó, en consecuencia, reemplazarlo por el siguiente:

«Art. 52. Para los efectos del artículo anterior,
« todo litigante deberá, en su primera jestion judi-
« cial, designar un domicilio conocido dentro de los
« límites urbanos del lugar en que funcione el tribu-
« nal respectivo, i esta designacion se considerará
« subsistente miéntras no haga otra la parte intere-
« sada, aun cuando de hecho cambie su morada.»

«En los juicios seguidos ante los jueces de sub-
« delegacion o distrito, el domicilio deberá fijarse en
« un lugar conocido dentro de la jurisdiccion del tri-
« bunal correspondiente, pero si el lugar designado
« se hallare a considerable distancia de aquel en que
« funciona el juzgado, podrá éste ordenar sin mas
« trámite i sin ulterior recurso, que se designe otro
« dentro de límites mas próximos.»

## ART. 53

Las disposiciones que consigna este artículo fueron objeto de una detenida discusion, en el curso de la cual sostuvo el señor Montt la conveniencia de reemplazar la forma de notificacion que en él se establece por un aviso dirijido a las partes en carta certificada. Cree el señor Montt que la formacion del cuadro que debe hacerse para los efectos de la notificacion, es una operacion larga, que de ordinario no estará terminada a hora oportuna; que el sistema del Proyecto ofrece ademas el inconveniente, a su juicio grave, de obligar a los litigantes a asistir diariamente al tribunal para saber si se ha dictado en su pleito alguna providencia.

Los señores Riesco i Ballesteros, sin desconocer las facilidades que daria a las partes el procedimiento propuesto por el señor Montt, creen que debe mantenerse el artículo del Proyecto; pero acep-

tan, por la razon indicada, que se dé tambien aviso
por cartas de todas las providencias i resoluciones
a que este artículo se refiere.

El señor Richard, por su parte, sostiene que debe
adoptarse uno u otro procedimiento, pero no los
dos, porque de esta manera se hará mui dificultoso
el servicio de la secretaría.

Se resolvió por último conservar el artículo en
los términos del Proyecto; pero agregando, contra
la opinion del señor Richard, a la notificacion por
la tabla, el aviso por carta que propone el señor
Montt. A virtud de este acuerdo se agregó el último inciso del artículo 49 en cuanto dice relacion
con el artículo 53.

Sin embargo, se tuvo presente que las notificaciones de que trata el artículo deben hacerse por
el secretario, i en atencion a esta circunstancia, se
acordó agregar el siguiente último inciso:

«Art. 53 inciso último. Las cartas indicadas en
« el inciso segundo del artículo 49 serán dirijidas
« por el secretario para los efectos del presente ar-
« tículo i de su envío se dejará tambien testimonio
« en el proceso.»


## ART. 54

Se aprobó sin modificacion.


## ART 55

Cree el señor Riesco que con la modificacion introducida en el artículo 53 casi es inútil este artículo; pero se resolvió conservarlo ampliando a seis
meses el plazo que en él se fija, quedando, en consecuencia, como sigue:

«Art. 55. Si trascurrieren seis meses sin que se
« dicte resolucion alguna en el proceso, no se consi-
« derarán como notificaciones válidas las anotacio-

« nes en el estado diario miéntras no se haga una
« nueva notificacion personalmente o por cédula.»

### ART. 56

El Secretario hace presente: que suele suceder
que con un nombre supuesto o de persona sin domicilio conocido se inicia una peticion que, como
las tercerías, puede entorpecer la tramitacion de
la causa; i que, segun el artículo 42, la primera notificacion debe hacerse personalmente á las partes,
lo que seria difícil o imposible en el caso propuesto. Para evitar este inconveniente insinúa la
idea de modificar el artículo en estudio en el sentido de que la notificacion de que trata el artículo
42 se haga en la forma establecida en el 53
respecto del actor que no haya designado domicilio.

El señor Ballesteros estima fundadas estas observaciones, pero cree preferible para obtener el
mismo resultado, modificar el artículo 42 refiriéndolo solo al demandado.

Quedó este asunto para ser resuelto en la próxima sesion, i se levantó la presente.

GERMAN RIESCO.

*Luis Barriga,*
Secretario.

## SESION 5.ª EN 27 DE NOVIEMBRE DE 1900

Se abrió la sesion, presidida por el señor Riesco,
i con asistencia de los señores Ballesteros, Montt,
Silva Cruz, Richard, Vergara i el Secretario.
Se leyó i aprobó el acta de la sesion anterior.

## ART. 42

Se trató nuevamente de la insinuacion hecha al terminar la reunion anterior para modificar el artículo 56, con el objeto de hacer estensiva la forma de notificacion establecida en el artículo 53 al actor que no hubiere designado domicilio, para los efectos de su primera notificacion.

Todos los miembros de la Comision están de acuerdo en que no hai razon alguna para que sea personal la primera notificacion que se haga al actor, que debe suponerse interesado en conocer la resolucion recaida en su propia solicitud. Aceptaron, en consecuencia, la indicacion del señor Ballesteros para modificar el artículo 42 en el sentido indicado i en la forma siguiente:

«Art. 42. En toda jestion judicial, la primera
« notificacion a las partes o personas a quienes ha-
« yan de afectar sus resultados, deberá hacérseles
« personalmente, entregándoseles copia íntegra de
« la resolucion i de la solicitud en que hubiere re-
« caido cuando fuere escrita.

«Esta notificacion se hará al actor en la forma es-
« tablecida en el artículo 53.»

## ART 56

Con la reforma introducida en el artículo 42 se aprobó el 56 sin modificacion.

## ART. 57

Respecto del inciso primero, observa el señor Vergara, bastaria establecer que los avisos a que él se refiere deben contener los datos exijidos para la notificacion personal, que es a su juicio, innecesario agregar, *o por cédula*, ya que la parte final del inciso autoriza la publicacion en estracto cuan-

do fuere mui dispendioso hacerlo en la forma ántes
indicada. Agregó que el estracto aludido deberia
ser redactado por el secretario, que es el ministro
de fe encargado de hacer la notificacion i que, por
otra parte, la aprobacion del juez, que exije el inciso del Proyecto, podia dar lugar a incidencias que
es útil prevenir. Propuso, en consecuencia, suprimir
la frase *o por cédula* i sustituir tambien la frase
*aprobada por él mismo*, por la de, *redactado por el secretario.*

En cuanto al último inciso, hizo presente el señor Richard que podria suceder que el dia primero del mes no se publicaia el *Diario Oficial*, i en
tal caso no seria posible cumplir con esta disposicion. Indicó tambien la conveniencia de autorizar
la publicacion en dos dias del mes para evitar
demoras en la notificacion, que podian llegar a un
mes cuando se trata de escritos presentados el dia
primero.

**Para** evitar estas dificultades, propone que se
consigne en este inciso que la insercion en el *Diario Oficial* se haga en los dias primero i quince de
cada mes o en el siguiente si no se hubiere publicado en esos dias.

Aceptadas por la Comision las indicaciones de
los señores Vergara i Richard, quedó redactado el
artículo como sigue:

Art. 57. «Cuando hubiere de notificarse perso-
« nalmente o por cédula a personas cuya individua-
« lidad o residencia sea dificil determinar, o que por
« su número dificultaren considerablemente la prác-
« tica de la dilijencia, podrá hacerse la notificacion
« por medio de avisos publicados en los diarios o
« periódicos del lugar donde se sigue la causa, o de
« la cabecera de la provincia, si allí no los hubiere.
« Dichos avisos contendrán los mismos datos que se
« exijen para la notificacion personal; pero si la
« publicacion en esta forma fuere mui dispendiosa
« atendida la cuantía del negocio, podrá disponer el

« tribunal que se haga en estracto redactado por
« el secretario.

«Para autorizar esta forma de notificacion, i para
« determinar los diarios o periódicos en que haya de
« hacerse la publicacion i el número de veces que
« deba repetirse, el cual no podrá bajar de tres, pro-
« cederá el tribunal con conocimiento de causa i
« con audiencia del ministerio público.

«Cuando la notificacion hecha por este medio
« fuere la primera de una jestion judicial, será nece-
« sario ademas para su validez que se inserte el
« aviso en los números del *Diario Oficial* corres-
« pondientes a los dias primero o quince de cual-
« quier mes o al dia siguiente si no se hubiere publi-
« cado en las fechas indicadas.»

Art. 58

Manifestó el señor Riesco que dada la forma de
notificaciones acordadas podia suprimirse el artículo sin inconveniente. Se acordó, sin embargo,
mantenerlo, a indicacion del señor Ballesteros, porque podria tener aplicacion respecto de las resoluciones que deben notificarse personalmente o por
cédula.

Art. 59

El señor Montt hizo indicacion para suprimir
este articulo por estimar que no pódia llegar el
caso en que deba notificarse a una persona que no
sea parte en el pleito ni le afecten sus resultados.

El señor Ballesteros sostuvo que debia mantenerse i observó que las disposiciones de este artículo
se referian a los peritos, tasadores, a terceros en
cuyo poder se ordena retener fondos de alguna de
las partes, etc.; todas estas son personas estrañas
al juicio, no les afectan sus resultados i no obstante
a menudó llega el caso de notificarles resoluciones
judiciales.

El señor Riesco confirmó la observacion del
señor Ballesteros. Añadió que solo deberia modificarse la referencia que contiene el proyecto a los
artículos 42 a 52, porque con ella no se comprenden
las diversas formas de notificacion i propuso, en
consecuencia, que se modificara el artículo en la
forma siguiente:

Art. 59. «Las notificaciones que se hagan a ter-
« ceros que no sean parte en el juicio, o a quienes
« no afecten sus resultados, se harán personalmente
« o por cédula.»

Se aprobó el artículo en los términos indicados
por el señor Riesco.


## Art. 60


La Comision cree que no ofrece los inconvenientes que se ha tratado de evitar con esta disposicion
la práctica establecida de permitir a las partes ape·
lar de una resolucion en el acto en que se notifica
i que, por el contrario, hai ventaja manifiesta en
mantenerla, i acordó sustituir el artículo por el que
sigue, que fué aprobado por la Comision del Senado:

Art. 60. «Las dilijencias de notificacion que se
« estampen en los procesos, no contendrán declara·
« cion alguna del notificado, salvo que la resolu·
« cion ordene o, por su naturaleza, requiera esa
« declaracion, o que se apele en dicho acto del fallo
« que se notifica.»


## Art. 61


Respecto del artículo 61, la Comision juzgó que
el empleado a que dicha disposicion se refiere, deberia ser nombrado por el tribunal de quien inme·
diatamente dependa, i en consecuencia, se reemplazó por el siguiente:

Art. 61. «Las funciones que en este título se
« encomiendan a los secretarios de tribunales, po-
« drán ser desempeñadas bajo la responsabilidad de
« éstos, por el oficial primero de la Secretaría, el
« cual se nombrará por el tribunal de quien inme-
« diatamente dependa a propuesta del secretario i
« prestará juramento para el buen desempeño de
« su cargo ante el mismo tribunal o ante el Presi-
« dente de él si fuere colejiado».

## TITULO VII

Se acordó denominarlo «De las actuaciones judiciales».

### ARTS. 62 I 63

Aprobado sin modificacion.

### ART. 64

El señor Montt indicó que podria modificarse el
inciso segundo en el sentido de que la actuacion
debe ser suscrita tambien por el funcionario que
intervenga en ella i suprimirse el inciso tercero,
que está redactado en términos que tienen mucho
mas alcance que el que la lei ha querido darle a esta
disposicion. No puede, a su juicio, afirmarse de un
modo tan absoluto que sea esencial para la validez
del acto la firma del ministro de fe, ya que aun sin
ella puede tener algun valor. Recuerda a este respecto que ha sucedido el caso que los tribunales
han ordenado suscribir escrituras al sucesor de un
notario que murió sin haberlas firmado.

Los demas miembros de la Comision estiman que
siendo la firma del ministro de fe una solemnidad
de la actuacion exijida por la lei, sin ella no puede

verificarse válidamente, i aprobaron, en consecuen·
cia. el artículo del proyecto.

### ART. 65

Se aprobó sin modificacion.

### ART. 66

Fué tambien aprobado i solo se cambió su re·
daccion por la que sigue:

Art. 66. «Cuando sea necesaria la intervenciou
« de intérprete en una actuacion judicial, se recu·
« rrirá al intérprete oficial, si lo hubiere, i en caso
« contrario al que designe el tribunal.»

«Los intérpretes deberán tener las condiciones
« requeridas para ser peritos, i se les atribuirá el ca·
« rácter de ministros de fe.

«Antes de practicarse la dilijencia deberá el in·
« térprete prestar juramento para el fiel desempeño
« de su cargo».

### ART. 67

Observó el señor Montt que la redaccion dada al
artículo permite considerar incluidos en él toda
clase de derechos, lo que indudablemente no se ha
pretendido; que, por otra parte, término fatal no es
lo mismo que perentorio, i por último, que el derecho de contestar a la demanda, por ejemplo, i los
demas trámites del juicio que tienen señalado un
plazo para su ejercicio, caducarian por el solo hecho de trascurrir el plazo fijado por la lei, lo que
en realidad no sucede dentro de las disposiciones
de este Código.

En cuanto a la última objecion, espuso el señor
Silva Cruz que, atendidos los términos de este ar·
tículo, se habia tenido especial cuidado al redactar

el Proyecto de no espresar en ninguna de sus disposiciones que los trámites a que alude el señor Montt deban ejecutarse en o dentro del plazo establecido. Agregó que en realidad se habia usado la palabra perentorio como sinónima de fatal i que no tendria inconveniente en suprimir la primera, como lo ha insinuado el señor Montt.

El señor Riesco, refiriéndose a la primera observacion del señor Montt, manifestó que la disposicion en estudio solo ha podido referirse a los derechos que se rijen por el presente Código i en manera alguna a otra clase de derechos.

En esta intelijencia fué aprobado en la forma siguiente el artículo del Proyecto, suprimiéndole solo la frase o *perentorio:*

Art. 67. «Los derechos para cuyo ejercicio se « concediere un término *fatal* o que supongan un « acto que deba ejecutarse *en o dentro de cierto tér-* « *mino,* se entenderán irrevocablemente estingui- « dos por el ministerio solo de la lei, si no se ejer- « cieren ántes del vencimiento de dichos términos.»


### ART. 68

Fué aprobado sin alteracion.


### ART. 69

Se recordó al estudiar este artículo que la Comision del Senado habia estimado que debia consignarse en él la facultad del tribunal para habilitar los dias feriados cuando hubiere motivos graves.

Esta idea fué aceptada tambien por todos los miembros de la Comision.

El señor Montt sostiene ademas que no deberian suspenderse los términos para interponer los recursos de apelacion i de nulidad que no exijen mucho tiempo para deducirlos.

Los señores Richard i Vergara creen que no hai razon para eliminar de la regla jeneral los términos a que se refiere el señor Montt, sobre todo el señalado para interponer el recurso de nulidad que requiere estudio de la causa i la intervencion del abogado.

El señor Richard, por su parte, estima que deben suspenderse los términos, no solo en los dias que espresa este artículo, sino en todos los dias feriados, como una consecuencia lójica del principio que al impedido no le corre término apto.

El señor Ballesteros apoyó esta indicacion i fué tambien aceptada por la Comision.

El artículo quedó redactado en la forma siguiente:

Art. 69. «Los términos de que trata el presente « Código se entenderán suspendidos durante los « dias feriados, salvo que el tribunal, por motivos « graves, hubiere dispuesto espresamente lo con- « trario.»


ARTS. 70, 71, 72, 73, 74 i 75


Se aprobaron sin modificacion.


ART. 76


Al tratarse del artículo 76, se hizo presente que sucede a menudo que al pedir un exhorto, sobre todo para un departamento lejano, no se tiene aun noticia de quién podrá dilijenciarlo, i que muchas veces se envia al secretario del juzgado pidiéndole lo haga despachar por la persona que él designe.

Tomando en cuenta estas observaciones cree la Comision que deberia modificarse el artículo, en cuanto establece la condicion de espresar en el exhorto el nombre del encargado, manteniéndolo solo para el caso en que la parte lo juzgue conveniente. Propone, en consecuencia, reemplazarlo por el siguiente:

Art. 76. «En las jestiones que fuere necesario ha-
« cer ante el tribunal exhortado, podrá intervenir
« el encargado de la parte que solicitó el exhorto,
« siempre que en éste se esprese el nombre de di-
« cho encargado o se indique que puede dilijen-
« ciarlo el que 'lo presente o cualquiera otra per-
« sona.»

### ART. 77

Fué aprobado en los términos del Proyecto.

### ART. 78

Puesto en discusion este artículo, el señor Richard hizo algunas observaciones sobre la impropiedad de la palabra territorio i se dejó para tratar
nuevamente de él en la próxima sesion.

Se levanto la sesion.

GERMAN RIESCO.

*Luis Barriga,*
Secretario.

## SESION 6.ª EN 1.º DE DICIEMBRE DE 1900

Se abrió la sesion, presidida por el señor Riesco
i con asistencia de los señores Ballesteros, Silva
Cruz, Bañados Espinosa, Richard i el Secretario.

Se leyó i aprobó el acta de la sesion anterior.

### ART. 78

Se ocupó nuevamente la Comision en el estudio
de este artículo. Insistió el señor Richard en la

impropiedad de la palabra territorio que en él se emplea i propuso reemplazar la frase, *fuera del territorio en que se tramita el juicio*, por la de *fuera del lugar del juicio*.

Aceptada esta indicacion, el mismo señor Richard agregó que seria conveniente dejar establecido si el conservador de bienes raíces debe considerarse como ministro de fe para los efectos de este artículo o si se incluye en la categoría de *funcionarios* a que se refiere la primera parte de la disposicion. Es útil determinarlo dada la frecuencia con que ocurre el caso de pedir se haga una inscripcion fuera del lugar del juicio, porque el conservador, si bien participa en parte del carácter de ministro de fe, puede tambien estimarse como funcionario, ya que actúa por sí solo i no bajo la dependencia de otro o a las órdenes del superior.

Los señores Riesco i Ballesteros creen que la palabra *funcionario* está tomada en el sentido de autoridad i se refiere a las de un órden distinto del poder judicial, como los intendentes, gobernadores, etc., i así lo estiman los demas miembros de la Comision.

El señor Richard no hace indicacion sobre el particular i solo desea evitar dudas respecto del alcance de esta disposicion i para ello basta, a su juicio, la opinion manifestada por la Comision.

En esta intelijencia i a virtud de lo anteriormente acordado, se aprobó el artículo en la forma siguiente:

Art. 78. «Toda comunicacion para practicar ac-
« tuaciones fuera del lugar del juicio será dirijida
« sin intermedio alguno al tribunal o funcionario a
« quien corresponda ejecutarla, aunque no depen-
« da del que reclama su intervencion. Esceptúanse
« las órdenes que deban ejecutar los ministros de
« fe, las cuales se comunicarán por intermedio del
« juez de letras de quien dependan dichos minis-
« tros».

## Art. 79

La Comision cree que debe modificarse solo la última parte del inciso 1.º en los términos que ha propuesto para el artículo 76 i por las mismas razones que se adujeron al tratar de esta última disposicion.

El artículo quedó redactado como sigue:

Art. 79. «Cuando hayan de practicarse actua-
« ciones en pais estranjero, se dirijirá la comunica-
« cion respectiva al funcionario que deba interve-
« nir, por conducto de la Corte Suprema, la cual la
« enviará al Ministerio de Relaciones Esteriores
« para que éste a su vez le dé curso en la forma
« que estuviere determinada por los tratados vi-
« jentes o por las reglas jenerales adoptadas por
« el Gobierno. En la comunicacion se espresará el
« nombre de la persona o personas a quienes la
« parte interesada apodere para practicar las dili-
« jencias solicitadas, o se indicará que puede ha-
« cerlo la persona que lo presente o cualquiera
« otra.

Por este mismo conducto i en la misma forma
« se recibirán las comunicaciones de los tribunales
« estranjeros para practicar dilijencias en Chile.»

## Art. 80

Como en el artículo 49 la Comision cree que no hai razon para que el Correo haga gratuitamente el servicio a que se refiere este artículo. Se suprimió la frase *libre de porte* quedando el artículo redactado en la forma siguiente:

Art. 80 «Toda comunicacion dirijida por un
« tribunal a otro deberá ser conducida a su destino
« por los correos del Estado, pudiendo en casos es-
« peciales, calificados por el tribunal, entregarse a

« la parte que la hubiere solicitado para que jes-
« tione su cumplimiento.»

ART. 81

El señor Richard cree que el juez, de oficio, no
debe dar por evacuados los trámites del pleito en
rebeldía de las partes sino a peticion de ellas; no
solo por que este procedimiento guarda mas conformidad con las funciones propias de su cargo, sino porque puede ocurrir el caso en que por acuerdo
de los abogados o de las partes se retarde la presentacion de un escrito i no obstante podria el juez
declarar rebelde a un litigante que procede así autorizado espresamente por su contendor.

El señor Ballesteros sostiene que hai conveniencia en que se faculte al juez para declarar de oficio las rebeldías en los casos que el Proyecto lo
autoriza en interes de las mismas partes, a quienes
debe suponerse interesadas en la pronta tramitacion de la causa.

El señor Bañados Espinosa estima que conviene dejar establecido cuáles son los casos en que
el juez puede proceder de oficio.

El señor Silva Cruz indica que estos casos están
determinados en el curso del Proyecto. En atencion a esta circunstancia, el señor Richard se reserva para reproducir sus observaciones al estudiar
las disposiciones a que alude el señor Silva Cruz.

Se aceptó, en consecuencia, el artículo modificando solo su redaccion en la forma propuesta por
el señor Richard, que es la siguiente:

Art. 81. «Si venciere el plazo concedido para un
« trámite sin que se practique por la parte a quien
« corresponde, se declarará evacuado dicho trá-
« mite en su rebeldía a peticion de parte, o de ofi-
« cio en los casos espresamente establecidos en la
« lei, i el tribunal proveerá lo que convenga para
« la prosecucion del juicio.»

### Art. 82

El señor Bañados Espinosa formula indicacion para suprimir el artículo estimando que sus disposiciones pueden dar lugar a incidencias que conviene evitar.

El señor Richard acepta esta indicacion por juzgar innecesario el artículo, ya que sin él no podria discutirse el derecho de las partes para pedir la nulidad de lo obrado invocando fuerza mayor.

Los demas miembros de la Comision juzgaron que no debia suprimirse este artículo que consagra un derecho de que no puede privarse a los litigantes, i que los entorpecimientos que prevee el señor Bañados pueden fácilmente salvarse estableciendo de una manera espresa que los incidentes a que dé lugar el ejercicio de este derecho se tramitarán en espediente separado i no suspenderán el curso del negocio principal.

Se aprobó, en consecuencia, el artículo en la forma que sigue, reemplazando solo la frase *la fuerza* del inciso segundo por la de, *el impedimento*, que espresa con mas propiedad la idea del Proyecto:

Art. 82. «Podrá un litigante pedir la rescision de
« lo que se hubiere obrado en el juicio en rebeldía
« suya, ofreciendo probar que ha estado impedido
« por fuerza mayor.

«Este derecho solo podrá reclamarse dentro de
« tres dias, contados desde que cesó el impedimen-
« to i pudo hacerse valer ante el tribunal que co-
« noce del negocio.»

### Art. 83

Fué aprobado sin modificacion; pero a virtud de lo espuesto al tratarse del artículo anterior se acordó agregar a continuacion del 83 el siguiente:

Art. «Los incidentes a que dieren lugar las

« disposiciones contenidas en los dos artículos an-
« teriores, no suspenderán el curso de la causa
« principal i se sustanciarán en cuaderno sepa-
« rado.»

## Arts. 84, 85, 86, 87, 88, 89 i 90

Se aprobaron sin modificacion.

## Art. 91

Se aprobó variando solo su redaccion en la for·
ma siguiente:
Art. 91. «Promovido un incidente, se concederán
« tres dias para responder, i practicado este trámi-
« te, resolverá el tribunal la cuestion si a su jui-
« cio no hubiere necesidad de prueba.»

## Arts. 92, 93 i 94

Aprobados en los términos del Proyecto.

## Art. 95

La Comision cree que hai las mismas razones
para decretar la acumulacion en el caso de concursos que en las quiebras como espresamente lo establecen los articulos 572 i 881 i juzga, en consecuencia, que deberia hacerse estensiva a las quiebras la disposicion contenida en este artículo que
fué así aprobado como sigue:
Art. 95. «Habrá tambien lugar a la acumulacion
« de autos en los casos de quiebra i cuando los
« bienes contra los cuales se haya deducido o se
« deduzca una accion estuvieren sometidos a con-
« curso.
«De esta acumulacion se tratará en el título
« Del concurso de acreedores».

## Art. 96

Aprobado sin modificacion.

## Art. 97

Aceptó tambien la Comision las disposiciones del artículo 97 i solo para mayor claridad sustituyó su redaccion por la siguiente:

Art. 97. «Para que pueda tener lugar la acumu- « lacion, se requiere que los juicios se encuentren « sometidos a una misma clase de procedimiento i « que la sustanciacion de todos ellos se encuentre « en instancias análogas.»

## Art. 98

Por igual razon que la indicada en el caso anterior se reemplazó el artículo 98 por el que se copia a continuacion:

Art. 98. «Si los juicios estuvieren pendientes an- « te tribunales de igual jerarquía, el mas moderno « se acumulará al mas antiguo; pero en el caso con- « trario, la acumulacion se hará sobre aquel que « estuviere sometido al tribunal superior.»

## Arts. 99, 100, 101 i 102

Aprobados sin alteracion.

## Art. 103

Respecto de este artículo la Comision juzga que las disposiciones del inciso segundo deberian aplicarse, no solo a las cuestiones de competencia promovidas por inhibitoria, sino tambien por declina-

7-8

toria i, en consecuencia, quedó redactado el artículo
en la forma siguiente:

Art. 103. «Podrán las partes promover cuestio-
« nes de competencia por inhibitoria o por declina-
« toria.

«Los que hubieren optado por uno de estos me-
« dios, no podrán despues abandonarlo para recurrir
« al otro. Tampoco podrán emplearse los dos si-
« multánea i sucesivamente.»

## Arts. 104, 105. 106 i 107

Aprobados sin modificacion.

## Art. 108

La Comision estima que la disposicion del inciso
primero debe hacerse estensiva a todos los casos
en que la sentencia del tribunal requerido causare
ejecutoria, ya que no hai razon para limitarla al
caso en que sea consentida por las partes. Se acordó,
en consecuencia, sustituir el inciso primero de dicho artículo por el siguiente:

Art. 108. «Si el tribunal requerido accediese a la
« inhibicion i esta sentencia quedase ejecutoriada,
« remitirá los autos al requerente.»

El inciso segundo queda en la misma forma del
Proyecto.

## Arts. 109, 110, 111, 112, 113, 114, 115, 116, 117 i 118

Aprobados.

## Art. 119

Indicó el señor Richard que en el caso de implicancia como en el de recusacion deberia espresarse al solicitar la inhabilitacion del juez, no

solo la causal que se invoca, sino tambien los hechos
en que la funda, tanto para los efectos de la prueba
que hayan de rendir las partes en su caso, como
para la calificacion de los hechos que debe hacer
el tribunal al ejercitar la facultad que le otorga el
artículo 123.

Esta idea fué aceptada por los demas miembros
de la Comision i, aunque algunos, como el señor
Ballesteros, creen que está consultada en los términos del artículo en Proyecto, para espresarla con
mas claridad, se acordó modificar su redaccion en
la forma siguiente:

Art. 119. «La implicancia de un juez que desem-
« peñe tribunal unipersonal se hará valer ante el
« mismo, espresando la causa legal en que se apoya
« i los hechos en que la funda, acompañando u
« ofreciendo presentar las pruebas necesarias i pi-
« diéndole se inhiba del conocimiento del negocio.»


## ARTS. 120 i 121

Aprobados sin modificacion.


## ART. 122

Para dar mayor claridad al inciso primero, i a
indicacion del señor Bañados, se acordó modificarlo, agregando despues de la palabra *recusacion*, la
frase, *de los funcionarios que a continuacion se enumeran*,
ya que solo a ellos pueden referirse sus disposiciones.

Se resolvió asimismo reemplazar la palabra *al-
calde*, del inciso 4.º, por la frase *o de su subrogante legal*,
por cuanto los alcaldes no ejercen al presente funciones judiciales.

Se aceptó, por último, la indicacion formulada por
los señores Ballesteros i Montt para reducir a cinco
pesos la consignacion que debe acompañarse a la

solicitud de implicancia o recusacion de un juez de
subdelegacion i suprimir la multa cuando se trate
de un juez de distrito, en atencion a la escasa cuantía de los asuntos que se tramitan ante esos funcionarios i a las dificultades que puede ofrecer la
consignacion cuando se trate de juicios que se ven-
tilan en lugares distantes de las ciudades en que
puede verificarse.

El artículo quedó, en consecuencia, redactado
como sigue:

Art. 122. «Cuando deba espresarse causa, no se
« dará curso a la solicitud de implicancia o de re-
« cusacion de los funcionarios que a continuacion
« se enumeran, a ménos que el ocurrente estuviere
« declarado pobre, si no se acompaña boleta de con-
« signacion en alguna Tesorería fiscal, de las canti-
« dades que en seguida se espresan para responder
« a la multa de que habla el artículo 126.»

«En la implicancia o recusacion del presi-
« dente, ministros o fiscales de la Corte
« Suprema. . . . . . . . . . . . . . . . . . . . . . . $ 150
«En la del presidente, ministros o fiscales
«de una Corte de Apelaciones . . . . . . . 100
« En la de un juez letrado o de su subrogante
« legal, árbitro de única, de primera o de
« segunda instancia, defensor público o
« promotor fiscal. . . . . . . . . . . . . . . . . . 50
« En la de un relator, perito o secretario . . 30
« En la de un receptor de mayor cuantía . . 20
« En la de un juez de subdelegacion . . . . . 5

«La consignacion ordenada en este artículo se
« elevará al doble cuando se trate de la segunda su-
« licitud de inhabilitacion deducida por la misma
« parte al triple en la tercera i así sucesivamente».

Este último inciso se agregó para armonizar el
artículo con las modificaciones introducidas por la
Comision en el 126.

### Art. 123

Al tratarse de este artículo, los señores Riesco i Richard hicieron a su respecto algunas observaciones encaminadas a uniformarlo con las reformas introducidas en el 119, quedando pendiente su discusion.

Se levantó la sesion.

German Riesco.

*Luis Barriga,*
Secretario.

---

## SESION 7.ª EN 4 DE DICIEMBRE DE 1900

Se abrió la sesion, presidida por el señor Riesco, i con asistencia de los señores Ballesteros, Montt, Vergara, Richard, Yáñez i el secretario.

Se leyo i aprobó el acta de la sesion anterior.

El señor Yáñez hizo presente que el señor don Leopoldo Urrutia, miembro que fué de la comision redactora del Proyecto en estudio, le habia manifestado que concurriria gustoso a las reuniones de esta Comision.

Se encargo al señor Riesco de espresar al señor Urrutia que la Comision acepta con especial agrado su importante concurso.

### Art. 117

El señor Vergara, que no asistió a la sesion en que este artículo fué aprobado, manifiesta que habria conveniencia en modificarlo, facultando a las partes para recusar, al ménos a un secretario, sin necesidad de espresar i probar causa. Los antecedentes o razones que de ordinario imponen i justifican esta medida no siempre constituyen una causal de recusacion i, en todo caso, su prueba es difícil i a menudo imposible. A su juicio es, por lo tanto, casi ilusorio el derecho de recusar a los secretarios, si para ejercerlo se exije espresar i probar causa legal.

El señor Ballesteros, sin desconocer los inconvenientes indicados por el señor Vergara, cree preferible mantener el artículo del Proyecto por las mismas razones que tuvieron presente sus autores, i que no fueron otras que evitar el abuso de los litigantes i los inconvenientes que ofrece en la práctica la recusacion de un secretario, que obliga a sacar de su oficina los antecedentes, i a intervenir en ellos un funcionario estraño al tribunal que conoce de la causa.

El señor Yáñez propuso, para conciliar las anteriores opiniones, que se compeliera a las partes a espresar causa sin obligacion de probarla, con el objeto de evitar abusos, imponiendo a los litigantes una restriccion, al ménos moral, en el ejercicio de este derecho, dejando a salvo la libertad de recusar al secretario sin necesidad de otro trámite.

Los señores Montt i Richard creen que la limitacion propuesta por el señor Yáñez no producirá en la práctica los resultados que ella persigue.

Agrega el señor Montt que, siendo la modificacion indicada por el señor Vergara el restablecimiento de la situacion actual, en órden a la recusacion de los secretarios, acepta la indicacion en vista de las razones indicadas i por no ser, en su concepto, bastantes para alterarla las que sirven de fundamento al artículo del Proyecto.

El señor Ballesteros espone que, autorizada la inhabilitacion de un secretario i próducidos ya los

inconvenientes que trata de evitar el Proyecto, seria preferible ampliar dicha autorizacion a dos secretarios, como lo establece la lei actual i el Proyecto mismo con relacion a los receptores.

Aceptada esta idea por los demas miembros de
la Comision, se modificaron los incisos segundo i
tercero del artículo en la forma siguiente:

Art. 117. inciso 2.º «Para inhabilitar a los peri-
« tos la parte a quien pueda perjudicar su inter-
« vencion, deberá espresar i probar alguna de las
« causas de implicancia o recusacion determinadas
« para los jueces, en cuanto sean aplicables a aque-
« llos.

«Los secretarios i receptores i los funcionarios
« llamados a subrogarlos podrán ser inhabilitados
« sin espresion de causa hasta el número de dos
« por cada parte, en un mismo juicio. Pasado este
« número se procederá en conformidad al inciso
« anterior.»

Entiende tambien la Comision que inhabilitado
el secretario, por este mismo hecho, queda tambien
inhabilitado el oficial primero de la secretaría para
los efectos del artículo 61.


## ART. 123


Continuándose el estudio de este artículo, comenzado en la sesion anterior, insistieron los señores
Riesco i Richard en las observaciones que habian
formulado respecto del inciso primero.

Cree el señor Riesco que el tribunal debe rechazar desde luego la solicitud de inhabilitacion, no
solo en el caso en que la causa no fuere legal, sino
tambien cuando los hechos en que la funda no constituyan la causal que se invoca, ya que para ello no
se necesitan otros antecedentes i se evita, en cambio, la tramitacion inútil de un incidente i los entorpecimientos que toda recusacion produce en el
curso de la causa.

El señor Montt acepta esta indicacion.

El señor Ballesteros, por su parte, estima que la idea insinuada por el señor Riesco está consultada en el artículo del Proyecto.

El señor Richard amplía la indicacion del señor Riesco al caso en que los hechos en que se funda la causal no se hubieren especificado debidamente, como lo exije el artículo 119, en la forma que ha sido aprobado por la Comision, ya que de otra manera quedaria sin sancion alguna la disposicion indicada.

En conformidad con estas ideas, se acordó sustituir el inciso primero de este artículo por el siguiente:

Art. 123. Si la causa alegada no fuere legal, o no la constituyen los hechos en que se funda o si éstos no se especificaren debidamente, el tribunal desechará desde luego la solicitud.

Los incisos segundo i tercero se aprobaron sin modificacion, contra el parecer del señor Yáñez, que opinó porque en los casos a que ellos se refieren, debería citarse a la parte contraria, como lo ordena la lei vijente. El procedimiento adoptado en el Proyecto importa, a su juicio, desconocer a la parte el derecho que tiene de intervenir en el incidente que le afecta, por cuanto se trata de inhibir al juez que conoce del juicio, cosa que, en su concepto, no puede hacerse sin noticia de todos los interesados.

Agregó que esto seria mucho mas grave en los casos en que la inhabilitacion se fundara en antecedentes inexactos, que podrian ser desvirtuados por la parte contraria. Estima, del mismo modo, que no debe aceptarse que el tribunal pueda proceder de oficio a hacer agregar la prueba en que la inhabilitacion se funda.

## ART. 124

El señor Yáñez, que no asistió a la sesion anterior, al tratarse de este artículo, formuló una observacion jeneral en el sentido de que este título debia ajustarse en lo posible a la lei vijente que no ha producido perturbaciones en la práctica.

Que al efecto, la recusacion debiera presentarse ante el juez que conoce de la causa i que dicho juez quedara inhibido de seguir conociendo en ella por el término de quince dias, sin perjuicio de que el tribunal pudiera ampliar este plazo.

Agregó que esto último se referia al caso en que se tratara de la recusacion de un juez que tuviera su asiento léjos del tribunal que debe conocer de ella, como sucede, por ejemplo, con el juez de Magallánes o con los Ministros de la Corte de Tacna.

El artículo del Proyecto puede dar ocasion a que sea ilusorio el derecho de recusar en los casos últimamente citados.

El señor Ballesteros cree que, en el caso a que alude el señor Yáñez, debe tomarse tambien en cuenta la situacion inversa. Si hubiera de inhabilitarse para conocer en una causa el juez que conoce en ella, por el solo hecho de la recusacion, podria mantenerse de la misma manera i por mucho tiempo esta situacion sin causa justificada.

Agrega el señor Ballesteros que la resolucion del tribunal podria trasmitirse por telegrama para evitar los inconvenientes indicados.

Así lo estimaron tambien los demas miembros de la Comision.

Por su parte, el señor Richard manifiesta que deberia darse al funcionario recusado el aviso que ordena este artículo, no solo en el caso de aceptarse como legal la causa de inhibicion, sino cuando ésta sea admitida de plano por el tribu-

nal en conformidad al inciso segundo del artículo
anterior.

Aceptada esta idea, se redactó el artículo en la
forma siguiente:

Art. 124. «Una vez aceptada como bastante la
« causal de inhibicion, o declarada ésta con arreglo
« al inciso segundo del artículo anterior, se pondrá
« dicha declaracion en conocimiento del funciona-
« rio cuya implicancia o recusacion se hubiere pe-
« dido, para que se abstenga de intervenir en el
« asunto de que se trata miéntras no se resuelva el
« incidente.»

## ART. 125

El señor Montt cree que el funcionario llamado
a subrogar al juez recusado debiera tener la pleni-
tud de la jurisdiccion i no limitada, como lo establece el Proyecto, a la tramitacion de la causa.

Los señores Riesco, Ballesteros i Richard consideran preferible la disposicion del Proyecto, porque
ella evita que pueda recusarse a un juez que conoce de una causa que está para sentencia o próxima
a llegar a ese estado, con el objeto de obtener que
sea fallada por otro funcionario. No sucede lo mismo en los demas casos, ya que de ordinario no pue
de suponerse que haya interes en que un juez determinado intervenga en la tramitacion del juicio.

El señor Yáñez, por su parte, sostiene que el
juez subrogante solo debería despachar lo urjente
i grave, con lo cual ningun perjuicio se ocasiona a
los litigantes dado el corto tiempo en que, a su juicio, debe fallarse este incidente; i porque, en su concepto, un juez que es llamado por una circunstancia
accidental a subrogar a otro, no debe dictar resoluciones de fondo, ni mucho ménos fallar la causa
misma.

Contra su voto se aprobó el artículo reeempla-
zando solo la denominacion de *ministro*, que em-

plea el inciso segundo por la de *juez*, no solo
para armonizarlo con los términos del inciso primero, sino porque puede referirse al caso en que
se trate de inhabilitar a un juez de letras o a un
fiscal llamado a integrar un tribunal de segunda
instancia.

## ART. 126

Todos los miembros de la Comision estuvieron
de acuerdo en que habria manifiesta conveniencia
en evitar recusaciones maliciosas, i con este objeto
se acordó aumentar gradualmente la multa que impone el artículo en estudio, en proporcion al número de recusaciones formuladas, elevándola al doble
en la segunda, al triple en la tercera i así sucesivamente.

Aceptada esta idea, fué aprobado el artículo en
los términos siguientes:

Art. 126. «Si la implicancia o la recusacion fuere
« desechada, se condenará en las costas al que la
« hubiere reclamado, i se le impondrá una multa
« que no baje de la mitad ni exceda del doble
« de la suma consignada en conformidad al ar-
« tículo 122.»

«Esta multa se elevará al doble cuando se trate de
la segunda solicitud de inhabilitacion deducida por
la misma parte, al triple en la tercera i así sucesivamente.

El tribunal fijará la cuantía de la multa, tomando en cuenta la categoría del funcionario contra
quien se hubiere reclamado, la importancia del juicio, la fortuna del litigante i la circunstancia de
haberse procedido o no con malicia. Ordenará ademas que, en caso de no pagar el multado todo o
parte de la multa, por estar declarado pobre o por
no ser suficiente la consignacion, sufra un arresto
de uno a veinte dias.»

## ART. 127

El señor Yáñez objetó este artículo, sosteniendo que debia mantenerse la sancion que establece la lei vijente para el caso de retardo en la tramita·cion i fallo de la recusacion Ella es la mas eficaz i no limita en los términos que lo hace el Proyecto el ejercicio del derecho de recusar, evita ademas los inconvenientes de la interposicion de este arbitrio legal, autorizando la prosecucion del pleito haciendo cesar, por consiguiente, la inhabilidad temporal del juez sino se falla en el plazo que la lei debe designar.

El señor Montt confirma las observaciones hechas por el señor Yáñez.

El señor Richard cree que debe decirse, *se declarará abandonado*, en lugar de *entenderá*, porque la mente del artículo no puede ser otra que el abandono sea declarado por el tribunal que debe fallar la recusacion i no dejarlo a la intelijencia de las partes.

Se levantó la sesion, quedando pendiente la discusion de este artículo.

GERMAN RIESCO.

*Luis Barriga,*
Secretario.

---

## SESION 8.ª EN 7 DE DICIEMBRE DE 1900

Se abrió la sesion, presidida por el señor Riesco, i con asistencia de los señores Ballesteros, Richard, Yáñez i el Secretário.

Se leyó i aprobó el acta de la sesion anterior.

### Arts. 127, 128, 129, 130 i 131

Se dejó pendiente su discusion para cuando concurran algunos miembros de la Comision que han manifestado deseos de tomar parte en el estudio de dichos artículos.

### Arts. 132, 133, 134, 135, 136, 137, 138, 139, 140, 141, 142, 143 i 144

Se aprobaron sin modificacion.

### Arts. 145 i 146

Respecto del artículo 146, los señores Richard i Yáñez sostienen que debe mantenerse el sistema actual, que considera las costas personales como una multa o pena impuesta al litigante vencido i no como la remuneracion que en realidad corresponde a los servicios prestados por el abogado de su contendor. Creen que el natural interes de disminuir sus gastos, inducirá de ordinario a las partes vencidas a objetar el honorario de los abogados. En tal caso la avaluacion que haga el tribunal en un simple incidente, i a menudo sin los antecedentes necesarios para apreciar el valor real del servicio prestado, colocará a los abogados en una situacion anormal i desventajosa por estremo, ya que se fallará, a su respecto, una cuestion que puede ser de cuantía considerable en una sola instancia i en un mero incidente en que ni siquiera figuran como partes. Es verdad que por la circunstancia indicada, la resolucion del tribunal no produce cosa juzgada en cuanto a ellos, pero no es ménos cierto que ella importa un prejuicio que será difícil modificar. Por otra parte, las disposiciones del artículo del Proyecto facilitarán litijios entre el abogado i su cliente, que es útil prevenir.

Estimando fundadas estas objeciones la Comision resolvió suprimir el artículo 146 i modificar el 145 en conformidad al sistema actual i en la forma siguiente:

Art. 145. «Solo se tasarán las costas procesales « útiles, eliminándose las que correspondan a dili- « jencias o actuaciones innecesarias o no autoriza- « das por la lei, i las de actuaciones o incidentes en « que hubiere sido condenada la otra parte.»

«El tribunal de la causa, en cada instancia, re- « gulará el valor de las personales, i avaluará tam- « bien las procesales con arreglo a la lei de aran- « celes. Esta funcion podrá delegarla en uno de sus « miembros, si fuere colejiado, i en su secretario « respecto de las costas procesales».

### ARTS. 147 I 148

Se aprobaron sin modificacion.

### ART. 149

Se aprobó suprimiendo, a indicacion del señor Riesco, la frase final, *o a los convenios celebrados*, por estimarla innecesaria, ya que los convenios son medios legales para la constitucion de las obligaciones.

### ART. 150

Se aprobó sin modificacion.

### ARTS. 151 i 152

El señor Yáñez sostiene, como en el caso anterior, que debe mantenerse el sistema vijente en cuanto a la condenacion en costas en la segunda instancia: que la disposicion del artículo 152 no hará sino aumentar los votos especiales, que muchas veces no tendrán otro objeto que evitar el pago de costas para disminuir las pérdidas del litigante vencido.

El señor Richard, por su parte, cree que debería suprimirse el artículo 152, ya que en conformidad al 151 el tribunal puede exonerar del pago de costas a un litigante que ha perdido el pleito, pero que obtiene uno o mas votos favorables.

Manifiesta tambien el señor Richard, que habria conveniencia en dejar claramente establecido si procede la condenacion en costas cuando el tribunal de segunda instancia confirma el fallo de primera con alguna modificacion i cuando han apelado las dos partes.

El señor Ballesteros, que sostiene en todas sus partes los artículos del Proyecto, contestando a la última observacion del señor Richard, observa que los casos a que ella se refiere, están espresamente resueltos en el artículo 150, a virtud del cual no procede, a su juicio, el pago de costas, por cuanto en las circunstancias propuestas, ninguna de las partes es vencida totalmente.

Agrega el señor Ballesteros, que los artículos en estudio, no solo contemplan dos situaciones diversas, sino que el primero da al tribunal una facultad i el segundo contiene una disposicion imperativa i fundada, por otra parte, en consideraciones de evidente equidad.

Por lo demas, no cree, como el señor Yáñez, que llegue el caso en que se produzcan votos especiales con el solo objeto de evitar una condenacion en costas.

La Comision estimó los casos propuestos por el señor Richard en los términos que lo ha hecho el señor Ballesteros, i aprobó sin modificacion los artículos del Proyecto.

### Art. 153

Aprobado sin alteracion.

### Art. 154

Fué tambien aprobado como el anterior, despues de desechada la indicacion del señor Yáñez para suprimir la primera parte del artículo que la Comision no estimó innecesaria. como la juzgaba el señor Yáñez.

### Arts. 155, 156 i 157

Aprobados sin modificacion.

### Art. 158

Fué tambien aprobado, cambiando solo su redaccion, en la forma siguiente:

Art. 158. «La instancia se entiende abandonada « cuando todas las partes que figuran en el juicio « han cesado en su prosecucion durante tres años « consecutivos, contados desde la última provi- « dencia.»

### Art. 159

Quedó pendiente la discusion de este artículo i la indicacion del señor Ballesteros para hacer es· tensivo al demandante el derecho que se otorga al demandado de pedir el abandono de la instancia en cuanto se relaciona con la reconvencion.

### Arts. 160, 161 i 162

Aprobados sin modificacion.

### Art. 163

Cree el señor Yáñez que las disposiciones del título XVI deben hacerse estensivas a los casos de quiebras i suprimir, por consiguiente, la escepcion que a su respecto consigna el artículo en estudio.

Estima que hai verdadero interes público en definir la situacion de todo comerciante que ha caido en quiebra, ya que el abandono indefinido del procedimiento puede inducir en error a terceros, en cuanto a su situacion de fallidos i a las inhabilidades que son la consecuencia de dicho estado.

Se dejó pendiente la discusion del artículo i se levantó la sesion.

GERMAN RIESCO.

*Luis Barriga,*
Secretario.

## SESION 9.ª EN 11 DE DICIEMBRE DE 1900

Se abrió la sesion presidida por el señor Riesco i con asistencia de los señores Ballesteros, Montt, Bañados Espinosa, Richard, Vergara i el secretario.

Asistió tambien el Ministro de la Corte Suprema don Leopoldo Urrutia.

Se leyó i aprobó el acta de la sesion anterior.

### Art. 163

Se continuó la discusion de este artículo, i teniendo presente que las disposiciones relativas a la quiebra consignadas en el Proyecto no permiten la

9-10

prolongacion indefinida de dicho estado, se aprobó sin modificacion.

ARTS. 164, 165 i 166

Se aprobaron en los términos del Proyecto.

ART. 167

El señor Bañados Espinosa cree que podria cambiarse la redaccion del artículo para dejar consignado espresamente que los miembros de los tribunales colejiados deben imponerse personalmente de los autos en todo asunto grave.

Los demas miembros de la Comision lo estiman innecesario, ya que es entendido que en todo negocio que ofrece dificultades, aunque no se trate de causas graves, los jueces deben imponerse personalmente de los autos, como lo hacen al presente.

En esta intelijencia se aprobó el artículo sin modificacion alguna

ART. 168

Aprobado.

ART. 169

El señor Bañados Espinosa cree que debe dejarse establecido si la omision de los trámites que prescribe este artículo importa una causal de nulidad.

El señor Montt manifiesta que, siendo el oficial de sala del tribunal el encargado de cumplir las disposiciones del inciso segundo, habria talvez conveniencia en que las omisiones de un empleado de las condiciones de éste no fueran sancionadas con la nulidad de la sentencia.

Los demas miembros de la Comision entienden que el procedimiento indicado en este artículo constituye la citacion para la vista de la causa i, dado este antecedente, los señores Riesco, Urrutia i Ballesteros sostienen que, omitido el cumplimiento de cualquiera de sus disposiciones, no podria dictarse sentencia válida, como espresamente lo establece el artículo 948, número 6.º del Proyect...

Agrega el señor Riesco que los tribunales se preocupan siempre del cumplimiento de estos trámites, que son en todo análogos a los vijentes, i que en la actualidad, aun sin disposicion espresa de la lei, se ha entendido por la Corte Suprema que su omision vicia de nulidad la sentencia.

Con el mérito de estas observaciones, se aprobó el artículo sin modificacion alguna.

## ART. 170

En la misma forma fué aprobado este artículo.

## ART. 171

Respecto de este artículo cree la Comision que no debe limitarse a los procuradores el derecho de pedir la suspension de las causas, sino ampliarse a los abogados, como lo establece la lei vijente, ya que su aplicacion no ha ofrecido dificultades que aconsejen alterarla.

El señor Richard observa que el uso de la palabra *podrá*, que emplea el inciso primero, puede dar lugar a que se considere facultativo en el tribunal aceptar o no la suspension de la causa; aunque, a su juicio, no tiene otro alcance que el de establecer que, fuera de los casos que este artículo enumera, no podrá suspenderse la vista de la causa.

Así lo juzga tambien la Comision, i cree que en los términos en que está redactado, sus disposiciones son evidentemente imperativas.

En consecuencia fué aprobado el artículo reemplazando solo el número 4.º por el que sigue:

«Art. 171, número 4.º Por solicitarlo de comun
« acuerdo los procuradores o los abogados de las
« partes.»

### ART. 172

Se aprobó sin modificacion.

### ART. 173

Como en el caso del artículo 171 entiende la Comision que la palabra *podrán*, empleada en el inciso
primero, no importa una disposicion facultativa sino
imperativa.

Se aprobó el artículo cambiando solo la redaccion del inciso citado, usando en lugar de la frase
*suspender su pronunciamiento*, la de *suspender el pronunciamiento de ésta*. Con la alteracion acordada
quedó el inciso en la forma siguiente:

«Art. 173, inciso 1.º Cuando la existencia de un
« delito hubiere de ser fundamento preciso de una
« sentencia civil o tuviere en ella influencia notoria,
« podrán los tribunales suspender el pronuncia-
« miento de ésta hasta la terminacion del proceso
« criminal, si en éste se hubiere dado lugar al proce-
« dimiento plenario.»

### ART. 174

Se aprobó en los términos del Proyecto.

### ART. 175

El señor Bañados Espinosa hace presente que, a
su juicio, no debe exijirse la concurrencia de mas
de tres miembros para el fallo de las causas, cualquiera que sea su gravedad i cuantía; considera que
con un personal idóneo, como debe suponerse el

de los tribunales superiores, bastan los tres que él
propone para dar completa garantía a las partes
litigantes.

Así lo estimaron tambien el señor Riesco i demas
miembros de la Comision i acordaron modificar el
artículo de acuerdo con la indicacion del señor Bañados E.

Se resolvió, asimismo, suprimir del artículo en
estudio la parte relacionada con el recurso de casacion, que es materia de disposiciones especiales, i
quedó, en consecuencia, aceptado en los términos
que siguen:

«Art. 175. En los tribunales colejiados los decre-
« tos podrán dictarse por uno solo de sus miembros.
« Los autos, las sentencias interlocutorias i las de-
« finitivas, exijirán la concurrencia de tres miem-
« bros a lo ménos.»

## Arts. 176, 177, 178 i 179

Aprobados sin modificacion.

## Arts. 180 i 181

Al tratarse de estos artículos como de los cuatro
anteriores, se recordó que sus disposiciones son en
todo análogas a las de la Lei de Organizacion de
Tribunales que tratan de la misma materia, i que
han dado lugar en su aplicacion a interpretaciones
diversas i a dificultades que conviene prevenir.

Se tuvo presente el caso en que un Ministro de
una Corte de Apelaciones, promovido despues de
estar en acuerdo una causa en que hubiera intervenido, pudiera escusarse de concurrir a su fallo,
no solo porque las disposiciones de la lei no se refieren espresamente al caso de promocion, sino porque las situaciones de escepcion, que contemplan
los artículos 178, 179 i 180, corresponden a un estado
anterior al acuerdo. De igual manera podria apli-

carse esta última observacion tratándose de un Ministro que obtuviera jubilacion despues de estar la causa en acuerdo.

A juicio de la Comision las situaciones propuestas deben rejirse por la regla jeneral del artículo 177, i para evitar dudas a esto respecto se resolvió reemplazar los artículos 180 i 181 del Proyecto por el siguiente, que con el mismo objeto i por las razones insinuadas habia propuesto la Comision del Senado:

«Art. 180. Sin perjuicio de lo dispuesto en los ar-
« tículos 178 i 179 todos los jueces que hubieren
« asistido a la vista de una causa quedan obligados
« a concurrir al fallo de la misma, aunque hayan ce-
« sado en sus funciones, salvo que, a juicio del tri-
« bunal, se encuentren imposibilitados para inter-
« venir en ella.»

## ART. 182

Respecto de este artículo estima la Comision que debe suprimirse por innecesaria la condicion que establece su última parte.

Como una consecuencia de la modificacion introducida en el artículo 175, respecto del número de jueces con que pueden verse las causas, i de la supresion del artículo 181 del Proyecto, debe limitarse a tres la referencia que la disposicion en estudio hace a los cuatro artículos anteriores i suprimirse tambien la frase, *para conocer en cualquier negocio atendida su naturaleza i cuantía.*

Con estas alteraciones quedaria el artículo reducido a los términos siguientes:

«Art. 182. En los casos a que se refieren los tres
« artículos anteriores, no se verá de nuevo la causa,
« aunque deje de tomar parte en el acuerdo alguno
« o algunos de los que concurrieron a la vista, siem-
« pre que el tribunal quede compuesto de un núme-
« ro de miembros hábiles que no sea inferior al mí-
« nimun fijado por la lei.»

## Arts. 183 i 184

Aprobados sin modificacion.

Los señores Montt i Richard observan, sin embargo, que hai manifiesta conveniencia en adoptar alguna disposicion encaminada a evitar la excesiva prolongacion de los acuerdos, como suele acontecer al presente, no obstante las disposiciones que a este respecto contiene la lei de 15 de Octubre de 1875, que son en todo análogas a las del Proyecto.

De acuerdo con esta idea que fué aceptada por todos los miembros de la Comision, se resolvió agregar a continuacion del artículo 184, el siguiente:

«Si la causa no fuere fallada dentro de los treinta
« dias siguientes a la fecha en que se dejó en
« acuerdo, el tribunal dará cuenta semanalmente a
« la Corte Suprema de las razones que hubieren
« motivado el retardo.»

## Arts. 185, 186 i 187

Aprobados sin modificacion.

## Art. 188

Respecto de este artículo cree la Comision, como lo estimó la del Senado, que es innecesario consignar en cada fallo el nombre de los miembros del tribunal que han concurrido a formar resolucion, bastando para establecerlo que se indique el de los que han sostenido una opinion distinta.

El señor Montt agrega que considera impropio designar con el título de *libro de acuerdos*, como lo hace el inciso segundo, el libro destinado precisamente a dejar testimonio de las opiniones disidentes.

En conformidad con estas ideas se modificaron

los incisos primero i segundo de este artículo, que se reemplazó por el siguiente:

«Art. 188. En los autos i sentencias definitivas
« o interlocutorias de los tribunales colejiados se
« espresará el nombre de los miembros que hayan
« sostenido una opinion distinta de la resolucion
« acordada.

«Los miembros que no opinaren como la mayoría
« consignarán su opinion particular i los fundamen-
« tos en que la apoyan en un libro que con este
« objeto debe existir en la secretaría del tribunal.

«Podrán tambien consignarse en el mismo libro
« las razones especiales que algunos de los miem-
« bros de la mayoría hayan tenido para formar sen-
« tencia i que no se hubieren espresado en ésta.»

### ARTS. 189 i 190

En cuanto al inciso primero del 189, el señor Richard observa que la palabra *dispersion* se aplica de ordinario a los casos en que se producen mas de dos opiniones, i que si hubiera de dársele este alcance no se comprenderian en él los empates.

La Comision juzgó que la palabra *dispersion* estaba tomada en un sentido mas lato; pero resolvió reemplazarla por *discordia*, que espresa con mas propiedad la idea del Proyecto, que sin duda se ha referido a los casos de empate i dispersion.

En cuanto al inciso segundo de este mismo artículo, se aceptó la modificacion acordada por la Comision, del Senado, que propuso se llamaran los jueces necesarios para que siempre quedara el tribunal constituido con un número impar de miembros, a fin de evitar así la posibilidad de empates.

Se hicieron ademas diversas observaciones por los señores Riesco, Ballesteros i Montt sobre el alcance de estos artículos que fueron aprobados con las modificaciones indicadas respecto de los incisos primero i segundo del 189, quedando éstos como sigue:

«Art. 189. Cuando en los acuerdos para formar
« resolucion resultare discordia de votos, cada opi-
« nion particular será sometida separadamente a
« votacion, i si ninguna de ellas obtuviere mayoría
« absoluta, se escluirá la opinion que reuna menor
« número de sufrajios en su favor, repitiéndose la
« votacion entre los restantes.

«Si la esclusion pudiere corresponder a mas de
« una opinion por tener igual número de votos,
« decidirá el tribunal cual de ellas debe ser escluida;
« i si tampoco resultare mayoría para decidir la
« esclusion, se llamarán tantos jueces cuantos sean
« necesarios para que cualquiera de las opiniones
« pueda formar sentencia, debiendo en todo caso
« quedar constituido el tribunal con un número im-
« par de miembros.

«Los jueces que hubieren sostenido una opinion
« escluida, deberán optar por alguna de las otras
« sometidas a votacion.»

«El procedimiento de este artículo se repetirá
« cada vez que ocurran las circunstancias mencio·
« nadas en él.»

## ART. 191

El señor Ballesteros propuso, i lo aceptó la Comision, que se espresará en letras la fecha en que se
espiden las resoluciones judiciales para evitar las
alteraciones que pueden introducirse fácilmente si
se consigna en cifras.

Se modificó así como sigue el inciso primero.

«Art. 191, inciso primero. Toda resolucion, de
« cualquiera clase que sea deberá espresar en letras
« la fecha i lugar en que se espida, i llevará al pié
« la firma del juez o jueces que la dictaren o inter-
« vinieren en el acuerdo.

### ART. 192

El señor Richard espone que talvez habria conveniencia en dejar establecido si las disposiciones de este artículo comprenden el caso en que se confirme con alguna declaracion la sentencia de primera instancia.

El señor Ballesteros i los demas miembros de la Comision lo juzgan innecesario, por estimar, fuera de toda duda, que en el caso propuesto la resolucion de segunda instancia importa una modificacion del fallo confirmado con declaracion.

En esta intelijencia fué aprobado el artículo.

Se suspendió la sesion.

GERMAN RIESCO.

*Luis Barriga,*
Secretario.

---

### SESION 10 EN 15 DE DICIEMBRE DE 1900

---

Se abrió la sesion presidida por el señor Riesco i con asistencia de los señores Ballesteros, Montt. Bañados Espinosa, Richard i el secretario.

Se leyó i aprobó el acta de la sesion anterior.

### ARTS. 193 i 194

Se aprobaron sin modificacion.

### ART. 195

El señor Bañados Espinosa estima útil la innovacion que contiene el inciso primero; pero cree que la frase final del segundo puede facilitar la iniciacion de juicios que ha tratado de evitar el inciso anterior.

El señor Riesco observa que el inciso 2.º se coloca en el caso que no haya sido determinadamente discutida en el juicio la naturaleza i estimacion de los perjuicios, i que en este caso, no ha podido hacerse otra cosa que reservar a las partes su derecho para discutirlos por separado. Es entendido que muchas veces podrá ventilarse esta cuestion como un incidente de la ejecucion del fallo, i que solo será materia de un juicio diverso cuando en el curso de la causa no se hubiese litigado sobre ella i no se produjeran, en consecuencia, antecedentes para determinar los perjuicios i apreciar su cuantía.

Así lo juzga tambien la Comision i en esta intelijencia se aprobó el artículo del Proyecto.

### ARTS. 196 i 197

Fueron tambien aprobados sin modificacion.

### ARTS. 198 i 199

El señor Bañados Espinosa llama la atencion a que de los términos del artículo 199 puede deducirse que la accion de cosa juzgada no corresponde sino a los que han litigado, i no a las personas a quienes puede aprovechar el fallo con arreglo a la lei, ya que de éstas hace espresa mencion el artículo 199 i no el 198. Cree el señor Bañados E. que seria conveniente dejar claramente resuelta esta cuestion.

El señor Richard sostiene que a las personas a quienes aprovecha una sentencia deberia concedérseles tambien la accion de cosa juzgada, porque, en su concepto, no hai razones que justifiquen la diferencia que hace el Proyecto entre la accion i la escepcion.

El señor Ballesteros estima que no pueden colocarse en idéntica situacion, si se toma en cuenta que la primera supone un derecho declarado a favor del que la invoca que reuna los requisitos necesarios para darle accion ejecutiva, lo que no sucede con la segunda.

Se dejo pendiente la discusion de este artículo.

### ART. 200

Se aprobó sin modificacion.

### ART. 201

Se dejó para tratarlo en la próxima sesion.

### ART. 202

Se aprobó en los términos del Proyecto.

### ART. 203

Fué tambien aprobado ampliando, a indicacion, del señor Ballesteros, a cinco el plazo de tres dias que señala el inciso 2.º para pedir reposicion de los autos o decretos al tribunal que los hubiere dictado.

### ARTS. 204, 205, 206, 207 i 208

Respecto del primero observó el señor Montt que debe suponerse que este artículo se refiere a los errores de cuenta de que hablan las leyes vijentes, pero la frase *errores de hecho*, que emplea el inciso primero, es indeterminado i tiene en realidad mucho mayor alcance.

El señor Riesco, cree, como el señor Montt, que la frase recordada comprende mas que los yerros de cuenta; pero, a su juicio, la disposicion del Proyecto no se relaciona con la apreciacion de los hechos o de su prueba, sino con las referencias al espediente que se contengan en la sentencia cuya modificacion se solicita.

Se dejó pendiente el estudio de este artículo i de los cuatro siguientes.

### ARTS. 209 I 210

El señor Richard estima que seria útil dejar establecido si son o no apelables las resoluciones que decretan medidas disciplinarias.

La Comision entiende que son apelables i que las disposiciones en estudio no derogan la lei vijente sobre la materia.

En esta intelijencia se aprobaron los artículos sin modificacion.

### ART. 211

Se aprobó cambiando solo su redaccion por la que sigue, que fué propuesta por el señor Montt.

«Art. 211. La apelacion deberá interponerse en « el término fatal de cinco dias, contados desde la « notificacion de la parte que entabla el recurso.»

### ARTS. 212, 213, 214, 215, 216 I 217

Se aprobaron sin modificacion.

### ART. 218

Se aprobó tambien este artículo modificando solo la redaccion del inciso 3.º, a indicacion del señor Montt, sustituyendo la frase *conociendo en el negocio,* por, *conociendo del negocio,* quedando el inciso como sigue:

«Art. 218.—Inciso 3.º Las declaraciones que haga
« el superior en conformidad a los dos incisos ante-
« riores, se comunicarán al inferior para que se
« abstenga, o siga conociendo del negocio, segun
« los casos».

### ARTS. 219, 220 i 221

Aprobados en los términos del Proyecto.

### ART. 222

El secretario hace presente que de los términos jenerales en que están redactados los artículos
53 i 450 del Proyecto parece deducirse que todas
las notificaciones de la segunda instancia deben hacerse por la tabla que ordéna formar el primero de
dichos artículos.

Interpretadas así las disposiciones recordadas,
la parte debe suponerse siempre presente a toda
la tramitacion de segunda instancia i no cabria, en
consecuencia, pedir desercion por falta de comparecencia del apelante, como lo autoriza el artículo siguiente.

La Comision entiende, sin embargo, que debe ser
personal la comparecencia de las partes a notificarse de la primera providencia que se dicte en la segunda instancia i en esta intelijencia se aprobó sin
modificacion el artículo en estudio.

### ART. 223

El señor Montt estima que debiera suprimirse la
desercion i verse toda causa sin esperar la comparecencia de las partes, como sucede al presente
con los juicios de ménos de mil pesos i los recursos
de nulidad. De esta manera se evita que por des-
cuidos o falta de recursos pierdan las partes su derecho a que el tribunal superior revise el fallo de
que han reclamado, talvez con manifiesta justicia.

Los señores Riesco i Ballesteros sostienen que, en jeneral, hai conveniencia en mantener la desercion; porque de lo contrario el tribunal tendrá que fallar en el fondo todas las apelaciones que hoi terminan como desercion, que son numerosas, i que de ordinario suponen un recurso dilatorio. En cuanto a la espresion de agravios lo consideran un trámite esencial del pleito, del cual no debe precindirse, no solo porque importa una verdadera demanda, sino porque en ella se limitan las cuestiones que someten al fallo del tribunal superior, reduciéndose muchas veces a una sola cuestion un pleito de grandes proporciones.

El señor Montt cree que la espresion de agravios no puede estimarse como un trámite indispensable, ya que las peticiones de las partes han sido formuladas en primera instancia i a ellas puede referirse la sentencia del tribunal superior. En cuanto a limitar la apelacion, la parte puede hacerlo en beneficio propio i sin que sea menester sancionar su omision con la pérdida de su derecho.

Ei secretario observa que en la prática ha dado lugar a diversas interpretaciones de los tribunales superiores el derecho conferido a las partes de pedir desercion por falta de comparecencia de los apelantes. En algunos casos se ha estimado renunciable este derecho del apelado i en otros, por el contrario, que no puede verse en el fondo la causa en rebeldía del apelante, sino pedirse a su respecto desercion del recurso. Agrega que los términos del artículo en estudio talvez pudieran prestarse a mantenerse esta diversidad de opiniones.

La Comision entiende que el pedir la desercion del recurso no es facultativo para la parte que comparece sino un medio necesario para dar por terminado el recurso respecto del apelante rebelde. Por esta razon se aprobó el artículo reemplazando la frase *podrá el apelado pedir*, por la de *el apelado pedirá*, quedando el artículo en la forma siguiente

Art. 223 «Si no compareciere el apelante o no
« espresase agravios oportunamente, el apelado pe-
« dirá que se declare desierta la apelacion».
«El tribunal, en el primer caso, resolverá con
« solo el mérito del certificado del secretario: pu-
« diendo pedirse siempre dentro de tercero dia re-
« posicion del fallo que se dictare, si se hubiere fun-
« dado en un error de hecho».

### ARTS. 224 I 225

Aprobados sin modificacion.

### ART. 226

El señor Richard cree que deberia mantenerse
el sistema actual que autoriza al tribunal superior
para ordenar al inferior que no innove cuando. hai
motivos que puedan justificar este procedimiento.
La Comision aceptó esta indicacion i resolvió
aprobar el artículo agregándole el siguiente inciso:
«Art. 226, inciso 3.º Podrá asimismo ordenar que
« no se innoven cuando hubieren antecedentes que
« justifiquen esta medida.»

### ART. 227

Se aprobó modificando solo la redaccion del inciso primero en los términos que siguen:
«Art. 227, inciso 1.º Si el tribunal superior decla-
« rase inadmisible el recurso, lo comunicará al in-
« ferior devolviéndole el proceso si se hubiere ele-
« vado.»

### ART. 228

Aprobado sin modificacion.

### ART. 229

El señor Montt sostiene que este artículo está redactado en términos tan comprensivos que, no habiéndose producido prueba alguna en primera instancia, podria recibirse la causa a prueba en segunda, siempre que la cuestion fuera de hecho; i que el propósito de la lei no pudo ser otro que autorizar la rendicion de prueba en segunda instancia solo en el caso que no hubiera podido hacerse en primera.

Así lo estima tambien la Comision, i acordó modificar como se indica a continuacion el artículo en estudio:

«Art. 229. Sin perjuicio de las facultades conce-
« didas por el artículo 165, pueden los tribunales de
« alzada admitir a las partes las puebas que no hu-
« bieren producido en primera instancia; pero la
« testimonial solo cuando no se hubiere podido ren-
« dir en dicha instancia i acerca de hechos que no
« figuren en la prueba rendida i que sean estricta-
« mente necesarios en concepto del tribunal para
« la acertada resolucion del juicio.»

### ART. 230

Se aprobó sin modificacoin, reservándose el señor Richard la observacion que le sujiere este artículo para hacerlas al tratar de los 295 i 904 a que él se refiere.

### ART. 231

Se dejó para segunda discusion.

### ART. 232

Se aprobó cambiando su redaccion como sigue:
«Art. 232. Las resoluciones que recaigan en los

11-12

« incidentes que se promuevan en segunda instan-
« cia, se fallarán solo por el tribunal de alzada i no
« serán apelables.»

Se levantó la sesion.

**GERMAN RIESCO.**

*Luis Barriga,*
**Secretario**

---

## SESION 11 EN 18 DE DICIEMBRE DE 1900

Se abrió la sesion, presidida por el señor Riesco,
i con asistencia de los señores Ballesteros, Montt,
Silva Cruz, Bañados, Richard i el secretario.

Asistió tambien el señor Ministro de la Corte
Suprema don Leopoldo Urrutia.

Se leyó i aprobó el acta de la sesion anterior.

### ARTS. 198 I 199

Se trató nuevamente de estos artículos, cuya discusion quedó pendiente.

Observó a su respecto el señor Urrutia que la
accion de cosa juzgada corresponde solo al que ha
litigado i no a los terceros a quienes aprovecha el
fallo, porque éstos necesitan una resolucion previa
que así lo declare para exijir, con relacion a ellos,
el cumplimiento de la sentencia. No sucede lo mismo con la escepcion de cosa juzgada, que supone
la existencia del juicio en que se opone, en el cual
puede discutirse i resolverse el derecho de la parte
que formule dicha escepcion para aprovechar las
resultas del fallo en que se funda. A estas razones
obedecen los artículos en estudio i la distincion que

en ellos se hace en cuanto a las personas que pueden interponer la accion o la escepcion mencionadas.

El señor Montt considera inútil la disposicion del artículo 198, por cuanto no se necesita una disposicion espresa de la lei para reconocer el derecho de la parte que ha litigado para exijir el cumplimiento de la sentencia dictada a su favor.

El señor Ballesteros estima necesario el artículo para establecer en la lei la diferencia que hai entre la accion i la escepcion de cosa juzgada, en cuanto a las personas que pueden deducirlas, ya que, de otra manera, podrian suscitarse a este respecto dudas que conviene prevenir.

Cree, por lo demas, como el señor Urrutia, que es perfectamente fundada la distincion del Proyecto, por las consideraciones que adujo en la sesion anterior, i teniendo tambien presente que, en jeneral, es mucho mas ámplio en derecho el ejercicio de la escepcion, que el de la accion.

Contra la opinion manifestada por el señor Montt, se aprobaron los artículos en estudio.


## Art. 201

Se continuó en el estudio de este artículo i se hicieron a su respecto diversas observaciones por los señores Ballesteros, Montt i Richard, i tambien por el señor Riesco, que insinuó la idea de referir el número primero a *hechos u omisiones*, en lugar de *delitos o cuasi delitos*, como lo hace el Proyecto.

Refiriéndose a ellas el señor Urrutia, hizo la siguiente esposicion:

«Consigna el artículo la regla jeneral de que en juicio civil *no producen la escepcion de cosa juzgada las sentencias absolutorias o que sobreseen definitivamente en materia criminal*, salvo las tres escepciones mencionadas en los numerandos 1.°, 2.° i 3.°

Estas sentencias solo pueden fundarse en tres

circunstancias: o porque no hai hecho u omision
punibles; o porque el inculpado no es el delincuente
sino otro; o porque falta la prueba en órden a estos
puntos.

Los tres motivos pueden presentar variadas modificaciones, algunas de las cuales tienen tanta fuerza respecto del cuerpo del delito i del procesado,
que, sin disputa dentro de la equidad mas restrin-
jida, fuerzan a eximir a éste de toda responsabilidad civil nacida del hecho que motivó el procedimiento criminal, i consiguientemente a no obligarle, en un segundo juicio, a comprobar nuevamente su irresponsabilidad ya debidamente ejecutoriada.

Estas modificaciones o modalidades son las que
contemplan los numerandos 1.º, 2.º i 3.º del artículo.

El primero dice que procede la cosa juzgada
cuando la sentencia se funda en *la no existencia del
delito o cuasi delito*. ¿Habria sido preferible decir:
*la existencia del hecho?* Es preferible la redaccion
adoptada en el Proyecto, porque puede haber
muchos casos en que el hecho materia del juicio criminal exista sin carácter ilícito, i sin embargo a todas luces procede la escepcicn de cosa
juzgada en causa civil. Se procesa a *N.* por incendio que resulta evidentemente casual, o por homicidio, para citar estos ejemplos; todas las presunciones le acusan; el cuerpo del delito aparece de
resalto; el cadáver tiene introducida el arma que
produjo la lesion causa necesaria de la muerte, el
reo es absuelto porque comprueba plenamente que
en los respectivos considerandos, el incendio fué
casual o hubo mero suicidio. El hecho que motivó
el enjuiciamiento existe, i no obstante la cosa juzgada se impone desde luego sin nuevos trámites
judiciales.

Si el indicado número 1.º dijere: *la no existencia
del hecho*, se llegaria a la conclusion necesaria de
que en los ejemplos propuestos i en sus análogos,

el procesado quedaba siempre sometido a un nuevo juicio civil para establecer *la no existencia del delito* i consiguiente irresponsabilidad, lo cual es contrario al propósito de la Comision.

Con la redaccion empleada en el Proyecto no se corre el riesgo de que ciertos hechos existentes sin carácter de delitos o cuasi delitos, puedan menoscabar la accion civil despues de absuelto el reo, pues no debe olvidarse que el artículo 201 solo trata de obligaciones que nacen de hechos ilícitos i no de otras fuentes de las mismas. Por ejemplo: se acusa a un arrendatario en fuga de haber estafado las rentas o cánones del arrendador; se le absuelve o sobresee en razon de no haber *delito.* La responsabilidad civil existe, no obstante, pues la obligacion i el derecho del arrendatario i arrendador nacen, no del hecho ilícito, sino de otra fuente jurídica: el contrato en el caso propuesto.»

Contestando a algunas observaciones hechas por el señor Richard, para determinar el alcance de los números segundo i tercero, agrega el señor Urrutia que estaria resuelto en el número segundo el caso en que se produjera el incendio de una casa asegurada i se pudiera comprobar en el juicio criminal respectivo que se habia orijinado intencionalmente, pero sin intervencion alguna del asegurado. En tal caso, produciria cosa juzgada en el juicio civil sobre pago del seguro, la sentencia que absolviera de la acusacion al propietario.

Podria, sin embargo, suceder en el caso propuesto, que el autor del incendio fuera un hijo menor del dueño de la propiedad u otra persona por cuyos actos debe responder con arreglo al título 35 del libro 4.º del Código Civil. En esta situacion no existiria la cosa juzgada, a virtud de la escepcion que consigna el número primero.

En el propio caso del incendio, si se absolviera de la acusacion al propietario o se sobreseyera definitivamente a su respecto, por no haber prueba

alguna en su contra, podria alegarse la cosa juzgada en el pleito civil sobre cobro del seguro respecto del asegurador que hubiera intervenido en el
proceso criminal, ya que en éste tuvo todos los
medios necesarios para acreditar la responsabilidad del propietario, a quien no seria justo someter
a un nuevo juicio sobre el mismo asunto i contra la
misma parte. No sucederia lo mismo respecto del
asegurador que no hubiera figurado en el proceso,
por cuanto no ha tenido oportunidad de alegar i
probar los hechos que puedan demostrar la cul-
pabilidad del asegurado. A estas dos situaciones
corresponde la disposicion del inciso primero del
número tercero, i por lo demas, es perfectamente
claro el alcance del inciso segundo de este número.

Con el mérito de estas observaciones, se aprobó
en todos sus partes el artículo del Proyecto, agregando al inciso primero, para mayor claridad i a
indicacion del señor Richard, la frase: *en materia
civil*, con cuya agregacion queda este inciso como
sigue:

«Art. 201, inciso 1.º Las sentencias que absuel-
« van de la acusacion o que ordenen el sobresei-
« miento definivo, solo producirán cosa juzgada en
« materia civil cuando se funden en alguna de las
« circunstancias siguientes».

## ART. 204

Se ocupó nuevamente la Comision en el estudio
de este artículo, cuya discusion se dejó pendiente.

Insistió el señor Montt en que la frase *errores de
hecho*, comprende mas que los errores de cuenta,
a que supone ha querido aludir el Proyecto.

El señor Riesco sostiene, como en la sesion anterior, que la frase mencionada es mas comprensiva,
pero que no ha podido referirse a la *apreciacion de
los hechos o de su prueba*. Creé, sin embargo, que el

artículo en estudio no solo dice relacion a los errores de cuenta, sino tambien a los de copia i de referencia a los autos, como lo manifiesta el artículo 206.

El señor Montt acepta el inciso primero en la forma indicada por el señor Riesco; pero estima que,
limitado así su alcance, no habria razon para restrinjir el derecho de solicitar la rectificacion de la
sentencia al plazo fatal de cinco dias que establece
el inciso segundo. Recuerda que dentro de la lei
vijente puede reclamarse en cualquier tiempo de
los yerros de cuenta, sin duda porque habria manifiesta injusticia en mantenerlos en perjuicio de la
parte a quien no pueden imputarse, por el solo hecho
de no haberse formulado reclamacion en un plazo
mas o ménos reducido.

Así lo estimaron tambien los demas miembros
de la Comision, con escepcion del señor Ballesteros, que acepta las observaciones hechas en órden
al inciso primero, pero no la supresion del segundo,
como lo propone el señor Montt, porque, en su
concepto, es de evidente conveniencia para los
derechos de los litigantes que las sentencias no
queden sujetas a rectificaciones por un tiempo in-.
definido.

No obstante esta opinion del señor Ballesteros, a
virtud de lo espuesto, se acordó suprimir el inciso
segundo i modificar el primero en la forma siguiente:

«Art. 204. Notificada una sentencia definitiva o
« interlocutoria a alguna de las partes, no podrá el
« tribunal que la dictó alterarla o modificarla en ma-
« nera alguna. Podrá, sin embargo, a solicitud de
« parte, aclarar los puntos oscuros o dudosos, sal-
« var las omisiones i rectificar los errores de copia,
« de referencia o de cálculos numéricos que apare-
« cieren de manifiesto en la misma sentencia.

### ART. 205

Aprobado sin modificacion.

### ART. 206

Se aprobó alterando solo su redaccion, en vista de la reforma hecha al artículo 204, en la forma siguiente:

«Art. 206. Los tribunales, en el caso del artículo « 204, podrán tambien de oficio rectificar dentro de « los cinco dias siguientes a la primera notificacion « de la sentencia, los errores indicados en dicho ar- « tículo».

### ART. 207

Aprobado sin alteracion.

### ART. 208

El señor Montt estima inútil la definicion que con· tiene este artículo, i aun cree que la palabra *enmienda* no comprende talvez toda la amplitud de atribuciones que tiene el tribunal superior para revocar en todas sus partes la resolucion del inferior.

Los demas miembros de la Comision creen, sin embargo, que en la palabra *enmienda* están comprendidas, no solo la modificacion parcial sino la revocacion completa de la sentencia, i en esta intelijencia se aprobó este artículo del Proyecto cuyo estudio habia quedado pendiente.

### ART. 231

El señor Montt juzga necesario precisar el alcance de la disposicion contenida en el inciso primero, a fin de evitar las dudas a que pueden dar lugar los términos tan jenerales en que está redactado.

El señor Urrutia manifiesta que se refiere principalmente a las declaraciones de nulidad que de oficio deben hacer los jueces con arreglo al Código Civil. Podria aplicarse esta disposicion al caso en que se demandara, por ejemplo, la nulidad de un testamento por incapacidad legal del testador, i apelada la sentencia que desechara esta demanda, viendo la causa el tribunal superior, encontrara arreglado a derecho el fallo apelado; pero notara al mismo tiempo que el testamento, materia del pleito, habia sido otorgado ante un solo testigo. Esta circunstancia constituye una causal de nulidad absoluta que debe ser declarada de oficio por el juez de la causa i podria hacerlo, en el caso propuesto, el tribunal de alzada aunque el de primera instancia no se habria pronunciado sobre ella.

El señor Richard considera innecesaria la intervencion que este inciso da al ministerio público. La sostienen, sin embargo, los señores Urrutia i Ballesteros, porque él puede indicar el vicio de nulidad notado por el tribunal superior i dar así ocasion a la parte para defender su derecho, o desvanecer el error de hecho en que pudiera fundarse, como sucederia en el ejemplo indicado, si solo por error de copia se hubiera omitido el nombre de todos los testigos que hubieran concurrido al testamento.

En cuanto al inciso segundo, la declaracion de nulidad, por una causal no alegada ni fallada por el juez *a quo*, que hiciera el tribunal de alzada, convertiria a éste en tribunal de primera instancia, i de ahi la necesidad de hacer apelable la resolucion que dictara en órden a dicha nulidad.

En mérito de estas observaciones, se aprobó este articulo que se habia dejado para segunda discusion.

Se levantó la sesion.

GERMAN RIESCO.

*Luis Barriga,*
Secretario.

## SESION 12 EN 22 DE DICIEMBRE DE 1900

Se abrió la sesion, presidida por el señor Riesco, i con asistencia de los señores Ballesteros, Montt, Silva Cruz, Bañados Espinosa, Richard i el secretario.

Se leyo i aprobó el acta de la sesion anterior.

### ART. 233

Se aprobó sin modificacion.

### ART. 234

El señor Montt cree que deberia suprimirse la última parte del artículo, por estimar que corresponde al tribunal apreciar los antecedentes en que se funda la solicitud de reposicion del fallo que ha declarado la prescripcion.

Los señores Riesco i Ballesteros hacen presente, que la frase observada por el señor Montt limita la incidencia de reposicion únicamente a los casos en que el fallo reclamado se funde en un error de hecho; juzgan conveniente esta limitacion i sostienen, en consecuencia, que debe mantenerse el artículo en los términos del Proyecto.

Se dejó para segunda discusion.

Hace presente el secretario que en el libro II del Proyecto que trata *Del Juicio Ordinario* figura el título XIII, que se denomina *De los trámites de la apelacion*, i que las disposiciones que contiene, con escepcion de los artículos 442 i 443, que se refieren propiamente al juicio ordinario, todas las demas son comunes a toda clase de juicios. Llama la aten-

cion a esta circunstancia para el caso en que la
Comision estime conveniente agregar al presente
los artículos del título citado que no sean aplicables a toda clase de juicios, ya que éstos son materia propia del libro I.

Se resolvió tener presente esta observacion al
estudiar el título aludido.

### Arts. 235, 236, 237, 238, 239, 240, 241 i 242

Se aprobaron sin modificacion.

### Art. 243

Se aprobó el artículo en la forma siguiente, suprimiendo solo, por estimarla innecesaria, la frase:
*desde el 238 hasta el 242.*

«Art. 243. En todos los casos a que se refieren
« los artículos precedentes, la resolucion que se tra-
« ta de ejecutar se presentará a la Corte Suprema
« en copia legalizada.»

### Arts. 244, 245 i 246

A indicacion del señor Bañados Espinosa se deja
testimonio en la presente acta de que la Comision
entiende que las resoluciones arbitrales están comprendidas en los casos de jurisdiccion contenciosa, i
que la Corte Suprema es el tribunal a que se refieren las disposiciones de los artículos enunciados,
que se aprobaron sin modificacion.

### Art. 247

Se aprobó tambien sin modificacion.

### Art. 248

Respecto del inciso primero observó el señor Richard que, a su juicio, es evidente que la escepcion

que consigna en su segunda parte solo puede ser establecida por la lei; pero agrega que los términos en que está redactado él talvez pudieran dar lugar a dudas a este respecto.

Los demas miembros de la Comision no creen dudoso el alcance del inciso aludido, que no es otro que el indicado por el señor Richard, i se aprobó, en consecuencia, sin modificacion.

En cuanto al inciso segundo, indica el señor Richard que deberia consignarse la fecha en que puede designarse la institucion favorecida con las multas; porque no parece natural que se dicte un decreto supremo para cada caso en que se imponga una multa por los tribunales de justicia. Para evitar el inconveniente aludido, propone que se haga anualmente la designacion ordenada, i esta idea fué aceptada tambien por la Comision.

El señor Montt, por su parte, cree que el valor de las multas no deberia destinarse a las instituciones de ahorro sino a las de beneficencia, que naturalmente tienen mejor derecho i necesitan mas de la proteccion del Estado.

Se hicieron a este respecto diversas indicaciones para determinar los establecimientos que debieran ser favorecidos i se aceptó, por último, la indicacion que hizo el señor Riesco para que se destinaran a las instituciones de ahorro i de beneficencia que sean designadas por el Presidente de la República.

Esta indicacion fué adoptada contra la opinion del señor Ballesteros, que sostuvo que el valor de las multas no deberia destinarse a ningun objeto determinado, sino ingresar en arcas fiscales para invertirse, con arreglo a la lei, como cualquiera otra entrada de la Nacion.

Se acordó, por último, que la comunicacion que el inciso tercero ordena dirijir al tesorero, se enviara tambien al Tribunal de Cuentas, dada la intervencion que la lei le atribuye en cuanto a la inversion de los caudales públicos.

El artículo quedó por lo tanto, modificado como sigue:

«Art. 248. Todas las multas que este Código es-
« tablece o autoriza se impondrán a beneficio fiscal,
« salvo que espresamente se disponga otra cosa.»

«Las que deban ingresar en arcas fiscales se des-
« tinarán anualmente al fomento de las institucio-
« nes de ahorro i de beneficencia que designe el
« Presidente de la República.»

«Siempre que se impusiere una multa a benefi-
« cio fiscal, el tribunal lo comunicará al Tribunal
« de Cuentas i al tesorero del departamento para
« que éste haga efectivo su pago».

ART. 249

Aprobado.

ART. 250

En cuanto al número primero, se suprimió por innecesaria la palabra *precisa*.

El señor Montt cree que debe suprimirse tambien por innecesario el número tercero, que en realidad está incluido en el segundo.

El señor Silva Cruz no lo estima de igual manera i juzga, por el contrario, conveniente que se obligue al demandante a determinar si ejercita una accion que le corresponde personalmente o en su calidad de heredero, por ejemplo, o de cesionario de un crédito, etc.

El señor Montt responde que esta declaracion seria en realidad la razon o fundamento de la demanda i no la determinacion de la personalidad del actor.

El señor Ballesteros estima conveniente, pero no de absoluta necesidad, la disposicion aludida, porque cree, como el señor Montt, que en rigor está comprendida en el número quinto.

El señor Montt sostiene, ademas, por razones análogas a las que se dejan apuntadas, que debe suprimirse del número cuarto la frase *i la personalidad que se le atribuye en la demanda.*

Dice por último que está demas la frase *de la demanda* contenida en el número sesto.

Aceptadas por la Comision las ideas de los señores Ballesteros i Montt, quedó el artículo reducido a los términos que siguen:

«Art. 250. La demanda debe contener:

«1.º La designacion del tribunal ante quien se
« entabla;

«2.º El nombre, domicilio i profesion u oficio del
« demandante i de las personas que lo representan,
« i la naturaleza de la representacion;

«3.º El nombre, domicilio i profesion u oficio del
« demandado;

«4.º La esposicion clara de los hechos i funda-
« mentos de derechos en que se apoya;

«5.º La enunciacion precisa i clara, consignada
« en la conclusion de las peticiones que se sometan
« al fallo del tribunal».

Se levantó la sesion.

GERMAN RIESCO.

*Luis Barriga,*
Secretario.

---

## SESION 13.ª EN 26 DE DICIEMBRE DE 1900

---

Se abrió la sesion, presidida por el señor Riesco, i con asistencia de los señores Ballesteros, Bañados Espinosa, Richard i el secretario.

### Art. 251

Fué aprobado el artículo modificando solo la redaccion del inciso primero, sustituyendo la palabra, *acompañar*, que en él se emplea, por *presentar*.

Entiende la Comision que el término especial de que habla el inciso tercero es un término probatorio, i se deja de ello testimonio en la presente acta para evitar dudas respecto del alcance de esta disposicion.

Con la modificacion introducida en el inciso primero, quedó en la forma siguiente:

«Art. 251, inciso primero.—El actor deberá pre-« sentar con su demanda los instrumentos en que « la funde.»

### Art. 252

El señor Richard hizo indicacion para suprimir este artículo, porque, como lo ha manifestado en otras ocasiones, estima inconveniente la facultad que se da al juez para dictar de oficio una resolucion que solo deberia espedirse a peticion de parte, dada la naturaleza de las funciones que a la autoridad judicial corresponden en materia civil.

El señor Bañados Espinosa cree que debe mantenerse el artículo del Proyecto, al ménos, con relacion a los cuatro primeros números del artículo 250, que determinan la forma esterna de la demanda, sobre todo si se toma en cuenta la importancia que ella tiene en sí misma i la que le da el Proyecto en cuanto a su notificacion. Limitada en esta forma la disposicion en estudio, no ofreceria tampoco los inconvenientes que ha insinuado el señor Richard, en órden al abuso que pueden cometer los jueces en el ejercicio de esta facultad.

El señor Riesco, por su parte, acepta la indicacion del señor Bañados E., teniendo ademas presente, que el juez debe consignar en su sentencia los datos indicados en los cuatro primeros números del artículo 250, i es, por consiguiente, necesario darle facultad para exijirlos de la parte aun cuando el contendor no lo pida.

Contra la opinion del señor Richard, se aprobó el artículo en la forma propuesta por el señor Ba. ñados, que es como sigue:

«Art. 252. Puede el juez de oficio no dar curso « a la demanda que no contenga las indicaciones « ordenadas en los tres primeros números del ar- « tículo 250, espresando el defecto de que adolece.»

## ART. 253

Se aprobó sin modificacion.

## ART. 254

Se estimó innecesaria la parte del inciso segundo, que faculta a las Cortes de Apelaciones para determinar los límites urbanos de las poblaciones, por estar ya establecida en la lei de Aranceles la manera de fijarlo.

Se aprobó, en consecuencia, el artículo, suprimiendo en el inciso segundo la frase: *Las Cortes de Apelaciones determinarán etc.*, quedando el inciso reducido a los términos siguientes:

«Art. 254, inciso 2.º Se aumentará este término « con tres dias mas si el demandado se encontrare « en el mismo departamento, pero fuera de los lími · « tes urbanos de la poblacion que sirva de asiento « al tribunal».

## ARTS. 255 i 256

Se aprobaron sin alteracion alguna.

## Arts. 257 i 258

El señor Riesco observó, respecto del primero, que
deberia darse mucho mayor amplitud al derecho
de la parte para ampliar la demanda ántes de haberse contestado, no solo por no existir lítis traba-
da, sino porque en este estado la ampliacion no produce las perturbaciones que orijina en el curso del
pleito.

El señor Bañados, por su parte, manifiesta que el
traslado que debe darse de toda ampliacion seria
innecesario cuando ella se produzca, por ejemplo,
en el escrito de réplica del cual debe tambien conferirse traslado a la parte contraria.

A indicacion del señor Riesco se resolvió agregar al Título VII de este libro una disposicion análoga a la del artículo 548 del Código de Enjuiciamiento Civil de España, que está mas en armonía
con las ideas enunciadas i reemplazar con arreglo
a ellas los artículos en estudio por el siguiente:

«Art. 257. Notificada la demanda a cualquiera de
« los demandados i ántes de la contestacion, podrá
« el demandante hacer en ella las ampliaciones o
« rectificaciones que estime convenientes.»

«Estas modificaciones se considerarán como una
« demanda nueva para los efectos de su notifica-
« cion i solo desde la fecha en que esta dilijencia se
« practique, correrá el término para contestar la
« primitiva demanda.»

## Arts. 259, 260, 261, 262, 263, 264, 265  266

Aprobados sin alteracion.

## Art. 267

El señor Riesco cree que la sancion establecida
en este artículo, deberia entenderse sin perjuicio

13-14

del apercibimiento que autoriza el anterior, i modificarse en este sentido el 267.

El señor Ballesteros acepta la modificacion propuesta, aunque no la considera indispensable, porque, en su concepto, no podria aplicarse en otra forma la disposicion en estudio.

Se aprobó el artículo con la agregacion propuesta por el señor Riesco, i en la forma siguiente:

«Art. 267. Siempre que se diere lugar a las me-
« didas mencionadas en los números 3.º i 4.º del ar-
« tículo 263, i la persona a quien incumba su cumpli-
« miento desobedeciere, existiendo en su poder los
« instrumentos o libros a que las medidas se refie-
« ran, perderá el derecho de hacerlos valer despues,
« salvo en la forma que establece el artículo 251.
« Lo cual se entiende sin perjuicio de lo dispuesto
« en el artículo precedente i en el § 2, tít. 2.º, lib. 1.º
« del Código de Comercio.»

ARTS. 268 i 269

Aprobados.

ART. 270

Los señores Riesco i Richard estiman que es sancion mas que suficiente la obligacion de responder de los perjuicios causados, que este artículo prescribe, i en atencion a esta circunstancia, juzgan que no habria razon para imponer ademas la multa que fija la parte final de dicho artículo.

La Comision lo estimó de igual manera i resolvió, en consecuencia, aprobar el artículo suprimiendo en el inciso segundo la frase final: *e incurrirá ademas en una multa a beneficio del perjudicado, que podrá llegar al diez por ciento del monto de los bienes comprendidos en las medidas precautorias.*

ARTS. 271, 272, 273, 274, 275, 276, 277, 278, 279 i 280

Aprobados en los términos del Proyecto.

### ART. 281

El señor Ballesteros cree que, para evitar dudas, seria oportuno consignar espresamente en este artículo que las acciones a que alude en su segunda parte, deben referirse a cosas muebles.

El señor Richard, por el contrario, no divisa razon para que se limite el secuestro a las cosas muebles, ya que tambien puede necesitarse esta medida precautoria para asegurar las resultas de las acciones que se ejerciten respecto de propiedades raices.

El señor Ballesteros observa que, en cuanto a las propiedades raices, el artículo siguiente autoriza el nombramiento de interventores, lo que, a su juicio, basta para resguardar los derechos ejercidos sobre un bien inmueble.

Así lo estimó tambien la Comision i se aprobó el artículo con la agregacion propuesta por el señor Ballesteros i en la forma que sigue:

«Art. 281. Habrá lugar al secuestro judicial en el « caso del artículo 901 del Código Civil, o cuando se « entablaren otras acciones con relacion a cosa mue- « ble determinada i hubiere motivo de temer que se « pierda o deteriore en manos de la persona que, « sin ser poseedora de dicha cosa, la tuviere en su « poder.»

### ART. 282

Aprobado.

### ART. 283

Se aprobó sin otra alteracion que colocar en el número 4.ʺ la disposicion contenida en el 5.º i viceversa.

### ARTS. 284, 285, 286, 287, 288, 289, 290, 291 i 292

Aprobados.

### ART. 293

El señor Richard insinúa que podrian comprenderse entre las escepciones dilatorias todos los beneficios que concede la lei i no limitarse al de escusion, como lo hace el número 5.° de este artículo.

Los señores Riesco i Silva Cruz creen que los demas beneficios constituyen en realidad una escepcion por su naturaleza perentoria; no así el de escusion, en virtud del cual no se rechaza en absoluto la accion, sino que se le niega lugar solo miéntras no se persiga al deudor directo.

Se levantó la sesion, dejando pendiente la discusion de este artículo.

GERMAN RIESCO.

*Luis Barriga,*
Secretario.

---

## SESION 14 EN 29 DE DICIEMBRE DE 1900

Asistieron los señores Ballesteros, Montt, Yáñez i el secretario.

Se leyó i aprobó el acta de la sesion anterior.

### ARTS. 294, 295, 296, 297 i 298

Se aprobaron sin modificacion.

## TÍTULO VI

El señor Ballesteros observa que la citacion de eviccion no puede estimarse como una incidencia propia del juicio ordinario i que, en consecuencia, no debe figurar el titulo VI que trata de dicha citacion en el libro II, que se refiere solo al juicio ordinario, sino entre los juicios especiales cuyo procedimiento establece el libro III.

Así lo estima tambien la Comision, que aceptó la indicacion del señor Ballesteros para colocar este título entre los IV i V del libro III, sin perjuicio de estudiar desde luego sus disposiciones.

### ART. 299

El señor Yáñez cree que es preferible la práctica actual que permite la citacion de eviccion ántes de recibirse la causa a prueba, no solo porque no encuentra razon bastante para restrinjir el ejercicio de este derecho al plazo para contestar la demanda, sino porque en vista de la discusion de las partes puede el demandado estimar innecesaria la citacion del vendedor i evitar así los entorpecimientos que de ordinario se producen con la intervencion del tercero. El sistema actual evita ademas las incidencias a que da lugar en la práctica el caso de escepcion que consigna el inciso primero del artículo del Proyecto.

El señor Montt considera de estricta justicia que se autorice la citacion de eviccion en cualquier estado de la causa, ya que de esta manera se evita que un descuido del demandado pueda estinguir su derecho para reclamar en contra del tercero que ha podido venderle a sabiendas una cosa ajena. Este procedimiento, agrega el señor Montt, en nada perjudica al demandante, para quien es indiferente litigar con el comprador o con el vendedor, ni daña tampoco a este último, respecto del cual no producirá cosa juzgada la sentencia que se dicte, si la citacion se hace despues de la prueba i no acepta la defensa hecha por el comprador.

Aceptada la opinion del señor Yáñez, se aprobó

el artículo modificando el inciso primero en la forma siguiente:

«Art. 299, inciso 1.º La citacion de eviccion de-
« berá hacerse ántes de recibirse la causa a prueba
« o si no fuere procedente la prueba, ántes de citar
« a las partes para oir sentencia definitiva.»

## ART. 300

El señor Ballesteros cree que seria preferible fijar en la lei el plazo en que el demandado debe prac-ticar la citacion del vendedor, previniendo así la formacion de incidentes sobre la designacion que segun el Proyecto corresponde al juzgado; podria señalarse a su juicio, el término de cinco dias si el tercero tuviera su domicilio en el lugar del juicio, ampliando este plazo en la forma establecida en el artículo 255, si reside fuera del departamento o del territorio de la República.

El señor Montt acepta la idea del señor Balles-teros i cualquiera limitacion razonable en el plazo para la citacion; pero no la sancion que establece el inciso segundo para el caso de no verificarse en el término designado, por las consideraciones que ha insinuado al tratarse del artículo anterior. En su concepto, la única sancion equitativa seria que, ven-cido el término señalado, se siguiera el juicio ade-lante sin mas trámites, para no perjudicar al de-mandante. En cuanto al vendedor, omitida o de-morada la citacion, no le afectaria la sentencia i el comprador necesitaria demandarlo a su vez para que se le declare responsable de la eviccion.

Estas ideas fueron aceptadas por el señor Yáñez, que llamó la atencion a las dificultades i demoras que puede ofrecer la citacion del vendedor cuando es o está representado por una sucesion o comu-nidad numerosa.

El señor Ballesteros sostiene que estas dificulta-des no pueden ocurrir por ser indivisible la accion de saneamiento a virtud de lo dispuesto en el artículo 1,840 del Código Civil. En cuanto a la indicacion del señor Montt, no puede aceptarse sin destruir el sistema establecido sobre esta materia por el Código citado, lo que, en su concepto, es inconveniente e inoportuno tratándose solo de la discusion de una lei de procedimientos.

El señor Montt cree discutible que la indicacion propuesta importe una modificacion del Código Civil, que se ha colocado solo en el caso de omitirse la citacion del vendedor para declararlo irresponsable. I suponiendo exacta la apreciacion hecha a este respecto por el señor Ballesteros, no estima que la necesidad de reformar el Código sea un obstáculo para adoptar hoi una disposicion que estima de evidente equidad.

Se dejó pendiente la discusion de este artículo i se levantó la sesion.

GERMAN RIESCO.

*Luis Barriga,*
Secretario

---

## SESION 15 EN 2 DE ENERO DE 1901

Se abrió la sesion, presidida por el señor Riesco, i con asistencia de los señores Ballesteros, Montt i el secretario.

Se leyó i aprobó el acta de la sesion anterior.

### ART. 300

Se continuó el estudio de este artículo, insistiendo el señor Montt en las observaciones que a su respecto habia formulado i en manifestar las dificul-

tades que puede ofrecer la citacion del vendedor
que se encuentra de paseo en Europa, por ejemplo,
i cuyo paradero seria difícil determinar en un momento dado.

El señor Ballesteros observó que. en casos como
éstos. la lei se ha encargado de evitar la dificultad
autorizando el nombramiento de curador de ausentes.

El artículo fué aprobado con la modificacion propuesta por el señor Ballesteros en la sesion anterior,
que es como sigue:

«Art. 300, inciso primero. Decretada la citacion,
« se suspenderán los trámites del juicio por el tér-
« mino de diez dias si la persona a quien debe ci-
« tarse reside en el departamento en que se sigue
« el pleito. Si se encuentra en otro departamento
« o fuera del territorio de la República, se aumen-
« tará dicho término en la forma establecida en el
« artículo 255.»

«Vencidos estos plazos sin que el demandado
« haya hecho practicar la citacion, podrá el deman-
« dante pedir que se declare caducado el derecho
« de aquél para exijirla i que continúen los trámi-
« tes del juicio, o que se le autorice para llevarla a
« efecto a costa del demandado.»

## Art. 301

Se aprobó sin modificacion.

## Art. 302

Se acordó suprimirlo como una consecuencia de
las modificaciones introducidas en el artículo 299.

## Art. 303

Fué aprobado en los términos del Proyecto.

## ART. 304

El señor Ballesteros estima que las escepciones de prescripcion, cosa juzgada i transaccion, deben fallarse en única instancia por el tribunal de alzada cuando se interponen ante este tribunal, i no dejar a su arbitrio resorverlas o mandarlas a primera instancia para que se pronuncie sobre ellas el juez de la causa. Cree tambien el señor Ballesteros que debe facultarse al tribunal para recibir este incidente a prueba, cuando lo estime necesario, ya que dichas escepciones pueden fundarse en hechos que no hayan sido materia de la prueba producida en el curso del juicio.

El señor Riesco observa que el artículo del Proyecto autoriza para deducir las escepciones aludidas en cualquier estado del pleito, pero regla solo el procedimiento que debe seguirse cuando se formulan en segunda instancia. Debe, en consecuencia, completarse el artículo consignando una tramitacion análoga para el caso de interponerse en primera i despues de recibirse la causa a prueba.

Agrega el señor Riesco que algunas de las disposiciones del artículo 250 no pueden referirse sino al demandante i que, por esta razon, seria preferible suprimir la referencia al artículo citado i reproducir sus disposiciones en cuanto puedan aplicarse al demandado.

El señor Montt, por su parte, hace presente que los términos del inciso segundo suponen otra disposicion que indique el tiempo en que deben formularse las escepciones, i cree que podria completarse el artículo en este sentido i en la forma que ha indicado el señor Riesco.

Agrega el señor Montt que habria estricta justicia en hacer estensivo el procedimiento adoptado por el artículo en estudio a otras escepciones, como la de pago efectivo, por ejemplo, que puede ser de fácil comprobacion. En su concepto, no seria justo prescindir de ella o exijir al demandado un nuevo juicio para deducirla, cuando no lo hizo en primera instancia por olvido o por falta de antecedentes probatorios.

Como consecuencia de las observaciones hechas respecto de este artículo, se acordó reemplazarlo por los dos que siguen:

«Art. 304. La contestacion a la demanda debe « contener:

«1.º La designacion del tribunal ante quien se « presente;

«2.º El nombre, domicilio i profesion u oficio del « demandado;

«3.º Las escepciones que se oponen a la demanda « i la esposicion clara de los hechos i fundamentos « de derecho en que se apoyan;

«4.º La enunciacion precisa i clara, consignada « en la conclusion de las peticiones que se sometan « al fallo del tribunal.

« Son tambien aplicables a la contestacion de la « demanda i al demandado las disposiciones del « artículo 251.»

« Art. siguiente...... No obstante lo dispuesto en « el artículo anterior, las escepciones de prescrip· « cion, cosa juzgada, transaccion i pago efectivo « de la deuda cuando ésta se funde en un antece- « dente escrito, podrán oponerse en cualquier esta- « do de la causa; pero no se admitirán sino se ale- « gan por escrito ántes de la citacion para senten- « cia en primera instancia, o de la vista de la cau- « sa, en segunda.

« Si se formulan en primera instancia, despues de « recibida la causa a prueba, se tramitarán como « incidentes, que pueden recibirse a prueba, si el « tribunal lo estima necesario, i se reservará su re- « solucion, para definitiva.

« Si se deducen en segunda, se seguirá igual pro- « cedimiento, pero en tal caso el tribunal de alzada « se pronunciará sobre ellas en única instancia.»

## ARTS. 305 I 306

Respecto del segundo de estos artículos, se acordó agregarlo a continuacion del 304, en vista de la reforma introducida en el primero.

Con relacion al 305, se recordaron las observaciones hechas al tratarse de los arts. 257 i 258, i de acuerdo con ellas, se acordó reemplazarlo por el siguiente:

« Art. 305. En los escritos de réplica i dúplica
« podrán las partes ampliar, adicionar o modificar
« las acciones i escepciones que hayan formulado
« en la demanda i contestacion, pero sin que pue-
« dan alterar las que sean objeto principal del
« pleito.»

## ART. 307

Se aprobó sin otra alteracion que suprimirle el último inciso, que la Comision estimó innecesario.

## ART. 308

El señor Ballesteros hizo indicacion para que se consignara espresamente en este artículo que la parte reconvenida fuera considerada como demandada, i se agregara con este objeto la frase: *considerándose para este efecto como demandada la parte contra quien se deduzca la reconvencion.*

Se dejó pendiente la discusion de este artículo.

## ART. 309

Se aprobó modificando solo como sigue la redaccion del inciso primero:

« Art. 309. No podrá deducirse reconvencion sino
« cuando el tribunal tenga competencia... etc.»

## Art. 310

Aprobado.

## Art. 311

Fué tambien aprobado suprimiendo la frase: *demanda interpuesta por via de*, que se juzgó redundante.
Se levantó la sesion.

German Riesco.

*Luis Barriga,*
Secretario.

---

## SESION 16 EN 5 DE ENERO DE 1901

Se abrió la sesion, con asistencia de los señores Ballesteros, Bañados Espinosa, Richard i el secretario.
Se leyó i aprobó el acta de la sesion anterior.

## Arts. 312, 313 i 314

El señor Richard considera peligroso que el juez, al recibir la causa a prueba, fije los puntos sobre que debe recaer, porque esta resolucion puede importar en muchos casos un prejuzgamiento respecto del fondo del pleito.

El señor Ballesteros, por el contrario, estima conveniente la disposicion observada, para evitar que se produzca por las partes, como sucede hoi, mucha prueba inconducente al fallo de la cuestion, sobre todo si se toma en cuenta que, en conformidad al Proyecto, debe rendirse ante el juez de la causa. Por lo demas, no divisa la dificultad que encuentra el señor Richard, como no las ha producido a este respecto la lei de 15 de Octubre de 1856, que contiene una prescripcion análoga.

En cuanto al artículo 314, el señor Richard insiste en la opinion que ha manifestado en otras ocasiones sobre la inconveniencia que, a su juicio, importan las declaraciones que los jueces deben hacer de oficio en materia civil en conformidad al Proyecto.

El señor Bañados Espinosa acepta el artículo en la intelijencia de que solo podrá rechazarse de oficio la prueba que sea absolutamente inconexa con la materia controvertida.

Se levantó la sesion dejando pendiente la discusion de estos artículos.

GERMAN RIESCO.

*Luis Barriga,*
Secretario.

## SESION 17 EN 8 DE ENERO DE 1901

Se abrió la sesion, presidida por el señor Riesco, i con asistencia de los señores Ballesteros, Montt, Silva Cruz i el secretario.

Se leyó i aprobó el acta de la sesion anterior.

### ART. 312

Se ocupó nuevamente la Comision en el estudio de este artículo, i fué aprobado modificando solo su redaccion en la forma siguiente:

«Art. 312. Concluidos los trámites que deben
« preceder a la prueba, ya se proceda con la con·
« testacion espresa del demandado o en su rebeldía,
« el tribunal examinará por sí mismo los autos, i si
« estimare que hai o puede haber controversia
« sobre algun hecho sustancial i pertinente en el
« juicio, ordenará que cada parte presente dentro
« de cinco dias una minuta de los puntos sobre que
« piense rendir prueba de testigos, numerados i
« especificados con claridad i precision. Lo cual se
« entiende sin perjuicio de lo dispuesto en el inci-
« so 2.º del artículo 307.

«Igual resolucion dictará el tribunal cuando to-
« das las partes lo solicitaren.»

Arts. 313 i 314

Recordó a su respecto el señor Ballesteros las
observaciones hechas a estos artículos por el señor
Richard i las que él, por su parte, habia formulado
en la sesion anterior para sostener los artículos del
Proyecto.

Los señores Riesco i Montt aceptaron la opinion
del señor Ballesteros.

El señor Montt, sin embargo, cree innecesaria la
disposicion contenida en el inciso 2.º del artículo
314, ya que, segun el artículo anterior, corresponde
al juez fijar previamente los puntos sobre que habrá de recaer la prueba.

Así lo estimaron tambien los demas miembros de
la Comision i se acordó, en consecuencia, suprimir
el referido inciso. Se juzgó asimismo que podrian
comprenderse en un solo artículo las disposiciones
de los dos en estudio, i quedó redactado en la forma
siguiente:

«Art. 313. Espirado el plazo de cinco dias que
« menciona el artículo anterior, sea que las partes
« hayan o no presentado sus minutas, el tribunal
« recibirá la causa a prueba i fijará en la misma re-

« solucion los puntos sobre que debe recaer la prue-
« ba de testigos.»

«Solo podrán fijarse como puntos de prueba los
« hechos sustanciales controvertidos en los escritos
« anteriores a la resolucion que ordena recibirla.»

## ART. 315

Se aprobó sin modificacion.

## ART. 316

Fué tambien aprobado, cambiando solo la redaccion del inciso primero por la siguiente:

«Art. 316, inciso 1.º Al responder la otra parte al
« traslado de la solicitud de ampliacion, podrá tam-
« bien alegar hechos nuevos que reunan las condi-
« ciones mencionadas en el artículo anterior, o que
« tengan relacion con los que en dicha solicitud
« se mencionan.»

## ART. 317

Se aprobó sin modificacion.

## ART. 318

Se tuvo presente respecto de este artículo, que
las resoluciones judiciales deben notificarse a todas
las partes, i por esta razon se modificó en forma siguiente:

«Art. 318. Toda dilijencia probatoria debe prac-
« ticarse previo decreto del tribunal que conoce en
« la causa, notificado a las partes.»

## ART. 319

El señor Ballesteros cree que, para evitar dudas,
es conveniente dejar establecido espresamente que

corresponde al tribunal la designacion del juez ante quien deben practicarse las dilijencias probatorias, en los casos a que este artículo se refiere.

Aceptada esta idea, se acordó agregarle la frase, *comisionado al efecto por el tribunal*, quedando el artículo como sigue:

«Art. 319. En los tribunales colejiados podrán « practicarse las dilijencias probatorias ante uno « solo de sus miembros comisionado al efecto por « el tribunal.»

### ART. 320

El señor Montt considera irregular que las resoluciones declaradas inapelables por el inciso segundo, puedan llegar a serlo por el solo hecho de reclamarse de otra providencia respecto de la cual procede el recurso de apelacion. Agrega que los fallos a que alude el citado inciso del Proyecto corresponden, en todo caso, a dilijencias o incidentes posteriores al auto que fija los puntos de prueba. Sostiene, en consecuencia, que debe suprimirse el inciso tercero, ya que no pueden comprenderse en un mismo recurso las resoluciones a que él se refiere, por la razon que deja insinuada.

Se aceptó la indicacion del señor Montt para suprimir el mencionado inciso tercero i se aprobó, por lo demas, el artículo del Proyecto, modificando solo su redaccion en los términos que siguen:

«Art. 320. Es apelable la resolucion en que esplí- « cita o implícitamente se niegue el trámite de re- « cepcion de la causa a prueba, salvo el caso del « inciso 2.º del artículo 307. Es asimismo apelable « la que admite dicho trámite i fija los puntos sobre « que debe rendirse la prueba.»

«Son inapelables la resolucion que dispone la « prática de alguna dilijencia probatoria, la que da « lugar a la ampliacion de la prueba sobre hechos

« nuevos alegados durante el término probatorio i
« la que se dicte en conformidad al artículo 312.»

### ART. 321

Se aprobó suprimiendo, por ser innecesaria, la
frase final *que litigan* i quedó por lo tanto como
sigue:
«Art. 321. Todo término probatorio es comun para
« las partes.»

### ART. 322

Fué tambien aprobado, sustituyendo solo la redaccion del inciso primero por la siguiente:
«Art. 322, inciso 1.º Para rendir prueba dentro
« del departamento en que se sigue el juicio, tendrán
« las partes el término de treinta dias.»

### ARTS. 323 i 324

Se aprobaron sin modificacion.

### ART. 325

El señor Montt no considera necesario el término estraordinario que este artículo concede para la
exhibicion de documentos que existan en pais estranjero, por cuanto los que sirven de fundamento
al derecho de las partes deben ser exhibidos por
ellas con la demanda o la contestacion i, en todo
caso, porque desde la iniciacion del pleito disponen
de tiempo bastante para procurárselos, sin necesidad de aumentar el término probatorio.
El señor Ballesteros hace presente que la defensa de las partes puede ser alterada en los escritos
de réplica i de dúplica, en términos que hagan necesaria la exhibicion de documentos que sin ella ha-

brian carecido de importancia. Para estos casos es indispensable la disposicion observada por el señor Montt.

Así lo estima tambien el señor Riesco, pero juzga que podria completarse la disposicion, dejando espresamente establecido que deben ser pertinentes al pleito los documentos cuya exhibicion se ofrece i que corresponde al juez de la causa la calificacion de esta circunstancia.

La Comision cree innecesaria la agregacion propuesta por el señor Riesco, por estimarla comprendida en las disposiciones anteriores relativas a la prueba.

Se aprobó, en consecuencia, el artículo del Proyecto, modificando solo la redaccion del número tercero como sigue:

«Art. 325, número tercero. Que, tratándose de
« prueba de testigos, se esprese su nombre i resi-
« dencia o se justifique algun antecedente que haga
« presumible la conveniencia de obtener sus decla-
« raciones.»

## ART. 326

El señor Ballesteros cree que las disposiciones de este artículo se refieren al aumento estraordinario para rendir prueba no solo fuera del departamento en que se sigue el juicio, sino tambien fuera del territorio de la República, pero que los términos en que está redactado pueden dar lugar a dudas a este respecto.

A fin de evitarlas, i dejar claramente establecido que el alcance de este artículo es el indicado por el señor Ballesteros, se acordó suprimir la frase *fuera del departamento en que se sigue el juicio*, quedando así reducido a los términos siguientes:

«Art. 326. El aumento estraordinario para ren-
« dir prueba deberá solicitarse ántes de vencido el

« término ordinario, determinando el lugar en que
« dicha prueba debe rendirse.»

ARTS. 327, 328 I 329

Aprobados.

ART. 330

Estima la Comision que deberia darse noticia a
la parte contraria de la solicitud en que se pide término estraordinario para rendir prueba dentro del
territorio de la República i no solo citarla sino oirla,
cuando se pretenda hacerlo fuera del pais.

Se resolvió, de acuerdo con estas ideas, modificar el inciso primero de este artículo en la forma
siguiente:

« Art. 330, inciso primero. El aumento estraordi-
« nario para dentro de la República podrá otorgar-
« se con previa citacion; el que deba producir efecto
« fuera del pais se decretará con audiencia de la
« parte contraria.»

ART. 331

El señor Riesco observa que puede acontecer que
despues de solicitado un término estraordinario se
muera el téstigo de que la parte habia pensado
valerse o que, por otro motivo justificado, no pudiese obtener su declaracion. En casos como éstos,
cree que no seria equitativo imponer a la parte la
condenacion en costas que este artículo prescribe.

Aceptada la indicacion del señor Riesco, se aprobó el artículo, modificando como sigue el inciso segundo:

« Art. 331, inciso segundo. Esta condenacion se
« impondrá en la sentencia definitiva i podrá el

« tribunal exonerar de ella a la parte que acredite
«·no haberla rendido por motivos justificados.»

### ART. 332

Aprobado.

### ART. 333

Fué tambien aprobado, suprimiendo en el inciso
primero la frase *de acuerdo*, que se estimó redundante.

### ART. 334

Se aceptó este artículo, modificando solo su redaccion en la forma que sigue:
« Art. 334. Las dilijencias de prueba de testigos
« solo podrán practicarse dentro del término pro-
« batorio.
« Sin embargo, las dilijencias iniciadas .... etc. »

### ARTS. 335, 336, 337, 338 I 339

Aprobados.

### ART. 340

El señor Montt observa, en jeneral, que la redaccion del artículo se presta a creer que la prueba
corresponde al que alega la falsedad del instrumento, i no al que lo exhibe, quien, en su concepto, es el que debe comprobar su autenticidad.
Los señores Riesco i Ballesteros hicieron tambien algunas observaciones relacionadas con la va-

lidez de la prueba de testigos en los juicios a que se refieren los artículos 1708 i 1709 del Código Civil.

Se levantó la sesion, quedando pendiente la discusion de este artículo.

GERMAN RIESCO.

*Luis Barriga,*
Secretario.

## SESION 18 EN 5 DE NOVIEMBRE DE 1901

Se abrió la sesion presidida por S. E. el Presidente de la República i con asistencia de los seño‍res Bañados Espinosa, Osandon, Richard, Vergara i el secretario.

Se leyó i aprobó el acta anterior.

Antes de continuar el estudio del artículo 340, que se dejó pendiente en la última sesion, se hicieron algunas observaciones respecto de los que se indican en seguida i que ya habian sido aprobados o modificados por la Comision.

### ART. 28

El secretario observa que, en conformidad a este artículo, los procuradores judiciales responden personalmente de las cargas pecuniarias de que trata el Título IV del libro I; i que de este antecedente puede deducirse que no están obligados a satisfacer las costas personales, en que se condene a sus partes, por cuanto el Título citado solo trata de las procesales.

Llama la atencion a esta circunstancia para el caso en que la Comision estime que debe mante-

15-16

nerse el sistema actual, que impone al procurador el deber de pagar unas i otras.

S. E. manifiesta que, aun cuando en jeneral, el Proyecto impone a cada parte la obligacion de satisfacer las costas que a ella corresponden; podria, sin embargo, modificarse esta disposicion refiriéndola a toda clase de costas, para dejar así establecido que los procuradores judiciales responden tambien personalmente, del pago de las procesales que sean do cargo a sus mandantes.

El señor Richard i los demas miembros de la Comision, aceptan la modificacion propuesta respecto de este artículo, que se reemplazó, en consecuencia, por el que sigue:

«Art. 28. Los procuradores judiciales responde-
« rán personalmente del pago de las costas que
« sean de cargo a sus mandantes, sin perjuicio de
« la responsabilidad de éstos.»

## ART. 78

El secretario recuerda que la Comision ha entendido que la palabra *funcionario* está tomada en el sentido de autoridad i se refiere a los de un órden distinto del poder judicial. (Acta de la sesion 6.ª)

Podria, sin embargo, observarse que el artículo del Proyecto se refiere únicamente a la ejecucion de *actuaciones judiciales* i que éstas no pueden practicarse por funcionarios de un órden distinto del judicial. El caso de escepcion que consigna la segunda parte del artículo parece confirmar esta apreciacion, porque, si al hablar de funcionarios no se hubiera referido a los del órden judicial, habria sido innecesario esceptuar a los ministros de fe.

Estas circunstancias inducen a creer que talvez se ha querido solo consignar una escepcion a la regla jeneral del artículo 74, análoga a las disposiciones vijentes que ordenan a los funcionarios judiciales practicar las dilijencias decretadas por un tribunal de distinta jurisdiccion, pero a virtud del

cúmplase previo del tribunal de quien inmediatamente dependen.

El señor Richard sostiene, como lo juzgó la primera vez que se trató de este artículo, que no es
otro el alcance de sus disposiciones i que su objeto
ha sido, en su concepto, evitar los trámites a que
se ha aludido i que pueden ser múltiples si se trata
de dilijencias encomendadas por un juez a funcionarios que dependan de otro juzgado que no corresponda a la jurisdiccion de la misma Corte de Apelaciones.

S. E., sin embargo, insiste en creer que la palabra
*funcionario* se refiere a los de un órden distinto del
poder judicial. Se trata, verbi-gracia, de una causa criminal en que se necesiten antecedentes que
obran en poder del Superintendente de Aduanas;
su agregacion constituye, a su juicio, una actuacion
del proceso i para obtenerla el juez de la causa se
dirije sin intermedio alguno a dicho funcionario a
virtud de la disposicion en estudio.

Agrega S. E. que considera peligroso i ocasionado a falsificaciones que un juez de una jurisdiccion
lejana pueda encomendar directamente a un funcionario judicial una actuacion propia de su cargo
i que estos peligros se evitan exijiendo el cúmplase
del juez de quien depende, dadas las relaciones que
con éste debe mantener.

Estima, no obstante, que en la intelijencia que la
Comision ha dado a la palabra funcionario es en
realidad innecesaria la última parte del artículo, ya
que los ministros de fe no están, segun ella, incluidos entre los funcionarios a que esta disposicion se
refiere. Propuso, en consecuencia, i lo aceptó la
Comision, suprimir la escepcion que contiene i quedó así el artículo reducido a los términos siguientes:

«Art. 7S. Toda comunicacion para practicar ac-
« tuaciones fuera del lugar del juicio, será dirijida
« sin intermedio alguno al tribunal o funcionario a
« quien corresponda ejecutarla aunque no dependa
« del que reclama su intervencion.»

## Art. 123

El secretario llama la atencion a que las disposiciones del artículo 124 parecen suponer que el tribunal, como cuestion previa, debe declarar, como sucede hoi, si la causal es o no bastante, i sin embargo el artículo 123 no dispone que se haga tal declaracion.

El señor Richard recuerda que al tratar de este artículo hizo una observacion análoga, pero que entónces se le contestó que la idea insinuada estaba implícitamente comprendida en los términos del Proyecto.

Sin embargo, para evitar dudas, se resolvió modificar el inciso 2.º del artículo en la forma siguiente:

«Art. 123, inciso 2.º—En el caso contrario decla-
« rará bastante la causal i si los hechos en que se
« funda constaren al tribunal o resultaren de los
« antecedentes acompañados o que el mismo tribu-
« nal de oficio mandare agregar, se declarará, sin
« mas trámites, la implicancia o recusacion.»

Agregó el secretario que de los términos en que están redactados los incisos 2.º i 3.º de este artículo, parece desprenderse que pueden dictarse en cuenta las declaraciones que debe hacer el tribunal al aceptar o rechazar de plano la implicancia o recusacion o recibirlas a prueba, i que quizás seria útil esclarecerlo, porque al presente se han suscitado dudas al respecto, con disposiciones análogas a las del Proyecto. Hoi se traen los autos en relacion para los efectos de resolver si es o no bastante la causal de recusacion, i no hace mucho tiempo esta declaracion se hacia solamente en cuenta.

El señor Presidente i los miembros de la Comision creen que, ni la resolucion indicada, ni las demas a que alude el artículo en estudio, pueden espedirse en cuenta i en esta intelijencia han aprobado el artículo i las modificaciones introducidas en él.

## Art. 193

El señor Richard llama la atencion a la frecuencia con que se provee *hágase como parece al defensor o al ministerio público* i se fallan de esta manera asuntos que pueden ser graves, sobre todo en materias de jurisdiccion voluntaria. Considera inconveniente esta práctica i cree que debieran tambien aplicarse a estas materias las disposiciones del artículo en estudio.

S. E. observa que las sentencias tanto definitivas como interlocutorias que se dicten en negocios de jurisdiccion voluntaria están sometidas a la regla que ordena fundar los fallos i que éstos deben naturalmente contener la resolucion del asunto a que ellos se refieren.

El Proyecto, agrega, contiene un título especial relacionado con esta materia i en el artículo 972 lo prescribe de una manera espresa respecto de las sentencias definitivas.

La Comision participa tambien de las opiniones manifestadas por el señor Presidente.

## Art. 340

Respecto del número 3.º se recordó que la Comision habia estimado que la alegacion de falsedad del instrumento, debiera hacerse dentro de seis dias, cualquiera que fuera el estado del juicio a la fecha de su presentacion.

Los señores Richard i Vergara indican ademas que habria conveniencia en que en el decreto que ordena agregar a los autos un instrumento privado, se apercibiera a la parte contraria con tenerlo por reconocido sino lo objeta en el plazo fijado por la lei.

De esta manera se evitaria que por descuido i **muchas veces por ignorancia de la lei, se incurrie-**

ra en la sancion que prescribe el Proyecto i que es el reconocimiento tácito del instrumento.

La Comision estimó fundadas estas observacio·nes i con su mérito se modificó el número 3.º en la forma propuesta por el señor Vergara, que es la siguiente:

«Art. 340, núm. 3.º Cuando, puestos en conoci-« miento de la parte contraria, no se alega su fal-« sedad o falta de integridad dentro de los seis dias « siguientes a su presentacion, debiendo el tribunal, « para este efecto, apercibir a aquella parte con el « reconocimiento tácito del instrumento si nada es-« pusiere dentro de dicho plazo.»

En cuanto al número 4.º se tuvo presente que el señor Montt habia objetado su redaccion porque se prestaba a creer que correspondia probar la fal·sedad del instrumento a la parte que la hubiera ale-gado.

Todos los miembros de la Comision estiman, como el señor Montt, que en el caso propuesto correspon-de acreditar la autenticidad del instrumento a la parte que lo presenta, i para evitar dudas a este respecto se reemplazó el número en estudio por el que sigue:

«Art. 340, núm. 4.º Cuando se declare la auten-« ticidad del instrumento por resolucion judicial.»

Los señores Richard i Vergara hicieron tambien algunas observaciones para precisar lo que debe entenderse por instrumento privado, ya que el Pro-yecto solo ha definido los instrumentos públicos.

Están de acuerdo a este respecto con los demas miembros de la Comision en que al tratarse de los primeros se alude a todos los que puedan compren-derse en la enumeracion contenida en el artículo 1,704 del Código Civil.

El señor Vergara, por su parte, agrega que seria útil determinar si deben estimarse como tácitamen-te reconocidos los documentos privados que se fir-man ante un notario, en atencion a lo mucho que se ha jeneralizado esta práctica, sobre todo en el comercio. Recuerda a este respecto que el Código de Procedimiento aleman los considera instrumentos públicos.

S. E. observa que los notarios solo pùeden actuar como ministros de fe en el ejercicio de las funciones que la lei les encomienda, i que no están autorizados por ella para servir en su carácter de tales como testigos de instrumentos privados. Estima, en consecuencia, como los demas miembros de la Comision, que en el caso propuesto, la firma del notario no tiene mas importancia que la de un testigo particular.

El señor Richard cree, por lo demas, que no habria conveniencia en adoptar las disposiciones del Código aleman i que, por el contrario, debiera estimularse a que todos los contratos se hicieran por escrituras públicas.

### ART. 341

El señor Richard cree que seria conveniente fijar el plazo dentro del cual puede la parte exijir la revision pericial i propone al efecto el término de seis dias.

Se aprobó el artículo con la agregacion propuesta por el señor Richard respecto del inciso segundo i en la forma siguiente:

«Art. 341, inciso 2.º Si al tiempo de acompañar-
« se se agregare su traduccion, valdrá ésta, salvo
« que la parte contraria exija dentro de seis dias
« que sea revisada por un perito, procediéndose en
« tal caso como lo dispone el inciso anterior.»

### ART. 342

Aprobado.

### ART. 343

El señor Richard manifiesta que la palabra *documento*, que emplea el inciso primero, no comprende

talvez toda clase de instrumentos privados, sobre
todo en la acepcion que a éstos da el Proyecto i de
la cual da testimonio la discusion habida al tratarse del artículo 340.

La Comision entiende, como el señor Richard,
que el artículo en estudio se refiere tambien a toda
clase de instrumentos i resolvió reemplazar la palabra *documentos*, que aparece en el inciso primero,
por *instrumentos*, no solo porque es mas comprensiva,
sino porque está mas en armonía con la clasificacion que de ellos hacen las otras disposiciones del
Proyecto.

Se levantó la sesion.

GERMAN RIESCO.

*Luis Barriga,*
Secretario

## SESION 19 EN 8 DE NOVIEMBRE DE 1901

Se abrió la sesion presidida por S. E. el Presidente de la República, i con asistencia de los señores
Bañados Espinosa, Richard, Vergara i el secretario.

Asistió tambien el señor Ministro de la Corte
Suprema don Leopoldo Urrutia.

Se leyó i aprobó el acta anterior.

### ART. 344

El señor Vergara considera de toda evidencia
que, con relacion a documentos públicos, solo procede el cotejo cuando por su naturaleza o por es-
travío u otra causa carezca de matriz con la cual
pueda confrontarse.

Así lo juzgó tambien la Comision i aprobó la indicacion del señor Vergara para sustituir el inciso
primero por el mismo inciso del artículo 606 del Có-

digo de Enjuiciamiento de España, que se armoniza mejor con las ideas enunciadas.

Se resolvió, sin embargo, suprimirle la última parte por estimar que no bastaria para declarar la autenticidad de un documento público que carezca de matriz, el solo reconocimiento del funcionario que lo hubiere espedido i quedó, en consecuencia, reemplazado por el que sigue:

«Art. 344, inciso 1.º Podrá pedirse el cotejo de « letras siempre que se niegue por la parte a quien « perjudique, o se ponga en duda la autenticidad « de un documento privado o la de cualquier docu- « mento público que carezca de matriz »

El señor Richard cree que talvez pudiera decirse con mas exactitud *que carezca actualmente,* porque puede tratarse de un documento que ha tenido matriz i que solo carece de ella en el momento de hacerse el cotejo.

Se mantuvo, sin embargo, la redaccion por estimar que ella solo dice relacion al tiempo presente.

### ARTS. 345 i 346

Al tratarse de estas artículos, se observó que puede presentarse el caso en que no hubiera documentos indubitados que pudieran servir de base al cotejo.

En tales casos la Comision estima que no podria hacerse el cotejo, pero el documento exhibido puede ser tomado en consideracion por el juez al aplicar las disposiciones de los artículos 347 i 348.

### ARTS. 347 i 348

Aprobados.

### ART. 349

El señor Vergara cree útil determinar el alcance de la parte final de este artículo.

El señor Urrutia contesta que ella autoriza como medios probatorios para los efectos de este artículo todos los que el Código Penal i el respectivo Código de Procedimiento aceptan para acreditar la existencia del fraude.

S. E. agrega que el objeto de sus disposiciones no es otro que declarar admisible a su respecto la prueba testimonial, que pudiera en algunos casos considerarse escluida a virtud de las otras disposiciones de nuestras leyes vijentes. No se innova, sin embargo, el actual procedimiento confirmado solo por la disposicion en estudio.

En esta intelijencia se aprobó el artículo.

## ART. 350

Aprobado.

## ART. 351

El señor Richard propuso, i lo aceptó la Comision, agregar al número tercero la frase *por ebriedad u otra causa*, para determinar mejor el alcance de esta disposicion.

En cuanto al número cuarto, pregunta el mismo señor Richard qué debe entenderse por faltar el sentido necesario.

El señor Urrutia contesta que se alude al sentido de la vista, por ejemplo, cuando se trata de declarar sobre la efectividad de un suicidio que se dice presenciado por el testigo; del oido cuando se declare sobre lo que ha oido decir a otra persona, etc., etc.

Respecto del número sesto, se deja testimonio de que la Comision entiende que la prueba del cohecho puede naturalmente producirse en el juicio civil en que se presta la declaracion.

En cuanto al número sétimo, el·señor Richard cree que seria conveniente definir lo que debe comprenderse en la denominacion de vagos.

Para determinarla se acordó sustituir este número por el siguiente:

«Art. 351, número 7.º Los vagos sin ocupacion « u oficio conocido.»

Tratándose del número octavo, el señor Bañados Espinosa observa que debiera ampliarse la inhabilidad de los testigos que hubieren sido condenados por otros delitos, tanto o mas graves que los enunciados en esta disposicion, como el homicidio, incendio, etc.

El señor Urrutia manifiesta que se ha tomado en cuenta la calidad del delito mas que su gravedad para determinar esta causal de inhabilidad.

El señor Vergara, por su parte, llama la atencion a que en algunos códigos modernos se han suprimido propiamente las tachas para dejar a la conciencia del juez el calificar el mérito probatorio de las declaraciones que pueden hoi invalidarse mediante las tachas.

El señor Presidente cree que podrian conciliarse las opiniones anteriores adoptando un término medio que consistiria en inhabilitar a las personas que hubieren sido condenadas por delito, siempre que esta condena, atendida su naturaleza i circunstancias haga indigno de fe su testimonio, en concepto del juez de la causa.

Así lo acordó la Comision i aceptó, en consecuencia, la modificacion propuesta por el señor Presidente, que es como sigue:

«Art. 351, número 8.º Los que en concepto del « tribunal sean indignos de fe por haber sido con- « denados por delito.»

## ART. 352

En cuanto al número segundo de este artículo, la Comision entiende que al hablar de hijos ilejítimos se comprende a todos los que no son de lejítimo matrimonio.

Respecto al número cuarto el señor Vergara estima que seria útil determinar lo que se entiende por criados domésticos, i agrega que deberia ampliarse la tacha a los dependientes de la parte que los presente en los términos que lo hace el Código de Enjuiciamiento de España.

El señor Richard observa que el Código Civil ha definido lo que se entiende por criados domésticos i juzga, por lo tanto, innecesario determinarlo en el presente Código i así lo estimó tambien la Comision, que aceptó, por la demas, la modificacion propuesta por el señor Vergara i en la forma siguiente:

«Art. 352, número 4.º Los criados domésticos o « dependientes de la parte que los presente.

«Se entenderá por dependiente para los efectos « de este artículo el que preste habitualmente ser- « vicios retribuidos al que lo hubiere presentado por « testigo, aunque no viva en su casa.»

Refiriéndose al número quinto, S. E. cree que bien pudiera suprimirse por estar incluidas las personas a que alude en los dependientes de que trata el número anterior.

El señor Urrutia añade que se ha querido con esta disposicion inhabilitar especialmente a los inquilinos que tienen una dependencia especial respecto de· la persona que esplota el fundo en que residen.

El señor Richard estima que no deberia limitarse la tacha a los inquilinos trabajadores agrícolas sino ampliarse a los operarios de fábricas i talleres, que tienen la misma razon de dependencia para hacer ineficaz su testimonio.

En vista de estas opiniones, S. E. propuso i lo aceptó la Comision, reemplazar el número quinto por el que sigue:

«Art. 352, número 5.º Los trabajadores i labra- « dores dependientes de la persona que exije su « testimonio. .

En el caso de este artículo, como en el previsto en el anterior, la Comision ha entendido que procede la tacha no solo respecto de los dependientes de una persona natural sinó tambien de las personas jurídicas.

Al tratarse del número sesto, el señor Richard llama la atencion a los términos de su segunda parte que pueden suscitar dudas respecto de su alcance.

S. E. juzga, como en el caso del número octavo del artículo anterior, que debe dejarse a la apreciacion del tribunal el alcance de esta inhabilidad.

De acuerdo con estas ideas propone sustituir el número sesto por el siguiente:

« Art. 352, número 6.º Los que a juicio del tribunal carezcan de la imparcialidad necesaria para declarar por tener en el pleito interes directo o indirecto. »

El señor Richard sostuvo al discutirse el número sétimo que la amistad íntima del testigo con la persona a cuyo favor declara, supone, en jeneral, falta de imparcialidad; como el odio o la enemistad de que habla el artículo respecto de la parte contraria.

Así lo estimó tambien la Comision i se reemplazó la disposicion aludida por la que sigue:

« Art. 352, número 7.º Los que tengan íntima « amistad con la parte que los presente u odio o « enemistad respecto de la persona contra quien « declaran.

« La amistad o enemistad deberán ser manifes- « tadas por hechos graves que el tribunal calificará « segun las circunstancias. »

El señor Richard observa, por último, que el Proyecto no determina la fecha a que debe referirse la causal de inhabilidad i que es indispensable precisarlo sobre todo respecto de los números cuarto i quinto.

La Comision entiende que la inhabilidad se refiere a la fecha de la declaracion, sin perjuicio de que el tribunal pueda declararla, aunque en realidad no exista materialmente en esa fecha, si apareciese de manifiesto que se ha hecho cesar accidental-mente i para el solo efecto de burlar la tacha, como sucederia, v. gr., si se despidiera un sirviente doméstico para llamarlo nuevamente al servicio despues de prestada la declaracion.

### ART. 353

Aprobado.

### ART. 354

Se dejó para segunda discusion.

### ART. 355

Aprobado.

### ART. 356

El señor Vergara cree que las declaraciones a que alude el inciso tercero de este artículo deben prestarse indudablemente ante el juez de la causa i con las formalidades que prescriben los arts. 359 a 362.

La comision lo estima de igual manera i para evitar dudas se resolvió consignarlo espresamente en la disposicion en estudio modificándola en los términos que siguen.

«Art. 356, inciso 3.º Las comprendidas en los « tres últimos números serán examinadas en su mo- « rada i en la forma establecida en los arts. 359 a « 362 »

### ART. 357

Aprobado.

### ART. 358

El señor Vergara observa que este artículo nada dispone en órden a que los testigos que han declarado no deban comunicarse con los que aun no lo hubieren hecho, i agrega que considera esta precaucion una garantía indispensable para asegurar la seriedad de la prueba.

De acuerdo con esta idea, que fué aceptada por la Comision, se resolvió agregar el siguiente inciso:

« Art. 358, inciso 2.º El tribunal adoptará las « medidas conducentes a evitar que los testigos que « vayan declarando puedan comunicarse con los « que no hubieren prestado declaracion.»

## ART. 359

El señor Vergara juzga que es tambien derecho del defensor el que este artículo confiere a la parte para presenciar la declaracion del testigo.

Aunque así lo estima tambien la Comision, resolvió consignarlo espresamente en este artículo.

Se hicieron por lo demas, a su respecto algunas observaciones relacionadas con las modificaciones introducidas en los arts. 313 i 314 i se dejó pendiente su discusion.

Se levantó la sesion.

GERMAN RIESCO.

*Luis Barriga,*
Secretario.

---

## SESION 20 EN 12 DE NOVIEMBRE DE 1901

---

Se abrió la sesion presidida por S. E. el Presidente de la República i con asistencia de los señores Bañados Espinosa, Ossandon, Vergara i el secretario.

Asistió tambien el señor Ministro de la Corte Suprema don Leopoldo Urrutia.

Se leyó i aprobó el acta anterior.

### ART. 354

Al ocuparse nuevamente en este artículo, cuya discusion quedó pendiente en la sesion anterior, manifestó el señor Vergara que hai hechos que, sin constituir delitos, pueden afectar al honor de una persona i que deberian, a su juicio, comprenderse tambien en la escepcion establecida en el número tercero, como lo hace el Código de Enjuiciamiento aleman.

Aceptada la opinion del señor Vergara, se resolvió modificar como sigue el artículo del Proyecto:

«Art. 354, número tercero.—Los que son interro-« gados acerca de hechos que afecten al honor del « testigo o de las personas mencionadas en el nú-« mero anterior, o que importen un delito de que « pudiera ser criminalmente responsable el decla-« rante o cualquiera de las personas referidas.»

### ART. 357

Respecto de este artículo, que ya habia sido aprobado en la reunion anterior, observa el señor Vergara que nada dispone sobre el juramento de los sordo-mudos, que no pueden prestarlo en la forma que prescribe la disposicion. Entiende, sin embargo, i así lo estima tambien la Comision, que en este caso el testigo debe prestar el juramento en la misma forma en que puede declarar.

### ART. 359

Se continuó el estudio de este artículo iniciado en la última sesion.

El señor Vergara cree que de los términos en que está redactado se deprende claramente que el exámen de los testigos no se hará como al presente por los interrogatorios de las partes, sino solo por los puntos de prueba que debe fijar el tribunal en cumplimiento de lo dispuesto en el artículo 313.

Así lo entiende tambien la Comision i aprobó, en esta intelijencia, el artículo del Proyecto con la modificacion acordada en la sesion anterior i en la forma que sigue:

«Art. 359. Los testigos serán interrogados por el « mismo tribunal, i cuando éste fuere colejiado, por « uno de sus ministros, a presencia de las partes i « sus defensores si concurrieren al acto. Las pre- « guntas versarán sobre los datos necesarios para « establecer si existen causas que inhabiliten al tes- « tigo para declarar i sobre los puntos de prueba « que se hubieren fijado. Podrá tambien el tribunal. « exijir que los testigos rectifiquen, esclarezcan o « precisen las aseveraciones hechas.»

Agrego el señor Urrutia que el trabajo del juez puede ser disminuido, i de hecho lo será en la práctica, por las minutas en que las partes fijen dichos puntos de prueba con arreglo al artículo 312.

ART. 360

La Comision estima evidente, como lo indicó el señor Vergara, que se estienden al abogado defensor los derechos que este artículo otorga a la parte, pero juzgó innecesario establecerlo espresamente en la lei en vista de la modificacion acordada respecto del artículo anterior.

Entiende tambien la Comision que, dados los términos de este artículo, son las partes las llamadas a calificar la conducencia de las interrogaciones que se hagan al testigo; mas, en caso de desacuerdo, juzga que debe naturalmente resolver el tribunal de la causa, cuyo fallo seria apelable solo en lo devolutivo.

Se tuvo presente que, revocada la resolucion espedida por el tribunal de primera instancia, no se habria privado a la parte de ningun derecho, ya que,

17-18

conforme al artículo 333, lo tiene espedito para solicitar un nuevo término que le-permita completar
su prueba con las interrogaciones rechazadas por
inconducentes i aceptadas por el tribunal de segunda instancia.

De acuerdo con estas ideas, se resolvió agregar
el inciso 2.º que se indica mas adelante, i se aprobó,
por lo demas, el artículo alterando solo como sigue
los términos en que está redactado:

«Art. 360. Cada parte tendrá derecho para dirijir
« por conducto del juez las interrogaciones que es
« time conduscentes a fin de establecer las causales
« de inhabilidad legal que puedan oponerse a los
« testigos i a fin de que éstos rectifiquen, esclarez-
« can o precisen los hechos sobre los cuales se in-
« voca su testimonio.

«En caso de desacuerdo entre las partes sobre la
« conduscencia de las preguntas, resolverá el tribu-
« nal, i su fallo será apelable solo en lo devolutivo.»


ARTS. 361 I 362

Aprobados.

ART. 363


El señor Vergara propone que se establezca en
la lei el plazo que debe mediar entre el decreto
que fija dia para la recepcion de la prueba i la
fecha determinada para la audiencia respectiva.

S. E. i el señor Urrutia estiman que éste debe
dejarse a la prudencia del juez, i que aun puede
llegar el caso en que la parte esté interesada en
que se fije un dia inmediato o el mismo en que se
decreta la fijacion de la audiencia, tratándose, por
ejemplo, de testigos que en esa fecha se encuentren
accidentalmente en el lugar del juicio.

La Comision lo juzgó de esta manera i aprobó
sin modificacion el artículo en estudio.

## Art. 364

El señor Bañados llama la atencion a que se escluye de estos actos al secretario para dar intervencion a los receptores, i a que no se espresa si es el de turno o el que se designe en cada caso.

El señor Urrutia lo esplica, manifestando que hoi, por regla jeneral, la prueba es tomada por los receptores; de modo que en rigor no se les va a encomendar ninguna funcion nueva  Se ha tenido presente que, con el sistema que establece el Proyecto, se quita a éstos casi la totalidad de las notificaciones i se impone en cambio a los secretarios un recargo de trabajo que no les permitirá asistir a las audiencias de prueba. En cuanto a la designacion del receptor, la Comision juzga que corresponde a la Corte de Apelaciones respectiva reglamentar los turnos o la forma en que debe hacerse.

El señor Vergara observa que la disposicion en estudio exije que la declaracion sea firmada por el testigo, pero no que le sea previamente leida, i que estima mui útil esta precaucion para evitar errores que pueden ser de capital importancia.

La Comision juzgó mui atendible esta observacion, i con arreglo a ella se modificó el artículo en los términos siguientes:

«Art. 364. Las declaraciones se consignarán por
« escrito, conservándose en cuanto sea posible las
« espresiones de que se haya valido el testigo, re-
« ducidas al menor número de palabras. Despues
« de leidas por el receptor en alta voz i ratificadas
« por el testigo, serán firmadas por el juez, el de-
« clarante, si supiere, i las partes, si tambien supie-
« ren i se hallaren presentes, autorizándolas un
« receptor, que servirá tambien como actuario en
« las incidencias que ocurran durante la audiencia
« de prueba.»

### ART. 365

El señor Vergara indica que seria oportuno precisar si el encargado se considera como representante de la parte para los efectos del artículo 360.

S. E. i demas miembros de la Comision estiman de toda evidencia que el encargado representa a la parte para esos efectos, i juzgan por esta razon innecesario modificar el artículo en estudio.

### ART. 366

El señor Vergara dice que el inciso segundo ofrece el inconveniente de obligar a las partes a presentar la lista de testigos ántes de fijar lòs puntos de prueba, lo que, en su concepto, debiera ser previo para poder asi apreciar qué testigos pueden declarar sobre ellos.

El señor Urrutia recuerda que los puntos de prueba se suponen conocidos de las partes, ya que, en conformidad al Proyecto, no pueden ser otros que los controvertidos en el curso de la causa.

La Comision aceptó la opinion del señor Urrutia i aprobó el artículo sin modificacion.

### ARTS. 367, 368, 369, 370, 371, 372 I 373

Aprobados.

### ART. 374

El señor Vergara propone que se agregue que el testigo solo estará obligado a comparecer ante el juez de la causa cuando resida en el mismo departamento.

S. E. observó que el caso propuesto está espresamente resuelto en el artículo 365 en la misma forma que lo indica el señor Vergara.

Se aprobó, en consecuencia, el artículo del Proyecto.

## Art. 375

El señor Vergara propuso, i la Comision aceptó, que se fijara un plazo mas o ménos breve para el ejercicio de los derechos que este artícuo reconoce.

A virtud de este acuerdo, se modificó el inciso primero en los términos indicados por el señor Presidente, que son como sigue:

«Art. 375. Tiene el testigo derecho para recla-
« mar de la persona que lo presenta, el abono de
« los gastos que le impusiere la comparecencia.

«Se entenderá renunciado este derecho si no se
« ejerciere en el plazo de veinte dias contados des-
« de la fecha en que se presta la declaracion.»

«En caso de desacuerdo, estos gastos serán re-
« gulados por el tribunal sin forma de juicio i sin
« ulterior recurso.»

## Art. 376

Aprobado.

A indicacion del señor Vergara se acordó agre-gar a continuacion de éste el siguiente artículo:

«Si algun testigo no entendiera o no hablara cas-
«-tellano será examinado por medio de intérprete».

## Arts. 377, 378, 379, 380, 381 i 382

Aprobados.

## Art. 383

El señor Presidente observa que este artículo autoriza al tribunal para cometer al secretario la dilijencia de tomar la confesion del litigante, lo que no puede hacerse cuando la parte ha solicitado que sea tomada por el juez, a virtud de lo dispuesto en el artículo 382.

Propuso por esta razon que se agregara al artículo en estudio este último inciso, que fué aprobado:

«No se podrá comisionar al secretario para tomar
« la confesion cuando la parte hubiere solicitado
« que se preste ante el tribunal.»

### ART. 384

Se aprobó completándolo solo con referirlo al artículo 357, que determina la forma en que debe prestarse el juramento:

«Art. 384. Antes de interrogar al litigante se le
« tomará juramento de decir verdad, en conformi-
« dad al artículo 357».

### ART. 385

Aprobado.

### ART. 386

El señor Vergara manifiesta que la redaccion dada al inciso segundo se presta a creer que puede ejercitarse el derecho que confiere mucho tiempo despues de prestada la confesion, lo que indudablemente no ha querido el artículo en estudio.

La Comision, que da al artículo el mismo alcance, aceptó la indicacion del señor Vergara para modificar el inciso segundo en la forma siguiente:

«Art. 386, inciso segundo.—Puede tambien ántes
« que termine la dilijencia, i despues de prestada
« la declaracion, pedir que se repita si hubiere en
« las respuestas dadas algun punto oscuro o dudoso
« que aclarar».

### ART. 387

Aprobado.

## ART. 388

S. E. entiende que solo es inapelable la resolucion del tribunal cuando concede el plazo a que se refiere el inciso 3.º, i para evitar dudas, propone modificar como sigue la parte final de este inciso:

«La resolucion del tribunal que conceda plazo « será inapelable».

La Comision aceptó la indicacion del señor Presidente i aprobó el artículo con la modificacion indicada.

## ARTS. 389 I 390

Aprobados.

## ART. 391

Quedó pendiente la discusion de este artículo i se levantó la sesion.

GERMAN RIESCO.

*Luis Barriga,*
Secretario.

## SESION 21 EN 15 DE NOVIEMBRE DE 1901

Se abrió la sesion presidida por S. E. el Presidente de la República i con asistencia de los señores Bañados Espinosa, Richard, Vergara i el secretario.

Asistió tambien el señor ministro de la Corte Suprema don Leopoldo Urrutia.

Se leyó i aprobó el acta anterior.

## ART. 391

El señor Urrutia espone, esplicando el alcance de este artículo, que el Proyecto no desconoce el derecho de la parte para exijir en todo caso la confesion de su contendor; pero toma en cuenta si se ha dado o no facultad de absolver posiciones al mandatario, para determinar las obligaciones que afectan a éste en órden a la comparecencia de su mandante.

Si el procurador no tiene poder bastante para absolver posiciones, se le impone la obligacion de presentar a su mandante ante el tribunal de la causa en el plazo razonable que éste le fije. En el caso contrario, le exonera de esta obligacion; pero la parte que solicita la confesion deberá hacer, por su cuenta, las jestiones conducentes a obtener la comparecencia del mandante.

El señor Bañados E. cree que deberia establecerse especialmente en el inciso primero, que no basta conferir poder para absolver posiciones, sino que es menester dar tambien al mandatario las instrucciones necesarias, como lo prescribe el inciso segundo.

S. E. i el señor Urrutia lo consideran innecesario, porque es de suponer que se darán instrucciones al apoderado a quien se otorga dicha facultad i sobre todo, si se toma en cuenta que la condicion propuesta puede eludirse fácilmente si no se procede de buena fe.

El señor Richard dice que será ilusorio en muchos casos el derecho que confiere la segunda parte del inciso primero, si no se obliga al mandatario a indicar, por lo ménos, el domicilio de su parte, bajo el apercibimiento que prescribe el artículo 388.

El señor Urrutia acepta la indicacion del señor Richard.

El señor Presidente sostiene que la única manera de hacer eficaz el derecho de una parte para obtener la confesion de la otra, es imponer al procurador, en todo caso, la obligacion de hacer comparecer a su poderdante i sancionar el cumplimiento de dicha obligacion en la forma prevista en el artículo 388. Es entendido que la comparecencia tendria lugar en el plazo razonable que le fijará el tribunal i ante el juez de la residencia del absolvente; i por lo demas, tiene presente que debe suponerse que la parte dará noticia a su mandatario de cualquier cambio de domicilio.

El procedimiento propuesto que garantiza el ejer. cicio de un derecho indiscutible, no lastima tampoco, en la forma que ha indicado, los de la parte cuya confesion se solicita.

De acuerdo con estas ideas, se resolvió modificar el artículo en la forma propuesta por el señor Presidente, que es la que sigue:

«Art. 391. El procurador es obligado a hacer
« comparecer a su mandante para absolver posicio-
« nes en el término razonable que el tribunal desig-
« ne i bajo el apercibimiento indicado en el artículo
« 388.

«La comparecencia se verificará ante el tribunal
« de la causa si la parte se encuentra en el lugar
« del juicio; en el caso contrario, ante el juez com-
« petente del departamento en que resida o ante
« el respectivo ajénte diplomático o consular chile·
« no si hubiere salido del territorio de la Repú
« blica.»

ART. 392

El señor Vergara cree que podria suprimirse por innecesaria la frase «si fuese puramente verbal.»

El señor Urrutia contesta que, en su concepto, debe mantenerse, porque la confesion puede ser parte verbal i parte escrita, como sucederia, por ejemplo, si se presenta un documento privado en que se reconoce la existencia de una deuda sin determinar su cuantía i mas tarde se reconoce este

valor verbalmente en una confesion extrajudicial
En este caso, si se tratara de una cantidad que exce-
diera de doscientos pesos, no seria admisible la
prueba de testigos, i sin embargo, existiria la base de presuncion judicial, ya que la confesion no seria puramente verbal.

El señor Vergara estima que la confesion prestada por la parte en un juicio diverso debe hacer
plena fe, en su contra, como quiera que es en realidad una confesion judicial.

El señor Urrutia sostiene que solo puede considerarse confesion judicial la que tiene lugar en el
mismo juicio en que se presta.

El señor Presidente manifiesta, confirmando esta
doctrina, que al absolver posiciones en una causa se
esponen naturalmente los hechos solo en cuanto
dicen relacion a la materia del pleito, i si hubieran
de tomarse en cuenta en un juicio diverso podrian agregarse circunstancias o antecedentes que
modificarian por completo el alcance de la declaracion prestada. Cree, por lo demas, como el
señor Urrutia, que debe aprobarse el artículo, pero reemplazando en el inciso primero la frase
«podrá solo estimarse como base de una presuncion», por «es solo base de presuncion».

Se aprobó el artículo con la modificacion propuesta por el señor Presidente.

«Art. 392. Inciso primero. La confesion extra-
« judicial, es solo base de presuncion judicial i no
« se tomará en cuenta, si fuere puramente verbal,
« sino en los casos en que seria admisible la prue-
« ba de testigos.»

## Art. 393.

El señor Presidente i la Comision entienden que
se puede exijir la confesion, no solo sobre hechos
personales de la parte, sino sobre todos los que sean
pertinentes al juicio i de los cuales tenga conoci-

miento el declarante, en conformidad a lo establecido en el artículo 379 del Proyecto.

El señor Richard observa, que si la confesion judicial produee en jeneral plena fe en contra del que la presta, es innecesaria la disposicion del inciso segundo.

El señor Urrutia contesta que el inciso primero dice relacion al artículo 1,713 del Código Civil i éste solamente a los hechos personales de la parte, i por esta razon es indispensable la disposicion del inciso segundo, que determina el valor de la confesion cuando se refiere a hechos que no son personales de la parte.

Estaria previsto en este inciso el caso de la declaracion del marido, despues de disuelta la sociedad conyugal, sobre hechos de la mujer; el del sucesor a cualquier título, sobre hechos del antecesor; el de un socio respecto del otro, etc., i, en jeneral, toda declaracion de la parte sobre hechos que no son personales suyos i cuya confesion le perjudica, a virtud de la disposicion contenida en este inciso.

Así lo estima tambien la Comision.

Se resolvió, sin embargo, suprimir la escepcion que consigna la parte final de dicho inciso, por considerarla comprendida en el inciso tercero del artículo 396, ya que la escepcion aludida solo se refiere a una confesion prestada por error de hecho, que es el único caso en que puede ser desvirtuada con la prueba de testigos.

ART. 394.

Aprobado.

ART. 395

El señor Bañados cree que seria útil determinar prácticamente el alcance de las escepciones que contienen los números 1.º i 2.º respecto de la regla jeneral que consigna el inciso primero.

El señor Richard recuerda el caso en que con mas frecuencia ·podrán aplicarse estas disposiciones. Se demanda una especie retenida por un tercero i se exije la confesion del demandado: éste declara que tiene la cosa en su poder, porque la compró a su contendor i la pagó en el acto de la compra.

A juicio del señor Urrutia i de la Comision, esta confesion seria indivisible; pero dejaria de serlo, si se hubiera declarado que el pago lo habia hecho mucho tiempo despues de la compra, ya que el pago seria en esta situacion un hecho diverso de la venta.

Agregó el señor Urrutia que, con arreglo al número 2.º, en el primero de los casos propuestos, el demandante podria comprobar con los testigos del contrato que el pago no se hizo en el momento en que fué celebrado.

En esta intelijencia se aprobó el artículo.


### ART. 396


El señor Bañados cree que no deberia abrirse el término de prueba a que alude el inciso segundo sino en los casos en que·la peticion del confesante se formule despues de vencido el probatorio en la causa,

Aceptado el parecer del señor Bañados, se modificó el inciso 2.º en los términos que siguen:

«Art. 396, inciso 2.º Podrá, sin embargo, admi-
« tirse prueba en este caso i aun abrirse un término
« especial para ella, si el tribunal lo estima necesa-
« rio i hubiera espirado el probatorio de la causa,
« cuando el confesante alegare, para revocar su
« confesion, que ha padecido error de hecho i ofrez-
« ca justificar esta circunstancia.»

### Art. 397

El señor Richard sostiene que el número 2.º no comprende todo lo que puede ser materia del juramento estimatorio, como, por ejemplo, el valor de la cosa demandada o de otro jénero de indemnizaciones que no puedan calificarse de daños.

Estimándose fundada esta observacion, se acordó, a indicacion del señor Presidente, reemplazar el número 2.º por el que sigue:

« Art. 397, número 2.º La valoracion de la cosa « que se litiga o del daño reclamado. »

### Arts: 398, 399, 400, 401, 402, 403, 404, 405, 406, 407 i 408

Aprobados.

### Art. 409

El señor Vergara propuso, i la Comision aceptó, agregar al inciso 1.º la última parte del 2.º, para armonizar así la disposicion en estudio con el órden real en que se verifican los hechos a que ella se refiere. Quedó el artículo en la forma siguiente:

« Art. 409. Fuera de los casos espresamente se- « ñalados por la lei, la inspeccion personal del tri- « bunal solo se decretará cuando éste la estime ne- « cesaria i se designará dia i hora para practicarla « con la anticipacion necesaria para que puedan « concurrir las partes con sus abogados.

« La inspeccion podrá verificarse aun fuera del « territorio señalado a la jurisdiccion del tribunal. »

### Art. 410

Se aprobó, reemplazando, por indicacion del señor Presidente, la palabra *debida* por *conveniente* que espresa con mas propiedad la idea del Proyecto,

## ART. 411

Fué tambien aprobado sustituyendo la redaccion del inciso 2.º por el siguiente:

«Art. 411, inciso 2.º Si el tribunal fuere colejia-
« do podrá comisionar para que practique la ins-
« peccion a uno o mas de sus miembros. »

## ART. 412

El señor Vergara cree que no cabe hacer a prorrata los gastos de que trata este artículo.

Así lo juzga tambien la Comision i acuerda modificarlo, estableciendo que el depósito que en él se ordena se hará por mitad entre demandantes i demandados i en la forma que sigue:

« Art. 412. La parte que hubiere solicitado la
« inspeccion depositará, ántes de proceder a ella,
« en manos del secretario del tribunal, la suma que
« éste estime necesaria para costear los gastos que
« se causaren. Cuando la inspeccion fuere decre-
« tada de oficio u ordenada por la lei, el depósito
« se hará por mitad entre demandantes i deman-
« dados. »

Se deja testimonio de que la Comision entiende que el tribunal debe actuar con su secretario, o con el que fuere designado para este efecto por el tribunal o por el ministro comisionado para practicar la inspeccion, si se trata de un tribunal colejiado.

## ARTS. 413 i 414

Aprobados.

A indicacion de S. E. se cambió el título del párrafo 7.º por el de «Del informe de peritos», en atencion a que puede tratarse de un dictámen pericial que no exija reconocimiento personal del perito sino la apreciacion de hechos que constan del mismo espediente.

## Arts. 415 i 416

Aprobados.

## Arts. 417, 418 i 419

Fueron tambien aprobados sin otra modificacion que reemplazar por *ciencia o arte* la frase *arte, profesion o industria* que aparece en el número 1.º del 417 i 2.º del 419.

A indicacion del señor Vergara, se acordó ademas sustituir la palabra *deberá*, con que comienza el art. 417, por *podrá*, ya que es facultativo oir el dictámen de peritos en los casos de este artículo.

## Art. 420

El señor Vergara cree de manifiesta conveniencia que sean determinados el objeto o materias que debe comprender el informe i propone, en este concepto, agregar al final del inciso 1.º la frase *i el punto o puntos materia del informe.*

La Comision aceptó esta indicacion.

## Arts. 421, 422 i 423

Aprobados.

## Art. 424

Se dejó para segunda discusion i se suspéndió la sesion.

Germán Riesco.

*Luis Barriga,*
Secretario.

Se abrió la sesion presidida por S. E. el Presidente de la República i con asistencia de los señores
Ballesteros, Bañados E., Vergara i el secretario.

Asistieron tambien los señores don Leopoldo
Urrutia, Ministro de la Corte Suprema de Justicia
i el Fiscal de la misma Corte don Miguel Luis Valdes, a quienes la Comision habia invitado para concurrir a sus sesiones.

Se leyó i aprobó el acta anterior.

### ART. 423 i 424

Respecto del segundo, recordó el señor Vergara
que al iniciar su estudio, en la sesion anterior, se
habia tratado de esclarecer si los peritos están obligados a citar a las partes en todo caso; i si deben
repetir esta citacion dia por dia, cuando el reconocimiento pericial no pudiere practicarse en uno
solo.

El señor Presidente sostiene que la citacion de
las partes, solo tiene cabida cuando el perito encargado de dictaminar necesita practicar un reconocimiento personal i que, en su concepto, carece de
objeto si se trata solo de dar opinion sobre los an-
cedentes que obran en el proceso.

El señor Ballesteros cree que, aun en este caso, hai
conveniencia en que se cite a las partes, a fin de
que puedan llamar la atencion del perito a los antecedentes que juzguen mas importantes para la
mejor apreciacion de su derecho.

El señor Presidente estima que, en estos casos, las
partes podrian hacer por escrito las observaciones
que indica el señor Ballesteros, sin que para ello
fuera menester una citacion previa.

El señor Vergara agregó que el artículo 424 se refiere solo al caso en que se nombren varios peritos i, a su juicio, es indudable que hai las mismas razones para citar a las partes cuando se requiere el dictámen de uno solo.

La Comision estima que, cuando un reconocimiento pericial no pudiera terminarse en un solo dia, no es menester nueva citacion para continuarlo, ya que es entendido que en este caso el perito cuidará de hacer saber verbalmente a los interesados la fecha en que proseguirá la dilijencia.

Se aceptaron, por lo demas, las opiniones del señor Presidente i del señor Vergara i se resolvió de acuerdo con ellas agregar al artículo 423 el siguiente último inciso.

«Art. 423, inciso 3.º El perito encargado de prac-« ticar un reconocimiento deberá citar previamente « a las partes para que concurran si quisieren.»

Este inciso se agregó al artículo 423, por haber observado el señor Bañados E. que el 424 regla solo el procedimiento que debe seguirse cuando hai mas de un perito.

Como consecuencia de la agregacion hecha al artículo citado, se resolvió suprimir del 424 la frase *citando previamente a las partes para que concurran si quisieren.*

## ART. 425

Aprobado.

## ART. 426

El señor Bañados E. considerá que es grave dejar al juez la facultad de prescindir del informe pericial como lo autoriza el artículo en estudio.

El señor Presidente cree que no llegará el caso de ejercitarla, sino cuando se trate de un perito nombrado por la parte i sea manifiesto que el retardo para despachar su informe no tenga otro'objeto que favorecer los intereses de la persona que lo ha designado.

19-20

Así lo juzgó tambien la Comision, pero a fin de evitar dudas, aceptó, al mismo tiempo, la indicacion del señor Bañados E. para agregar al final de este artículo la frase *segun los casos.*

ARTS. 427, 428, 429, 430 i 431

Aprobados.

ART. 432

El señor Ballesteros considera útil estudiar i resolver aquí si una sola presuncion puede constituir plena prueba, o si para producirla se necesita mas de una.

Esta cuestion que, aun dentro del pais se ha resuelto en uno i otro sentido, ha sido tambien materia de importantes comentarios i resoluciones de los tratadistas i tribunales estranjeros; sobre todo entre los franceses que se inclinan, con razones, a su juicio convincentes, a sostener que una sola presuncion calificada puede ser bastante para producir plena prueba, siempre que sea suficiente para formar al juez conciencia cierta.

El señor Vergara confirma esta doctrina con los estudios de Bonnier en su tratado sobre las pruebas.

El señor Urrutia sostiene que en ningun caso puede hacer prueba plena una sola presuncion judicial por mas fuerte i calificada que sea; i que esta doctrina es, en su concepto, la única compatible con la naturaleza de este medio probatorio i con los términos del artículo 1,712 del Código Civil, reproducidos espresamente por la disposicion en estudio.

El artículo citado exije que las presunciones sean graves, precisas i concordantes; circunstancias éstas, sobre todo la última, que suponen indudablemente la existencia de mas de una presuncion.

Dada la importancia de esta cuestion, se resolvió dejar su estudio para continuarlo en la próxima sesion.

## ART. 433

El señor Vergara cree que debe precisarse lo que se entiende por hechos declarados verdaderos en otro juicio, a que se alude en el inciso segundo.

El señor Presidente contesta que esta disposicion solo puede referirse a hechos que ha declarado verdaderos una sentencia dictada en un juicio sobre materia diversa o entre partes distintas, porque de otra manera no se alegaria la presunción sino la cosa juzgada.

Agregó S. E., en cuanto al inciso primero, que este precepto crea en realidad una presuncion meramente legal que puede producir en la práctica mui graves consecuencias, i que solo podria aceptarse que se dejara al tribunal la apreciacion del mérito de los certificados a que ella se refiere.

El señor Urrutia, sin desconocer la fuerza de esta observacion, opina que es tambien peligroso negar el valor probatorio que debe darse a la certificacion de un ministro de fe respecto de las actuaciones que practique en el ejercicio de su cargo; por esta razon juzga que podria modificarse solo la segunda parte de este inciso en el sentido indicado i en la forma siguiente:

«Se reputarán verdaderos los hechos certificados « por un ministro de fe en las actuaciones que hu- « biere practicado en razon de su cargo.»

El señor Ballesteros confirma las observaciones hechas por el señor Presidente, i propone reemplazar el artículo por el que sigue:

«Los tribunales apreciarán los antecedentes o « circunstancias que sirvan de base a la presuncion, « en conformidad a las reglas jenerales.

«Podrán tambien estimarse como base de presun- « cion los hechos declarados verdaderos en otro jui- « cio entre las mismas partes.»

A juicio del señor Ballesteros, este segundo inciso estaria talvez mejor colocado en la parte del Proyecto que trata de los efectos de la sentencia.

Se dejó pendiente este artículo i las indicaciones formuladas.

ARTS. 434 i 435

Aprobados.

ART. 436

El señor Vergara cree que este artículo deberia figurar a continuacion del 349, ya que sus disposiciones no se refieren propiamente a la apreciacion de la prueba, sino a las condiciones que debe tener la de testigos cuando se trata de la autenticidad de una escritura pública.

El señor Ballesteros juzga que no hai razon para limitar la admisibilidad de esta prueba a los casos de fallecimiento o de encontrarse fuera del pais, en la fecha en que la escritura aparece otorgada, las partes, el escribano o los testigos que concurrieron a su celebracion, ya que pueden reunirse otras circunstancias que comprueben plenamente la falsedad de la escritura, i que hoi pueden tambien acreditarse con prueba de testigos.

El señor Presidente agrega que los términos del artículo parecen escluir otros medios de prueba, cuando en realidad se pretende solo fijar las condiciones en que puede admitirse la de testigos.

El señor Valdés confirma la opinion del señor Presidente i propone alterar la redaccion del inciso primero como sigue:

«Para que solo con prueba de testigos pueda in« validarse una escritura pública, se requiere la con« currencia de cinco testigos.»

Quedó pendiente la discusion de este artículo.

ARTS. 437, 438, 439, 440 i 441

Aprobados.

### ART. 442

A indicacion del señor Presidente, se deja establecido que la Comision estima que la declaracion de improcedencia del recurso solo puede hacerse en cuenta en los tribunales compuestos de una sala i no en los demas en que las causas deben sortearse.

### ARTS. 443, 444, 445, 446, 447, 448 i 449

Aprobados.

### ART. 450

El señor Presidente recuerda que, al tratarse del artículo 222, la Comision ha dejado establecido que debe ser personal la primera notificacion que se haga a las partes en la segunda instancia.

Para evitar las dudas a que pudieran dar lugar los términos jenerales del artículo en estudio, propuso, i se aceptó. que se agregara al inciso primero la frase *con escepcion de la primera, que debe ser personal.*

### ART. 451

El señor Ballesteros cree que, cuando las dos partes apelan de una sentencia, debiera permitirse al abogado del primer apelante contestar al alegato del segundo en los puntos que son materia de su apelacion. Estima, tanto mas importante esta indicacion, cuanto que es frecuente que en las espresiones de agravio no se determinen en una forma concreta las peticiones de las partes i en tales condiciones, en el caso propuesto, el abogado se verá obligado a discurrir en nipótesis, que pueden ser a menudo inconducentes.

El señor Valdes juzga que la observacion del señor Ballesteros podria aplicarse a todos los casos

aun al de un solo apelante, como quiera que éste
deberá de ordinario estudiar las razones en que puede fundarse el apelado para pedir la confirmacion
del fallo, ya que no serán siempre las que sirven de
fundamento a la sentencia.

El señor Presidente sostiene que, en la espresion
de agravios que importa una verdadera demanda,
las partes deben fijar en términos concretos las pe
ticiones que formulan en órden al fallo apelado; i
que es necesario consignarlo de una manera espresa
en el Proyecto. De este modo se evitarán, ademas,
al ménos en parte, los inconvenientes apuntados
por el señor Ballesteros.

Considera asimismo indispensable reglamentar
el procedimiento que ha de seguirse en órden a la
tramitacion de la espresion de agravios cuando son
varios los apelantes, estableciendo que deben ser
oidas a su respecto todas las partes que figuran en
la causa.

La Comision aceptó las ideas del señor Presidente i dejó para la próxima sesion fijar los términos
en que debe redactarse la disposicion correspondiente que podria agregarse al artículo 443.

ARTS. 452, 453 I 454

Aprobados.

ART. 455

A indicacion del señor Valdés, se resolvió reemplazar la frase *concluido el juicio* del inciso primero
por *cerrado el debate*, que espresa con mas propiedad
la idea del Proyecto.

Se acordó, asimismo, a propuesta del señor Presidente, suprimir por innecesaria la frase *la práctica de*.

Con estas modificaciones se aprobó el artículo en
la forma siguiente:

«Art. 455. Vista la causa, queda cerrado el deba-
« te i el juicio en estado de dictarse resolucion.»

«Si, vista la causa, se decretare para mejor resol-
« ver alguna de las dilijencias mencionadas en el
« artículo 165, no por esto dejarán de intervenir en
« la decision del asunto los mismos miembros del
« tribunal que asistieron a la vista en que se ordenó
« la dilijencia.»

Se levantó la sesion.

GERMAN RIESCO.

*Luis Barriga,*
Secretario.

---

## SESION 23 EN 22 DE NOVIEMBRE DE 1901

Se abrió la sesion con asistencia de los señores
Ballesteros, Silva Cruz, Bañados E., Ossandon, Vergara i el secretario.

Asistieron tambien los señores Ministro i Fiscal
de la Corte Suprema de Justicia Leopoldo Urrutia
i Miguel L. Valdes.

Se leyó i aprobó el acta anterior.

### ART. 432

Se continuó en el estudio de este artículo comenzado en la reunion anterior.

Insistió el señor Ballesteros en que debia aceptarse como plena prueba una sola presuncion judicial
siempre que ella fuera bastante para formar en el
tribunal conciencia cierta.

En cuanto al fundamento de esta doctrina le bastará llamar la atencion a que puede ocurrir el caso
en que una sola presuncion llegue a producir en
el juez que debe calificarla, una conviccion mas

exenta de dudas que muchas presunciones reunidas, por mui graves i concordantes que sean. Por otra parte, ella se ajusta a las tendencias de la lejislacion moderna que propende, en jeneral, a dejar al criterio del tribunal la apreciacion de éste i de los demas medios probatorios.

La Comision aceptó la opinion del señor Ballesteros i la indicacion que formuló, en consecuencia para agregar al artículo en estudio el siguiente inciso:

« Art. 432, inciso 2.º Una sola presuncion puede « constituir plena prueba cuando, a juicio del tribu- « nal, tenga caracteres de gravedad i precision sufi- « cientes para formar su convencimiento».

### ART. 378

Como una consecuencia de la doctrina aceptada al tratarse del artículo 432, el señor Ballesteros sostiene que debe modificarse el número primero del 378, ya que la declaracion de un testigo puede constituir una presuncion que baste para producir plena prueba, con arreglo al inciso agregado al referido artículo 432.

Propuso al efecto reemplazarlo por el que sigue:

«Art. 378, número 1.º La declaracion de un tes- « tigo imparcial i verídico constituye una presun- « cion judicial cuyo mérito probatorio será estima- « do en conformidad al artículo 432.»

La Comision aceptó esta modificacion por la razon insinuada por el señor Ballesteros.

El mismo señor Senador cree que deberia dejarse ámplia libertad al tribunal para apreciar el mérito probatorio de las declaraciones de testigos, como quiera que en realidad constituyen solo una presuncion en el sentido lato de la palabra.

El señor Vergara recuerda que así lo ha sostenido tambien en otras ocasiones en que se ha tratado de cuestiones relacionadas con la apreciacion de la prueba. De tal manera que, a su juicio, el tribunal debiera estar facultado para desestimar, no solo el dicho de dos sino de cualquier número de testigos, cuando en su concepto no fuere digno de fe su testimonio.

La Comision aceptó las ideas de los señores Ballesteros i Vergara i para consignarla en el Proyecto se acordó reemplazar la palabra *hará* que emplea el número 2.º por la frase *podrá constituir*. Con esta alteracion quedó el número citado como sigue:

« Art. 378, número 2.º La de dos o mas testigos
« contestes en el hecho i en sus circunstancias esen-
« ciales, sin tacha, legalmente examinados i que
« den razon de sus dichos podrá constituir prueba
« plena cuando no haya sido desvirtuada por otra
« prueba en contrario».

## ART. 433

Se trató nuevamente de este artículo, dejado para segunda discusion en la reunion del viérnes último.

El señor Urrutia juzga que las observaciones hechas a su respecto, en la sesion anterior, se produjeron sin duda porque se dió a sus disposiciones un alcance que en realidad no tienen.

No se trata de dar valor a hechos que certifique un ministro de fe mucho tiempo despues de haber ocurrido, por el recuerdo que de ellos conserve i de los cuales no se haya dejado testimonio en los autos, sino, por el contrario, de los que certifique en el proceso mismo a virtud de órden espresa de tribunal competente. Se formula una denuncia de obra nueva: el juez manda paralizar el trabajo denunciado i tomar razon de su estado por un ministro de fé; el certificado que a este respecto espida dicho funcionario tiene a su favor la presuncion de verdad que le da el inciso primero de este artículo.

En esta intelijencia fué aprobado, agregando solo la frase *en el proceso* para espresar con mas cla-

ridad el alcance que le atribuye la Comision, que no
es otro que el indicado por el señor Urrutia.

Con esta agregacion se modificó el inciso primero
como sigue:

«Art. 433, inciso 1.º Sin perjuicio de las demas
« circunstancias que, en concepto del tribunal o por
« disposicion de la lei, deban estimarse como· base
« de una presuncion, se reputarán verdaderos los he-
« chos certificados en el proceso por un ministro de
« fe a virtud de órden de tribunal competente,
« salvo prueba en contrario ».

### ART. 436

Se acordó a su respecto que el señor Ballesteros
habia sostenido en la sesion anterior, que no existia
razon alguna para limitar la prueba de coartada, que
establece este artículo, al solo caso de encontrarse
fuera del pais la persona que aparece suscribiendo
una escritura pública, ya que puede estar dentro
del territorio de la República i existir, sin embargo,
la misma imposibilidad absoluta que si estuviera en
otro pais.

Así lo estimó tambien la Comision que aceptó
reemplazar la palabra *pais* por *lugar*.

El señor Valdes cree que no basta decir que una
persona se encuentra fuera del lugar en que se otorga la escritura en la fecha en que aparece celebra-
da, ya que puede suceder en muchos casos que en
realidad se haya encontrado en un mismo dia en
dos lugares distintos. Agrega que es indudable,
en su concepto, que la ausencia del lugar debe ser
permanente durante el plazo que el Proyecto fija,
por la razon que deja insinuada.

Aceptada esta opinion, se resolvió modificar el
artículo en los términos propuestos por el señor
Valdes, que son los que siguen.

« Art. 486, inciso 1.º Para que pueda invalidarse
« con prueba testimonial una escritura pública se
« requiere la concurrencia de cinco testigos, que

« reunan las condiciones espresadas en la regla se-
« gunda del artículo 378, que acrediten que la parte
« que se dice haber asistido personalmente al otor-
« gamiento, o el escribano, o alguno de los testigos
« instrumentales ha fallecido con anterioridad o ha
« permanecido fuera del lugar en el dia del otorga-
« miento i en los setenta dias subsiguientes.»

Terminada ya la revision de los libros primero i
segundo, se resolvió, ántes de seguir adelante, continuar el estudio de los artículos que se han dejado
para segunda discusion i que son los que en seguida se indican:

### Arts. 18, 19 i 20

El señor Urrutia observa, respecto del primero,
que nacen directa e inmediatamente de un mismo
hecho la accion reivindicatoria que fluye de la nulidad, resolucion o rescision de un acto o contrato;
i asimismo la del arrendador contra el arrendatario
directo para la terminacion del arrendamiento i a la
vez contra el sub-arrendatario, a fin de que éste res-
tituya la cosa arrendada. Personales, las acciones,
rescisoria de nulidad i resolutoria se dirijen contra
el contratante con el fin de terminar los efectos o
anular los actos contractuales; pero como de la infraccion declarada hai derecho para deducir la accion real contra terceros, como lo establecen especialmente los artículos 1490, 1491 i 1689 del Código
Civil, es útil en todos conceptos que ámbas acciones
puedan tramitarse en un mismo juicio. De este modo la sentencia sobre la accion personal empecerá
al poseedor contra quien se reivindica. Igual cosa
puede decirse de las acciones que se dirijen contra
el arrendatario i sub-arrendatario.

La parte final del artículo se refiere especialmente a los juicios que surjen de las obligaciones soli-
darias e indivisibles; acciones de comuneros o con-

tra comuneros, pago de deudas hereditarias o testamentarias, etc.

En cuanto a los artículos 19 i 20, el señor Urrutia estima aceptable la indicacion hecha por el señor Yáñez en la sesion tercera para refundirlos en uno solo.

Agrega, sin embargo, que en todo caso considera indispensable consignar espresamente en el Proyecto que las disposiciones del artículo 20 rejirán sin perjuicio de las escepciones establecidas por la lei. Al formular esta indicacion tiene presente el artículo 1526 del Código Civil i el caso en que, tratándose de obligaciones alternativas, se exija por uno de los demandantes la ejecucion de una de las cosas debidas. En esta situacion no podria pedir otro una cosa diversa i el demandado tendria derecho para obligarlos a obrar de comun acuerdo en el juicio correspondiente; la misma observacion puede aplicarse al caso en que la eleccion de la cosa corresponda al deudor.

El señor Ballesteros cree que no debe aceptarse la indicacion del señor Yáñez, porque comprende solo los casos en que haya demanda, i no las otras jestiones judiciales a que se refiere el artículo 19.

El señor Silva Cruz, confirmando la opinion del señor Ballesteros, observa que los artículos 19 i 20 reglan dos situaciones distintas que deben rejirse por disposiciones diversas.

La Comision aprobó los artículos citados, agregando solo al inciso 1.º del 20 la frase *salvas las escepciones legales*, propuesta por el señor Urrutia.


## ART. 127


El señor Urrutia observa que las objeciones que se han hecho al titulo de las implicancias i recusaciones i de que dan testimonio las actas anteriores, se deben, a su juicio, a que se ha tratado de juzgar las disposiciones del Proyecto sobre la base de la actual lejislacion que es enteramente diversa.

La lei vijente señala un plazo para el fallo de las recusaciones durante el cual permanece suspendida la jurisdiccion del juez; trascurrido dicho plazo se dsvuelve al juez su jurisdiccion, se haya o no resuelto la recusacion. El Proyecto no suspende el juicio miéntras se resuelve el incidente, sino que encarga su tramitacion al juez que debe subrogarlo con arreglo a la lei. Dentro de este sistema, juzga que no pueden mantenerse las objeciones de que se ha hecho mencion. Se ha dicho, por ejemplo, que puede privarse a la parte del juez que interviene en su causa sin darle noticia siquiera de la existencia de ls recusacion; pero se olvida que al enviar el proceso al subrogante se pone de hecho en conocimiento de las partes.

El señor Valdés, analizando los términos de este artículo, juzga que el solo hecho de que trascurra el plazo que en él se fija, no es bastante para suponer abandonada la solicitud de inhabilitacion. Podria suceder que se hubiera concedido un término estraordinario para rendir prueba en Magallánes: miéntras llega el interrogatorio a su destino puede trascurrir el plazo de diez dias, i sin embargo el recurrente no tendria en realidad jestion alguna que hacer para la prosecucion del incidente, que se declararia así abandonado sin culpa alguna de su parte.

Agrega el señor Valdés que la declaracion de abandono debiera hacerse de oficio, porque en realidad hai verdadero interes público en activar el fallo de una recusacion, que puede deducirse con el solo objeto de obtener que un pleito se tramite por un juez determinado.

El señor Vergara confirma las observaciones del señor Valdés, que fueron aceptadas tambien por al Comision, en cuanto a que la declaracion de abandono debiera hacerse de oficio, i con citacion tambien del recusante, como lo propone el señor

Vergara, para evitar en lo posible las dificultades que ha insinuado el señor Valdés.

Se aprobó el artículo en la forma propuesta por los señores Valdés i Vergara, que es como sigue:

« Art. 127. Paralizado el incidente de implican-
« cia o de recusacion por mas de diez dias, sin que
« la parte que lo hubiese promovido haga jestiones
« conducentes para ponerlo en estado de que sea
« resuelto, el tribunal lo declarará de oficio aban-
« donado con citacion del recusante. »

## ART. 128

Aprobado.

## ART. 129

Se dejó pendiente la discusion de este artículo.

## ART. 130

El señor Valdés observa que no ha encontrado en el Proyecto disposicion alguna que ordene poner en noticia del juez, cuya inhabilitacion se solicita, la sentencia que se dicte sobre implicancias i recusaciones.

La Comision aceptó, por esta razon, la indicacion del señor Valdes para agregar al artículo 130 el siguiente inciso:

« Art. 130, inciso 2.º Toda sentencia sobre im-
« plicancia o recusacion será trascrita de oficio al
« juez o tribunal a quien afecte. »

Se levantó la sesion.

GERMAN RIESCO.

*Luis Barriga,*
Secretario.

## SESION 24 EN 26 DE NOVIEMBRE DE 1901

Se abrió presidida por S. E. el Presidente de la República i con asistencia de los señores Ballesteros, Bañados Espinosa, Richard, Vergara i el secretario.

Asistieron tambien los señores Ministro i Fiscal de la Corte Suprema, don Leopoldo Urrutia i don Miguel Luis Valdés.

Se leyó i aprobó el acta anterior.

### Art. 126

Se recordó a su respecto que la Comision del Senado tuvo presente que el derecho conferido a las partes de recusar a los jueces podia dar lugar a que, con el propósito de dificultar la tramitacion del juicio, se formularan maliciosamente recusaciones sucesivas, respecto del juez de la causa o de los miembros de los tribunales colejiados.

Para evitar los entorpecimientos a que daria lugar este abuso, se estimó que habria conveniencia en facultar a los tribunales para fijar un plazo dentro del cual las partes debieran interponer todas las recusaciones a que se creyesen con derecho.

Con el mismo objeto el señor Urrutia propuso agregar al artículo 126 los siguientes incisos:

« Art. 126, inciso 3.º Sin perjuicio de lo dispues-
« to en los incisos precedentes, podrán los tribuna-
« les, a peticion de parte o de oficio, despues de
« haberse rechazado en la causa dos o mas recusa-
« ciones interpuestas por un mismo litigante, fijar
« a éste i compartes un plazo razonable para que
« dentro de él deduzcan todas las que conceptúen
« procedentes a su derecho, bajo apercibimiento de
« no ser oidos despues respecto de aquellas causa-

« les que se funden en hechos o circunstancias que
« hubieren acaecido con anterioridad al decreto
« que fija dicho plazo.»

« Las recusaciones que se interpusieren porc au-
« sas sobrevinientes a la fecha de este decreto, se-
« rán admitidas previa consignacion de la multa, i
« en caso de ser desestimadas, pueden tambien las
« cortes imponer al recurrente, a mas de la multa
« establecida, otra que no deberá exceder de dos
« mil pesos por cada instancia de recusacion.»

Como fundamento de esta disposicion, recuerda
el señor Urrutia que en las causas de importancia
no bastan a menudo las multas para impedir la pa-
ralizacion del proceso durante años por la sucesiva
interposicion de recusaciones, sea a un mismo juez
o a diversos miembros de un tribunal colejiado. Los
tribunales no cuentan con medios eficaces para impedir la repeticion de semejante procedimiento
que, como se ve, importa en realidad una verdadera denegacion de justicia sancionada por defectos
de ritualidad. El único medio propuesto en el articulo del Proyecto, no permite evitar este inconveniente. El inciso propuesto llena este propósito,
pues da a los tribunales la facultad prudencial de recurrir al arbitrio que consagra despues de dos recusaciones interpuestas por una misma parte i rechazadas en el juicio en que se propusieron. El inciso no
atenta, por lo demas, al derecho de las partes para
interponer recusaciones por causas sobrevinientes
al plazo que autoriza, pues sus preceptos restricti-
vos sólo se refieren a causales anteriores al decreto
que fija dicho plazo. Las posteriores, como el cohecho, emision de opiniones, u otras que no han podido ser conocidas del recusante, pueden interponerse bajo la sancion doble potestativa del juez, de
las multas que manda aplicar el artículo, tal como
hoi se halla redactado, i a mas, de nueva multa por
cada instancia de recusacion. Esta medida estrema
hai que consagrarla, pues sin ella seria ineficaz todo arbitrio propuesto, desde que podria fácilmente

ser burlado, inventándose causales por supuestos
hechos posteriores al decreto que señala plazo para
deducir recusaciones.

Se habla tambien en el inciso propuesto, de las
*compartes* del recusante, pues se ha notado que para
cohonestar la multiplicidad de los recursos dividen
los litigantes entre sí las causales que alegan a fin
de prolongar indebidamente la terminacion de una
causa.

La Comision aceptó en todas sus partes la disposicion propuesta por el señor Urrutia.


## ART. 129


Los señores Ballesteros i Urrutia espusieron que
en este artículo se habia tratado de incluir entre
las causales de implicancia muchas que hoi son de
recusacion; pero que en realidad inhabilitan moral-
mente al juez para intervenir en un negocio; de tal
manera que al presente procuran de hecho inhibir-
se de conocer en ellos, aunque constituyan solo una
causal de recusacion.

Esta esplicacion satisface la duda manifestada
por el señor Vergara, en órden a si deben estimarse
derogadas por esta disposicion las de la lei de Tribunales, ya que, como se ha dicho, el artículo en estudio convierte en causales de implicancia algunas
que solo son de recusacion.

En esta intelijencia cree el señor Vergara que
seria preferible suprimir la referencia al artículo
248 de la lei de 15 de octubre de 1875, que hace el
inciso segundo, i, completar la enumeracion que
sigue a este inciso con las disposiciones del artículo
citado que no estuvieren comprendidas en ella.

Los señores Ballesteros i Richard, que aceptan
esta modificacion, proponen a su vez suprimir del
número quinto la palabra *todos* que limita la inhabilitacion en términos tan absolutos que puede elu-

21-22

dirse fácilmente á pretesto de existir un antecedente de que no ha tomado conocimiento el juez de la causa.

El señor Valdes agrega que con la supresion propuesta, la disposicion aludida queda en el fondo en los mismos términos de la lei vijente que se aplica constantemente, sin que haya ofrecido en la práctica dificultad alguna para determinar su alcance.

La Comision aceptó las indicaciones de los señores Ballesteros, Richard i Vergara i resolvió, en consecuencia, modificar el inciso segundo i siguientes en la forma que sigue:

«Art. 129, inciso 2.º. Las partes podrán, sin em-
« bargo, convenir en que continúe el funcionario
« inhabilitado salvo que la inhabilitacion se funda-
« re en alguna de las causas siguientes:

«1.ª Ser el juez parte en el pleito o tener en él
« interes personal;

«2.ª Ser el juez consorte o pariente consanguíneo
« lejítimo en cualquiera de los grados de la línea
« recta i en la colateral hasta el segundo grado, o
« ser padre o hijo natural de alguna de las partes
« o de sus representantes legales;

«3.ª Ser el juez tutor o curador de alguna de las
« partes, o ser albacea de alguna sucesion o síndico
« de alguna quiebra o concurso o administrador de
« algun establecimiento o representante de alguna
« persona jurídica que figure como parte en el juicio;

«4.ª Ser el juez ascendiente o descendiente con-
« sanguíneo lejítimo, padre o hijo natural del abo-
« gado de alguna de las partes;

«5.ª Haber sido el juez abogado o apoderado de
« alguna de las partes en la causa actualmente so-
« metida a su conocimiento;

«6.ª Tener el juez, su consorte, ascendientes o
« descendientes consanguíneos lejítimos, padres o
« hijos naturales, causa pendiente en que deba fa-
« llar como juez alguna de las partes;

«7.ª Tener el juez, su consorte, ascendientes o
« descendientes consanguíneos lejítimos, padres o

« hijos naturales, causa pendiente en que se ventile
« la misma cuestion que el juez debe fallar;.

«8.ª Haber el juez manifestado su dictámen sobre
« la cuestion pendiente, con conocimiento de los
« antecedentes necesarios para pronunciar senten-
« cia; i

«9.ª Ser el juez, su consorte, o alguno de sus as-
« cendientes o descendientes, consanguíneos lejíti-
« mos, padres o hijos naturales, heredero instituido
« en testamento por alguna de las partes.»

El señor Vergara cree que seria útil determinar
si afecta tambien a los peritos, que en su carácter
de tales hubieren manifestado opinion, la inhabilidad establecida en el número quinto del artículo del
Proyecto.

La Comision entiende que en el caso propuesto
afectaria sin duda al perito la inhabilidad recordada, ya que tiene por objeto impedir que pueda fallar el pleito un juez que, con conocimiento de causa, ha dado opinion sobre él, aunque al manifestarla
no tuviera carácter alguno judicial.

El señor Vergara observa que el título de las implicancias i recusaciones nada dispone respecto del
derecho que, a su juicio, deben tener todas las partes para ser oidas en los respectivos incidentes,
producir prueba, etc., i en jeneral para ejercitar
todos los medios de defensa que como partes pueden
hacer valer.

La Comision cree, como el señor Vergara, que
son indiscutibles los derechos aludidos; pero estima
innecesaria una disposicion especial que así lo establezca, ya que, segun el artículo 123, las implicancias i recusaciones deben tramitarse como incidentes, i en la tramitacion que para éstos prescribe el
. Proyecto se consignan especialmente los derechos
mencionados.

El señor Valdes llama la atencion a que en el título en estudio no se ha previsto tampoco el caso
en que haya varias partes en el pleito que pueden
renovar maliciosamente una causal de inhabilita-

cion alegada ya por otra parte i rechazada por el tribunal correspondiente.

El señor Vergara, que formuló observaciones análogas, hizo indicacion para reproducir en el Proyecto el artículo 53 de la lei de 2 de febrero de 1837.

La Comision aceptó esta indicacion i resolvió agregar a continuacion del 131 el artículo siguiente, propuesto por el señor Valdes:

«Art. ... Cuando fueren varios los demandantes o « los demandados, la implicancia o recusacion de- « ducida por alguno de ellos, no podrá renovarse « por los otros, a ménos de fundarse en alguna cau- « sa personal del recusante.»

El señor Richard cree oportuno resolver si las partes coadyuvantes tendrán tambien el derecho de provocar la inhabilitacion del tribunal de la causa.

El señor Valdes cree que esta duda está resuelta en el artículo 23 que determina los derechos del coadyuvante, entre los cuales no está comprendido el indicado por el señor Richard.

Así lo estimó tambien la Comision.

## ART. 159

En la sesion octava se dejó pendiente la discusion de este artículo i la indicacion formulada a su respecto por el señor Ballesteros, para hacer estensivo al demante el derecho de pedir el abandono de la instancia.

Insiste el señor Senador en su indicacion, i tiene para ello presente. que es igualmente responsable del abondono del pleito el demandante como el demandado, cuando dejan trascurrir el plazo legal sin ajitarlo, i que el primero puede tener tanto interes como el segundo en obtener la declaracion correspondiente. Agrega que confirma su doctrina la disposicion del artículo 162, que supone estinguido por el abandono el derecho de una i otra parte para hacer valer el procedimiento abandonado,

El señor Urrutia, contestando a esta última observacion, sostiene que el artículo 162 no tiene el alcance que le atribuye el señor Ballesteros. El demandado es el único que tiene derecho de pedir el abandono, pero si se resuelve a ejercitarlo, abandona tambien de hecho el procedimiento seguido en cuanto dice relacion con su defensa.

Por lo demas, agrega el señor Urrutia, que no puede colocarse en igualdad de condiciones al demandante i demandado; el rol de éste es en jeneral pasivo i subordinado al procedimiento del actor, que lo arrastra al juicio i que debe suponerse interesado en llevarlo a término.

El señor Ballesteros observa que uno i otro deben estar interesadas en la pronta solucion del pleito.

Considera, por lo demas, fuera de dudas que debe autorizarse al demandante para solicitar el abandono en el caso de reconvencion, que importa en realidad una verdadera demanda.

El señor Bañados acepta el artículo del Proyecto, tomando en cuenta que el artículo 162 prescribe solo el abandono del procedimiento, pero no de las acciones o escepciones de las partes.

El señor Ballesteros propone, finalmente, reemplazar la frase *sentencia definitiva* por *sentencia de término*, ya que el abandono puede solicitarse en segunda instancia i despues de dictada en primera sentencia definitiva.

La Comision aprobó el artículo del Proyecto con solo la última modificacion propuesta por el señor Ballesteros; pero estima como el señor Senador el caso de reconvencion.

Se juzgó, sin embargo, innecesario consignar a este respecto una disposicion espresa.


## Art. 308


Fué tambien aprobado en la forma indicada por el señor Ballesteros en la sesion 15, agregándole la

frase *i se considerará para este efecto como demandada
la parte contra quien se deduzca la reconvencion.*

Antes de iniciar el estudio del juicio ejecutivo,
insistió el señor Vergara en la idea que ha insinuado en otras ocasiones de autorizar los informes en
derecho, que en algunos casos son manifiestamente
necesarios.

Los señores Urrutia i Richard, sin oponerse a la
idea del señor Vergara, hicieron algunas observaciones para demostrar que los alegatos impresos,
cuya exactitud puede verificar el tribunal, suplen
la necesidad de los informes en derecho, que pueden no tener otro objeto que prolongar el pleito
durante el plazo que se otorgue para presentarlos.

Se aceptó, sin embargo, la indicacion del señor
Vergara para agregar al final del Título XIII los
artículos siguientes:

« Art... Los tribunales podrán mandar, a peticion
« de parte, informar en derecho.»

« Art... El término para informar en derecho se-
« rá el que señale el tribunal i no podrá exceder de
« sesenta dias, salvo acuerdo de las partes.».

« Art... Un ejemplar impreso de cada informe en
« derecho con las firmas del abogado i de la parte
« o de su procurador i el certificado a que se refiere
« el número cuarto del artículo 325 de la lei de Or-
« ganizacion i Atribuciones de los Tribunales, se
« entregará a cada uno de los ministros i otro se
« agregará a los autos.»


# LIBRO III


## Art. 456


El señor Richard observa que no basta para que
haya título ejecutivo la existencia de una escritura
pública si ella no da testimonio de una obligacion
determinada i actualmente exijible.

Recuerda a este respecto que, tratándose de contratos de arrendamiento reducidos a escritura pública, no se les ha dado mérito ejecutivo en cuanto al pago de los cánones por no encontrarse acreditada la entrega de la propiedad materia del contrato.

La Comision juzga de toda evidencia que el título ejecutivo supone la existencia de obligacion líquida i exijible; así lo establece espresamente el artículo 459 recordado por el señor Presidente.

ARTS. 457, 458, 459, 460  461, 462, 463 i 464

Aprobados.

### ART. 465

Fué tambien aprobado, agregando solo al inciso último, a indicacion del señor Richard, la frase «peticion de parte» para dejar establecido que el juez no puede de oficio solicitar el ausilio de la fuerza pública.

Con esta modificacion quedó el inciso como sigue:

« Art. 465, inciso último.—Siempre que en con-
« cepto del tribunal hubiere fundado temor de que
« el mandamiento sea desobedecido, podrá solicitar,
« a peticion de parte, el ausilio de la fuerza pública
« para proceder a su ejecucion.»

ARTS. 466, 467, 468 i 469

Aprobados.
Se levantó la sesion.

GERMAN RIESCO.

*Luis Barriga,*
**Secretario.**

## SESION 25 EN 29 DE NOVIEMBRE DE 1901

Se abrió la sesion presidida por S. E. el Presidente de la República i con asistencia de los señores Ballesteros, Silva Cruz, Bañados E., Vergara i el secretario.

Asistieron tambien los señores Ministro i Fiscal de la Corte Suprema, don Leopoldo Urrutia i don Miguel Luis Valdés.

Se leyó i aprobó el acta anterior.

## TÍTULO PRIMERO DEL LIBRO III

El señor Vergara hace indicacion para suprimir en el epígrafe de este título la frase *o de entregar* por cuanto la obligacion de entregar está sin duda comprendida en la de *dar*, como lo dispone espresamente el artículo 1,548 del Código Civil.

La Comision aceptó esta indicacion.

### ART. 456

Aunque habia sido ya aprobado, el señor Ballesteros estima necesario ocuparse nuevamente en el estudio de este artículo. El número 2.º solo da mérito ejecutivo a las *escrituras públicas*, modificando así la lei vijente, que se refiere a *instrumentos* públicos i cuya aplicacion no ha ofrecido en la práctica dificultades que aconsejen alterarla. En cambio, limitada esta disposicion a las escrituras, no se comprenden en ella muchos instrumentos públicos que, en su concepto, traen aparejada ejecucion, como el billete de banco, por ejemplo, los bonos de las instituciones de crédito hipotecario, etc.

El señor Valdés observa que el billete de banco tiene en realidad fuerza ejecutiva. a virtud de las disposiciones de la lei de Bancos de Emision de 23 de julio de 1860 i no es, por lo tanto. necesario consignar en el Proyecto una disposicion especial con este objeto.

Así lo estima tambien el señor Urrutia, sobre todo tomando en cuenta que los instrumentos mencionados traen aparejada ejecucion en conformidad al número sesto de este artículo i a las prescripciones de la lei a que alude el señor Valdés.

El señor Presidente juzga, que si la lei no da espresamente mérito ejecutivo a los instrumentos indicados por el señor Ballesteros, talvez seria preferible enumerarlos espresamente en el Proyecto, para evitar así las dudas a que puede dar lugar la calificacion jenérica de *instrumentos públicos*.

Se dejó la indicacion del señor Ballesteros para continuar su estudio en la próxima reunion.

## ART. 465

El señor Ballesteros cree que debe ampliarse la disposicion del artículo 1,618 del Código Civil, estableciendo que no son embargables los bienes que menciona en el siguiente artículo que propone se agregue a continuacion del 465:

« Art.. ... No son embargables los bienes que las
« leyes prohiben embargar, ni los sueldos, gratifi-
« caciones i pensiones que pagan el Estado o las
« municipalidades. Tampoco lo son los bienes des-
« tinados al servicio público, como ferrocarriles,
« empresas de gas o de agua potable; pero lo son
« las rentas líquidas que produzcan. El acreedor
« podrá pedir el nombramiento de un interventor
« que lleve cuenta detallada de las entradas i gas-
« tos, i que haga depositar en un banco i a la órden
« judicial, los fondos sobrantes al fin de cada mes.
« Esta dilijencia producirá los mismos efectos que
« el embargo.»

El señor Senador considera inoficioso indicar el fundamento de la primera parte de la disposicion propuesta. que declara inembargables los sueldos, gratificaciones i pensiones pagados por el Estado i las municipalidades. Esta medida no es solo de manifiesta conveniencia, sino que satisface una necesidad reconocida por todos, de tal manera que el Supremo Gobierno se ha creido en el deber de proponerla en un proyecto de lei que recientemente ha sometido a la aprobacion del Congreso Nacional.

Por lo demas, el artículo indicado se refiere tambien a los bienes destinados a servicios de interes jeneral que no podrian embargarse sin producir un perjuicio público que la lei tiene el deber de prevenir. Declarados inembargables, no se menoscaba tampoco el derecho del acreedor que puede hacerse pago con las rentas que produzcan las empresas a que alude la indicacion en estudio.

La Comision aceptó, en jeneral, la idea propuesta, pero resolvió dejarla para nueva discusion, como tambien la insinuada por el señor Bañados E., de estudiarla conjuntamente con el proyecto del Ejecutivo a que ha hecho referencia el señor Ballesteros.

### ART. 470

S. E. observa que el deudor no puede constituirse en depositario, porque es de la naturaleza del depósito í del embargo el que la cosa se entregue a un tercero, como sucede tambien con la prenda. I si llegara a autorizarse el depósito en poder del deudor, es indudable, en su concepto, que el embargo hecho en esta forma no podria afectar a terceros de buena fe que, en el caso propuesto, no tendrian los medios necesarios para saber que los bienes se encontraban fuera del comercio humano.

Así lo estima el señor Valdés, quien agregó que esta doctrina habia sido tambien acojida por los tribunales de justicia.

El señor Urrutia cree que debe mantenerse la disposicion observada, que tiene por objeto evitar el vejámen que importa para el deudor todo embargo en poder de terceros; i que no puede sostenerse en términos tan absolutos que sea de la esencia del depósito la condicion a que ha aludido el señor Presidente, como se desprende del precepto del inciso 2.º del artículo 2,213 del Código Civil.

El señor Valdés, contestando esta última observacion del señor Urrutia, sostiene que, en conformidad con la disposicion citada, la parte que ha perdido el dominio de una cosa puede retenerla a título de depósito, lo que no sucede en el embargo en que el deudor, por este solo hecho, no abandona la propiedad de la especie.

El señor Silva Cruz cree que podrian conciliarse las opiniones anteriores facultando al depositario para dejar los bienes en poder del deudor: lo que se obtendria nombrando de acuerdo las partes un depositario que lo aceptará naturalmente siempre que procedan de acuerdo ejecutante i ejecutado.

Aceptada esta indicacion, se modificó el artículo en la forma siguiente:

« Art. 470, inciso 1.º El embargo se entenderá « hecho por la entrega real o simbólica de los bie- « nes al depositario que se designe, aunque éste « deje la especie en poder del mismo deudor».

ART. 471

S. E. estima inconveniente el sistema del Proyecto que da al acreedor el derecho de nombrar depositario.

Cree que esta facultad corresponde al tribunal de la causa si no hai acuerdo de las partes, no solo por tratarse de un funcionario de confianza, sino porque de esta manera se evitan colusiones entre acreedor i depositario i en perjuicio del ejecutado.

La Comision juzgó, como el señor Presidente, que el depositario debia ser nombrado por acuerdo

de las partes i en caso de discordia por el tribunal
de la causa; pero tuvo tambien presente que los
bienes deben entregarse a dicho funcionario en el
momento mismo del embargo i cuando no ha podido aun provocarse acuerdo entre los interesados
para su designacion. A fin de obviar esta dificultad se resolvió facultar al juez para nombrar un
depositario provisional que será reemplazado por
el definitivo tan pronto como sea nombrado por las
partes.

Se acordó en consecuencia:

1.º Agregar al artículo 465 ántes del último inciso, el número siguiente:

« Art. 465, número 3.º La designacion de un de-
« positario provisional deberá recaer en persona de
« reconocida honorabilidad i solvencia.»

2.º Reemplazar el inciso 1.º del artículo 471 por
el siguiente:

« Art. 471, inciso 1.º Los bienes embargados se
« pondrán a disposicion del depositario provisional
« i éste, a su vez, los entregará al depositario defi·
« nitivo que nombrarán las partes en audiencia ver-
« bal o el tribunal en caso de desacuerdo.»

3.º Suprimir el inciso 2.º i del inciso 4.º la
frase *el acreedor*, a virtud de la modificacion introducida en el primero i de la agregacion hecha
al artículo 465.

Se recordó ademas que, en conformidad a las disposiciones vijentes, estaba prohibido recibir depósitos de especie en arcas fiscales.

Deben, por lo tanto, suprimirse la parte del inciso
quinto que dice relacion a este depósito i tambien
la que autoriza al tribunal para disponer que se
haga en poder de la persona que tenga a bien designar, ya que deberá quedar en manos del depositario si no se prefiere hacerlo en un banco.

Por último, se resolvió reemplazar la frase *se
hará*, del inciso 5.º, por *podrá hacerse*, porque es
solo facultativo en el tribunal ordenar el depósito
en los bancos.

Con las modificaciones indicadas se reemplazó el artículo por el que sigue:

« Art. 471. Los bienes embargados se pondrán a « disposicion del depositario provisional i éste, a su « vez, los entregará al depositario definitivo que « nombrarán las partes en audiencia verbal o el tri- « bunal en caso de desacuerdo.»

« Si los bienes embargados se encontraren en di- « versos departamentos o consistieren en especies « de distinta natuleza, podrá nombrarse mas de un « depositario.

« Si el deudor ofreciere probar que el depositario « no tiene responsabilidad bastante, será oido.

« Si el embargo recayere sobre dinero, alhajas, « especies preciosas o efectos públicos, el depósito « podrá hacerse en un banco.»

## ART. 472

Aprobado.

## ART. 473

A indicacion del señor Vergara se acordó supri- mirlo, teniendo para ello presente que la resolu- cion que debe espedir el tribunal no puede fundarse solo en el certificado del ministro de fe sino en todos los antecedentes que suministren las partes i que, en esta intelijencia, es del todo innecesaria la disposicion en estudio.

## ART. 474

El señor Vergara observa que es de manifiesta conveniencia la inscripcion del embargo, pero al mismo tiempo el artículo del Proyecto establece que solo producirá efecto respecto de tercero desde la fecha de la inscripcion.

Con esta limitacion de la lei vijente, se empeora sin duda la situacion del acreedor, que al presente está garantido con la nulidad de las ventas que se hagan de los bienes desde el momento mismo del embargo; i aun se da facilidad al deudor de mala fe para que los enajene cuando tenga noticias del embargo i ántes de verificarse la respectiva inscripcion.

El señor Presidente contesta a la primera observacion del señor Vergara, que el embargo lo constituye el acto mismo en que se lleva a efecto i no el decreto del juez que ordena la ejecucion.

En cuanto a la segunda, el señor Ballesteros indica que, si hai temores de que el deudor pueda eludir la prohibicion de la lei enajenando sus bienes, el acreedor tiene espedito su derecho para pedir prohibicion de gravarlos o enajenarlos, i hacer inscribir esta prohibicion ántes que el demandado tenga noticia de la iniciacion del juicio.

En vista de las observaciones de S. E. i del señor Ballesteros, se aprobó el artículo sin modificacion.

## ART. 475

Esplicando el alcance de este artículo, el señor Urrutia espone que se refiere a los casos en que la especie embargada se encuentre en poder de un tercero que se resiste a entregarla sin alegar derechos de dominio sino los de arrendatario, usufructuario, usuario, etc., etc. El hecho del embargo no altera la situacion del tercero que está en posesion de los bienes, el cual mantiene el ejercicio de sus derechos hasta el momento en que se realizan; pero el depositario tomará la representacion de los que al deudor correspondan para el cobro de los cánones, por ejemplo, si se trata de un arrendamiento.

Aun depues de enajenados los bienes podrá el tercero seguir gozándolos, siempre que tenga sobre ellos derechos de que no puede ser privado, como los de uso i habitacion, o que se trate de contratos válidamente celebrados i que lo autoricen para retenerlos, como sucede con el arrendamiento en los casos en que los terceros están obligados a respetarlo con arreglo al Código citado.

ARTS. 476, 477, 478, 479, 480, 481, 482, 483, 484,
485 i 486

Aprobados.

### ARTS. 487 i 488

A indicacion del señor Ballesteros se acordó ampliar a cuatro dias el plazo de tres que establecen estos artículos i reemplazar por *demanda* la palabra *cobranza* que figura en el inciso segundo del artículo 488.

### ARTS. 489, 490 i 491

Aprobados.

### ART. 492

Contestando una pregunta de S. E. sobre el alcance del inciso tercero, manifestó el señor Ballesteros que en el caso de oponerse la escepcion de-pago de la deuda, si se comprueba solo en cuanto a la mitad del crédito, podria aplicarse esta disposicion i el pago de los derechos afectaria tambien por mitad al ejecutante i ejecutado.

La Comision aceptó la interpretacion dada por el señor Ballesteros.

### ARTS. 493, 494, 495, 496 i 497

Aprobados.

### ART. 498

Se aprobó tambien sin modificacion este artículo, que tiene por objeto evitar la cosa juzgada que en término jenerales establece la disposicion del artículo siguiente.

### Art. 499

Aprobado.

### Art. 500

Fué tambien aprobado, refiriendo la escepcion del inciso 3.º, a los incisos 1.º del artículo 470 i 4.º del 471, en conformidad a las modificaciones que en ellos se han introducido.

«Art. 500, inciso 3.º—Lo cual se entiende sin « perjuicio de lo dispuesto en el inciso 1.º del ar- « tículo 470 i 4.º del 471.»

### Arts. 501, 502, 503, 504, 505, 206, 207, 508 i 509

Aprobados.

### Art. 510

El señor Presidente cree que seria conveniente para prevenir muchos abusos, consignar una disposicion.especial en órden a la forma de los avisos, que podrian redactarse por el secretario i con todos los detalles necesarios para identificar los bienes que van a ser materia de la subasta.

Aceptada la idea de S. E., se resolvió agregar al artículo en estudio el siguiente inciso:

« Art. 510, inciso 3.º Los avisos serán redactados « por el secretario i contendrán los datos necesarios « para identificar los bienes que van a rematarse.»

### Art. 511

Aprobado.

### Art. 512

A indicacion del señor Vergara se resolvió dejar establecido que el acuerdo de las partes de que trata este artículo, debia provocarse en audiencia verbal, como se ha hecho en el caso del artículo 471, i se modificó, en consecuencia, el inciso 1.º como sigue:

« Art. 512, inciso 1.º El precio de los bienes que
« se rematen deberá pagarse al contado, salvo que
« las partes, en audiencia verbal, acuerden o que
« el tribunal, por motivos fundados, resuelva otra
« cosa. »

El señor Presidente, sin embargo, observa que el Proyecto no contiene disposicion alguna respecto a la citacion de los acreedores hipotecarios prescrita por el artículo 2,427 del Código Civil, que la ordena sin establecer el procedimiento ni la fecha en que debe verificarse. Insinúa a este respecto la idea de exijir al conservador de bienes raices el certificado de los gravámenes que pesan sobre la propiedad embargada al dejar testimonio de la inscripcion del embargo.

El señor Ballesteros agrega que habia pensado, por su parte, proponer una disposicion análoga a las del Código Español para suplir la omision a que alude S. E.

En conformidad a ella, iniciada ejecucion por un acreedor valista o hipotecario de grado inferior, deberia citarse a todos los acreedores de grado posterior i procederse a la subasta reconociendo los gravámenes de grado preferente.

El señor Vergara, que acepta en jeneral la indicacion del señor Ballesteros, cree que podria modificarse en el sentido dé que la notificacion deberia hacerse a todos los acreedores reservando a los de grado preferente el derecho de esponer en un plazo razonable si desean mantener su hipoteca o ser pagados de su valor con el precio del remate.

El señor Valdés juzga de manifiesta conveniencia la reforma propuesta, en beneficio de los acreedores, que sin ella se verian obligados, con perjuicio de sus intereses, a poner término a contratos de mutuo celebrados talvez en condiciones ventajosas.

23 - 24

El señor Urrutia cree que el procedimiento rela·
tivo a la citacion de los acreedores está previsto
en otra parte del Proyecto, i que, si no lo estuviera, aceptaria tambien las ideas que se dejan apun·
tadas.

En atencion a esta circunstancia, se dejó el artículo para segunda discusion.

### Art. 513

Aprobado.

### Art. 514

Fué tambien aprobado reemplazando solo, a indicacion de S. E. i del señor Vergara, la frase *del
precio* por *la valorizacion* i *al contado* por *de contado*,
que espresan con mas propiedad la idea del artículo.

« Art. 514. Todo postor, para tomar parte en el
« remate, deberá rendir caucion suficiente, califica-
« da por el tribunal sin ulterior recurso, para res-
« ponder de que se llevará a efecto la compra de
« los bienes rematados. La caucion será equivalen-
« te al diez por ciento de la valoracion de dichos
« bienes, i subsistirá hasta que se otorgue la escri-
« turá definitiva de compra-venta, o se deposite a
« la órden del tribunal el precio o parte de él que
« deba pagarse de contado.»

### Art. 515

El señor Ballesteros estima indispensable fijar
en la lei el plazo en que debe otorgarse la escritura
de remate i no limitarse a indicar que lo será a la
brevedad posible, como lo hace el inciso segundo.

Así lo estimó tambien la Comision i resolvió, en
consecuencia, reemplazar la frase *a la brevedad posible* del inciso segundo por *dentro del tercero dia.*

El señor **Vergara** pregunta qué sancion tendria la falta de cumplimiento a la obligacion que se impone al subastador de reducir a escritura pública el acta de remate.

El señor Ballesteros contesta que en el caso propuesto por el señor Vergara, el tribunal puede suscribir la escritura en representacion del rebelde, conforme al precepto del artículo 556.

Así lo estima tambien la Comision.

Agrega el señor Ballesteros que, en conformidad a esta disposicion, no existe sino una acta de remate i que, en atencion a esta circunstancia, talvez no puede decirse con propiedad *las actas* de remate de que trata este artículo, como lo hace el inciso 3.º

La Comision entiende como el señor Ballesteros que es una sola el acta de remate i que al hablarse de *actas* en el inciso recordado, no se ha pretendido sino establecer que habrá un solo rejistro en que deben anotarse las que correspondan a todos los remates que se verifiquen ante el mismo secretario.

Se aprobó por lo demas, el artículo con la modificacion acordada respecto del inciso 2.º que se reemplazó por el siguiente;

« Art. 515, inciso 2.º Esta acta valdrá como es-« critura pública, para el efecto del citado artículo « del Código Civil; pero se estenderá sin perjuicio « de otorgarse dentro de tercero dia la escritura « definitiva con insercion de los antecedentes ne-« cesarios i con los demas requisitos legales. »

Arts. 516, 517, 518, 519, 520, 521, 522, 523, 524 i 525

Aprobados.

## Art. 526

La Comision juzga que el plazo de en año que otorga el artículo al acreedor para rendir cuenta de su administracion estaria bien si se tratara de bienes inmuebles; pero que tratándose de muebles seria preferible limitar este plazo a seis meses.

De acuerdo con esta idea se reemplazó el artículo por el que sigue:

« Art. 526. El acreedor que tuviere bienes en
« prenda pretoria, deberá rendir cuenta de su ad-
« ministracion cada año si fueren bienes inmuebles
« i cada seis meses si se trata de muebles, bajo la
« pena, si no lo hiciere, de perder la remuneracion
« que le habria correspondido, en conformidad al
« inciso final del artículo 524, por los servicios pres-
« tados durante el año.»

ART. 527

Aprobado.

Se levantó la sesion.

GERMAN RIESCO.

*Luis Barriga,*
Secretario.

## SESION 26 EN 3 DE DICIEMBRE DE 1901

Se abrió la sesion presidida por S. E. el Presidente de la República i con asistencia de los señores Ballesteros, Silva Cruz, Bañados, Vergara i el secretario.

Asistieron tambien los señores Ministro i Fiscal de la Corte Suprema, don Leopoldo Urrutia i don Miguel Luis Valdés.

Se leyó i aprobó el acta anterior.

## Art. 456

Se continuó la discusion pendiente de este artículo insistiendo el señor Ballesteros en la indicacion que tiene formulada para referir a instrumentos i no a escrituras públicas la disposicion del número segundo.

Recuerda que su objeto es incluir entre los títulos que traen aparejado ejecucion, no solo los billetes de banco, que la tienen, a virtud de la lei citada por el señor Valdés en la reunion anterior, sino tambien los bonos hipotecarios, los títulos de las deudas del Estado o las municipalidades i en jeneral, todo instrumento público que consigne una obligacion líquida i exijible.

Agregó el señor Ballesteros que estimaba peligrosa la idea insinuada en la primera discusion, de enumerar los instrumentos públicos a que puede darse fuerza ejecutiva, porque es fácil incurrir en olvidos que se evitan con la indicacion propuesta, que no es sino la reproduccion de la lei vijente i cuya aplicacion no ha ofrecido jamas dificultad alguna, como lo espresaba en la reunion pasada.

Esta última observacion induce al señor Bañados a aceptar la indicacion del señor Ballesteros, sin desconocer la importancia de las que se han formulado en su contra.

El señor Presidente insiste, asimismo, en que es preferible enumerar los títulos a que se quiere dar fuerza ejecutiva; que en su concepto, no serian otros que los efectos públicos i los bonos hipotecarios; porque estima aun mas peligroso que las omisiones a que alude el señor Senador, la clasificacion jenérica de *instrumentos*, que puede comprender algunos que no se han tenido presentes i a los cuales no se hubiera dado talvez mérito bastante para deducir ejecucion.

El señor Urrutia sostiene el artículo en los términos del Proyecto, i refiriéndose a los títulos co

merciales auténticos, indica que son suficientes para
obtener la declaracion de quiebra de un comerciante, lo que importa un apremio mas violento i eficaz
que la ejecucion misma.

El señor Vergara, que prefiere el sistema propuesto por el señor Presidente; agrega que la indicacion en estudio tendrá principal aplicacion respecto de las instituciones denominadas de ahorro,
las cuales deben ser tomadas especialmente en consideracion al resolverla, i confirma esta opinion con
los Comentarios de Manresa.

En vista de la importancia de la cuestion se estimó preferible dejar su estudio pendiente.


### ART. 456


Antes de continuar el estudio de los artículos de-
jados para segunda discusion, el señor Vergara
recuerda algunas observaciones que hizo en ocasion
anterior a fin de resolver una cuestion que ha sido
apreciada de diversas maneras, cual es la de si se
necesita o no que, a mas de la escritura de protesto, se proceda al reconocimiento judicial de la firma del aceptante puesta en la misma letra de cambio, para que ésta traiga aparejada ejecucion.

Agrega que, si no se alega la falsedad de la aceptacion, parece indudable que el protesto importa en
el hecho el reconocimiento de la firma, por lo que
seria innecesario este trámite para que la letra de
cambio tuviera en este caso mérito ejecutivo. No
sucederia lo mismo si se alegara la falsedad del título, pues esta es una de las escepciones enumeradas en el artículo 485 del Proyecto.

Propuso, en consecuencia, i la Comision aceptó,
modificar como sigue el número 4.º de este artículo:

« Art. 456, número 4.º Instrumento privado,
« reconocido judicialmente o mandado tener por

« reconocido. Sin embargo, no será necesario este
« reconocimiento respecto del aceptante de una le-
« tra de cambio que no hubiere puesto tacha de
« falsedad a su aceptacion al tiempo de protestar
« la letra por falta de pago.»

## Art. 485

El secretario hace presente que entre las escepciones que establece este artículo, figura el beneficio de escucion, i no el de competencia, que si no
es una forma de pago al ménos hace *ilíquida* la deuda, ya que supone un juicio previo para determinar
hasta donde puede ser exijible; i que, en uno i otro
caso, seria bastante para enervar la ejecucion.

El señor Urrutia cree que no hai título ejecutivo
respecto del deudor que goza de este beneficio,
miéntras en juicio ordinario no se haya determinado su alcance i precisado, en consecuencia, el monto
exijible de la deuda.

El señor Ballesteros estima que el beneficio de
competencia es una escepcion que está comprendido en el número 7.º de este artículo i que por
ésta razon no es necesario consignarla espresamente.

Así lo estimó tambien la Comision.

———

Se trató en seguida del artículo propuesto el
mártes último por el señor Ballesteros para ampliar
el 1,618 del Código Civil, en los términos que indica
el acta anterior.

El señor Valdés acepta en jeneral la idea del señor Senador; pero estima que entre los servicios
públicos pueden comprenderse muchos que, sin
duda, no se ha querido declarar inembargables. Los
teatros, las empresas industriales destinadas a la
confeccion de artículos de primera necesidad, etc.,
están destinados al servicio del público i sin embar-

go no se ha pretendido talvez incluirlos en el caso
de escepcion que consigna la indicacion en estudio.
Juzga, por lo tanto, necesario definir lo que se entiende por servicios públicos para los efectos de
este artículo o enumerar taxativamente los que deben estimarse comprendidos en sus disposiciones.

El señor Ballesteros estima que las referencias
que hace el artículo por vía de ejemplos, pueden
salvar las dudas que ha manifestado el señor Valdés.

El señor Bañados recuerda que la lei de Réjimen
Interior ha definido, aunque para un objeto diverso,
los que deben comprenderse entre los servicios pú·
blicos.

El señor Urrutia cree que, tratándose de empresas industriales, el embargo no puede comprender
las máquinas i útiles aislados sino la empresa misma para hacerse pago con sus rentas.

El señor Presidente observa que hai empresas
industriales destinadas al servicio público, como las
de carruajes, por ejemplo, en que seria preferible
el embargo de un coche al de las rentas de la em·
presa misma.

Estima que habria ventaja en estudiar una nue·
va disposicion que consultara las opiniones que se·
dejan apuntadas.

Se resolvió dejar pendiente el estudio de la indicacion del señor Ballesteros.

***

En vista de las observaciones hechas en la reu·
nion anterior, en órden a la citacion de los acreedores hipotecarios, el señor Urrutia propuso i la
Comision aceptó agregar a continuacion del 512 el
siguiente artículo:

«Art. . . . Si por un acreedor hipotecario de gra-
« do posterior se persiguiere una finca hipotecada
« contra el deudor personal que la poseyere, el
« acreedor o los acreedores de grado preferente,
« citados conforme el artículo 2,428 del Código Ci-

« vil, podrán o exijir el pago de sus créditos sobre
« el precio del remate segun sus grados, o conser-
« var sus hipotecas sobre la finca subastada, siempre
« que sus créditos no estuvieren devengados.

«No diciendo nada, en el término del emplaza-
« miento, se entenderá que optan por ser pagados
« sobre el precio de la subasta.

«Si se hubiese abierto concurso a los bienes del
« poseedor de la finca perseguida o se le hubiere
« declarado en quiebra, se estará a lo prescrito en
« el artículo 2,477 de dicho Código.»

«Los procedimientos a que dieren lugar las dis-
« posiciones anteriores, se verificarán en audiencias
« verbales con el interesado o los interesados que
« ocurran.»

Espone ademas el señor Urrutia que las disposiciones del artículo adoptado pueden tambien aplicarse al caso en que se persiga la finca hipotecada
que se encuentre en manos de terceros poseedores.

Propone, en consecuencia, agregar a continuacion del artículo 916, el siguiente:

«Art. ... Lo dispuesto en el artículo ... se apli-
« cará tambien al caso en que se persiga la finca
« hipotecada contra terceros poseedores.»

La Comision aceptó tambien esta indicacion del
señor Urrutia.

## Art. 528.

Se aprobó este artículo agregando solamente que
las condiciones del remate deben ser fijadas con
audiencia verbal de las partes modificando con este
objeto i en la forma que sigue el inciso segundo.

«Art 528, inciso 2.º El arrendamiento se hará
« en remate público, fijadas previamente por el
« tribunal con audiencia verbal de las partes, las
« condiciones que hayan de tenerse como mínimum
« para las posturas.»

## Art. 529.

Se aprobó suprimiendo solo la frase *o en arcas fiscales* por las razones que se tuvieron presente al hacer una supresion análoga en el artículo 471.

## Art. 530

Se aprobó sin otra modificacion que sustituir por el artículo 492 la referencia al 489, que se ha hecho sin duda por error de copia, como lo observó el señor Vergara.

El mismo señor Diputado cree que seria útil prescribir una sancion para el caso en que el subastador se niegue a pagar el precio al contado o llevar adelante la respectiva escritura i podria reproducirse con este objeto la disposicion del Código de Enjuiciamiento Español que autoriza un nuevo remate i hace responsable al primer subastador del menor precio que se obtenga en el segundo i de los gastos que se orijinen para llevarlo a cabo.

La Comision estimó innecesaria esta precaucion, teniendo para ello en cuenta que la fianza ordenada por el artículo 514 subsiste hasta que se haya pagado el precio al contado o se haya reducido el contrato a escritura pública, i es evidente que ésta no se otorgará sin que previamente se haya cancelado dicho precio.

El señor Urrutia agrega que en el caso propues- por el señor Vergara existe la accion resolutoria establecida por el Código Civil i que debe tramitarse en el juicio ordinario correspondiente.

## Arts. 531 i 532

Aprobados.

### Art. 533

El señor Vergara sostiene que no es necesario que una resolucion judicial declare la preferencia que prescribe el inciso 1.º, cuando se trata de títulos, como los hipotecarios, por ejemplo, que la tienen a virtud de la lei.

El señor Ballesteros cree que esta disposicion no se refiere indudablemente a los créditos hipotecarios sino únicamente a los casos de tercerías, respecto de las cuales no pueden aplicarse las objeciones hechas por el señor Vergara.

Así lo estima tambien el señor Presidente i la Comision i en esta intelijencia fué aprobado el artículo.

### Art. 534

Aprobado.

### Art. 535

Se tuvo presente que este artículo no prescribe la forma en que debe hacerse el depósito que en él se ordena i para salvar esta omision se acordó, a indicacion del señor Vergara, agregarle la frase *en la forma ordenada por el artículo 529.*

«Art. 535. El depositario deberá consignar a la
« órden del tribunal, en la forma prescrita por el
« artículo 529, los fondos líquidos que obtenga co-
« rrespondientes al depósito, tan pronto como lle-
« guen a su poder, i abonará intereses corrientes
« por los que no hubiere consignado oportuna-
« mente.»

### Art. 536

Aprobado.

### Art. 537

La Comision entiende que los depositarios a que se refiere el número 1.º son terceros estraños al pléito, que están obligados a pagar al deudor salarios o pensiones embargados i que los han retenido en su poder a virtud de órden judicial.

Se deja de ello testimonio en la presente acta, a indicacion del señor Vergara, no solo para precisar el alcance de este artículo, sino porque puede servir de antecedente para reprimir un abuso que existe en algunas tesorerías fiscales, donde hoi se cobran, sin derecho, esta clase de emolumentos.

ART. 538

Aprobado.

ART. 539

El señor Vergara estima que la segunda parte de este artículo importa una reforma sustancial del Código Civil, que solo considera disuelta la sociedad conyugal desde el momento en que se dicta la sentencia de separacion de bienes i no desde que se interpone el juicio respectivo. Esta modificacion tiene ademas el inconveniente, a su juicio grave, de inducir a las partes ejecutadas a formular demandas de separacion de bienes i prolongar su tramitacion, sin otro objeto que dilatar la marcha del juicio ejecutivo, perjudicando sin derecho al acreedor, sobre todo si en definitiva se rechaza la separacion.

El señor Valdés confirma las observaciones hechas por el señor Vergara i cree, como él, que la sola interposicion de la demanda no puede producir los mismos efectos de la sentencia definitiva que la acepta.

El señor Urrutia recuerda que las sentencias son simplemente declarativas de derechos i que por esta razon debe suponerse que sus resoluciones se refieren al momento en que la demanda se formula. Debe tambien tenerse presente que habrá casos en que con fundamentos bastantes para solicitar la separacion, no se deduzca demanda sino cuando se

llega el momento de salvar los bienes de la mujer,
amenazados en una ejecucion contra el marido.

El señor Presidente juzga que este artículo autoriza en realidad la iniciacion de tercerías condicionales i que, dadas las observaciones que se han hecho, seria prudente dejar su estudio para segunda
discusion.

Así se acordó.

### Art. 540

Se aprobó cambiando solo su redaccion por la
que sigue, propuesta por el señor Ballesteros:

«Art. 540. Las tercerías de dominio i prelacion,
« se seguirán en ramo separado con el ejecutante i el
« ejecutado, i por los trámites del juicio ordinario,
« pero sin escrito de réplica i dúplica. Si solo se
« pide concurrencia en el pago, se tramitarán como
« incidentes.»

### Arts. 541 i 542

Aprobados.

### Art. 543

Se dejó para estudiarlo con el 539.ª cuyas disposiciones se refiere

### Art. 544

Se modificó solamente la redaccion del inciso 1.º,
como sigue:

«Art. 544, inciso 1.º Si la tercería fuere de pre-
« lacion, seguirá el procedimiento de apremio hasta
« que quede terminada la realizacion de los bienes
« embargados.»

### Arts. 545, 546 i 547

Aprobados.

### Art. 548

Fué tambien aprobado, suprimiéndole la frase *nombrado por el ejecutante*, en vista de la reforma introducida en el artículo 471.

### Arts. 549, 550 i 551

Aprobados.

### Art. 552

Se aprobó, reemplazando la redaccion del inciso segundo por la siguiente:
«Art. 552, inciso 2.º El acreedor desempeñará « las funciones de depositario i tendrá ademas la « representacion judicial o estra-judicial de los de- « rechos del deudor en todos los asuntos que afec- « ten a los bienes cedidos; pero no podrá celebrar « transacciones o compromisos voluntarios sin la « anuencia del deudor.»

### Arts. 553, 554 i 555

Aprobados.

### Art. 556

A indicacion del señor Ballesteros, i para com- pletar la idea del Proyecto, se acordó agregarle la frase *dentro del plazo que le señale el tribunal.*

### Arts. 557, 558 i 559

Aprobados.

### Art. 560

Se aceptó tambien, sustituyendo la redaccion del inciso 1.º por la que sigue:
« Art. 560, inciso 1.º El acreedor podrá soli- « citar que se le autorice para llevar a cabo por

« medio de un tercero, i a espensas del deudor, el
« hecho debido si a juicio de aquel fuera esto posi-
« ble, siempre que, no oponiendo escepciones el
« deudor, se negare a cumplir el mandamiento eje-
« cutivo; i cuando desobedeciere la sentencia que
« deseche las escepciones opuestas o dejare trascu-
« rrir el plazo a que se refiere el número segundo
« del artículo 557 sin dar principio a los trabajos.»

ART. 561

El señor Vergara observa que ademas del artículo 507 la única disposicion a que puede referirse el
inciso 3.º es el artículo 508. Propuso, en consecuencia, i se aceptó reemplazar la palabra *siguientes*
por el número 508.

ART. 562

Aprobado.
Se levantó la sesion.

GERMAN RIESCO.

*Luis Barriga,*
Secretario.

**SESION 27 EN 6 DE DICIEMBRE DE 1901**

Se abrió la sesion presidida por S. E. el Presiden-
te de la República i con asistencia de los señores
Ballesteros, Silva Cruz, Bañados Espinosa, Ossan-
don, Vergara i el secretario.
Asistieron tambien los señores Ministro i Fiscal
de la Corte Suprema don Leopoldo Urrutia i don
Miguel Luis Valdés.
Se leyó i aprobó el acta anterior.

Se ocupó nuevamente la Comision en el estudio de la reforma propuesta por el señor Ballesteros, en órden a la inembargabilidad de sueldos, pensiones i de las empresas destinadas al servicio público.

Como se ha dicho anteriormente esta idea fué aprobada en jeneral i solo se ha diferido su resolucion para armonizarla con las observaciones que a su respecto se han formulado en las dos reuniones anteriores.

El señor Bañados propone ampliar la reforma indicada a las imposiciones que se hagan en las cajas de ahorro i no excedan de mil pesos i tambien a los seguros sobre la vida en cuanto a los valores pagados por el asegurador, a fin de estimular así los hábitos de economía i en jeneral por razones análogas a las que sirven de fundamento a la primera parte de la indicacion del señor Ballesteros.

La Comision aceptó tambien en jeneral la idea del señor Bañados i resolvió tomarla en cuenta en la próxima sesion en que volverá a tratarse de la indicacion del señor Ballesteros.

Como consecuencia de esta indicacion se estudió, sin embargo, desde luego, la forma en que puede hacerse el embargo de las empresas industriales o mercantiles; como las imprentas, por ejemplo, las panaderías, establecimientos de aprensar pasto, o de carruajes de servicio público, hoteles, compañías de teatros, etc., etc.

Se acordó a este respecto agregar a continuacion del 465 el siguiente artículo propuesto por el señor Urrutia.

«Art. .. Si la ejecucion recayere sobre una em-
« presa o establecimiento mercantil o industrial, o
« sobre cosa o conjunto de cosas que sean comple-
« mento indispensable para la esplotacion, podrá el
« juez, atendidas las circunstancias i la cuantía del
« crédito, ordenar que el embargo se haga efectivo,
« o en los bienes designados por el acreedor, o en
« otros bienes del deudor, o en la totalidad de la in-

« dustria misma, o en las utilidades que ésta produ-
« jere, o en parte de cualquiera de ellas.

«Embargada la industria o las utilidades, el depo-
« sitario que se nombre tendrá las facultades i de-
« beres de interventor judicial, i para ejercer las
« que correspondan al cargo de depositario, proce-
« derá en todo caso con autorizacion del juez de la
« causa.»

El artículo adoptado evita inútiles perjuicios a
las empresas referidas sin menoscabo de los derechos del acreedor que, en conformidad a él, puede
embargar todos o parte de los bienes del deudor dejando solo al juez de la causa la facultad de fijar los
que deben ser objeto de la traba, pero tomando
siempre en cuenta las circunstancias i la cuantía
del crédito para no inferir tampoco un perjuicio al
acreedor.

En cuanto al depositario si se trata de una empresa o de las rentas que produzca, se le exije como
garantía que proceda en el ejercicio de las funciones propias de su puesto, con espresa autorizacion
judicial, i se le dan al mismo tiempo las facultades
que corresponden a un interventor.


ARTS. 563, 564, 565, 566 i 567

Aprobados.

### ART. 568

El señor Ballesteros observa que, en conformidad
a lo dispuesto en el inciso tercero del artículo 1,555
del Código Civil, debe ser oido el deudor en los casos a que él se refiere.

Para evitar dudas sobre el procedimiento que
debe seguirse al aplicar la disposicion recordada, el
señor Senador propuso i la Comision aceptó, agregar al artículo del Proyecto el siguiente último inciso.

25 - 26

«Art. 568, inciso 2.º En el caso en que tenga apli-
« cacion este último inciso se procederá en forma
« de incidente.»

## Del concurso de acreedores

Al tratarse en jeneral de las disposiciones de este
título, manifestó el señor Ballesteros las muchas dificultades que ofrece en la práctica a los tribunales
colejiados tramitar en primera instancia las causas
en que deben intervenir con arreglo a la lei i que
son naturalmente mayores en los casos de concurso
por la tramitacion propia de esta clase de juicios.

Para obviar estos inconvenientes propone que el
conocimiento de las causas a que se refiere el número tercero del artículo 67 de la Lei Orgánica de
Tribunales se encomiende. en segunda instancia, a
la Corte de Apelaciones i en primera a uno de sus
ministros, segun el turno que fijará el mismo tribunal.

Aceptada la indicacion del señor Ballesteros. se
resolvió agregar. despues del artículo 3.º del Proyecto. el siguiente:

«Art. .. De las causas que corresponda juzgar a
« las Cortes de Apelaciones en conformidad al nú-
« mero tercero del artículo 67 de la lei de 15 de oc-
« tubre de 1875. conocerá en primera instancia uno
« de los miembros del tribunal. segun el turno que
« éste fije; i en segunda, la Sala que corresponda en
« la forma dispuesta por la lei, con esclusion del
« miembro que hubiere conocido en primera.»

### ART. 569

Observa el señor Vergara que la referencia que
hace el inciso segundo al artículo 687 debe limitarse al número primero de dicho artículo, que es el
único que dice relacion a concursos promovidos
por el deudor; i a los números segundo i tercero de
la misma disposicion, la que hace el inciso tercero

de este artículo, ya que el primero no se refiere a
concursos declarados de oficio o a peticion de los
acreedores.

Aceptada la indicacion del señor Vergara, se modificó el artículo como sigue:

«Art. 569. El concurso de acreedores es volun-
« tario o necesario.

«Es voluntario el promovido por el deudor, fuera
« del caso espresado en el número 1.º del artículo
« 687.

«Es necesario el promovido por los acreedores
« o declarado de oficio en los casos números 2.º i
« 3.º del precitado artículo 687.»

## ART. 570

Aprobado.

## ART. 571

A indicacion del señor Vergara i solo para mayor claridad se acordó redactarlo en la forma que
sigue:

«Art. 571. El concurso produce para el fallido i
« sus acreedores un estado indivisible. Comprenderá
« todos los bienes de aquél i todas sus obligacio-
« nes, aun cuando no sean de plazo vencido, salvo
« aquellos bienes i obligaciones que la lei espresa-
« mente esceptúe.»

## ARTS. 572, 573, 574, 575, 576, 577, 579 i 580

Aprobados, sin otra alteracion que colocar el 578
despues del 574, como lo propuso el señor Vergara.

## ART. 581

Fué tambien aprobado, reemplazando la redaccion del número 3.º por la que sigue, propuesta
por el señor Vergara:

«Art. 581, número 3.º Una relacion de los jui-
« cios que tuviere pendientes ya figure en ellos co-
« mo demandante o demandado.»

## Arts. 582, 583 i 584

Aprobados.

## Art. 585

Se aprobó igualmente, suprimiendo solo el número 2.º por estimar que no hai razon para
inhabilitar a las mujeres para servir de síndicos
provisionales, no solo porque habrá casos en que
se trate de establecimientos que pueden ser tambien administrados por una mujer, sino porque éstas pueden ser nombradas síndicos definitivos en
los casos que señala el artículo 604.

## Arts. 586 i 587

El señor Vergara cree que podria agregarse al
primero una disposicion análoga a la del artículo
471, respecto de alhajas, especies preciosas, etc., i
suprimir del segundo la frase *arcas fiscales*, por la
razon que se tuvo en vista al hacerse la misma supresion en el citado artículo 471.

Consultando esta idea la Comision juzgó preferible aprobar el artículo 586 en los términos del
Proyecto i modificar como sigue el 587:

«Art. 587. El síndico provisional depositará en
« un banco o en poder de la persona que designe
« el tribunal i a la órden de éste, las alhajas, espe:
« cies preciosas, efectos públicos i dinero que per-
« ciba, con deduccion de la cantidad que el mismo
« tribunal considere necesaria para los gastos de
« administracion.»

## Art. 588

Aprobado.

### Art. 589

El señor Vergara juzga que la escepcion contenida en el inciso primero parece suponer que todos los acreedores deben ser citados personalmente, al ménos los que residan en el asiento del tribunal.

El señor Urrutia cree que en los concursos deben rejir las reglas jenerales que establece el Proyecto en órden a las notificaciones i que por consiguiente en los concursos puede notificarse a los acreedores en la forma indicada en el artículo 57.

Puede, por lo tanto, ocurrir que se prefiera o se ordene hacer las notificaciones personalmente o por cédula, i a estos casos podria referirse la escepcion observada por el señor Vergara, i tambien la del artículo 599.

En esta intelijencia se aprobó sin modificacion el artículo en estudio.

### Art. 590

El artículo 607 del Proyecto establece que la remuneracion del síndico provisional o definitivo será determinada por la unanimidad de los acreedores concurrentes a la primera junta i la parte final del 490 enumera este acuerdo entre los que pueden tomar los acreedores. Estimándose mas conveniente para el concurso lo que dispone a este respecto el artículo 607, se acordó modificar el 590 en esta forma:

« Art. 590. Esta primera junta tiene por objeto:

« 1.º Deliberar acerca de la admision de la cesion de bienes;

« 2.º Nombrar síndico definitivo;

« 3.º Determinar la remuneracion de los síndicos « provisional i definitivo.

« Pueden tambien los acreedores celebrar en esta « junta los acuerdos que estimen convenientes, sea « respecto a la administracion i enajenacion de los

« bienes cedidos, sea en lo concerniente a la sus-
« tanciacion del juicio de concurso. »

### ART. 591

Aprobado.

### ART. 592

El señor Vergara cree que los secretarios deben
dar en todo caso los resguardos que segun este artículo pueden exijir los acreedores, i hace indicacion para suprimir del inciso primero la frase *exijiendo del secretario el correspondiente resguardo*; i agregar como inciso 2.º el que sigue:

« Art. 592, inciso 2.º El actuario dará recibo de
« los títulos de crédito i miéntras que se presenten
« aunque las partes no lo pidan. »

Se aceptó en todas sus partes esta indicacion.

### ARTS. 593 I 594

Aprobados.

### ART. 595

El señor Vergara estima anómalo que una sola
persona tenga tantos votos cuantos sean los créditos que representa, sobre todo si se trata de créditos
tos que pertenezcan a un mismo acreedor. Propone, en consecuencia, reemplazar el artículo por el
que sigue:

« Art. 595. El acreedor o procurador que tenga
« mas de una representacion, solo tendrá un voto
« personal; pero los créditos que represente se to-
« marán en cuenta para formar la mayoria de can-
« tidad. »

Refiriéndose al último caso citado por el señor
Vergara, observa el señor Presidente, que con el
sistema del Proyecto, se puede dar a un acreedor
que tiene varios créditos de escasa importancia,
mayor número de votos que al que solo tiene uno
aunque represente un valor muchas veces superior.

El señor Urrutia contesta que el objeto del artículo es solo autorizar a varios acreedores para nombrar un apoderado comun, que tendria tantos votos cuantos fueran sus mandantes, lo que, a su juicio, nada tiene de irregular. No se faculta, como lo han insinuado S. E. i el señor Vergara, para que un acreedor que tiene varios créditos pueda constituir un mandatario con un número proporcional de votos, i para evitar la duda que a este respecto pudiera ocasionar la redaccion del artículo, acepta la indicacion hecha por el señor Silva Cruz para reemplazar por *que* la palabra *aunque* del inciso 1.º

El señor Presidente insiste en sostener la indicacion del señor Vergara, agregando que el interes de las partes aconseja que las resoluciones se adopten con el mayor número de opiniones, como una garantía para la acertada i prudente administracion del concurso.

Contra la opinion del señor Urrutia se aprobó el artículo en los términos propuestos por el señor Vergara.

### Art. 596

Se aprobó reemplazando, a indicacion del señor Ballesteros, la redaccion del inciso tercero por la que sigue:

«Art. 596, inciso 3.º No es aplicable esta dispo-
« sicion al crédito dividido para verificar la parti-
« cion de una herencia, de una sociedad o de una
« comunidad que no esté esclusivamente formada
« por dicho crédito».

### Arts. 597 i 598

Aprobados.

### Art. 599

Fué tambien aprobado en vista de las observaciones hechas al tratarse del artículo 589 en órden a la forma de las notificaciones.

Entiende tambien la Comision que el término de emplazamiento a que éste artículo se refiere comenzará a contarse desde la fecha de la citacion.

### ART. 600

El señor Vergara cree que para evitar dudas podria agregarse que el nombramiento de síndico se hará aunque no se haya resuelto el incidente sobre adquisicion de la cesion.

El señor Ballesteros lo considera innecesario i así lo estima tambien la Comision.

### ARTS. 601, 602 I 603

Aprobados.

### ART. 604

Fué tambien aprobado, suprimiendo solo la escepcion que consigna la segunda parte del inciso primero por ser innecesaria, ya que cualquiera mujer podrá ser síndico provisional o definitivo a virtud de la reforma introducida en el artículo 585.

Es entendido que no podrán serlo las mujeres a quienes afecte otra inhabilidad legal, como la mujer casada, por ejemplo.

### ART. 605

Se aprobó reemplazando la palabra *enajenarlos* por *realizarlos*, que espresa con mas propiedad la idea del Proyecto.

### ART. 606

Aprobado.

### ART. 607

Se aprobó sin modificacion, de acuerdo con las observaciones hechas al tratarse del artículo 590.

**ART. 608**

Aprobado.

**ART. 609**

El señor Ballesteros propuso, i la Comision aceptó, modificar su redaccion como sigue:

«Art. 609. Para hacer efectiva la responsabilidad
« civil de los síndicos por abuso o descuido en el
« ejercicio de su cargo, entablará demanda ordina-
« ria; i en este juicio no tendrá el valor de cosa juz-
« gada el fallo dictado en el incidente de remocion.»

**ARTS. 610 i 611**

Aprobados.

**ART. 612**

Se aprobó sustituyendo solo la palabra *reclamándose* por *ejercitándose*, a indicacion del señor Vergara.

Se levantó la sesion.

GERMAN RIESCO.

*Luis Barriga,*
Secretario.

## SESION 28 EN 10 DE DICIEMBRE DE 1901

Se abrió la sesion presidida por S. E. el Presidente la República i con asistencia de los señores Ballesteros, Vergara i el secretario.

Asistieron tambien los señores Ministro i Fiscal de la Corte Suprema, don Leopoldo Urrutia i don Miguel Luis Valdés.

Se leyó i aprobó el acta anterior.

## ART. 613

El señor Vergara observa que no se da interven·
cion a los acreedores en el exámen i discusion de
las cuentas a que este artículo se refiere.

Los señores Urrutia i Valdés lo juzgan innecesario, porque el interes de los acreedores está representado en este caso por el síndico, que es su mandatario.

El señor Ballesteros lo estima de igual manera,
no solo por la razon indicada por los señores Urrutia i Valdés, sino porque las omisiones del síndico
pueden salvarse por los acreedores, que si no son
partes directas, pueden, sin duda, ejercitar los derechos que el Proyecto da a los coadyuvantes.

En esta intelijencia fué aprobado el artículo.

## ART. 614

Aprobado.

## ART. 615

El señor Ballesteros manifiesta que el inciso
2.° establece una forma especial de obtener el
acuerdo de los acreedores, notificándolos personal·
mente para que espongan su opinion dentro del
plazo que se designe con este objeto; pero nada
prescribe en órden a determinar la mayoria o la
unanimidad necesaria para constituir el acuerdo.
Parece, en su concepto, natural que se forme con
los acreedores que manifiesten su opinion en el plazo fijado.

Propone, en consecuencia, agregar al artículo el
siguiente último inciso:

« Art. 615, inciso 3.° En este último caso, la
» unanimidad o mayoría de que se trata en el ar-
« tículo anterior, se referirá a los acreedores que
« espongan su opinion dentro de dicho plazo.»

El señor Vergara agregó que la redaccion del artículo se presta a creer que el tribunal debe designar los periódicos en que deben hacerse las publicaciones cuando se encuentren dentro del departamento, pero no los de la cabecera de la provincia.

Se aprobó el artículo con la agregacion propuesta por el señor Ballesteros, i para salvar la duda insinuada por el señor Vergara, se modificó solo la redaccion del inciso primero como sigue.

« Art. 615, inciso 1.º Siempre que sea necesario
« obtener el acuerdo de los acreedores se les citará
« a comparendo por medio de avisos publicados en
« un periódico del departamento, si lo hubiere, o de
« la cabecera de provincia en caso contrario, desig-
« nándolo el tribunal en uno i otro caso.»

## ART. 616

El señor Urrutia llama la atencion a que este artículo impone al síndico una obligacion que se ha olvidado en la enumeracion del artículo 605.

Para salvar esta omision propone agregar al 605 como número tercero, el siguiente:

« Art. 605, número 3.º Dar cuenta del estado
« del concurso, conforme al artículo 616.»

Se aceptó esta agregacion i se aprobó, por lo demas, el artículo en estudio.

## ART. 617

Aprobado.

## ART. 618

El señor Vergara propone agregar una disposicion análoga a la del artículo 1,239 del Código de Enjuiciamiento Español que autoriza la enajenacion en pública subasta de los créditos, derechos i acciones que por ser litijiosas, de difícil realizacion o por otra causa, exijan para enajenarlos la prolongacion indefinida del concurso.

La Comision lo estimó innecesario ya que dentro
de las reglas que establece el Código Civil, en la
particion de bienes i el Proyecto sobre la administracion del concurso i realizacion de sus bienes,
puede adoptarse el procedimiento indicado, sin que
sea menester una disposicion especial que así lo establezca.

En esta intelijencia se aprobó el artículo sin modificacion.

### ART. 619

Aprobado.

### ART. 620

El señor Vergara observa que este artículo no
fija plazo al síndico para rendir la cuenta definitiva
de su administracion.

El señor Urrutia lo juzga innecesario, por cuanto
el artículo 616 le ordena dar cuenta mes a mes, i
esta disposicion debe. sin duda, aplicarse al determinar el plazo para rendir la definitiva i que no puede, en consecuencia, exceder de un mes, contado
desde la última cuenta que hubiere presentado.

Así lo estima tambien la Comision i aprobó el
artículo sin modificacion.

### ARTS. 621, 622, 623, 624, 625, 626, 627 i 628

Aprobados.

### ART. 629

Fué tambien aprobado reduciendo, a indicacion
del señor Bañados, a diez el número de publicaciones que este artículo ordena.

### ARTS. 630 i 631

Aprobados.

## Art. 632

Como en el 629 se limitaron a diez las publicaciones que ordena esta disposicion.

Arts. 633, 634, 635, 636, 637, 638 i 639

Aprobados.

## Art. 640

El señor Vergara estima útil determinar si la declaracion de preferencia, que autoriza el inciso 2.º de este artículo, podrá hacerla el tribunal en segunda instancia i despues de dictada en primera la sentencia de grados.

El señor Valdés cree que, en jeneral, no podria hacerse por el tribunal de alzada la declaracion aludida, porque no tendria jurisdiccion para resolver un punto que no habia sido materia de apelacion, i que, por otra parte, importaria un fallo de única instancia.

El señor Ballesteros contesta que el Proyecto autoriza al tribunal superior para fallar en única instancia cuestiones como la prescripcion alegada en segunda. Cree, sin embargo, como el señor Vergara, que las disposiciones de los incisos 2.º i 3.º deben referirse a la sentencia de primera instancia, para evitar retardos en las declaraciones de preferencia i los entorpecimientos que serian su natural consecuencia.

Así lo estima tambien la Comision i acordó modificar el inciso 2.º como sigue:

« Art. 640, inciso 2.º El acreedor que no reclame
« preferencia en la junta de verificacion podrá ha-
« cerlo ántes de que se dicte en primera instancia
« la sentencia de grados. La demanda de preferen-
« cia se notificará en este caso a todos los acreedo-
« res, a costa del demandante, por medio de avisos

« publicados en la forma que establece el inciso
« 1.º del artículo 615.»

Con esta modificacion se estimó innecesario alterar el inciso 3.º que solo podrá así referirse a la
sentencia de primera instancia.

En esta intelijencia se aprobó el artículo con las
modificaciones de que se ha hecho mencion.

### Arts. 641, 642 i 643

Aprobados.

### Art. 644

El señor Vergara estima que no solo los acreedores sino tambien el deudor tienen derecho para
exijir el juramento de los créditos que se verifiquen.

Así lo estimó tambien la Comision i por esta razon se modificó el inciso 2.º como sigue:

« Art. 644, inciso 2.º  Al pedir esta verificacion
« presentarán los títulos de sus créditos i la minuta
« de que trata el artículo 592 i jurarán ademas la
« efectividad de dichos créditos, si alguno de los
« acreedores o el deudor lo exijieren.»

### Art. 645

Aprobado.

### Art. 646

A indicacion del señor Vergara se suprimió en
el inciso 2.º la frase *i se resolverán en la sentencia
de grados* que importa una disposicion espresamente
contenida en el artículo 648.

El mismo señor Diputado observa que el inciso
segundo del artículo en estudio, reglamenta el
procedimiento que debe seguirse en la tramitacion de las preferencias alegadas, pero no determina, como lo hace el inciso 2.º del 243, quiénes

tienen derecho a intervenir en ellas como partes directas.

El señor Presidente contesta que el inciso primero establece que solo los acreedores pueden impugnar las preferencias reclamadas, i que entre ellos solo tienen naturalmente derecho a figurar como partes directas los que impugnen la preferencia i el dueño del crédito impugnado. Se ha creido, sin duda, innecesario establecerlo espresamente en este artículo, como se ha hecho en el 643, cuyas disposiciones son, en su concepto, aplicables al caso previsto en el 646.

Así lo estima tambien la Comision i en esta intelijencia fué aprobado el articulo.

### Art. 647

Aprobado.

### Art. 648

Fué tambien aprobado, reemplazando la **frase** *al pago de ellos* por *a su pago* que espresa con mas propiedad la idea del Proyecto.

### Arts. 649 i 650

Aprobados.

### Art. 651

El señor Vergara observa que el inciso primero ordena repartir los fondos entre los acreedores, sin determinar la proporcion en que debe hacerse el reparto. Sin duda que el propósito del Proyecto ha sido que se haga a prorrata i propone, en consecuencia, agregar al inciso la frase *a prorrata de sus créditos.*

Llama asimismo la atencion a que el inciso segundo habla de un estado de distribucion, sin que se haya indicado que debe formarse i a quien incumbe esta obligacion. A su juicio, le corresponde al síndico i debiera así establecerse de una manera espresa.

El mismo inciso refiere sus diposiciones a la época del reparto, que es una frase vaga i seria preferible decir *ántes de hacerse el reparto.*

El señor Ballesteros sostiene, por su parte, que las disposiciones del inciso primero no son facultativas para el tribunal i, para evitar dudas a este respecto, propone suprimir la palabra *podrá* i reemplazar *ordenar* por *ordenará.*

Aceptadas las indicaciones de los señores Ballesteros i Vergara se modificó el artículo como sigue·

«Art. 651. Si, pagados los acreedores hipoteca-
« rios i privilejiados i los gastos de administracion,
« o reservada la cantidad necesaria para atender a
« estos objetos, quedaren en depósito fondos del
« concurso, el tribunal, con acuerdo de la mayoría
« de los acreedores, ordenará que se repartan di-
« chos fondos entre los acreedores comunes reco-
« nocidos a prorrata de sus créditos.

«El estado de distribucion, que formará el síndi-
« co, designará las cuotas que correspondan a los
« acreedores ausentes i a los que, habiendo compa-
« recido al concurso, no hubieren obtenido el reco-
« nocimiento de sus créditos, ántes de hacerse el
« reparto. Estas cuotas se mantendrán en depósito
« hasta que, verificados i reconocidos sus créditos,
« las reclamen los respectivos acreedores, o dispon-
» ga de ellas el tribunal conforme a lo establecido
« en el artículo 653.

«Será aplicable en este caso lo ordenado por el
« inciso segundo del artículo 649.»

## ART. 652

Se aprobó modificando solo la redaccion del inciso 2.º, como sigue:

«Art. 652, inciso 2.º Si la resolucion de éste fuera
« favorable a los acreedores reclamantes. tendrán
« derecho para exijir que los dividendos de sus cré-

« ditos en las distribuciones precedentes sean cu-
« biertos de preferencia con los fondos no reparti-
« dos; pero no podrán, etc.»


## ART. 653


Fué tambien aprobado reemplazando, a indicacion del señor Vergara, la palabra *ordenanza* por *tabla*, que es la empleada por el artículo 255 a que éste
se refiere, i *acreedores* por *créditos* que espresa con
mas propiedad la idea del Proyecto.


## ART. 654


El señor Vergara cree que el depósito de que
habla este artículo no puede hacerse en arcas fiscales por la razon que se ha dado en otra ocasion.

Agrega que estos depósitos probablemente no se
retirarán en muchos casos por sus dueños i quedarán de ordinario a beneficio de la institucion que
los reciba. Propone, por esta razon, que se hagan
en la Caja de Ahorros i se repartan entre los im-
ponentes si no se retiran en el plazo de diez años
o el necesario para la prescripcion.

Los señores Ballesteros i Urrutia se oponen a
esta indicacion i creen, por la misma razon indicada por el señor Vergara, que en estos casos debe
autorizarse el depósito en arcas fiscales, ya que al
Fisco corresponden en realidad los fondos que ca-
recen de dueño.

En atencion a esta circunstancia se aprobó el artículo sin modificacion.


## ARTS. 655 i 656

Aprobados.

27-28

## ART. 657

Se dejó pendiente la discusion de este artículo i de las observaciones que a su respecto formuló el señor Vergara.

## ARTS. 658, 659, 660, 661, 662, 663 i 664

Aprobados.

## ARTS. 665 i 666

Se dejaron para segunda discusion.

## ARTS. 667, 668, 669 i 670

Aprobados.

## ART. 671

A indicacion del señor Vergara i en vista del derecho de oponerse al convenio conferido a los fiadores en el inciso último del artículo 669, se acordó agregar al artículo 671 la frase *o el fiador en el caso del inciso último del artículo 669.*

«Art. 671. La oposicion al convenio se seguirá «como incidente entre el deudor i el acreedor o «acreedores que la hayan formulado, o el fiador en «el caso del inciso último del artículo 669.»

## ART. 672

Aprobado.

## ART. 673

La Comision entiende que las disposiciones del último inciso no eximen al interventor de dar al tribunal el aviso ordenado en el artículo 284.

En esta intelijencia se aprobó el artículo sin modificacion.

### ART. 674

Aprobado.

### ART. 675

El señor Ballesteros cree que no puede decirse con propiedad *salvo lejítima escusa*, porque en realidad no se trata de escusas fijadas por la lei.

Se acordó, por la razon indicada, reemplazar la frase *que se justifique lejítima escusa* por *escusa justificada*.

### ARTS. 676, 677, 678, 679, 680, 681, 682, 683, 684, 685, 686 i 687

Aprobados.

### ART. 688

El señor Vergara manifiesta que el artículo 584 no solo se refiere a órdenes i por esta razon propuso, de acuerdo con el señor Ballesteros, reemplazar la frase *las órdenes* por *los puntos*.

La Comision aprobó el artículo con la modificacion indicada.

### ARTS. 689 i 690

Aprobados.

El señor Vergara estima que podria agregarse a continuacion de este artículo una disposicion, análoga al 1,169 del Código de Enjuiciamiento de España, que faculte al deudor para exijir indemnizacion de daños i perjuicios al acreedor que hubiere solicitado el concurso, cuando éste se deje sin efecto a peticion del concursado.

La Comision lo estimó innecesario por cuanto el Código Civil consagra el derecho aludido, como lo hicieron presente los señores Ballesteros i Urrutia,

El mismo señor Vergara agregó que el Proyecto no reglamenta la tramitacion que debe seguirse para reclamar la nulidad de lo obrado cuando se ha procedido sin las debidas citaciones, por ejemplo, o con otra omision o vicio semejante.

El señor Valdés estima evidente que la falta de citaciones ordenadas por la lei constituye una omision que viciaria de nulidad el procedimiento ulterior.

El señor Ballesteros cree innecesario reglamentar la tramitacion que debe adoptarse en el caso propuesto, ya que se encuentra prevista en las reglas jenerales.

El señor Vergara dice que el objeto principal de su indicacion es determinar quienes pueden reclamar la nulidad de que se trata, por cuanto el Proyecto lo indica solamente en los casos en que se pide la nulidad del convenio.

Se dejó pendiente el estudio de esta indicacion.

### ART. 691

Aprobado.

### ART. 692

A indicacion del señor Ballesteros i por la misma razon indicada al tratarse del artículo 675, se reemplazó en el inciso segundo la frase *salvo que justificare lejítimo impedimento* por *salvo impedimento justificado.*

### ART. 693

El señor Ballesteros observa que la querella que se denomina *de despojo* tiene por objeto recuperar la posesion i, dada esta circunstancia, propone que se le llame de *restitucion.*

Así se acordó.

## ART. 694

Manifiesta el señor Ballesteros que, con arreglo
a la parte final de este artículo, si trata de bienes
que por su situacion pertenezcan a varios departamentos, será juez competente para conocer de los
juicios posesorios, el de cualquiera de dichos departamentos; lo que, en su concepto, es inadmisible, ya
que solo puede serlo el juez del departamento en
que estuviere situada la parte del fundo en que se
hubiere cometido la turbacion o el despojo.

El señor Valdés cree que el artículo consulta en
realidad la opinion del señor Ballesteros, i su parte
final no tiene otro alcance que establecer la competencia de cualesquiera de los jueces, cuando la parte del fundo que ha sido objeto de la turbacion o
despojo, se encuentra comprendida en dos o mas
departamentos.

Así lo estima tambien la Comision, que aprobó
en esta intelijencia la disposicion en estudio.

## ART. 695

Aprobado.

## ART. 696

Se dejó para segunda discusion.

## ART. 697

El señor Ballesteros cree que no tiene objeto dejar al juez el derecho de fijar un dia dentro de los
que este artículo señala para la audiencia a que él
se refiere, por cuanto no puede saber de antemano
la fecha en que la parte va a ser notificada, único
caso en que seria útil al tribunal la facultad recordada para la mejor distribucion de su trabajo.

Propuso, en consecuencia, i la Comision aceptó,
fijar el quinto dia hábil despues de la notificacion,
modificándose así el inciso 1.º como sigue:

«Art. 697. Presentada la querella, señalará el
« tribunal el quinto dia hábil despues de la notifi-
« cacion al querellado, para una audiencia, a la cual
« deberán concurrir las partes con sus testigos i
« demas medios probatorios.

«Esta audiencia tendrá lugar con solo la parte
« que asista.»

### ART. 698

Se dejó para segunda discusion.

### ART. 699

La Comision considera que la presentacion de la
lista de testigos, ordenada por este artículo, es un
requisito esencial para que pueda producirse la
prueba en los casos a què él se refiere; de tal manera que sin ella no podria rendirla el querellado.

En esta intelijencia se aprobó el artículo sin modificacion.

### ART. 700

Aprobado.

### ART. 701

El señor Vergara observa que no solo el querellado sino tambien el querellante deben tener derecho para indicar los hechos sobre los cuales ha de
interrogarse a los testigos.

Así lo estima tambien la Comision, i para consultar esta idea acordó reemplazar la frase *el querellado*
por *las partes.*

### ARTS. 702, 703, 704, 705, 706, 707 i 708

Aprobados.
Se levantó la sesion.

GERMAN RIESCO.

*Luis Barriga,*
Secretario.

## SESION 29 EN 13 DE DICIEMBRE DE 1901

Se abrió la sesion presidida por S. E. el Presidente de la República i con asistencia de los señores Ballesteros, Silva Cruz, Bañados Espinosa, Vergara i el secretario.

Asistieron tambien los señores Ministros i Fiscal de la Corte Suprema don Leopoldo Urrutia i don Miguel Luis Valdés.

Se leyó i aprobó el acta anterior.

### ART. 657

El señor Vergara, reiterando las observaciones que hizo a su respecto en la reunion anterior, manifiesta las dificultades i contradicciones que, a su juicio, se desprenden de la redaccion dada a este artículo. Un acreedor, por ejemplo, se opone a la cesion de bienes: el juez no acepta su oposicion i el acreedor apela. Si la Corte revoca aceptando la oposicion, o sea declarando al deudor en concurso necesario, ésta afecta a todos los demas; pero si la Corte confirma, dando lugar a la cesion de bienes, la sentencia no obliga a los demas acreedores, los cuales pueden deducir oposicion.

El juez acepta la oposicion, ordenando que se forme concurso necesario i el deudor apela. Si la Corte revoca, dando lugar a la cesion de bienes, esta sentencia afecta a los demas; pero si confirma, ordenando el concurso voluntario, no les afecta.

El señor Urrutia cree que la redaccion del artículo se presta quizas a las observaciones hechas por el señor Vergara, pero que su objeto no es otro que dejar establecido que la sentencia de término que rechaza la cesion afecta a todos los acreedores; pero aceptada la cesion el acreedor que no hubiere intervenido en el incidente, conserva, sin duda, su derecho para oponerse a ella.

Esplicado así el alcance del artículo, seria preferible modificar su redaccion, evitando de esta manera los inconvenientes apuntados por el señor Vergara.

Propone, al efecto, la que sigue:

« Art. 657. La sentencia de término que admite « la cesion no impide que los acreedores que no « han tomado parte en el incidente, puedan ha- « cer uso del derecho que confiere el artículo 597 « ántes de la distribucion de los bienes realizados. « La sentencia que no admite la cesion afecta a « todos los acreedores.»

La Comision aceptó la esplicacion del señor Urrutia i el artículo propuesto.

## Art. 665

El señor Vergara observa, respecto de este artículo, que seria conveniente determinar si el plazo de quince dias establecido en el inciso 1.º es el máximum fijado a dicho plazo.

El señor Presidente i la Comision así lo entienden, agregando S. E. que no se han estimado, sin duda, necesarios los plazos del artículo 636, recordado por el señor Vergara, porque la disposicion en estudio, supone que los acreedores han sido ya anteriormente citados al concurso.

El señor Vergara contesta que, dentro del sistema adoptado por el Proyecto, el concurso puede iniciarse con las proposiciones de convenio i en este caso habria conveniencia en ampliar los plazos en la forma establecida por el citado artículo 636.

Aceptada esta indicacion, se acordó agregar al inciso primero la frase *o en el plazo fijado en el artículo 636, si el convenio se propone ántes de iniciado el concurso.*

En cuanto al inciso 2.º, el señor Vergara estima que no hai razon para considerar como opuestos al convenio a los acreedores ausentes del pais i que no tienen procurador.

El señor Presidente cree justificada esta disposicion, ya que, a virtud del convenio, se modifican las condiciones de los contratos celebrados entre deudores i acreedores i no seria natural alterarlos sin la anuencia espresa o tácita de éstos.

Así lo estimó tambien la Comision i se aprobó el artículo con la agregacion acordada.

## ART. 666

El señor Vergara observa que el inciso 1.º se limita a indicar el procedimiento que debe seguirse para la verificacion de los créditos refiriéndolo a los artículos 592 i 593; pero no ha tomado en cuenta que la verificacion puede tambien practicarse en la fórma indicada por el artículo 639 en los casos a que ésta disposicion se refiere. Para salvar esta omision, propone agregar al párrafo primero la frase *i 639 en su caso.* Agrega que, con arreglo al inciso 2.º, solo pueden tener voto en la deliberacion del convenio los acreedores que hubieren verificado sus créditos, i basta que éstos sean impugnados por un solo acreedor para que no pueda procederse a la verificacion. De esta manera está en manos de un acreedor impedir que los demas concurran con su voto a la aceptacion o rechazo del convenio.

A fin de evitar este inconveniente, propone agregar al inciso 3.º, *i el Tribunal resolverá lo que corresponda en la misma audiencia i sin ulterior recurso para el solo efecto de determinar los derechos de los acreedores en el acto de la votacion.*

## ART. 698

El señor Vergara recuerda que el artículo 47, modificado ya por la Comision, dispone que, buscada la parte en los lugares que el Proyecto indica i comprobado que se encuentra en el lugar del juicio, se haga la notificacion por cédula entregada a las personas que se encuentren en la habitacion del notificado, o si no fuese esto posible, se fije en la puerta un aviso que dé noticia de la providencia, etc.

Suprimida la intervencion del vecino a quien podia entregarse la cédula segun el Proyecto, se hace indispensable armonizar la disposicion en estudio con la modificacion aludida.

La Comision estima fundada la observacion del señor Vergara i de acuerdo con ella se reemplazó el artículo por el que sigue:

«Art. 698. La notificacion de la querella se prac-
« ticará en conformidad a lo que dispone el Título
« VI, del Libro I; pero en el caso del artículo 47 se
« hará la notificacion en la forma indicada en el
« inciso 2.º de dicho artículo aunque el querellado
« no se encuentre en el lugar del juicio.»

### De la querella de despojo

#### ARTS. 709 i 710

En el título de este párrafo i en los artículos 709 i 710 se reemplazó la palabra *despojo* por *restitucion* a indicacion del señor Ballesteros i como consecuencia de la modificacion introducida en el 693.

#### ART. 711

Se aprobó sustituyendo, a peticion del señor Ballesteros, la cita del artículo 982 del Codigo Civil, hecha sin duda por error de copia, por la del 928 del mismo Código.

#### ARTS. 712 i 713

Aprobados.

## ART. 714

Fué tambien aprobado modificando solo su redaccion como sigue:

«Art. 714. Presentada la demanda para la sus-
« pension de una obra nueva denunciable, el juez
« decretará provisionalmente dicha suspension i
« mandará que se tome razon del estado i circuns-
« tancias de la obra i que se aperciba al que la es-
« tuviere ejecutando con la demolicion o destruc-
« cion a su costa de lo que en adelante se hiciere.

«En la misma resolucion mandará el tribunal
« citar al denunciante i al denunciado para que
« concurran a la audiencia del quinto dia hábil des-
« pues de la notificacion al demandado, debiendo
« en ella presentarse los documentos i demas me-
« dios probatorios en que las partes funden sus pre-
« tensiones.»

## ART. 715

Aprobado.

## ART. 716

El señor Vergara manifiesta que el inciso 1.º confiere a la parte el derecho de ejecutar en las obras denunciadas los trabajos necesarios para que no se destruya lo edificado, i sin embargo, el inciso 2.º supone que el juez puede denegar la autorizacion que se le pida con este objeto. Debe modificarse, por esta razon, el inciso 2.º estableciendo que el juez concederá en todo caso la autorizacion a que él se refiere.

Agrega que los peritos nombrados para dar cumplimiento al inciso 2.º no debieran ser recusables, porque lo contrario no se armoniza con el procedimiento de plano que prescribe este artículo.

Indica, por último, que nada se establece en cuanto de las apelaciones que pudieran interponerse respecto de los fallos que se espidan al aplicarse la disposicion en estudio, los cuales, por su naturaleza, solo deberian ser apelables en lo devolutivo.

El señor Presidente contesta que, sin desconocer los derechos que confiere a las partes el inciso 1.º, puede el tribunal negar lugar a la autorizacion de que trata el 2.º, ya que el juez en todo caso debe calificar la necesidad de las obras que se pretenda ejecutar, que es condicion indispensable i exijida por el inciso 1.º para ejercitar el derecho que en él se otorga al querellado.

En cuanto a la recusacion de los peritos, la dificultad probablemente no ha de presentarse, si se toma en cuenta que el tribunal procede de plano sin oir a las partes i aun sin que sea menester notificarles el decreto que designe el perito. Cree, sin embargo, que puede establecerse que no podrán ser recusados.

Respecto de la apelacion, S. E. juzga que debe seguirse la regla jeneral del artículo 216, número 1.º, que concede al querellante apelacion en ámbos efectos i solo en lo devolutivo al querellado.

Aceptadas por la Comision las observaciones del señor Presidente, se aprobó el artículo agregando solo al final del inciso 2.º la frase *el cual no podrá ser recusado.*

### ART. 717

A indicacion del señor Vergara se deja testimonio de que la Comision entiende que las disposiciones de este artículo no escluyen ninguno de los medios probatorios que, en jeneral, autoriza el Proyecto.

### ART. 718

Fué aprobado sin otra alteracion que colocar la segunda parte del inciso último como un inciso separado.

De esta manera se deja claramente establecido que la sentencia lleva consigo la condenacion en costas, no solo cuando ordene la demolicion sino tambien en todos los casos a que este artículo se refiere.

Se evitan así las dudas que a este respecto pudieran suscitarse por figurar la disposicion relativa a las costas en un inciso que trata solo de la demolicion, como lo observó el señor Vergara.

ART. 719

Aprobado.

ART. 720

El señor Ballesteros recuerda que está pendiente de la discusion del Congreso un proyecto de lei relativo a los juicios de menor cuantía i que desaparecerán con él los actuales jueces de subdelegacion. En atencion a esta circunstancia propone que en lugar de *juez de subdelegacion que corresponda o a otro ministro de fe*, se diga *al juez inferior que corresponda o a un ministro de fe.*

Se aprobó el artículo con la modificacion indicada.

ART. 721

Se aprobó tambien agregando, a indicacion del señor Vergara, *afianzamiento* para completarlo en conformidad a la enumeracion que hace el artículo 720 de las peticiones que pueden formularse en esta clase de juicio:

«Art. 721, inciso 1.º Con el mérito de la dilijen-
« cia ordenada por el artículo precedente, fallará el
« tribunal dentro de tercero dia, sea denegando lo
« pedido por el querellante, sea decretando la de-
« molicion, enmienda, afianzamiento o estraccion
« a que hubiere lugar.»

ART. 722.

Aprobado.

### Art. 723

Se completó en la misma forma que el 721.

«Art. 723. En la misma sentencia que ordena la
« demolicion, enmienda, afianzamiento o estrac-
« cion puede el tribunal decretar desde luego las
« medidas urjentes de precaucion que considere
« necesarias i ademas que se ejecuten dichas me-
« didas, sin que de ello pueda apelarse.»

### Art. 724

Aprobado.

### Art. 725

El señor Vergara estima que el fallo de los interdictos, por la naturaleza misma de su tramitacion, deja siempre a salvo el derecho de la parte
perjudicada para deducir en juicio ordinario la
misma accion de la querella i las de perjuicio i demas que pudieran deducirse si la sentencia dictada
en el pleito ordinario modificara lo resuelto en el
interdicto. Los términos del artículo se prestan a
que puedan desconocerse estos derechos i propone,
en consecuencia, se modifique para dejarlos espresamente reconocidos.

El señor Presidente i la Comision estiman que
la disposicion observada no priva a las partes de
los derechos indicados por el señor Vergara i en
jeneral de cualquiera accion análoga; pero siempre
que no tengan por objeto dejar sin efecto lo resuelto en cuanto al hecho mismo de la demolicion,
enmienda, etc., ordenada en el fallo del interdicto.

En esta intelijencia fué aprobado el artículo.

### Art. 726

Aprobado,

### Art. 727

De acuerdo con la reforma introducida en los artículos 697 i 714, se modificó, como sigue, el inciso 2.º:

«Art. 727, inciso 2.º Para recibir esta prueba
« el tribunal señalará la audiencia correspondiente
« al quinto dia hábil despues de la última notifica-
« cion i a ella deberán concurrir las partes con sus
« testigos i demas medios probatorios. Dicha au-
« diencia tendrá lugar con solo el interesado que
« asista.»

### Arts. 728, 729, 730 i 731

Aprobados.

### Art. 732

Se aprobó este artículo recordando, a su respecto, que sus disposiciones pueden aplicarse a los casos en que se ejecuten obras que torciendo la direccion de las aguas las derramen sobre los caminos públicos, o en que se ocupen las calles o plazas etc., i en jeneral, a todos aquellos en que el inciso 1.º del artículo 948 del Código Civil da accion popular.

### Art. 733

Aprobado.

### Del desahucio, del lanzamiento i de la retencion

El señor Ballesteros manifiesta que el artículo 784 i los demas de este párrafo suponen hecho el desahucio, sin haber establecido previamente la forma en que debe practicarse.

Para salvar esta omision propuso, i la Comision
aceptó, agregar ántes del artículo citado el que
sigue:

«Art ... El desahucio de la cosa arrendada puede
« efectuarse judicial o estrajudicialmente.

«La prueba del desahucio estrajudicial se suje-
« tará a las reglas jenerales del Título XXI, Libro
« IV, del Código Civil i a los procedimientos que
« establece el presente Código.

«El desahucio judical se efectuará notificando al
« arrendador o arrendatario, en conformidad al
« artículo 698, el decreto en que el juez manda poner
« en conocimiento de uno u otro la noticia antici-
« pada a que se refiere el artículo 1,951 del Código
« Civil.»

## ART. 734

Fué aprobado con la misma modificacion introducida en los artículos 697, 714 i 727 i en la forma
que sigue:

«Art. 734. Cuando el arrendador o el arrenda-
« tario desahuciado reclamare contra este desahu-
« cio, citará el tribunal a las partes para la audien-
« cia del quinto dia hábil despues de la última noti-
« ficacion, a fin de que concurran con sus medios
« de prueba i espongan lo conveniente a su derecho.»

## ARTS. 735 i 736

Aprobados.

## ART. 737

El señor Vergara llama la atencion a que son
sin duda aplicables a la recepcion de la prueba en
los casos a que se refiere este artículo, no solo el
artículo 699 sino tambien los que siguen hasta el
705 inclusive.

Se acordó por esta razon modificar como sigue el inciso 2.º:

«Art. 737, inciso 2.º Si hubiera de rendirse prue-
« ba testimonial se procederá en conformidad con
« lo dispuesto en los artículos 699 al 705 inclusive.»

Arts. 738, 739, 740 i 741

Aprobados.

Art. 742

Se levantó la sesion quedando pendiente la discusion de este artículo.

Germán Riesco.

*Luis Barriga,*
Secretario.

## SESION 30 EN 17 DE DICIEMBRE DE 1901

Se abrió la sesion presidida por S. E. el Presidente de la República, con asistencia de los señores Ballesteros, Bañados E., Vergara i el secretario.

Asistieron tambien los señores Ministro i Fiscal de la Corte Suprema don Leopoldo Urrutia i don Miguel Luis Valdés.

Se leyó i aprobó el acta anterior.

Art. 647

En vista de las observaciones formuladas en la última sesion, se acordó agregar a continuacion del 647 el siguiente, propuesto por el señor Vergara:

29-30

«**Art...** Podrán tambien impugnarse los acuerdos
« que se adopten, tanto en la primera junta de acree-
« dores como en las posteriores, por defectos en
« las formas establecidas para la convocacion i ce-
« lebracion de la junta, o error en el cómputo de
« las mayorías requeridas por la lei.

«Solo podrán hacer esta impugnacion el deudor
« o los acreedores que, habiendo presentado opor-
« tunamente los títulos de sus créditos o la minuta
« en su caso, no hubieren concurrido a la junta de
« que se trata, o los que, concurriendo, hayan pro-
« testado contra la validez del acto i se hubieren
« abstenido de votar. El término para deducirla
« será de tres dias contados desde la celebracion
« de la junta, pasados los cuales no será admitida.

«Se sustanciará por los trámites establecidos para
« los incidentes. Se formará pieza separada i no se
« suspenderá el curso de lo principal, salvo que el
« tribunal, por motivos fundados, resolviera lo con-
« trario.

«La sentencia que recaiga será apelable en ám-
« bos efectos.»


## Art. 742

Al terminar la reunion anterior, observaba el
señor Ballesteros que este artículo toma solo en
cuenta el derecho de retencion que tiene el arrendatario i no el que confiere al arrendador el articulo 1,942 del Código Civil. Estima que debe salvarse
esta omision i propone al efecto agregar a continuacion del 742 el artículo siguiente:

«Art... Si el arrendador hiciere valer el derecho
« de retencion que le confiere el artículo 1,942 del
« Código Civil, los objetos retenidos se estimarán
« como constituidos en prenda para todos los efec-
« tos legales.

«El arrendador tendrá derecho para que se hagan
« volver a la casa arrendada los objetos que la

« amoblaban o guarnecian i que hubieren sido sus-
« traidos de ella ocultamente.»

El señor Urrutia sostiene que la primera parte
del artículo propuesto altera por completo la esencia del derecho de retencion consagrado por el
Código Civil, que no lo ha definido en realidad, li-
mitándose a considerarlo como un hecho; pero es
un hecho de tal naturaleza que, en su concepto,
constituye la mas eficaz de las garantías.

A cualquier privilejio que se alegue, puede oponer el arrendador el hecho mismo de la retencion
autorizada por la disposicion referida i, por lo tanto,
en la práctica importa tambien un privilejio i superior a cualquier otro de los establecidos por el
Código Civil.

Colocarlo en la categoría de la prenda es redu-
cirlo a un privilejio de segunda clase i que desaparece del todo en los casos de concurso.

Por las razones insinuadas, acepta la idea del
señor Ballesteros en órden a reglamentar este derecho; pero no la disposicion indicada en cuanto lo
equipara al de prenda para todos los efectos legales.

El señor Valdés cree que el solo hecho de la tenencia de las especies retenidas con arreglo a la
lei, no basta para sostener que el arrendador puede
oponerlo a todos los privilejios establecidos, ya que,
si éstos debieran prevalecer sobre el derecho que
da la retencion, podria ser privado tambien del
hecho de la tenencia por resolucion judicial.

El señor Ballesteros, por su parte, insiste en sostener que el derecho de retencion no importa otra
cosa que una prenda, porque en uno i otro caso se
conserva la especie en poder del acreedor para
hacerse pago con ella. Agrega que esta doctrina
está sancionada por la mayor parte de los Códigos
vijentes, que incluyen la retencion entre los privilejios i difieren solo en la categoría, colocándolos
unos ántes i otros despues de la prenda. Asi sucede
aun en el Código frances, cuyos comentadores ha

recordado el señor Urrutia en apoyo de la opinion
que ha manifestado.

I prescindiendo de las disposiciones del derecho
positivo estranjero, el señor Senador encuentra con-
firmada la teoría que sustenta en muchas sentencias de nuestros tribunales, entre las cuales recuerda especialmente dos de la Corte Suprema de los
años 1863-1865, que aplicando las disposiciones del
Código Civil, consideran la retencion como una
prenda.

El señor Presidente cree que no es éste el lugar
oportuno para definir el alcance del derecho de retencion, que es materia de una disposicion sustantiva i que solo puede tener cabida en el presente
Código el procedimiento que debe seguirse para
hacerla valer en juicio. I supuesta la indudable
analojía que tiene con la prenda, aceptaria que se
estimara como tal, para el solo efecto de realizar
las especies retenidas.

Se estimó preferible dejar para la próxima sesion
el estudio de la indicacion del señor Ballesteros, i
sin perjuicio, se aprobó el artículo 742, en los términos del Proyecto.


ARTS. 743, 744, 745, 746, 747, 748, 749 i 750

Aprobados.

ART. 751

Fué tambien aprobado, fijando solo el quinto dia
hábil despues de la notificacion para la audiencia
que en él se ordena, por la razon indicada al hacerse la misma modificacion en artículos anteriores.


ARTS. 752, 753 i 754

Aprobados.

### ART. 755

El señor Vergara observa que este artículo exije mas que el Código Civil para ejercitar el derecho que éste confiere en el artículo 1,977. Basta con arreglo a este artículo las dos reconvenciones, i el Proyecto dispone que la segunda se haga en una audiencia ante el tribunal de la causa.

El señor Urrutia contesta que se ha preferido este sistema para evitar las demoras i tramitaciones que pueden producirse si el arrendatario, a su vez, hace uso del derecho de dar garantía para la seguridad del pago.

Se aprobó el artículo sin modificacion.

### ARTS. 756, 757, 758 I 759

Aprobados.

### ART. 760

Para evitar las dudas que insinuó el señor Vergara, se deja testimonio de que la Comision estima que los únicos interesados, a que se refiere este artículo, son el que pide i el que niega el consentimiento para el matrimonio.

### ARTS. 761, 762, 763 I 764

Aprobados.

### ART. 699

Aunque se ha dejado establecido en el acta respectiva, que el querellado no podrá rendir prueba en el caso a que este artículo se refiere, si no hubiera presentado lista de testigos, se estimó preferible agregarle un inciso en los mismos términos del segundo del 764.

### ART. 765

Aprobado.

### ART. 766

El señor Valdés considera inconveniente que se autorice el exámen de los testigos sobre hechos nuevos alegados en la misma audiencia de prueba; porque de esta manera se crea una situacion desigual i ventajosa para la parte que los aduce i está en situacion de preparar su prueba para acreditarlos. En cambio la parte contraria puede encontrarse sin prueba alguna, aunque hubiera podido desvirtuar la de su contendor, conociendo previamente los hechos que debieran ser materia de la declaracion de los testigos.

Estimando fundadas las observaciones del señor Valdés, se acordó suprimir del artículo la frase *i sobre los nuevos hechos que en la segunda audiencia agreguen las partes con relacion a las causales alegadas.*

### ART. 767

El señor Vergara cree que en los casos a que este artículo se refiere debería adoptarse el mismo procedimiento que establece el 702, que es mas completo i consulta mejor el interes de las partes.

Aceptada la indicacion del señor Vergara se reemplazó el inciso 1.º por el que sigue:

« Art. 767, inciso 1.º Si se dedujeren tachas « se procederá en la forma prevista en el articulo « 702.»

### ARTS. 768, 769 i 770

Aprobados.

### Art. 771

El señor Vergara pregunta a qué hechos puede referirse la prueba a que alude el inciso 2.º

La Comision entiende que la prueba puede versar sobre todos los hechos que pudieran justificar la peticion de la mujer, la negativa del marido i desvirtuar los alegados por uno u otro.

El mismo señor Vergara cree que las reglas establecidas para los incidentes deben aplicarse no solo para la rendicion de la prueba, sino tambien para la sustanciacion i fallo de las causas a que este artículo se refiere i propone, en consecuencia, modificar como sigue el inciso 2.º:

« Art. 771, inciso 2.º Si no hubiere acuerdo « resolverá el tribunal inmediamente o sustanciará « i fallará el proceso segun las reglas establecidas « para los incidentes.

La Comision aceptó esta indicacion.

### Art. 772

A indicacion del señor Vergara se acordó suprimirlo por estimarlo innecesario, ya que el artículo anterior, con la reforma introducida, establece que debe procederse en conformidad a las reglas fijadas para los incidentes.

### Arts. 773 i 774

Aprobados.

### Art. 775

El señor Ballesteros cree que debe modificarse la redaccion de este artículo dejando claramente establecido el derecho de las partes que, por acuerdo

unánime, pueden convenir en cualquier forma de notificacion.

Aceptada esta indicacion, se acordó reemplazarla por el siguiente, que propuso el secretario:

« Art. 775. En los juicios arbitrales se harán las
« notificaciones personalmente o por cédula, salvo
« que las partes unánimemente acordaren otra for-
« ma de notificacion.»


## Art. 776


Se acordó suprimirlo a indicacion del señor Vergara, por estimar inconveniente la disposicion que
contiene.


## Art. 777

Aprobado.

## Art. 778


El señor Vergara cree que podria aplicarse la
regla de la segunda parte del inciso 2.º al caso previsto en el inciso 1.º i propuso, en consecuencia,
reemplazar el artículo por el que sigue, que fué
aceptado por la Comision:

«Art. 778. En caso de no resultar mayoría en el
« pronunciamiento de la sentencia definitiva o de
« otra clase de resoluciones, siempre que ellas no
« fueren apelables, quedará sin efecto el compro-
« miso, si este fuere voluntario. Si fuere forzoso, se
« procederá a nombrar nuevos árbitros.

«Cuando pueda deducirse el recurso, cada opi-
« nion se estimará como resolucion distinta, i se
« elevarán los antecedentes al tribunal de alzada,
« para que resuelva como fuere de derecho sobre
« el punto que hubiese motivado el desacuerdo de
« los árbitros.»

## Art. 779

El señor Ballesteros llama la atencion a que el
inciso 1.º no toma en cuenta el caso de inhabilita·
cion del ministro de fe.

Para salvar esta omision propuso, i la Comision
aceptó, modificarlo como sigue:

«Art. 779, inciso 1.º Toda la sustanciacion de
« un juicio arbitral se hará ante un ministro de fe
« designado por el árbitro, sin perjuicio de las im-
« plicancias o recusaciones que pudieren las partes
« reclamar; i si estuviere inhabilitado o no hubiere
« ministro de fe en el lugar del juicio, ante un ac-
« tuario designado del mismo modo.»

Se tuvo presente al adoptar la modificacion introducida en la última parte del inciso que, llamado como está el actuario a mantener en su poder i bajo su responsabilidad los espedientes, es
preferible que sus funciones se encomienden a
una sola persona.

## Art. 780

El señor Ballesteros estima que la recepcion de
la prueba de que trata este artículo, puede imponer
a los jueces de letras un recargo considerable de
trabajo sin objeto práctico alguno, ya que no le corresponde el fallo de las causas a que él se refiere.
En cambio hai manifiesta conveniencia en que la
tome personalmente el árbitro, que debe apreciarla
al resolver el asunto sometido a su conocimiento.

En atencion a estas circunstancias seria, a su
juicio, preferible autorizar al juez para cometer la
recepcion de la prueba al árbitro mismo asistido
por un ministro de fe i propone, en consecuencia,
agregar al artículo en estudio, el siguiente inciso:

«Art. 780, inciso 3.º Los tribunales de derecho
« podrán cometer esta dilijencia al árbitro mismo
« asistido por un ministro de fe.»

La Comision aceptó esta indicacion de acuerdo con las observaciones formuladas por el señor Ballesteros i aprobó por lo demas el artículo del Proyecto.

### Art. 781

Se aprobó este artículo reemplazando la frase *el inciso final* por *inciso 2.º* en vista de la agregacion hecha al artículo anterior; i suprimiendo por innecesaria la frase *la práctica de.*

### Art. 782

El señor Ballesteros observa que no solo debe ocurrirse a la justicia ordinaria para los efectos de cumplir las resoluciones arbitrales cuando éstas afectan a terceros que no sean parte en el compromiso, sino en todo caso, cuando hubiere de dictarse medidas de apremio que suponen el ejercicio de la autoridad pública de que no están investidos los jueces árbitros.

Aunque la Comision aceptó la idea del señor Ballesteros, se resolvió determinar en la próxima sesion la forma en que debe consignarse.

### Arts. 783, 784, 785, 786 i 787

Aprobados.

### Art. 788

De acuerdo con la reforma introducida en el artículo 778, i a indicacion del señor Vergara, se modificó como sigue el inciso 3.º de este artículo.

« Art. 788, inciso 3.º. No pudiendo obtenerse
« mayoría en el pronunciamiento de la sentencia
« definitiva o de otra clase de resoluciones, quedará

« sin efecto el compromiso, si no pudiere deducirse
« apelacion. Habiendo lugar a este recurso se eleva-
« ran los antecedentes a los arbitradores de segun-
« da instancia, para que resuelvan como estimen
« conveniente sobre la cuestion que motiva el de-
« sacuerdo.»

### Art. 789

Aprobado.

Para completar las disposiciones del párrafo segundo, se resolvió agregarle como último artículo
el que sigue:

Art. . . La ejecucion de las sentencias de los arbitradores se sujetará a lo dispuesto en el artículo
782.

### Arts. 790, 791, 792 i 793

Aprobados.

### Art. 794

El señor Ballesteros manifiesta que de los términos del artículo 810 se desprende que solo pueden
intervenir como actuario, en las particiones de bienes, los ministros de fe que tengan oficina propia.

No solo por esta razon sino por las condiciones
propias de estos cargos, cree que deberian confiarse
solo a los notarios, o a los secretarios de los juzgados de letras, como lo propuso el señor Urrutia.

Aceptada en esta forma la opinion del señor Ballesteros, se acordó modificar el artículo como sigue.

«Art. 794. Se estenderán a los partidores las re-
« glas establecidas respecto de los árbitros en el
« título precedente, en cuanto no aparezcan modi-
« ficadas por las del presente título i sean aplicables
« a las cuestiones que aquellos deben resolver, pero
« sus actos serán en todo caso autorizados por un
« notario o secretario de un juzgado de letras.

Arts. 795 i 796

Aprobados.

Art. 797

El señor Vergara estima que la frase final del inciso 1.º *no estuvieren espresamente sometidas a la justicia ordinaria* se presta a creer que se refiere a juicios que de hecho se encuentran ya sometidos a la justicia ordinaria i nó a los que deben estarlo en todo caso por disposicion espresa de la lei, que se sin duda la idea del proyecto.

Para evitar esta duda propuso, i la Comision aceptó, reemplazarla por *no las sometiera la lei de un modo espreso al conocimiento de la justicia ordinaria.*

Arts. 798 i 799

Aprobados.

Art. 800

El señor Ballesteros observa que la mayoría absoluta de concurrentes puede representar en realidad una mínima parte de la herencia; i sin embargo, prevalece su opinion sobre los que tengan derecho a la mayor parte de ella, si son ménos en número, conforme a la regla del inciso 1.º

Estima que no es equitativa esta disposicion i propone, de acuerdo con el señor Vergara, reemplazarla por la que contiene el artículo 818, que exije no solo la mayoría numérica absoluta, sino que esta represente ademas, a lo ménos, la mitad de los derechos de la comunidad.

Se aceptó la indicacion del señor Ballesteros i se aprobó por lo demas el artículo reemplazando la palabra *fundado* por *justificado.*

El inciso 1.º quedó como sigue:

«Art. 800, inciso 1.º Para acordar o resolver lo
« conveniente sobre la administracion *pro-indiviso*,
« se citará a todos los interesados a comparendo, el
« cual se celebrará con solo los que concurran. No
« estando todos presentes, solo podrán acordarse
« por mayoría absoluta de los concurrentes que re-
« presenten a lo ménos la mitad de los derechos de
« la comunidad o por resolucion del tribunal a falta
« de mayoría, todas o algunas de las medidas si-
« guientes:

ARTS. 801 I 802

Aprobados.

ART. 803

El señor Valdés manifiesta que los términos de
este artículo resuelven, sin lugar a dudas, las dificultades a que ha dado lugar en la práctica la interpretacion del artículo 1,335 del Código Civil, en
cuanto requiere acuerdo *lejítimo* de los interesados.

El artículo en estudio exije solo acuerdo unánime
de las partes o de sus respectivos representantes;
pero agrega como condicion, que existan en autos
antecedentes que justifiquen la apreciacion de las
partes cuando se trate de bienes raices.

Para el cumplimiento de esta última condicion,
bastarian, por ejemplo, como lo observó el señor Ballesteros, las tasaciones municipales u otros antecedentes semejantes.

El señor Vergara cree que la omision de los requisitos exijidos por este artículo, viciaria de nulidad la adjudicacion, i que seria útil resolverlo si la
Comision no aprobara esta interpretacion.

La Comision aceptó en todas sus partes las ob-
servaciones de los señores Ballesteros, Valdés i
Vergara i aprobó en esta intelijencia el artículo del
Proyecto, modificando solo su redaccion como sigue:

«Art. 803. Para adjudicar o licitar los bienes co-
« munes, se apreciarán por peritos nombrados en
« la forma ordinaria.

«Podrá, sin embargo, omitirse la tasacion, si el
« valor de los bienes se fijare por acuerdo unánime
« de las partes, o de sus representantes, aun cuando
« hubiere entre aquellas incapaces o personas jurí-
« dicas, con tal que existan en los autos anteceden-
« tes que justifiquen la apreciacion hecha por las
« partes, o que se trate de bienes muebles, o de fijar
« un mínimum para licitar bienes raices con admi-
« sion de postores estraños.»

Se levantó la sesion.

GERMAN RIESCO.

Luis Barriga,<br>Secretario.

## SESION 31 EN 20 DE DICIEMBRE DE 1901

Se abrió la sesion presidida por S. E. el Presidente de la República i con asistencia de los señores Ballesteros, Vergara i el secretario.

Asistieron tambien los señores Ministro i Fiscal
de la Corte Suprema don Leopoldo Urrutia i don
Miguel L. Valdés.

Se leyó i aprobó el acta anterior.

### ART. 782

De acuerdo con las ideas manifestadas en la última reunion, sobre la indicacion del señor Ballesteros, relacionada con esta disposicion, se aprobó el
artículo reemplazando solo el inciso 3.º por el que
sigue, propuesto por el señor Valdés:

«Art. 782, inciso 3.º Sin embargo, cuando el cum-
« plimiento de la resolucion arbitral exijiese proce-
« dimientos de apremio o el empleo de medidas
« compulsivas, o cuando hubiere de afectar a ter-
« ceros que no sean parte en el compromiso, deberá
« ocurrirse a la justicia ordinaria para la ejecucion
« de lo resuelto.»

Agrega el señor Valdés que entre los procedimientos de apremio i medidas compulsivas a que se
refiere esta disposicion, se comprenden los embargos, lanzamientos, mandamientos posesorios, etc.,
i en jeneral, todas las dilijencias que por su naturaleza requieran el empleo de la fuerza o la intervencion de la antoridad pública o de sus ajentes.

## ART. 742

Se trató nuevamente de la indicacion formulada
por el señor Ballesteros para reglamentar el procedimiento que debe seguirse cuando se haga efectivo el derecho de retencion que concede el artículo
1,942 del Código Civil.

En vista de las observaciones hechas al tratarse
de esta indicacion en la reunion anterior, el señor
Urrutia propuso, de acuerdo con el señor Ballesteros, agregar a continuacion del artículo 692, i como
Título IV, del Libro III, los siguientes artículos,
que fueron aceptados por la Comision.

# TÍTULO IV, LIBRO III

### De los efectos del derecho legal de retencion

« Arts. ... Para que sea eficaz el derecho de re-
« tencion que en ciertos casos conceden las leyes,
« es necesario que su procedencia se declare judi-
« cialmente a peticion del que puede hacerlo valer.

« Podrá solicitarse la retencion como medida
« precautoria del derecho que garantiza, i en tal
« caso se procederá conforme a lo dispuesto en los
« artículos 289, 290 i 292.

« Art. ... Los bienes retenidos por resolucion
« ejecutoriada, serán considerados, segun su natu-
« raleza, como hipotecados o constituidos en pren-
« da para los efectos de su realizacion i de la pre·
« ferencia a favor de los créditos que garantizan.
« El decreto judicial que declare procedente la re-
« tencion de inmuebles, deberá inscribirse en el
« rejistro de hipotecas.

« Art. ... De la misma preferencia establecida
« en el artículo anterior gozarán las cauciones lega-
« les que se presten en sustitucion de la retencion.

« Art. ... Podrá el juez, atendidas las circuns-
« tancias i la cuantía del crédito, restrinjir la reten-
« cion a una parte de los bienes muebles que se
« pretenda retener, que basten para garantizar el
« crédito mismo i sus accesorios.»

Agrega el señor Urrutia que las disposiciones
propuestas se refieren no solo al derecho de retencion establecido a favor del arrendador sino a todos
los autorizados por la lei, i recuerda especialmente:

1.º El que tiene la persona que edifica de buena
fe a ciencia i paciencia del dueño del terreno para
retener el suelo miéntras el propietario no le pague
el valor del edificio, con arreglo al artículo 669 del
Código Civil:

2.º El que da el artículo 800 del mismo Código
para retener la cosa fructuaria hasta obtener el
pago de los reembolsos a que es obligado el propietario, segun las reglas del Título IX, del Libro II;

3.º El que corresponde al mandatario sobre los
efectos que se le hayan entregado por cuenta de su
mandante para la seguridad de las prestaciones a
que éste fuere obligado. (Artículo 2,162 del Código
Civil);

4.º El que otorga el Código citado en su artículo
2,193 al comodatario para retener la cosa prestada

« miéntras no se efectúen las indemnizaciones indi-
« cadas en dicho artículo:

«5.º El conferido por los artículos 2,234. 2,253
« 2,440 del mismo Código a lcs depositarios, secues·
« tres i acreedores anticréticos respectivamente.»

Art. 539

Se continuó en el estudio de este artículo i se recordó que los señores Valdés i Vergara estimaron
que importaba una modificacion sustancial del Código Civil, que solo considera disuelta la sociedad
conyugal por la sentencia de separacion de bienes
i nó por la sola interposicion de la demanda, como
lo hace el Proyecto.

El señor Urrutia manifiesta que la segunda parte
de este artículo no tiene otro objeto que establecer
que la comunidad resultante de la sociedad conyugal, disuelta por sentencia de separacion de bienes. pero no liquidada, se entiende que existe para
los cónyujes desde la notificacion de la respectiva
demanda, sin perjuicio de los derechos legalmente
constituidos por terceros.

Observa ademas el señor Urrutia que las disposiciones del artículo en estudio debieran ampliarse,
con igual razon, al heredero beneficiario cuyos
bienes personales se embarguen en ejecucion por
deudas de la herencia; al heredero demandado por
acreedores que hubieren hecho valer el beneficio
de separacion i por último, al que, sucediendo por
derecho de representacion. ha repudiado la herencia de la persona a quien representa, si se le persigue por deudas de éste.

Propone al efecto reemplazar el artículo 539 por
el que sigue:

«Art. 539. Se estimarán como tercería de dominio:

1.º La que se funde en el derecho de comunero
sobre la cosa embargada:

31-32

La comunidad resultante de la sociedad conyugal disuelta por sentencia de separacion de bienes, i no liquidada, se entenderá existir para los cónyujes, i no para terceros por derechos legalmente constituidos, desde que se notifique la demanda de separacion respecto de las especies o cuerpos ciertos que pertenezcan o se deban a la mujer. La tercería fundada en esta comunidad no podrá interponerse ántes de estar ejecutoriada la sentencia de separacion;

La del heredero beneficiario cuyos bienes personales sean embargados por deudas de la herencia, cuando estuviere ejerciendo judicialmente alguno de los derechos que conceden los artículos 1,261 al 1,263, inclusive, del Código Civil;

La del heredero que reclamare contra el embargo de bienes personales, efectuado por accion de acreedores hereditarios o testamentarios que hubieren hecho valer el beneficio de separacion que señala el Título XII, del Libro III, del Código Civil, i no trataren de pagarse del saldo a que se refiere el artículo 1,383 del mismo Código;

La del heredero que, sucediendo por derecho de representacion. ha repudiado la herencia de la persona a quien representa i es perseguido por el acreedor de éste.

Contra el embargo de que tratan los números 2.º, 3.º i 4.º podrá optarse por la escepcion que corresponda en la accion ejecutiva.»

Las disposiciones del artículo propuesto, con escepcion del inciso 2.º del número 1.º, fueron aceptadas en jeneral por la Comision.

Observa, sin embargo, el señor Ballesteros que es preferible suprimir la enumeracion que contiene i reemplazarla por una regla de carácter jeneral, ya que de otra manera se puede incurrir fácilmente en omisiones imprevistas.

El señor Valdés, de acuerdo con el señor Vergara, estima que habria conveniencia en suprimir del número 1.º, la parte relativa a la sociedad conyugal disuelta por la sentencia de separacion de bienes. Ademas de las observaciones hechas en reuniones anteriores, tiene para ello presente que la forma indicada por el señor Urrutia no dice relacion a terceros i, en tal caso, carece de objeto esta disposicion. Si con ella se persigue cautelar los intereses de la mujer, que en el curso del juicio pueden ser comprometidos por el marido, en contratos celebrados con terceros, i si a éstos no se refiere el artículo propuesto, no divisa inconveniente en suprimirlo.

El señor Urrutia contesta que la disposicion a que alude el señor Valdés tiene, en realidad, por objeto garantir los derechos de la mujer que pueden ser burlados por el marido durante la tramitacion de la causa, pero, en su concepto, no es indiferente suprimirla.

Aceptada su indicacion, la demanda de separacion de bienes establece entre marido i mujer una comunidad, i en ella corresponden a la mujer los frutos de sus bienes propios i de los que pudieran caberle en dicha comunidad. Puesta en noticia de los acreedores la existencia del juicio de separacion, i despues de admitida ésta por sentencia de término, no podrian embargarse ni sus bienes, ni tampoco los frutos mencionados, los cuales serian, sin duda, embargables si no existiera la disposicion propuesta.

El señor Valdés insiste en sus anteriores observaciones i agrega que con una prohibicion de gravar i enajenar solicitada por la mujer en el curso de la causa, podria obtenerse el mismo resultado.

Cree, ademas, el señor Valdés, que deberia tambien incluirse en esta disposicion al heredero que es ejecutado por deudas hereditarias o testamentarias de otra persona cuya herencia no hubiera aceptado. Sostiene, en cambio, que no debiera comprenderse en ella al heredero beneficiado de que trata el inciso 2.º de los redactados por el señor Urrutia. La Comision, sin embargo, mantuvo en

esta parte la opinion del señor Urrutia i aceptó,
por lo demas, las manifestadas por el señor Valdés.

En vista de las observaciones aducidas en el curso
de la discusion, el señor Valdés propuso reemplazar
el artículo 539 por los dos que siguen, que fueron
tambien aprobados por la Comision.

«Art. 539. Se sustanciará en la forma establecida
« para las tercerías de dominio la oposicion que se
« fundare en el derecho del comunero sobre la cosa
« embargada.

«En la misma forma se tramitará la reclamacion
« del ejecutádo para que se escluya del embargo al-
« guno de los bienes a que se refiere el artículo.»

«Art. .... Podrán tambien ventilarse conforme
« al procedimiento de las tercerías los derechos que
« hiciera valer el ejecutado, invocando una calidad
« diversa de aquella en que se le ejecuta. Tales se-
« rian, por ejemplo, los casos siguientes:

«1.º El del heredero a quien se ejecutare en este
« carácter para el pago de las deudas hereditarias
« o testamentarias de otra persona cuya herencia
« no hubiere aceptado;

«2.º El de aquel que sucediendo por derecho de
« representacion, ha repudiado la herencia de la
« persona a quien representa, i es perseguido por
« el acreedor de ésta;

«3.º El del heredero que reclamare del embargo de
« sus bienes propios efectuado por accion de acree-
« dores hereditarios o testamentarios que hubieren
« hecho valer el beneficio de separacion de que tra-
« ta el Título XII del Libro III del Código Civil. i no
« trataren de pagarse del saldo a que se refiere el
« artículo 1.383 del mismo Código. Al mismo proce-
« dimiento se sujetará la oposicion cuando se dedu-
« jere por los acreedores personales del heredero;

«4.º El del heredero beneficiario cuyos bienes
« personales sean embargados por deudas de la he-
« rencia, cuando estuviere ejerciendo judicialmente
« alguno de los derechos que conceden los artícu
« los 1,261 al 1,263, inclusive, del Código Civil.

«El ejecutado podrá, sin embargo, hacer valer
« su derecho en estos casos por medio de la escep-
« cion que corresponda contra la accion ejecu-
« tiva, si a ello hubiere lugar.»

Se trató en seguida de las indicaciones formuladas por los señores Ballesteros i Bañados E., respecto de los bienes que deben estimarse inembargables.

El señor Vergara propuso ampliar las indicaciones recordadas en la forma que detalla el siguiente artículo:

«No son embargables:

«1.º Los sueldos, las gratificaciones i las pen-
« siones de gracia. jubilacion, retiro i montepío que
« pagan el Estado i las municipalidades;

«2.º Los jornales i salarios de los jornaleros i
« criados:

«3.º Las pensiones alimenticias forzosas;

«4.º Las rentas periódicas que el deudor cobre
« de una fundacion o que deba a la liberalidad de
« un tercero en la parte que estas rentas sean abso-
« lutamente necesarias para sustentar la vida del
« deudor, de su cónyuje i de los hijos que viven
« con él i a sus espensas;

«5.º Las sumas que se depositen en las Cajas
« Nacionales de Ahorro o anexas a la Caja de Cré-
« dito Hipotecario i sus intereses, hasta la cantidad
« de dos mil pesos;

«6.º Las pólizas de seguro sobre la vida i las su-
« mas que, en cumplimiento de lo convenido en
« ellas, pague el asegurador. Pero, en este último
« caso, será embargable el valor de las primas pa-
« gadas por el que tomó las pólizas;

«7.º Las sumas que se paguen a los empresarios
« de obras públicas durante la ejecucion de los tra-
« bajos. Esta disposicion no tendrá efecto respecto
« de lo que se adeuda a los artífices u obreros por
« sus salarios insolutos i de los créditos de los pro-

« veedores en razon de los materiales u otros ar-
« tículos suministrados para la construccion de di-
« chas obras;

«8.º El lecho del deudor, el de su mujer, los de los
« hijos que viven con él i a sus espensas, i la ropa
« necesaria para el abrigo de todas estas personas;

«9.º Los libros relativos a la profesion del deudor
« hasta el valor de seiscientos pesos i a eleccion
« del mismo deudor;

«10. Las máquinas e instrumentos de que se sir-
« ve el deudor para la enseñanza de alguna cien-
« cia o arte hasta dicho valor i sujeto a la misma
« eleccion;

«11. Los uniformes i equipos de los militares, se-
« gun su arma i grado;

«12. Los objetos indispensables al ejercicio per-
« sonal del arte u oficio de los artistas, artesanos i
« obreros de fábrica, i los aperos, animales de la-
« bor i material de cultivo necesarios al labrador o
« trabajador de campo para la esplotacion agrícola,
« hasta la suma de cuatrocientos pesos i a eleccion
« del mismo deudor;

«13. Los utensilios caseros i de cocina i los ar-
« tículos de alimento i combustible que existan en
« poder del deudor hasta concurrencia de lo nece-
« sario para el consumo de la familia durante un
« mes;

«14. La propiedad de los objetos que el deudor
« posee fiduciariamente;

«15. Los derechos cuyo ejercicio es enteramente
« personal, como los de uso i habitacion;

«16. Los bienes raices donados o legados con la
« espresion de no embargables, siempre que se haya
« hecho constar su valor al tiempo de la entrega
« por tasacion aprobada judicialmente; pero po-
« drán embargarse por el valor adicional que des-
« pues adquirieren;

«17. Los bienes destinados a un servicio que no
« pueda paralizarse sin perjuicio del tráfico o de la
« hijiene públicos, como los ferrocarriles, empresas

« de agua potable o desagüe de las ciudades, etc.;
« pero podrá embargarse la renta líquida que pro-
« duzcan, observándose en este caso lo dispuesto
« en el artículo anterior: i

« 18. Los demas bienes que leyes especiales prohi-
« ban embargar.

«Son nulos i de ningun valor los contratos que
« tengan por objeto la cesion, donacion o trasfe-
« rencia en cualquier forma, ya sea a título gratui-
« to u oneroso, de las rentas espresadas en el núme-
« ro 1.º de este artículo o de alguna parte de ellas.»

Agrega el señor Vergara que el número 1.º lo ha
tomado del Proyecto del Ejecutivo i del señor Ballesteros, los números 2.º i 4.º del artículo 850 del
Código Aleman; los números 5.º i 6.º de la indicacion del señor Bañados; el número 7.º de la lei
Francesa de 25 de julio de 1891; los números 12 i
13 en parte del Código Aleman i los demas del
1618 del Código Civil.

El número 17 fué agregado por el señor Ballesteros.

La Comision aceptó el artículo propuesto i acordó agregarlo a continuacion del 465 del Proyecto.


ART. 742


El señor Vergara cree que será ineficaz el derecho de retencion sino se faculta a la parte que pretende ejercitarlo para pedir medidas administrativas que impidan la sustraccion de las especies
retenidas por un término breve i miéntras puede
ocurrirse a la justicia ordinaria.

Propuso, en consecuencia, i aceptó la Comision,
agregar a continuacion del 742 el siguiente:

«Art. ... Si el arrendatario pretendiera burlar
« el derecho de retencion que concede al arrenda-
« dor el artículo 1,942 del Código Civil, estrayendo
« los objetos a que dicho artículo se refiere, podrá
« el arrendador solicitar el ausilio de cualquier fun-

« cionario de policía para impedir que se saquen
« esos objetos de la propiedad arrendada.

«El funcionario de policía prestará este ausilio
« solo por el término de dos dias, salvo que trascu-
« rrido este plazo le exhibiere el arrendador copia
« autorizada de la órden de retencion espedida por
« el tribunal competente.»

### Art. 804

Se aprobó modificando solo su redaccion en la
forma que sigue, propuesta por el señor Vergara:

«Art. 804. Para proceder a la licitacion pública
« de los bienes comunes bastará su anuncio por me-
« dio de avisos en un periódico del departamento,
« o de la cabecera de la provincia, si en aquél no lo
« hubiere.

«Cuando entre los interesados hai incapaces o
« personas jurídicas, la publicacion de avisos se
« hará por cuatro veces a lo ménos, mediando entre
« la primera publicacion i el remate un espacio de
« tiempo que no baje de veinte dias, i fijándose
« ademas por todo este tiempo carteles en la oficina
« del actuario. Si por no efectuarse el remate fuese
· « necesario hacer nuevas publicaciones se procederá
« en conformidad a lo establecido en artículo 522.»

### Art. 805

A indicacion del señor Vergara se reemplazó la
frase *todo acuerdo o resolucion del partidor*, por *todo
acuerdo de las partes o resolucion del partidor*, i se
aprobó, por lo demas, el artículo del Proyecto.

### Art. 806

Se aprobó tambien este artículo reemplazando, a
indicacion del señor Presidente, la frase *al contado*
por *de contado*, por la razon dada al modificar en
igual forma otros artículos del Proyecto.

## Art. 807

Aprobado.

## Art. 808

El señor Ballesteros sostiene que debe suprimirse la hipoteca legal que este artículo establece, como se han suprimido en nuestra lejislacion, todas las hipotecas de esta clase. Los interesados que deseen asegurar su derecho podrán exijir esta garantía si lo estiman conveniente, pero no divisa razon para que lo haga la lei en los casos en que las partes no lo pidan.

S. E. i el señor Valdés creen que hai conveniencia en mantenerla en beneficio de las personas que por ignorancia o por descuido no solicitaren la garantía indicada.

El señor Vergara cree que está de mas decir *siempre que no se pague al contado* como lo hace el inciso 1.º, ya que en el caso contrario no habria exceso que caucionar.

Por otra parte, agrega, seria útil modificar la redaccion de la última parte del artículo para dejar espresamente consignado que es obligacion del Conservador inscribir la hipoteca a que ella se refiere.

Propuso, en consecuencia, i lo aceptó la Comision, modificar como sigue el artículo en estudio:

«Art. 808. En las adjudicaciones de propiedades « raices que se hagan a los comuneros durante el « juicio divisorio o en la sentencia final, se enten-« derá constituida hipoteca sobre las propiedades « adjudicadas, para asegurar el pago de los alcances « que resultaren en contra de los adjudicatarios, « siempre que no se pague de contado el exceso a « que se refiere el artículo 806. Al inscribir el Con-« servador el título de adjudicacion, inscribirá a la « vez la hipoteca por el valor de los alcances».

«Podrá reemplazarse esta hipoteca por otra cau-
« cion suficiente calificada por el partidor.»

## ARTS. 809, 810, 811 i 812

Aprobados.

## ART. 794

Al terminar el estudio de este Título insistió el
señor Vergara en una observacion que habia insinuado anteriormente al tratar de este artículo.
Cree que con arreglo a sus disposiciones no pueden
nombrarse arbitradores en las particiones de bienes ni aun en las que todos los interesados sean
mayores de edad, lo que, en su concepto, es evidentemente inadmisible.

El señor Urrutia lo cree innecesario porque el
Título a que se refiere el artículo 794 trata en el
párrafo II de los juicios seguidos ante arbitradores.

Sin embargo, para evitar dudas, se resolvió modificar el artículo en la forma siguiente:

«Art. 794. Se estenderán a los partidores las re-
« glas establecidas respecto de los árbitros en el
« título precedente, en cuanto no aparezcan modi-
« ficadas por las del presente Título i sean aplica-
« bles a las cuestiones que aquéllos deben resolver.
« Sin embargo, las partes, mayores de edad i libres
« administradores de sus bienes, podrán darles el
« carácter de arbitradores.

«Los actos de los partidores serán en todo caso
« autorizados por un notario o secretario de un
« juzgado de letras.»

## ART. 813

Se aprobó modificando solo la redaccion del inciso 2.º como sigue:

«Art. 813, inciso 2.º La citacion se hará con quin-
« ce dias por lo ménos de anticipacion por medio de

« carteles fijados en la puerta del juzgado i en tres
« avisos, que se publicarán en un periódico del de-
« partamento o de la cabecera de la provincia si en
« aquél no lo hubiere.»

### ARTS. 814 i 815

Aprobados.

### ART. 816

A indicacion de los señores Ballesteros i Vergara se reemplazó la designacion de *marcadores* por
*repartidores*, que espresa con mas propiedad la idea
del Proyecto.

Igual modificacion se acordó respecto de los artículos 817, 821 i 825.

Se aprobó, por lo demas, el artículo modificando
la redaccion del número 2.º en la forma que propuso el señor Vergara, que es la siguiente:

«Art. 816, número 2.º Fijacion de los gastos
« ordinarios comunes para las obras estraordina-
« rias que fuere necesario hacer i de las cantidades
« con que deban contribuir los comuneros.»

### ART. 817

El señor Ballesteros observa que la regla dada
por el inciso 2.º para determinar la competencia
del juez que debe conocer en esta clase de juicios,
no ha tomado en cuenta algunos casos i puede dar
lugar a dudas en su aplicacion respecto de los que
ha previsto espresamente cuando se trata, por ejemplo, de rios que atraviesan varias provincias o que
se encuentren a igual distancia de la cabecera de
dos departamentos como sucede en algunos casos.

Propone, por la razon indicada, reemplazar el
inciso 2.º por el siguiente:

«Art. 817, inciso 2.º Si el rio atravesare en su
« curso distintos departamentos será juez compe-

« tente el de la cabecera de la provincia i si en nin-
« guna de ellas está ubicada la cabecera de la pro-
« vincia será competente el juez del departamento
« mas antiguo; i siendo todos de igual antigüedad,
« el que sea designado por la Corte de Apelaciones
« respectiva.»

El señor Valdés llama la atencion á que hai rios
que atraviesan provincias sometidas a la jurisdiccion de distintas Cortes de Apelaciones, como verbi-gracia el Aconcagua; i que en estos casos seria
menester determinar a cuál de las dos Cortes de
Apelaciones corresponderia la designacion del juez.

El señor Ballesteros insinúa la idea de que esta
designacion se haga en un reglamento dictado por
el Presidente de la República.

El señor Presidente manifiesta que por la propia
naturaleza de los rios suele suceder que en una cuestion relacionada con la distribucion de sus aguas
solo tiene interes un reducido número de personas
i que talvez residen a considerable distancia del juzgado cuya competencia fijan el artículo del Proyecto i la indicacion del señor Ballesteros. Por esta
razon cree que la designacion debe hacerse por la
Corte de Apelaciones o por la Corte Suprema en
cada caso particular, para poder así apreciar las
circunstancias a que ha hecho referencia i que, en
su concepto, deben tomarse en consideracion al
determinar el juez que debe intervenir en ellas.

Se dejó pendiente la discusion de este artículo.

## Art. 818

El señor Vergara cree que las disposiciones de
este artículo debieran referirse tambien a la fijacion de los gastos o de las cuotas con que deben
contribuir los comuneros.

El señor Ballesteros entiende que está comprendida en la fijacion de las reglas de administracion.

Así lo estimó tambien la Comision i aprobó, en
esta intelijencia, el artículo del Proyecto.

### Art. 819

El señor Ballesteros observa que este artículo establece que los acuerdos i resoluciones a que él se refiere son solamente provisionales, i no duran sino un año, salvo acuerdo unánime de los interesados. Estima inconveniente el sistema adoptado, i atendido el objeto de sus disposiciones cree que deberia darse condiciones de permanencia a las reglas fijadas, sin perjuicio naturalmente del derecho de los comuneros para modificarlas cuando lo estimaren oportuno.

Propuso, en consecuencia, i lo aceptó.tambien la Comision, reemplazar el inciso 1.° por el que sigue:

«Art. 819, inciso 1.° Los acuerdos i resoluciones « que se adopten podrán ser modificados al cabo de « un año de vijencia en la forma espresada en los « artículos anteriores.»

### Art. 820

Aprobado.

### Art. 821

El señor Vergara cree útil determinar cuáles son las partes que tienen derecho a intervenir en el incidente a que este artículo se refiere.

El señor Urrutia cree que lo tienen solo aquellos a quienes afecte directamente la resolucion que en él se dicte.

Así lo estimó tambien la Comision i acordó, en consecuencia, agregar al artículo la frase *a quienes directamente afecte la resolucion.*

### Arts. 822 i 823

Aprobados.

### Art. 824

Fué tambien aprobado, reemplazando la frase *la vijencia* por *el vigor*.

### Art. 825

Se aprobó este artículo agregándole, a indicacion del señor Ballesteros, el siguiente inciso:

« Art. 825, inciso 3.º Los dueños de fundos en
« que se haga la distribucion de aguas no podrán
« impedir que el repartidor entre al fundo cuando
« sea menester para el desempeño de sus funciones,
« bajo multa que podrá el juez señalar.»

### Art. 826

El señor Vergara cree que debe precisarse lo que se entiende por la frase *o en otra forma análoga,* que emplea el número 1.º

El señor Urrutia contesta que se refiere a los casos en que el Código usa espresiones semejantes a sumariamente, como en los casos en que dice que debe procederse de plano, etc.

El señor Vergara sostiene que no puede referirse al procedimiento de plano; que debiera suprimirse el número 3.º, i que, en todo caso, es inaceptable la referencia al artículo 1,496 del Código Civil; que importa desnaturalizar las acciones a que da derecho esta disposicion, ya que al presente solo pueden ejercitarse en vía ordinaria. Si hai temores de fuga u otros semejantes, pueden solicitarse medidas precautorias que garanticen la accion ordinaria.

Se dejó pendiente la discusion de este artículo.

### Arts. 827 i 828

Aprobados.

## Art. 829

Fué tambien aprobado, fijando en el inciso 1.º la audiencia del quinto dia hábil despues de la notificacion, por la razon que se·ha dado al hacer en otros artículos anteriores la misma alteracion.

## Arts. 830, 831, 832, 833, 834, 835, 836, 837, 838 i 839

Aprobados.

## Art. 840

Fué tambien aprobado, despues de una lijera discusion sobre si debe considerarse como demanda la cuenta que se rinde o el escrito en que se formulan objeciones.

Se deja testimonio de que la Comision entiende que la sancion establecida en este artículo es sin perjuicio de lo que autoricen las leyes en casos especiales.

## Art. 841

Se aprobó el artículo, suprimiendo a indicacion del señor Ballesteros, en el inciso 3.º la palabra *j-u dicial*, ya que la lei no es la llamada a formar las presunciones judiciales.

## Art. 842

Aprobado.
Se levantó la sesion.

German Riesco.

*Luis Barriga,*
Secretario.

## SESION 32 EN 24 DE DICIEMBRE DE 1901

Se abrió la sesion presidida por S. E. el Presidente de la República i con asistencia de los señores Ballesteros, Bañados Espinosa, Ossandon, Vergara i el secretario.

Asistieron tambien los señores Ministro i Fiscal de la Corte de Apelaciones don Leopoldo Urrutia i don Miguel Luis Valdés.

Se leyó i aprobó el acta anterior.

### ART. 817.

Se continuó el estudio de este artículo i tomando en cuenta las observaciones aducidas a su respecto en la reunion anterior, el señor Urrutia propuso reemplazar el inciso 2.º por el que sigue:

« Art. 817. Si el rio o corriente natural o artificial « dividiere o atravesare diversas provincias o depar- « tamentos, será competente para conocer de las « jestiones:

« El juez de letras del departamento cuya cabe- « cera estuviere mas cercana de la bocatoma del « canal artificial de que se trata;

« El juez de letras de la capital de la provincia, « si el rio o corriente natural no saliere de la pro- « vincia;

« El juez que designe cada cinco años la Corte « Suprema si el rio o corriènte natural dividiere o « atravesare diversas provincias. La Corte en este « caso deberá designar a uno de los jueces de la « capital de una de las provincias dentro de las cua- « les corrieren las aguas de que se trata.

« Por su parte el señor Ballesteros própone el si- « guiente artículo:

« Si el rio o corriente natural o artificial separa-

« re o atravesare diversos departamentos o provin-
« cias, será competente para conocer de los juicios
« a que éste título se refiere:

« 1.º El juez de letras del departamento cuya ca-
« becera estuviere mas cercana al rio, si el cauce
« fuere natural, o mas cercana a la boca-toma del
« canal, si el cauce fuere artificial.

« 2.º No siendo aplicable lo dispuesto en el nú-
« mero precedente, por ser iguales las distancias,
« será juez competente el de la cabecera de la pro-
« vincia;

« 3.º Si el cauce no pasare por el departamento
« en que está ubicada la cabecera de la provincia,
« o si atravesare diversas provincias, será juez com-
« petente el que designare la Corte de Apelaciones.
« respectiva o la Corte Suprema de Justicia cuando
« los departamentos o provincias correspondan a
« la jurisdiccion de diversas Cortes de Apelaciones.»

El señor Urrutia manifiesta que el artículo indi-
dicado por el señor Ballesteros en su inciso 3.º
exije en cada caso una designacion especial de juzgado. Este sistema no solo ocasiona los entorpecimientos propios de un nuevo trámite, sino que puede ofrecer graves inconvenientes a los interesados
i sobre todo a los ausentes, por la forma de notificacion que autoriza la lei en esta clase de juicios.
Hecha la citacion por los diarios puede pasar inad-
vertida para muchos, a ménos que se les obligue a
procurarse noticias de todos los departamentos cuya competencia pueda fijar el tribunal superior.

Este inconveniente desaparece designando una
sola vez i con efectos permanentes, los jueces que
deben intervenir en esta clase de juicios en los
casos en que no pueden aplicarse las reglas jenerales, como lo establece el inciso último del artículo que ha propuesto.

El señor Ballesteros observa que podria darse
tambien a las resoluciones de los tribunales superiores efectos permanentes i salvar así la dificultad insinuada por el señor Urrutia.

Con un objeto análogo estima oportuno agregar al artículo que ha propuesto un inciso que establezca que la designacion hecha a peticion de una de las partes, obligará tambien a todas las demas aunque no hubieran intervenido en ella.

Por otra parte, cree que no son compatibles con las atribuciones que corresponden a un tribunal de justicia las facultades propiamente administrativas que da a la Corte Suprema la indicacion del señor Urrutia; i que con mas propiedad podrian conferirse al Presidente de la República que dispone de medios i elementos que no dependen de los Tribunales de Justicia.

Contestando a esta última observacion del señor Ballesteros sostiene el señor Urrutia que la designacion de los juzgados es en realidad una mision que corresponde a los Tribunales de Justicia i análoga a la fijacion de los términos de prueba i emplazamiento que en todo tiempo ha hecho la Corte Suprema. En cambio no debe, a su juicio, dejarse al Poder Ejecutivo la facultad de indicar la competencia de los jueces, de la cual se le ha privado espresamente en algunas leyes especiales.

El señor Valdés acepta esta opinion del señor Urrutia.

El señor Presidente cree preferible que la designacion se haga en cada caso por las razones que insinuó en la última sesion.

El señor Vergara juzga que la designacion única propuesta por el señor Urrutia, puede no consultar en realidad los intereses de las partes que talvez pudieran aceptar con ventaja la intervencion de otro juez que el fijado por la Corte Suprema.

Se dejó este artículo para continuar su estudio en la próxima reunion.

## Art. 792

Aunque ya ha sido aprobado, el señor Bañados llama la atencion a la diversidad de jurisprudencia

que existe sobre la facultad de nombrar árbitro que
da el Código Civil al testador; que ha sido reconocida en algunos casos i negada en otros por resoluciones judiciales fundadas en los preceptos de la
Lei de Tribunales.

La Comision cree que esta cuestion está claramente resuelta en este artículo que trata de los
partidores nombrados por el difunto, reconociendo
así de una manera espresa la facultad del testador.

## Art. 804

El señor Bañados cree que deberia agregarse al
artículo una disposicion que ordene que las cuestiones relativas a la division o hijuelacion de las especies a que se refiere el artículo 1,337 del Código
Civil, sean tramitadas i resueltas ántes de que se
acuerde o decrete la licitacion.

El derecho de un comunero a pedir la adjudicacion de una especie, o parte de ella, debe tambien,
a su juicio, ejercitarse ántes de esta licitacion.

La Comision entiende que la idea propuesta por
el señor Bañados está claramente consignada en el
Código Civil, en el título de la particion de bienes
que establece como regla jeneral la adjudicacion—
i solo en defecto de ésta la realizacion de las especies.

## Art. 234

Se aprobó este artículo, que se habia dejado para
segunda discusion, en vista de las razones dadas
por S. E. i el señor Ballesteros en la sesion de 22
de diciembre del año próximo pasado.

## Art. 293

Se recordó que en la sesion de 26 de diciembre
último, insinuó, a su respecto, el señor Richard que

podrian incluirse entre las escepciones dilatorias todos los beneficios legales i no limitarlo al de escucion.

La Comision estima que este es el único beneficio que puede servir de fundamento a una escepcion dilatoria i que los demas constituyen en realidad una escepcion perentoria, como lo sostuvieron en la sesion recordada, S. E. i el señor Silva Cruz.

En cuanto a las demas disposiciones de este artículo, el señor Valdés sostiene que debe suprimirse la referencia a otro tribunal que se hace en el número 3.º, porque la lítis pendiente existiria no solo cuando el segundo juicio se iniciara ante otro tribunal, sino tambien cuando se interpusiera ante el mismo que conoce del primero.

Se recordó, a este respecto, que la agregacion observada por el señor Valdés se habia tomado del Código español, olvidando que el sistema del proyecto es enteramente diverso en cuanto a la acumulacion de las acciones.

El señor Presidente observa que no puede decirse con propiedad, por razon de algun defecto legal, como lo hace el número 4.º, i propone reemplazarlo por el que sigue:

«Art. 295, número 4.º La ineptitud del libelo por « razon de falta de algun requisito legal en el modo « de proponer la demanda.»

Se aprobó el artículo con la modificaciones propuestas por S. E. i el señor Valdés.


## ART. 456


Se continuó en el estudio de la indicacion hecha por el señor Ballesteros para sustituir en el número 2.º *las escrituras públicas* por *instrumentos públicos.*

Insistió el señor Senador en las razones en que ha fundado su indicacion. Sin embargo, contra su opinion i la del señor Bañados, se aprobó el artículo en los términos del Proyecto.

El señor Vergara propone agregar, a continuacion del número 5.º, el siguiente número, tomado
a la letra del Código Español:

«6.º Cualesquiera títulos al portador, o nomina-
« tivos, lejítimamente emitidos, que representen
« obligaciones vencidas, i los cupones tambien ven-
« cidos de dichos títulos, siempre que los cupones
« confronten con los títulos, i éstos, en todo caso,
« con los libros talonarios.

«Resultando conforme la confrontacion, no será
« obstáculo a que se despache la ejecucion la pro-
« testa de falsedad del título que en el acto hiciere
« el director o la persona que tenga la representa-
« cion del deudor, quien podrá alegar en forma la
« falsedad como una de las escepciones del juicio.»

### De los juicios de menor cuantía

El señor Ballesteros hace presente que ha estudiado detenidamente el Proyecto del señor Yáñez
sobre esta materia i que ha tomado de él algunas
observaciones que hará en el curso de la discusion.

### Art. 843

Propuso el señor Ballesteros elevar a quinientos
pesos la cuantía de los juicios a que se refiere este
artículo, pero se resolvió aumentarlo solo a trescientos.

### Art. 844

El señor Ballesteros propone reemplazarlo por
el siguiente:

«Art. 844. La demanda se interpondrá verbal-
« mente presentando los documentos en que se
« apoye, i el tribunal espedirá por escrito una órden
« en que esprese las peticiones del demandante i
« cite a las partes para que comparezcan a hacer

« uso de su derecho el dia i hora que se designe
« bajo apercibimiento de proceder en rebeldía del
« inasistente.»

El dia de la comparecencia se fijará tomando en
consideracion la distancia al asiento del juzgado
en que resida el demandado, i siempre habrá un
dia a lo ménos i diez a lo mas entre el de la citacion i el indicado para la comparecencia.

Agrega el señor Ballesteros que la primera parte
tiene por objeto principal obligar al demandante
a presentar con su demanda los instrumentos en
que la funda conforme a la regla jeneral; i la segunda, que la ha tomado del proyecto del señor
Yáñez, salva la omision del Proyecto relativo al
término de emplazamiento que se fija al demandado.

El señor Valdés observa que en realidad la demanda se deduce propiamente en la audiencia a
que se cita a las partes, aunque el demandante debe
indicar al pedir la citacion las peticiones que formula, como lo indicó el señor Ballesteros.

En cuanto a la segunda parte de la indicacion,
se tuvo presente que seria preferible dejar a la prudencia del juez la fijacion de la fecha en que debe
tener lugar la audiencia, sobre todo tomando en
cuenta el derecho que da al demandado el artículo
855 para escusar su inasistencia por motivo justo,
como seria la designacion de un plazo excesiva-
mente corto en atencion a la distancia del asiento
del juzgado al domicilio de la parte.

En vista de la consideracion insinuada se aprobó
sin modificacion el artículo del Proyecto.


## Art. 845


En cuanto al inciso 1.º, se aceptó la indicacion
del señor Ballesteros para adoptar el procedimiento
que en él se establece a los casos en que el receptor estuviere inhabilitado, agregando al efecto la
frase *o estando inhabilitado!*

Respecto del inciso 2.º i para armonizarlo con la reforma introducida en el 47, a indicacion del señor Ballesteros, se acordó reemplazarlo por el siguiente que redactó el señor Vergara:

«Art. 845, inciso 2.º Si la notificacion no pu-
« diere hacerse personalmente al demandado, se
« hará por medio de cédula con copia íntegra de
« la órden en la forma establecida en el inciso 2.º
« del artículo 47.»

## ART. 846

Se acordó a su respecto que el artículo 52 en la forma que lo ha modificado la Comision, establece la condicion en que debe fijarse el domicilio en los juicios seguidos ante los jueces de subdelegacion o distrito; i para evitar las dudas a que pudiera prestarse la existencia de un procedimiento especial para los juicios de que trata este título, se acordó agregarle la frase *en la forma indicada en el inciso 2.º, del artículo 52.*

Se aprobó, por lo demas, el artículo del proyecto agregando los siguientes incisos que propuso el señor Ballesteros:

«Art. 846, inciso 2.º El actuario hará saber al
« demandante cuando presente su demanda i al
« demandado al tiempo de notificarla la disposicion
« precedente poniendo testimonio de esta dilijen-
« cia.

«La misma regla se observará con respecto a
« los mandatarios que constituyan las partes con
« arreglo al artículo siguiente.»

## ART. 847

El señor Ballesteros hizo indicacion para reemplazar el inciso 1.º por el siguiente:

«Art. 847, inciso 1.º En estos juicios no se ad-
« mitirán a las partes mas escritos que un memo.

« rial sobre los hechos, o sobre los puntos de prueba
« o de confesion judicial.

«El juez procederá sin esperar estos escritos i si
« se presentaren los hará agregar al espediente
« sin providencia alguna.»

El mismo señor Senador propuso, i la Comision
aceptó, agregar los incisos siguientes:

«Al tiempo de presentarse o constituirse el poder
« deberá designarse el domicilio del mandatario
« para los efectos determinados en el artículo an-
« terior.

«No podrá ser mandatario sino person.. que
« sepa leer i escribir i tenga domicilio conocido.
« Si el mandatario no procediere correctamente en
« el juicio, o fuere persona de notoria mala con-
« ducta, podrá el juez declarar cancelado el poder
« o negarse a aceptarlo como parte.»

«El auto que así lo resuelva, deberá ser fundado,
« i se pondrá en conocimiento del mandante, noti-
« ficándole en la forma espresada en el artícu-
« lo 845.»

En cuanto al inciso 1.º los señores Urrutia i Valdés creen preferible mantener la disposicion del
Proyecto que prohibe presentar escritos en esta
clase de juicios en atencion a su escasa cuantía i a
la condicion desigual que podria crearse a las partes si una dispone de fortuna bastante para hacerlos i la otra no se encuentra en la misma situacion.

Los señores Ossandon i Vergara aceptan la indicacion del señor Ballesteros porque a parte de las
ventajas que puede ofrecer la fijacion de los hechos
i puntos de prueba, estiman que no puede limitarse el derecho de defensa de las partes en los
términos que lo hace el Proyecto.

Se dejó pendiente la discusion.


·Art. 848·

Aprobado.

## Art. 849

El señor Valdés cree que la sancion que establece la última parte del Proyecto debiera limitarse a la prueba de testigos i ampliar, en consecuencia, la escepcion del inciso 2.º a los demas medios probatorios, como la inspeccion personal, documentos, etc.

Se dejó para segunda discusion, despues de algunas observaciones del señor Vergara análogas a las aducidas por el señor Valdés.

## Art. 850

El señor Ballesteros propuso reemplazar el inciso 3.º por el siguiente:

«Art. 850, inciso 3.º Antes de la declaracion de
« cada testigo, podrá la otra parte deducir contra
« él alguna de las tachas espresadas en los artícu-
« los 351 i 352, i la prueba para justificarla se ren-
« dirá en la misma audiencia a continuacion de la
« prueba principal.»

I agregar a continuacion del 4.º el inciso siguiente:

«Lo mismo se hará cuando lo reclamare la parte
« a quien se ha tachado uno o mas testigos, cuya
« habilidad no puede probar en la misma audiencia.»

Se aprobó el artículo con las modificaciones propuestas por el señor Ballesteros i reemplazando en el inciso 4.º la frase *la recepcion de la prueba* por *el exámen de los medios probatorios* en atencion a que puede tratarse de prueba instrumental i para armonizarlo con los términos del inciso 1.º

## Art. 851

El señor Presidente cree que las copias de la sentencia a que se refiere el inciso 2.º debiera firmarse tambien por el actuario de la causa. ..

El señor Vergara estima que la copia de las transacciones a que alude el inciso 3.º debe hacerse con las mismas formalidades ordenadas con respecto a la sentencia.

El señor Ballesteros, por su parte, propone agregar al artículo el siguiente inciso:

«Art. 851, inciso último. La apreciacion de la « prueba se sujetará a las reglas del artículo 378.»

La Comision aceptó las indicaciones formuladas i reemplazó, en consecuencia, los incisos 2.º i 3.º por el siguiente:

«Las resoluciones se estenderán en el mismo es- « pediente.

«Se dejará tambien copia íntegra de ella i de todo « advenimiento o transaccion que ponga término al « juicio en el libro de sentencias que llevará el tri- « bunal bajo la firma del juez de la causa i del ac- « tuario.

ART. 852

Aprobado.

ART. 853

El señor Valdés estima innecesario i aun inconveniente la disposicion contenida en el inciso 1.º, por cuanto otras leyes establecen medidas de apremio i de represion mas eficaces contra los testigos rebeldes. Así el artículo 4.º de la Lei de Garantías Individuales autoriza el empleo de medios compulsivos para conducir ante el juez al testigo que se niega a comparecer i permite mantener en rigor la medida coercitiva decretada, es decir, el arresto, hasta que se preste la declaracion que se trata de obtener; i a su vez el número 12 del artículo 494 del Código Penal, castiga con prision de veintiuno a sesenta dias o multa de diez a cien pesos la resistencia de los testigos a declarar.

Cree, en consecuencia, que debe eliminarse este

inciso o bien sustituirse por otro que guarde armonía con las disposiciones legales citadas o las reproduzca. Igual reforma habria que introducir, a su juicio, en el artículo 374 que trata de la misma materia.

La Comision, por unanimidad, aceptó la sustitucion propuesta por el señor Valdés, quien, en consecuencia, redactó las siguientes disposiciones, que asimismo fueron aprobadas:

«Art. 374. Siempre que lo pidiere alguna de las « partes, mandará el tribunal que se cite a las per-« sonas designadas como testigos en la forma esta-« blecida por el artículo 59, indicándose en la cita-« cion el juicio en que debe prestarse la declaracion « i el dia i hora de la comparecencia.

«El testigo que legalmente citado no compare-« ciere podrá ser compelido por medio de la fuerza « a presentarse ante el tribunal que hubiese espe-« dido la citacion, a ménos que compruebe que ha « estado en la imposibilidad de concurrir.

«Si compareciendo se negare sin justa causa a « déclarar, podrá ser mantenido en arresto hasta « que preste su declaracion.

«Todo lo cual se entiende sin perjuicio de la res-« ponsabilidad penal que pudiese afectar al testigo « rebelde.»

«Art. 853, inciso 1.° Contra los testigos que de-« bidamente citados se negaren sin justa causa a « comparecer, o compareciendo, se negaren a de-« clarar, se precederá en la forma prescrita por el « artículo 374.»

## Art. 854

Fué tambien aprobado sin otra alteracion que referir las disposiciones del inciso 2.° al juez de igual o superior jerarquía en lugar de los jueces de distrito o subdelegacion que serán suprimidos por el Proyecto que se discute actualmente en el Congreso Nacional.

### Arts. 855, 856, 857 i 858

Aprobados.

### Art. 859

Observa el señor Vergara que con arreglo a las disposiciones reformadas deben nombrarse un depositario provisional i mas tarde uno definitivo, lo que talvez no es conveniente en esta clase de juicios.

Así lo estimó tambien la Comision i acordó agregar al artículo en estudio el inciso que sigue, propuesto por el señor Presidente:

«Art. 859, inciso 3.º El depositario nombrado se
« entenderá con el carácter de definitivo i perma-
« necerá en sus funciones a ménos que fuere remo-
« vido».

### Art. 860

Aprobado.

### Art. 861

Fué tambien aprobado reemplazando solo el inciso 3.º por el que sigue, propuesto por el señor Ballesteros:

«Art. 861, inciso 3.º Efectuada la tasacion se fija-
« rá dia para el remate, debiendo este anunciarse
« por medio de avisos fijados en la oficina del juz-
« gado i en un periódico del departamento si lo hu-
« biere i si manifiestamente valieren mas de cien
« pesos de las especies embargadas.

«Las posturas empezarán por los dos tercios de
« la tasacion aprobada».

### Arts. 862, 863 i 864

Aprobados.

### ART. 865

Fué tambien aprobado reduciendo a cinco el plazo de diez que este artículo concede para ocurrir a la segunda instancia.

### ART. 866

A indicacion del señor Ballesteros se reemplazó por el siguiente, que solo completa la disposicion en estudio.

«Art. 866. Recibido los autos o la copia por el
« tribunal de alzada citará este a las partes a com-
« parendo para uno de los diez dias siguientes; i con
« lo que espusieren verbalmente resolverá segun el
« mérito del proceso, i aun cuando ninguna hubiere
« comparecido, confirmando, revocando o enmen-
« dando el fallo de primera instancia.»

«Lo cual se entiende sin perjuicio de lo dispues-
« to por el artículo 165 del presente Código.»

### ARTS. 867 i 868

Aprobados.
Se levantó la sesion.

GERMAN RIESCO.

*Luis Barriga,*
Secretario.

---

## SESION 33 EN 26 DE DICIEMBRE DE 1901

Se abrió la sesion presidida por S. E. el Presidente de la República i con asistencia de los señores Ballesteros, Bañados E., Vergara i el secretario.

Asistieron tambien los señores Ministro i Fiscal de la Corte Suprema, don Leopoldo Urrutia, don Miguel Luis Valdés i don Agustin Rodríguez, que fué tambien invitado por la Comision para concurrir al estudio del Proyecto.

Se leyó i aprobó el acta anterior.

Arts. 848 i 849

El señor Valdés recuerda que al tratarse del artículo 844 se estimó que no debia exijirse al demandante que acompañara a su demanda los documentos que le sirvieran de fundamento, porque la demanda se formula propiamente en la audiencia a que debe citarse a las partes. No ha encontrado, sin embargo, en todo el Título XIII ninguna disposicion que determine la fecha en que debe presentarlos, i para salvar esta omision propone agregar al artículo 848 el siguiente inciso:

« Art. 848, inciso 2.º En esta audiencia se pre-
« sentarán los documentos i se pedirán las copias
« de los que existan en algun archivo público. »

Recuerda asimismo, el señor Valdés, que en la sesion anterior insinuó que habria conveniencia en limitar las disposiciones del inciso 1.º del artículo 849 a la prueba de testigos i ampliar, en consecuencia, las del inciso 2.º, refiriéndolas no solo a la confesion judicial, sino tambien a la inspeccion personal del juez u otros medios probatorios análogos.

De acuerdo con estas ideas, cree que podria reemplazarse el artículo 849 por el siguiente:

« Art. 849. Si alguna de las partes ofreciere ren-
« dir prueba testimonial, i el tribunal la estimare
« necesaria, se designará una audiencia próxima
« para recibirla, debiendo desde luego o a mas tar-
« dar en el siguiente dia hábil, espresarse i anotarse
« en el proceso el nombre, profesion u oficio i do-
« micilio de los testigos, que cada parte ofrezca

« presentar. Sin este requisito no será admitida la
« prueba.

« La confesion judicial podrá solicitarse hasta
« por dos veces en primera instancia i por una sola
« vez en segunda, i en cualquier estado del juicio,
» citándose a la parte para que comparezca al tri-
« bunal con tal objeto.

« El reconocimiento de peritos i la inspeccion
« personal del juez se decretarán de oficio o a pe-
« ticion de parte cuando el tribunal lo estimare útil,
« sea en primera o segunda instancia.

« Podrá deferirse el juramento en cualquier es-
« tado del juicio. »

La Comision acepta en todas sus partes la indicacion del señor Valdés.

Art. 869

El señor Vergara observó que el inciso 1.º dispone que los juicios de comercio, cuya cuantía no
exceda de trescientos pesos, deben tramitarse verbalmente; pero nada prescribe este Título sobre el
procedimiento que debe seguirse en segunda instancia ante un tribunal colejiado como es la Corte
de Apelaciones, donde no es fácil adoptar el que
corresponde a los juicios verbales.

Se estimó, sin embargo, innecesario establecerlo
ya que no son apelables las resoluciones que se dicten en los juicios aludidos con arreglo a la Lei de
Tribunales que no ha sido modificada en esa parte
por el presente Código.

El mismo señor Vergara pide se suprima del inciso 3.º la frase *o a uno o mas vecinos*, por haberse
suprimido la intervencion de éstos en los artículos
anteriores.

Se aprobó el artículo con la modificacion indicada por el señor Vergara.

Arts. 870 i 871

Aprobados.

## ART. 872

El señor Vergara observa que el inciso 1.º se re
fiere al nombramiento de peritos i debe, por consiguiente, suponerse que se trata de mas de uno.

Así lo estimó tambien la Comision, que aprobó
por lo demas el artículo del Proyecto sin otra modificacion que reemplazar la frase *de plano* por la
palabra *inmediamente* que propuso el señor Ballesteros.

## ARTS. 873 i 874

Aprobados.

## ART. 875

El señor Vergara llama la atencion a que este artículo exije que la demanda se deduzca al dia siguiente de presentado el informe pericial. Debe
suponerse que este plazo solo correrá desde que se
ponga el informe en conocimiento de las partes i
propone, al efecto, modificar el artículo con el objeto indicado i en la forma siguiente:

« Art. 875. Si al dia siguiente de hecho saber a las
« partes la presentacion del informe de los peritos
« no se dedujeren, etc., etc.»

La Comision aprobó el artículo con la alteracion
indicada.

## ART. 876

Aprobado.

## ART. 877

El señor Rodríguez pregunta si los coadyuvantes
pueden en jeneral retrotraer o prolongar el juicio,
porque si no pudieran hacerlo seria innecesaria la
limitacion contenida en la última parte de este de
artículo.

La Comision la considera tambien innecesaria
i acordó, en consecuencia, suprimirla tomando en
consideracion que el artículo 23, en los términos en
que ha sido reformado, establece que los coadyuvantes solo pueden intervenir en los juicios to-
mándolos en el estado en que se encuentren.

ARTS. 878, 879, 880, 881, 882, 883, 884, 885, 886, 887,
888 i 889

Aprobados.

### ART. 890

El señor Vergara hace presente que la parte final de este artículo supone que se han indicado
previamente los ramos en que debe dividirse el
procedimiento de la quiebra, como lo hacia el proyecto primitivo; pero no el Proyecto en estudio.

Agrega que las acciones a que él se refiere deben,
a su juicio, tratarse en el ramo de administracion.

Propone, en consecuencia, i lo aceptó la Comision, reemplazar la frase *en este mismo ramo* por *en el
ramo de administracion.*

### ARTS. 891, 892 i 893

Aprobados.

### ART. 894

El señor Vergara supone que la memoria a que
alude este artículo es la que debe presentar el síndico en conformidad al artículo 1,426 del Código
de Comercio, sobre las causas, el estado i carácter
aparente de la quiebra.

Así lo estima tambien la Comision i aprobó en
esta intelijencia la disposicion en estudio.

### ARTS. 895, 896 i 897

Aprobados.

35 - 36

### Art. 898

Fué tambien aprobado, agregando a continuacion de este artículo el siguiente, que propuso el señor Vergara:

«Art. ... Las demandas de nulidad o de rescision « del convenio se sustanciarán por los trámites del « juicio ordinario de comercio.»

«Esceptúase la demanda de nulidad por quiebra « fraudulenta del fallido, la cual se resolverá con la « simple exhibicion de la respectiva sentencia eje- « cutoriada i citacion del fallido o de su represen- « tante.»

### Art. 899

Se aprobó modificando solo su redaccion en la forma que sigue, indicada per el señor Vergara:

«Art. 899. Lo dispuesto en el artículo 686 del « presente Código, es aplicable al caso en que se « solicite la nulidad o rescision de los actos i con- « tratos del fallido, con arreglo a lo que establece « el artículo 1,490 del Código de Comercio.»

### Arts. 900 i 901

Aprobados.

### Art. 902

El señor Vergara cree preferible suprimir las referencias que este artículo contiene i enumerar en cambio las cuestiones a que aluden las disposiciones del Código de Minería citadas por el artículo en estudio.

Se dejó para segunda discusion.

### Arts. 903, 904, 905 i 906

Aprobados.

## Art. 907

El señor Ballesteros estima que debe consultarse toda sentencia definitiva que se dicte en los juicios de hacienda cualquiera que sea su cuantía i propone al efecto suprimir en el inciso 1.º la frase *cuya cuantía no pase de trescientos pesos.*

Así se acordó.

En cuanto a los tres incisos siguientes se aprobaron sin modificacion, despues de recordarse que sus disposiciones no alteran la lejislacion vijente en esta clase de juicios.

## Arts. 908 i 909

El señor Vergara estima innecesaria la anotacion de la sentencia que prescribe el artículo 908 i cree que ejecutoriada la sentencia deben remitirse los autos o copias de la resolucion i en vista de estos antececentes decretarse el pago por el Presidente de la República como lo ordena la Constitucion i la lei de tesorerías.

Está de acuerdo con el señor Valdés en que el procedimiento ordenado por estos artículos no tiene otro objeto que uniformarlo con las disposiciones citadas, a fin de que no pueda darse mérito ejecutivo a la sola sentencia de término.

El señor Ballesteros confirma tambien las opiniones de los señores Valdés i Vergara, i cree que podria ordenarse que el juez de la causa, en todo caso ejecutoriada que sea la sentencia, despache oficio al respectivo Ministerio, enviándole copia autorizada de ella, dejándose constancia de su envío por el secretario i agregando a los autos la contestacion que reciba.

Cree tambien como ellos que es innecesaria la remision de los autos que pueden estraviarse fácilmente. Por otra parte, estima que el procedimiento establecido en estos artículos es, en realidad, administrativo i no materia propia de las disposiciones del presente Código.

Se dejó pendiente la discusion de estos artículos.

## ARTS. 910, 911, 912, 913 i 914

Aprobados.

## ARTS. 915, 916 i 917

El señor Valdés observa que el primero de estos artículos obliga al acreedor a tomar en adjudicacion la propiedad hipotecada, lo que es, en su concepto, inadmisible.

Así lo estimaron tambien los demas miembros de la Comision i dejaron pendiente el estudio de estos tres artículos.

Se levantó la sesion.

GERMAN RIESCO.

*Luis Barriga,*
Secretario.

## SESION 34 EN 28 DE DICIEMBRE DE 1901

Se abrió la sesion presidida por S. E. el Presidente de la República, con asistencia de los señores Ballesteros, Bañados E , Ossandon, Richard, Vergara i el secretario.

Asistieron tambien los señores Urrutia, Rodríguez i Valdés.

## ART. 826

Se recordó respecto de este artículo que se habia dejado pendiente su estudio, a peticion del señor

Vergara, quien sostuvo que debia suprimirse el número 3.º, porque sus disposiciones están comprendidas en la parte final del número 1.º, i eliminarse en todo caso, la referencia al artículo 1,496 del Código Civil, que, en su concepto, no es materia de una accion sumaria

Insiste el señor Vergara en su indicacion, i agrega que los términos jenerales en que está redactada se presta a que pueda darse esta clase de tramitacion a juicios que, con arreglo a la lei, no admiten sino el procedimiento ordinario.

El señor Presidente, que estima fundada esta duda, propone con el óbjeto de evitarla que se esceptúe espresamente las acciones a que la lei señale otra clase de tramitacion; i se suprima, en cambio, la referencia objetada.

La Comision aceptó la indicacion del señor Vergara en la forma propuesta por el señor Presidente modificando, en consecuencia, el número 3.º como sigue:

« Art. 926. número 3.º En jeneral, a los casos en
« que la accion deducida por naturaleza requiera
« una tramitacion rápida para que sea eficaz siem-
« pre que no estén sometidos por la lei a otra clase
« de procedimiento.»

## Art. 847

Se continuó la discusion de este artículo i de la modificacion indicada por el señor Ballesteros para autorizar la presentacion de un escrito por cada parte.

S. E. i los señores Urrutia i Valdés insistieron en sostener el artículo del Proyecto; i los señores Vergara i Ossandon en las razones que dieron en la sesion anterior para apoyar la indicacion del señor Ballesteros.

El señor Richard, por su parte, acepta el artículo del Proyecto i juzga que la presentacion de escritos es incompatible con el procedimiento propio de esta clase de juicios i con su escasa cuantía, no ofrece en cambio ventaja alguna para la mejor defensa de las partes que pueden exijir se deje testimonio en las actas respectivas de las observaciones que pudieran consignar en un escrito.

El señor Ossandon cree que no es difícil suponer que las actas no contengan la completa esposicion de lo manifestado por las partes; pero en tales casos, contestó el señor Richard, el interesado tendrá perfecto derecho para exijir que se complete i negarse a suscribirla si así no se hiciera.

Contra la opinion de los señores Ossandon i Vergara se aprobó sin modificácion en esta parte el artículo del Proyecto.

### Arts. 915, 916 i 917

En la sesion anterior se dejaron para segunda discusion despues de algunas observaciones del señor Valdés, quien estima inadmisible que se obligue al acreedor hipotecario a aceptar la adjudicacion de la finca hipotecada cuando ésta se encuentra en manos de un tercer poseedor.

El señor Urrutia sostiene que el abandono de la propiedad hipotecada es un derecho espresamente concedido al tercer poseedor por el artículo 2,426 del Código Civil i verificado el abandono se estingue su obligacion i el acreedor hace suya la propiedad que se le adjudica a virtud de la disposicion citada.

El señor Presidente manifiesta que es indiscutible el derecho del tercer poseedor para libertarse de toda obligacion abandonando la propiedad. Estima sin embargo, como el señor Valdés, que el ejercicio de esta facultad no impone al acreedor la obligacion de aceptar en pago la adjudicacion del bien raiz; cree, por el contrario, que tiene derecho no solo de adjudicarse la propiedad, sino de embargarla i enajenarla con intervencion de la justicia i citacion del deudor personal para hacerse pago con su precio hasta la concurrencia de su crédito. Por esta razon cree que el Proyecto debe fijar tambien el procedimiento ulterior al abandono para los efectos de determinar las relaciones del acreedor respecto del deudor personal i evitar los perjuicios que a éste pudiera irrogarle una solucion entre el acreedor i el tercer poseedor que podria producirse fácilmente si solo a ellos se dejara la fijacion del precio en el caso de la adjudicacion o de las condiciones de la venta en el caso de enaje·nacion.

El señor Richard, que acepta las observaciones del señor Presidente, agrega que forzado el acreedor a tomar en adjudicacion la finca hipotecada se alterarian en perjuicio de sus derechos, las condiciones de su contrato por la sola voluntad del deudor que pueda enajenarla sin su consentimiento.

El señor Urrutia recuerda que la hipoteca no es otra cosa que la prenda constituida-sobre inmuebles i por esta razon indica que podria adoptarse el procedimiento establecido en el artículo 2,397 del Código Civil que es en realidad el insinuado por S. E. i el señor Valdés.

El señor Presidente que ha sostenido que debe darse intervencion al deudor personal, propone, finalmente, suprimir del artículo 915 la parte relacionada con la adjudicacion al acreedor, mantener el 916 i agregar a continuacion el siguiente:

«Art. . . Verificado el desposeimiento o el aban-
« dono se procederá conforme a lo dispuesto en el
« artículo 2,397 del Código Civil, con citacion del
« deudor principal.»

La Comision aceptó la indicacion del señor Presidente.

Se aprobaron, por lo demas, los artículos en estudio, reemplazando solo la frase «deudor principal» por «deudor personal,» a peticion del señor Valdés i por estimar que la segunda espresa con mas exactitud la idea del artículo.

Se acordó, tambien, al tratarse de estos artículos

que en sesiones anteriores se habia resuelto agregar
a continuacion del 916, el articulo que ordena que
el procedimiento determinado para la citacion de
los acreedores hipotecarios, en el caso del artículo
2428 del Código Civil, debe tambien aplicarse cuando se persiga la finca hipotecada de manos del tercer poseedor.

Antes de iniciar el estudio del recurso de casacion, el señor Valdés observa que seria útil establecer el procedimiento breve para el cobro de honorarios de abogados, médicos, injenieros, etc., i en
jeneral, de todos los servicios a que se refiere el artículo 2118 del Código Civil.

Propuso con este objeto agregar a continuacion
del artículo 842, el siguiente título:

# TÍTULO

## De los juicios sobre pago de ciertos honorarios

### ART. 1

En los juicios que tengan por objeto el pago de
honorarios por los servicios a que se refiere el artículo 2118 del Código Civil i cuya cuantía exceda
de trescientos pesos, el tribunal. despues de contestada la demanda, citará a las partes a comparendo
para alguno de los diez dias siguientes.

En este comparendo, que se verificará con solo la
parte que asista, se fijarán las cuestiones debatidas,
atendiéndose para ello a lo que resulte de los escritos de demanda i contestacion i de la esposicion
verbal de las partes.

Si no existiera desacuerdo en cuanto a los hechos
que deben servir de fundamento al fallo, el tribunal
citará para oir sentencia, o bien decretará una ins-

peccion personal o el reconocimiento e informe de
peritos, en la forma ordinaria, siempre que estimare útil alguna de estas dilijencias.

Si fuere necesario el esclarecimiento de algun hecho, se recibirá la causa a prueba, espresándose en
el decreto respectivo los puntos sobre que ella debe
recaer.

### Art. 2

La prueba se rendirá conforme al procedimiento
ordinario.

### Art. 3

Vencido el término probatorio, se entenderán las
partes citadas para oir sentencia. Durante este plazo podrán las mismas partes alegar por escrito lo
que estimaren conveniente a su derecho, para lo
cual podrán examinar los autos en la secretaría.

### Art. 4

La sentencia definitiva deberá pronunciarse dentro de los diez dias siguientes.

En ella se hará la estimacion del honorario reclamado, si hubiere lugar al pago.

### Art. 5

Cuando el honorario procediere de servicios profesionales prestados en juicio, el acreedor podrá, a
su arbitrio, perseguir su estimacion i pago con arreglo al procedimiento establecido en el presente título o bien interponiendo su reclamacion ante el
tribunal que hubiere conocido en la primera instancia del juicio. En este caso la peticion será sustanciada i resuelta en la forma prescrita para los incidentes.

El señor Vergara cree que seria preferible suprimir la segunda parte del inciso 3.º del artículo 1.º i hacer una referencia al artículo 165 que contiene una enumeracion completa de las dilijencias probatorias que puede decretar de oficio el tribunal.

En cuanto al artículo 4.º propone reemplazar su redaccion por la siguiente:

«Art. ... Vencido el término probatorio podrán « las partes disponer del plazo de seis dias para « alegar por escrito lo que estimaren conveniente « a su derecho, pudiendo examinar los autos en se- « cretaría i espirado este plazo se entenderán cita- « das para oir sentencia.»

La Comision aceptó los artículos propuestos por el señor Valdés con la modificacion indicada por el señor Vergara.

### De los recursos de casacion

Antes de iniciarse el estudio de este título, el señor Ballesteros hace presente que el señor don Vicente Reyes ha pedido se deje testimonio en las actas de la Comision de que él no acepta el recurso de casacion, como lo ha manifestado muchas veces en el Senado i que desea insistir en su opinion cuando se discuta el actual Proyecto.

ARTS. 918 i 919

Aprobados.

ART. 920

El señor Rodríguez cree que debe suprimirse el inciso 2.º porque contiene una disposicion evidentemente comprendida en el 1.º; i de esta circunstancia puede deducirse que se ha escluido implícitamente otros casos que están incluidos en la disposicion jeneral del inciso 1.º

I esta observacion tiene mayor importancia si se

toma en cuenta que el inciso 2.º no se refiere ni puede referirse a la apreciacion de la prueba que haga el tribunal, ya que esta apreciacion, cualquiera que sea, no autoriza en ningun caso el recurso de casacion.

No dice relacion a los casos en que se reciba o no la causa a prueba o se admita sin las formalidades legales, «casos éstos que son de ritualidad o de forma; sino que, v. gr., al fallar una Corte en última instancia, haya infrinjido los artículos 282, 283 i 284 del Código Civil, declarando la paternidad ilejítima probada por otros medios que los que dichos artículos determinan; o rehusados atribuir la fuerza probatoria que los artículos 1700 i 1702 del mismo Código, asignan al instrumento público no redargüido o al privado i reconocido.»

El señor Ballesteros estima que da mayor claridad al artículo el inciso 3.º agregado por el Senado.

El señor Vergara, por su parte, juzga que puede suprimirse por innecesario en el inciso 1.º la frase *de disposicion.*

La Comision aceptó las observaciones de los señores Rodríguez i Vergara i aprobó el artículo en la forma por ellos indicada.

### ART. 921

El señor Ballesteros cree que podria completarse este artículo agregándole la frase *que se dicten sea en juicio ordinario, sea en cualquiera de los juicios especiales rejidos por las disposiciones de este libro.*

Se estimó innecesaria la agregacion propuesta, ya que es entendido que entre las sentencias definitivas se comprenden todas las enumeradas en la indicacion del señor Ballesteros.

El señor Ossandon recuerda que el artículo 164 define las sentencias definitivas diciendo que son las que ponen término al juicio i que en consecuencia, no puede decirse con propiedad, como lo hace el inciso 2.º, sentencias interlocutorias, que ponen término al pleito, porque segun la disposicion del Proyecto esta seria una sentencia definitiva.

El señor Urrutia sostiene que no es sentencia definitiva la que no falla la controversia que es materia del pleito, aunque de hecho le ponga término.

En tal caso contesta el señor Ossandon que debe modificarse la definicion que da el artículo 164.

El señor Presidente cree que el artículo en estudio se refiere a sentencias interlocutorias que pongan término al juicio haciendo imposible su prosecucion, aunque no fallen la cuestion controvertida.

El señor Vergara dice que la redaccion del Código Español es precisamente la indicada por el señor Presidente.

El señor Rodríguez estima que debe mantenerse le redaccion del Proyecto, porque puede tratarse de sentencias interlocutorias que terminen el juicio como la que declara una desercion, por ejemplo; o que hagan imposible su continúa como, v. gr. la que deniega el privilejio de pobreza que impide de hecho al litigante pobre la continuacion del pleito. Esta clase de resoluciones son las que recuerdan los comentadores españoles al tratar de esta disposicion de la lei.

El señor Presidente cree que los términos del artículo justifican la observacion hecha por el señor Ossandon i para evitarla ha propuesto la redaccion que deja indicada.

Se resolvió continuar en la próxima sesión el estudio de este artículo.

## ART 922

En cuanto al número 1.º, observa el señor Rodríguez que son conocidas las dificultades que de ordinario existen para integrar los tribunales en conformidad a las disposiciones de la lei i que no siempre será fácil establecer en los autos que se ha procedido con arreglo a ella. Esta circunstancia lo induce a proponer reemplazar la segunda parte de este número por la siguiente: *no integrado por las personas llamadas por la lei.*

De esta manera se evita que la simple alteracion en el órden de los llamamientos pueda dar lugar al recurso.

El señor Ossandon cree que la disposicion propuesta por el señor Rodríguez se coloca en un caso que es difícil o imposible se presente, porque no es de suponer que haya tribunal que llame para integrarse a una persona que no esté designada por la lei.

El señor Rodríguez contesta que puede ocurrir, si se trata, v. i gr., de integrarse con abogados que, por un error, se han incluido en las listas respectivas.

El señor Presidente cree que debe mantenerse el número del Proyecto; porque si bien es cierto que no es fácil que se integren los tribunales con los funcionarios llamados por la lei en el órden que ella determina por inconvenientes o imposibilidad de dichos funcionarios, se puede acreditar esta circunstancia por un certificado del secretario, i en tal caso, el procedimiento se habrá ajustado a los términos de la lei.

Se dejó pendiente el estudio de la indicacion del señor Rodríguez.

El número tercero fué aceptado por la Comision despues de desechada la indicacion del señor Ballesteros, para reemplazarla por el número tercero del artículo 5.º del proyecto aprobado por el Senado.

Respecto del número 4.º, el señor Ballesteros cree que sus términos son mui vagos i seria mejor precisarlos en la forma siguiente:

« En haber sido pronunciado con omision de cual-
« quiera de los requisitos enumerados en el artículo
« 192. »

El señor Rodríguez cree que no deberia autorizarse el recurso de casacion por el solo hecho de omitirse el domicilio, profesion u oficio de las partes que debe contener toda sentencia en conformidad a lo dispuesto en dicho artículo.

La Comision, sin embargo, aceptó el número propuesto por el señor Ballesteros.

A indicacion del señor Ballesteros se reemplazó en el número 5.º la *frase excediendo a lo pedido por otorgando mas de lo pedido*.

El señor Rodríguez propone en seguida agregar ántes de este número el siguiente:

«En haber los árbitros dictado sentencia fuera del plazo señalado en el compromiso o en la lei, o resuelto puntos no sometidos a su decision.»

S. E. i el señor Valdés cree que la segunda parte de éste número está en realidad comprendida en el número 5.º del Proyecto, i en cuanto a la primera observan, como el señor Vergara, que no puede considerarse como sentencia la espedida por los árbitros en el caso a que ella se refiere, i no deberia autorizarse para deducir en su contra el recurso de casacion porque ella importaria darle carácter de sentencia a un fallo que en realidad no puede tenerlo. Por esta razon estima el señor Presidente que solo podria aceptarse agregando una disposicion que dejara a salvo los derechos de las partes para invalidar o declarar la ineficacia de la resolucion.

Se dejó pendiente el estudio de esta indicacion.

En cuanto al número 6.º cree el señor Rodríguez que solo procederia al recurso de casacion si la cosa juzgada hubiera sido alegada oportunamente en el juicio, i propone que así se establezca en esta disposicion. La cosa juzgada, no alegada en el juicio por falta de conocimiento de la parte, no daria lugar al recurso de casacion sino al de revision de la sentencia i podria establecerse una disposicion especial con este objeto en el artículo 961. La Comision aceptó la agregacion propuesta por el señor Rodríguez.

El mismo señor Ministro cree que deberia agregarse ántes del número 7 del Proyecto, el que sigue: «En contener decisiones contradictorias.»

Estima tambien necesario el señor Rodríguez tomar en cuenta el caso en que se falle una apelacion declarada prescrita, desierta o desistida agregando al efecto a continuacion del artículo el siguiente número:

«En haber sido dada en una apelacion legalmente declarada prescrita, desierta o desistida.» En cuanto al número 7.º del Proyecto observa que suele el lejislador omitir la declaracion de ser o no esencial los trámites que se fijan en las leyes, i de acuerdo con las disposiciones de la lei de nulidades, cree que pudiera completarse este número con el siguiente:

En haberse faltado a cualquier otro requisito por cuyo defecto las leyes prevengan espresamente que hai nulidad.

La Comision aceptó estas tres indicaciones del señor Rodríguez.


## ART. 923

El señor Ballesteros propuso i lo aceptó la Comision, completar este artículo, agregándole *o de un tribunal de segunda instancia constituido por árbitro de derecho.*


## ART. 924

El señor Ballesteros cree que podria modificarse la última parte del inciso primero en la forma que lo hace el proyecto del Senado, reemplazando la frase *los recursos establecidos por la lei* por *los demas recursos legales,* para evitar que pueda incluirse en ellos el propio recurso de casacion.

Así lo acordó la Comision.

El señor Presidente, por su parte, cree que seria útil determinar cuál es el momento en que puede reclamarse de la composicion del tribunal para los efectos de preparar el recurso i propone con este objeto agregar como inciso 2.º, el siguiente:

« La reclamacion a que se refiere el inciso ante-
« rior deberá hacerse por la parte o su abogado án-
« tes de verse la causa en el caso del número 1.º
« del artículo 922.»

La Comision aceptó la indicacion del señor Presidente i del señor Ballesteros.

### ART. 925

Despues de una lijera discusion sobre la fecha en que debe interponerse el recurso, se resolvió aceptar en reemplazo del 925, el siguiente artículo propuesto por el señor Ballesteros:]

« Art. 925. El que intente interponer el recurso
« de casacion, deberá anunciarlo al tribunal que ha
« pronunciado la sentencia, en el término fatal de
« cinco dias. Si no lo hiciere, la sentencia quedará
« firme, pudiendo procederse a la ejecucion de lo
« resuelto.

« Hecho este anuncio, tendrá el recurrente el pla-
« zo de otros cinco dias para formalizar el recurso
« de casacion en la forma i de otros diez para for-
« malizar el recurso de casacion en el fondo. Tras-
« curridos diez dias desde la notificacion de la sen-
« tencia sin que se formalice el recurso, no podrá
« llevarse a efecto el primero de ellos, i trascurri-
« dos quince, tampoco podrá llevarse a efecto el
« segundo que no se hubiere formalizado en ese
« plazo.»

### ART. 926

El señor Rodríguez observa que el recurso de ca-
sacion solo puede interponerlo la parte a quien agravie la sentencia como sucede hoi con el de nulidad.

Así lo estima tambien la Comision i acordó modificar el artículo como sigue:

« El recurso de casacion deberá interponerse por
« la parte agraviada ante el tribunal, etc.»

A indicacion del señor Ballesteros se acordó
completar el inciso primero en la forma siguiente:

« Art. 926. El recurso de casacion se formalizará
« por medio de un escrito en que se haga mencion
« del vicio o defecto en que se funda, de la lei o le-
« yes infrinjidas i de la que-concede el recurso por
« la causal que se invoca.

« No será lícito ampliar mas tarde el recurso fun·
« dándolo en causales distintas de las alegadas en
« en este escrito.»

## Art. 928

Se aprobó este artículo, reemplazando la palabra
*deben* por *pueden*, ya que es facultativo el ejercicio
de la atribucion que él confiere a los tribunales de
alzada.

Se levantó la sesion.

German Riesco.

*Luis Barriga,*
Secretario.

---

## SESION 35 EN 31 DE DICIEMBRE DE 1901

Se abrió la sesion presidida por S. E. el Presidente de la República i con asistencia de los señores Ballesteros, Bañados Espinosa, Ossandon, Richard, Vergara i el secretario.

Se leyó i aprobó el acta anterior.

Antes de continuar el estudio del recurso de casacion se trató de los artículos siguientes:

37-38

## ART. 583

El señor Vergara observa que este artículo faculta para hacer cesion de bienes a todo deudor que no se encuentra en alguno de los casos indicados en el artículo 687 del Proyecto i que no se comprende en ninguna de ellos la prohibicion de hacer cesion de bienes que establece respecto del comerciante el artículo 1477 del Código de Comercio.

Estas circunstancias pueden suscitar dudas que seria fácil evitar agregando al inciso 1.º la frase *salvo lo dispuesto en el artículo 1477 del Código de Comercio.*

Así lo acordó la Comision por la razon indicada por el señor Vergara.

## ARTS. 813 i 817

Se recordó respecto del segundo que en sesiones anteriores los señores Ballesteros i Urrutia habian presentado en reemplazo del inciso 2.º dos proyectos para determinar la competencia de los tribunales que deben intervenir en los juicios sobre distribucion de aguas.

El señor Vergara encargado de estudiar estos dos proyectos propone agregar despues del artículo 813, el siguiente:

«Art. ... Si el rio o corriente natural o artificial « separare o atravesare diversos departamentos, « será competente para conocer de los juicios a que « este título se refiere:»

1.º El juez de letras del departamento cuya cabecera estuviere mas cercana al rio, si el cauce fuere natural, o mas cercana a la boca-toma del canal si el cauce fuere artificial.

2.º No siendo aplicable lo dispuesto en el número precedente por ser iguales las distancias, o por cualquier otro motivo, será juez competente el que designare la Corte de Apelaciones respectiva.

3.º Si los departamentos que separare o atravesare el cauce dependieran de la jurisdiccion de distritos Corte de Apelaciones, será competente el juez de letras que designare la Corte Suprema.

Art. ... La solicitud que se presente para los efectos a que se refieren los números 2.º i 3.º del articulo anterior, deberá contener todas las indicaciones necesarias para que el tribunal pueda hacer con acierto la designacion del juez.

Las Cortes de Apelaciones i la Suprema en su caso procederán a designar el juez sin ulterior recurso con audiencia del ministerio público.

El artículo 814 se redactará como sigue:

«Art. 814 ·En la reunion a que se cite a los in-« teresados conforme a lo dispuesto en el artícnlo « 813 harán valer estos, etc.»

El señor Richard, por su parte, cree preferible establecer una regla fija que evitaria todas las dudas que se ha tratado de prevenir i que podria consignarse en siguiente artículo:

«Art. ... Si el rio o corriente natural o artificial, » se sacare o atravesare diversos departamentos de » una misma provincia, será juez compentente para » para conocer de los juicios a que este titulo se » refiere, el de la cabecera de la provincia; i si el » rio o corriente, natural o artificial, separare o » atravesare dos provincias, será competente para » conocer en dichos juicios el juez de la cabecera » de la provincia de mas antigua creacion.»

La Comision aceptó el artículo propuesto por el señor Richard, i resolvió agregarlo a continuacion del 813.

Como consecuencia de este acuerdo, se suprimió el inciso segundo del 817.

ARTS. 915, 916 i 917

Aunque han sido ya reformados, en la última sesion, el señor Urrutia estima conveniente modificar, en parte, el acuerdo tomado i tiene para ello presente que cuando la finca perseguida está en poder de terceros poseedores, el exceso de valor de dicha finca, despues de pagado el acreedor hipotecario, pertenece al poseedor i no al deudor personal, pues éste se desprendió del dominio. Puede dicho exceso pertenecer a otros hipotecarios, si los hubiere, pero nunca tiene derecho al mayor valor del predio el deudor personal. Por este motivo es, pues, innecesario citar para el remate al espresado deudor. Por esta razon talvez el Código Civil, en caso que el poseedor abandone la finca al acreedor hipotecario, segun lo previene el artículo 2,426. El abandono supone que el poseedor que recurre a este arbitrio, no tiene derecho al exceso de valor que a su juicio no existe, i en la hipótesis de existir, no puede, como se ha dicho, pertenecer, en ningun caso, al deudor personal.

El único peligro que puede resultar para el deudor personal consiste, ya sea en el caso de abandono o de desposeimiento, en que el tercer poseedor i el acreedor puedan complotarse para asignar al predio un valor inferior al verdadero, a fin de que dicho acreedor tenga un saldo mayor que reclamar contra el deudor personal; pero este peligro se evita disponiéndose que en el abandono o desposeimiento, se proceda a la subasta pública, tal como lo ha acordado la Comision, no con citacion de los deudores personales, sino solo con intervencion del ministerio público, previa tasacion judicial que debería hacerse por peritos nombrados por el juez i sin perjuicio de que los deudores personales, cuando el acreedor proceda contra ellos por accion personal, puedan deducir escepciones fundadas en órden a la fijacion del saldo insoluto del crédito con motivo de la tasacion que se hubiere hecho.

La intervencion de los deudores personales en el ejercicio de la accion hipotecaria, hace ineficaz esta accion, pues es casi imposible que el acreedor hipotecario, despues de varios años, encuentre a los referidos deudores, los cuales pueden ser muchos tratándose de sucesiones muchas veces sucesivas. Por otra parte. la intervencion de los deudores personales en el ejercicio de la accion hipotecaria, es contraria a las reglas fundamentales del Código, respecto del ejercicio de los derechos reales.

No debe olvidarse que la accion hipotecaria tiene carácter de indivisible i que debe ejercerse contra el que posea la finca hipotecada, con prescindencia aun de los demas dueños (1,526 C. C.). Los deudores de obligacion o cosa indivisible, podrán ellos entenderse entre si mismos, pero no entorpecer la situacion del acreedor. Ménos pueden los deudores personales entorpecer dicha accion, ya que de este modo se hace difícil sino ineficaz el derecho del acreedor i aun el derecho del poseedor de la finca que puede asimismo tener interes en la pronta terminacion del juicio.

Igual cosa acaeceria con el derecho real de censo que es hipotecario para los efectos del juicio.

Propone, en consecuencia lo siguiente: suprimir del artículo 915 del Proyecto, como está acordado, la frase *la cual se adjudicará en este caso etc...*

## ART. 916

«El del Proyecto.»

## ART. 917

«Efectuado el abandono o el desposeimiento de la finca perseguida, se procederá conforme a lo dispuesto en los artículos 2,397 i 2,424 del Código Civil sin necesidad de citar al deudor personal. Pero si éste compareciere a la incidencia, será oido en los trámites de tasacion i de subasta.»

## ART. 918

«Si el deudor personal no fuere oido en el trámite de tasacion, esta dilijencia deberá hacerse con intervencion del ministerio público por peritos que nombrará el juez de la causa en la forma prescrita por este Código. La tasacion, en este caso, no impide que el deudor personal pueda objetar la determinacion del saldo de la obligacion principal por el cual se le demandase si comprueba en el juicio correspondiente que se hubiere procedido en fraude de sus derechos.»

## ART. 919

«La referencia acordada del juicio ejecutivo.»

## ART. 920

«El artículo del Proyecto.»

La Comision sin aceptar en todas sus partes la doctrina legal sostenida por el señor Urrutia aprobó los artículos propuestos ya que guardan conformidad con los anteriores acuerdos.

El señor Valdés pregunta quien podra hacer valer las prescripciones personales en contra del crédito, en conformidad a los artículos propuestos en ausencia del deudor.

El señor Urrutia contesta que podrá hacerlo el tercer poseedor sin perjuicio naturalmente del derecho del deudor personal para deducirlas por su parte si no hubiera intervenido en las dilijencias hechas por el acreedor para obtener el abandono, enajenacion o adjudicacion de la propiedad.

En esta intelijencia fueron aceptados los artículos propuestos.

## ART. 921

El señor Ballesteros insiste en la indicacion que hizo en la sesion anterior para agregar a continuacion del artículo 923 el siguiente:

«Art. ... Procede tambien el recurso de casacion
« en la forma  contra las sentencias interlocutorias
« pronunciadas en segunda instancia sin haber sido
« las partes debidamente emplazadas o citadas para
« la resolucion.»

El señor Rodríguez sostiene que es desnaturalizar por completo el recurso de casacion concederlo
contra otras sentencias interlocutorias que las ya
mencionadas en el artículo 921 del Proyecto.

Por su propia naturaleza este recurso no procede
sino contra las sentencias definitivas i no contra
las interlocutorias, salvo en los casos que éstas pongan término al juicio o hagan imposible su prosecucion, como lo espresa el artículo citado.

El señor Ballesteros contesta, que rechazada su
indicacion no se dejaria recurso alguno contra las
sentencias interlocutorias que se pronuncian en segunda instancia sin citar ni oir a las partes, lo que,
en su concepto, es contrario a todo principio de
derecho. I debe tenerse presente que, entre las resoluciones aludidas, hai muchas que pueden causar
perjuicios graves a las partes, como las medidas
precautorias, por ejemplo; i seria manifiesta injusticia fallarlas en segunda instancia sin citacion del
interesado.

El señor Rodríguez recuerda que, en jeneral, los
fallos interlocutorios no producen cosa juzgada i
son, en consecuencia, revocables. En todo caso el
agravio puede enmendarse en la sentencia definitiva i ésta puede ser casada si hace suyo el error
de la interlocutoria, siempre que se trate de errores
que den fundamento al recurso.

El señor Presidente i el señor Valdés aceptan la
opinion del señor Ballesteros i el artículo propuesto
que fué aprobado tambien por la Comision.

A indicacion del señor Urrutia se resolvió agregarlo como inciso 3.º al artículo 921.

En cuanto al inciso 2.º de este artículo, cuya
discusion quedó pendiente en la última sesion,

insiste el señor Ossandon en que no puede decirse con propiedad *sentencias interlocutorias que pongan término al juicio,* porque una resolucion de esta clase es *sentencia definitiva,* segun la definicion del artículo 154 del Proyecto.

El señor Presidente recuerda que segun la indicacion que hizo al tratarse de este inciso deberia decirse «sentencias interlocutorias que pongan término al juicio, haciendo imposible su prosecucion», indicando así que se pone término al juicio, no porque se falle la cuestion materia del pleito, sino porque se hace imposible continuarlo.

El señor Rodríguez, por su parte, cree que deben mantenerse los dos términos del inciso, porque corresponden a dos situaciones diferentes. Pone término al juicio una resolucion interlocutoria que declara una desercion o prescripcion, por ejemplo, o en el caso en que incidentalmente se resuelva una peticion que es materia de un juicio ordinario. Hacen imposible la prosecucion del juicio las resoluciones recordadas por los comentadores españoles, sobre privilejio de pobreza, que sin resolver ni terminar el pleito, impiden de hecho proseguirlo al litigante que carece de recursos. Se niega a una persona jurídica la personalidad para entrar al juicio, por no haber sido aprobados sus estatutos con arreglo a la lei. en este caso, nada se falla sobre el litijio mismo, pero no puede seguirse adelante su tramitacion. Tampoco podrá continuarse si se tratara de impugnar la lejitimacion de un hijo i se objetara al demandante tener la falta del interes que el artículo 217 del Código Civil exije para que pueda ser oido, etc., etc., i esta objecion fuera aceptada como incidente previo.

En vista de estas observaciones se aprobó el inciso en la forma indicada por el señor Rodríguez:

« Art. 921, inciso 2.º Se concede contra las inter-
« locutorias cuando ponen término al juicio o ha-
« cen imposible su continuacion.»

El señor Vergara propone ampliar las disposicio·
nes de este artículo a las resoluciones que fijan los
alimentos provisionales.

El señor Rodriguez cree que el recurso de casacion, como todo recurso estraordinario debe naturalmente restrinjirse i no acepta la indicacion del
señor Vergara por las razones que ha insinuado
anteriormente. Así lo acordó tambien la Comision.

ART. 922

En la sesion pasada se dejó para segunda discusion el número 1.º i la indicacion del señor Rodríguez para reemplazarlo por el siguiente:

« El haber sido la sentencia pronunciada por un
« tribunal incompetente o no integrado con las
« personas llamadas por la lei.»

Cree el señor Rodríguez que debe autorizarse la
casacion solo cuando se integra el tribunal con
personas no designadas por la lei i no cuando solo
se altera el órden en que deben llamarse los funcionarios que ella determine, en atencion a las muchas
dificultades con que se tropieza en la práctica para
integrarlas sujetándose estrictamente a las disposiciones legales.

S. E. i el señor Ballesteros juzgan que, aceptada
la indicacion del señor Rodríguez, seria autorizar
implícitamente la infraccion de una lei que debe
respetarse, i que contiene, por lo demas, disposiciones que facilitan su cumplimiento, indicando las
personas que deben integrar el tribunal, cuando no
pueden hacerlo los anteriormente llamados, circunstancias éstas que pueden certificar el secretario en
cada caso.

La Comision aceptó esta opinion i aprobó el número 1 en los términos del Proyecto.

ART. 925

El señor Richard observó que, con arreglo al ar·
tículo, propuesto por el señor Ballesteros i acep-

tado por la Comision, dictada sentencia la parte
puede indicar que va a interponer el recurso de
casacion i se le dan ademas para formularlo otros
cinco o diez dias mas segun los casos para forma-
lizarlo.

Cree que deberia establecerse una sancion para
el caso en que no se dedujera, ya que de lo contrario
toda parte perjudicada con la sentencia indicará
que va a interponerlo sin otro objeto que retardar
su cumplimiento.

El señor Presidente acepta la idea del señor
Richard i cree que en el caso propuesto bastaria
con la pérdida de la cuarta parte de la consignacion que debe hacer el recurrente.

Aceptadas estas indicaciones se acordó agregar
al artículo en estudio el siguiente inciso:

«Art ... Si la parte que ha anunciado que inter-
« pondrá el recurso no lo formalizare en el término
« legal se aplicará al Fisco la cuarta parte de la
« suma que debe consignarse con arreglo al artícu-
« lo 949.»

Al tratarse de este artículo se observó que seria
útil determinar si se requiere poder especial para
deducir el recurso de casacion.

El señor Valdés lo cree innecesario porque el
mandante judicial segun la lei de tribunales se rije
por las disposiciones del Código Civil, i con arreglo
a ellas no necesita poder especial para interponerlo ya que estaria sin duda comprendido en la
recta ejecucion del mandato conforme al precepto
del artículo 2,133 del Código citado.

Así lo estimó tambien la Comision.


## ART. 928


La Comision estimó facultativo en el tribunal
invalidar o no las sentencias en los casos a que este
artículo se refiere i acordó, en consecuencia, reemplazar la palabra *deben* por *pueden*.

## ART. 929

El señor Vergara observa que apelada la sentencia que ordena el pago en el juicio ejecutivo no se procede a dar cumplimiento a la sentencia si el ejecutante no caucione las resultas del recurso con arreglo al artículo 496 del Proyecto i sin embargo deducido el recurso de casacion se le da cumplimiento sin exijir garantía de ninguna clase; lo que, en su concepto, no es aceptable.

El señor Valdés que en el caso de la casacion, el apelante tiene ya en su contra dos sentencias i esta circunstancia esplica, a su juicio, la diferencia objetada por el señor Vergara.

El señor Ballesteros, por su parte, propone que se agregue al artículo el número agregado por el señor Senador, i que dice así:

«Art. 929, número 3.º Cuando la parte favoreci-« da por el fallo diere fianza de resultas a satisfac-« cion del tribunal que dicte la sentencia reclamada.»

El señor Rodriguez lo considera inconveniente i ocasionado a dificultades porque las calificaciones i constitucion de la fianza pueden dar lugar a entorpecimientos i demoras que conviene evitar.

El señor Ballesteros contesta que todas las cuestiones relativas a la fianza deben tramitarse como incidentes i que, en todo caso, las demoras solo perjudican a la parte que la ofrece i es la interesada en dar cumplimiento al fallo materia del recurso.

La Comision acordó modificar el inciso 2.º del artículo como sigue:

«2.º Cuando la parte favorecida por el fallo diere fianza de resultas a satisfaccion del tribunal que haya dictado la sentencia recurrida, siempre que de otorgarse libremente el recurso quedara dicha sentencia de hecho eludida o retardada con grave daño en su ejecucion i en sus efectos.»

## ART. 930

Los señores Ballesteros i Valdés creen que tra
tándose del recurso de casacion la defensa de las
partes debe limitarse a las causales del recurso i
por consiguiente, no puede referirse a las apreciaciones de hecho que en ningun caso puede ser materia de la casacion.

El señor Presidente entiende que casada la sentencia la Corte Suprema solo podria enmendar el
fallo en cuanto al derecho, pero manteniendo
como inamovibles los hechos establecidos en la
sentencia reclamada.

El señor Rodríguez sostiene que casada la sentencia ésta desaparece en absoluto i la Corte Suprema debe fallar de nuevo la causa si no se hubiere dictado retencion alguna.

Así lo estiman tambien los señores Ossandon, Richard i Vergara.

S. E. i los señores Ballesteros i Valdés sostienen
que, aceptada la opinion del señor Rodríguez, no
deberá fallarse la causa sino con nueva vista, ya
que de lo contrario se dictará resolucion sin oir a
las partes sobre las cuestiones de hecho, que pueden ser decisivas.

El señor Richard agrega que el Proyecto no determina la forma en que debe elevarse el espediente, indicando si se envia orijinal o solo la com-
pulsa.

Se dejaron las observaciones formuladas para
continuar ocupándose de ellas en la próxima sesion.

## ART. 932

El señor Vergara observa que el Proyecto dis-
tingue la admisibilidad del recurso del fallo que dó
lugar a él pero no ha clasificado de una manera
uniforme estas dos infracciones. Pido, pues, por

esta razon modificar como sigue la redaccion del artículo.

«Art. 932. Siempre que se declare inadmisible el « recurso o sin lugar la casacion se condenará en costas al litigante que lo hubiere interpuesto.

Se levanta la sesion.

GERMAN RIESCO.

*Luis Barriga,*
Secretario.

---

## SESION 36 EN 2 DE ENERO DE 1902

Se abrió la sesion presidida por S. E. el Presidente de la República i con asistencia de los señores Ballesteros, Bañados Espinosa, Ossandon, Vergara i el secretario.

Asistieron tambien los señores Agustin Rodríguez i Miguel L. Valdés.

Antes de continuar el estudio del recurso de casacion se trató de los siguientes artículos:

### ARTS. 901, 902 i 903

El señor Ballesteros hace presente que ha estudiado con el señor Manuel Gallardo González las disposiciones contenidas en estos artículos i cree que podrian modificarse ampliando el procedimiento sumario a muchos juicios que se tramitan por la vía ordinaria con perjuicio manifiesto de las industria minera que por su propia condicion requiere una tramitacion breve.

Con este objeto propone los artículos siguientes:
«Art. 902. Se someterán al procedimiento sumario establecido en el título XI del presente Código:

«1.º Las cuestiones relativas a la constitucion i ejercicio de las servidumbres, usos o servicios establecidos en favor de las minas, i de las máquinas de esplotacion i beneficio, i a las indemnizaciones consiguientes.»

(En este número se comprenden los juicios que surjan con motivo de la investigacion o cateo de la ocupacion del fundo superficial, del uso de caminos, leñas, pastos i aguas, de la construccion o uso de socavones i obras de desagües, i de la prestacion de los demas servicios o usos a que las minas están obligadas las unas a favor de las otras, todas las cuales están comprendidas en los artículos 6, 7, 8, 15, 18, 70, 71, 76, 77, 78 i 79 del Código de Minería).

«2.º Las cuestiones a que dé lugar el ejercicio del derecho que los mineros colindantes tienen para visitar las minas vecinas i para obtener la suspension provisoria de los trabajos i fijacion de sellos en las labores internadas.»

(Estos derechos son los establecidos por los artículos 64, 65 i 66 del Código de Minería).

«3.º Las que se orijinen entre los socios de una compañía minera con motivos del ejercicio de los derechos que especialmente les confiera el Código del ramo, acerca de la administracion de la mina, siempre que el mismo Código no haya establecido procedimientos especiales para resoverlas.»

(Estas cuestiones son las que nacen de la aplicacion del título XI del Código de Minería; pero solo se aplicará el procedimiento sumario en los casos en que ese Código no haya establecido uno especial, el cual deberá ser aplicado de preferencia del mismo modo que las demas disposiciones que en el se contienen).

«4.º Las que procedan del contrato de avío, ya sea que se refieran al derecho del aviador para tomar la administracion de la mina en el caso de incorrecta inversion del dinero o efectos de los avíos o de administracion descuidada o dispendiosa; ya sea que se refieran al derecho del aviado para el suministro de los avíos, salvo el caso de cobro ejecutivo, o para intervenir i examinar las cuentas cuando el aviador ha tomado las minas bajo su administracion.»

(Se ventilarán, por consiguiente, en juicio sumario las cuestiones que surjan de la aplicacion de los artículos 144 a 148 del Código de Minería, salvo el caso de cobrarse ejecutivamente los avíos, pues entónces se observará el procedimiento que corresponde a esta clase de juicios).

«Las cuestiones que se refieran al ejercicio de la administracion de la mina por el acreedor ejecutante, a quien se le hubiere entregado en prenda pretoria.»

(Tales son, por ejemplo, las cuestiones que surjan de la aplicacion de los artículos 150, 158 i 159 del Código de Minería).

El señor Ossandon estima innecesarias i aun inconvenientes las disposiciones propuestas, cree que podria suprimirse en este Código el título en estudio i en subsidio aceptaria los artículos del Proyecto.

Las cree innecesarias porque, en su concepto, es materia propia del presente Código determinar en jeneral los trámites a que deben someterse los juicios ordinarios, los sumarios, etc.; pero que corresponde a la lei sustantiva calificar cuál de los procedimientos establecidos corresponde aplicar a los derechos i acciones que son objeto de sus disposiciones. Recuerda a este respecto que el Código de Minería vijente contiene un título especial que regla el que debe seguirse en los juicios de minas, que se refiere en jeneral a todas las materias tratadas en dicho Código.

Juzga inconvenientes los artículos indicados porque comprenden mucho mas de lo que puede ser objeto de esta clase de juicios. Se autoriza, por ejemplo, la constitucion de verdaderas servidumbres sobre los terrenos adyacentes a las minas en cuanto sean necesarios para su esplotacion i con el carácter de derechos reales que les da el Código

Civil, lo que es, a su juicio, inadmisible, no solo porque no tienen las condiciones de servidumbre como derecho real, las obligaciones del dueño del predio en que está situada la mina, para permitir la ocupacion de sus terrenos, sino porque las acciones que pudieran ejercitarse a su respecto deberian tramitarse en juicios ordinarios.

El señor Ballesteros sostiene que la ocupacion de los terrenos a que alude el señor Ossandon es, en realidad, una servidumbre legal i constituye sin duda un derecho real en la acepcion que a éstos dé el Código Civil. La lei ha definido la servidumbre diciendo que son un gravámen impuesto sobre un predio en utilidad de otro predio de distinto dueño; la ocupacion de los terrenos adyacentes para las necesidades de las minas reune todos los requisitos exijidos por esta definicion para constituir verdaderas servidumbres; i para afirmar que son servidumbres legales basta solo recordar que las de que se viene ocupando están establecidos en la lei. I no podria objetarse que están indicadas en el Código Civil porque él se ha limitado a tratar de algunas como lo ha indicado espresamente en su artículo 841.

Por lo demas, insiste el señor Senador en sostener que hai ventaja en abreviar la tramitacion de los juicios de minas i en definirla con precision para evitar que muchos asuntos de esta clase, que son por su naturaleza sumarios, se tramiten en juicio ordinario, como se hace hoi en la Serena, segun la jurisprudencia ya establecida i de que dan testimonio numerosas sentencias, que le ha recordado el señor Gallardo González.

El señor Ossandon cree que hai un error en esta última observacion que hace el señor Senador i que no son perfectamente exactos los antecedentes que le han suministrado a su respecto.

Se dejó pendiente el estudio de la indicacion del señor Ballesteros.

## Art. 696

El señor Vergara propone, i la Comision acepta, modificar el inciso 1.º en la forma siguiente:

«Art. 696, inciso 1.º El que intente querella de « amparo espresará en su demanda, a mas de las « circunstancias enumeradas en el artículo 250, las « siguientes:

«1.ª Que personalmente o agregando las de sus « antecesores, ha estado en posesion tranquila i « no interrumpida, durante un año completo, del « derecho en que pretende ser amparado;

«2.º Que se le ha tratado de turbar o molestar su « posesion o que en el hecho se le ha turbado o mo- « lestado por medio de actos que espresará cir- « cunstanciadamente.

«Si pidiese seguridades contra el daño que fun- « dadamente teme, especificará, etc., (sigue el ar- « tículo.»

## Art. 709

A indicacion del señor Vergara i para armoni- zarlo con la reforma introducida en el artículo 690, se acordó reemplazarlo por el que sigue:

«Art. 709. El que intentare la querella de resti- « tucion espresará en su demanda, a mas de las « circunstancias enumeradas en el artículo 250, las « siguientes:

«1.º Que personalmente, etc. (número 1.º del ar- « tículo 696).

«2.º Que ha sido despojado de la posesion por « medio de actos que indicará con la posible clari- « dad i especificacion».

## Art. 711

Por la misma razon se aprobó la indicacion del señor Vergara para sustituirlos por el siguiente:

39-40

«Art. 711. El que intentare la querella de resta-
« blecimiento espondrá clara i determinadamente
« en su demanda, a mas de las circunstancias indi-
« cadas en el artículo 250, la violencia con que ha
« sido despojado de la posesion o tenencia en que
« pretende ser restablecido».

## ART. 907

El señor Vergara observa que el inciso 3.º está
redactado en términos que se prestan a creer que
el tribunal superior no puede aprobar las senten
cias en que el Fisco sea condenado, i que para evitar esta duda seria preferible decir *no lesiona* en lugar de *no perjudica* los derechos fiscales.

La Comision entiende que la disposicion en estudio es en todo análoga a las vijentes que establecen el trámite de la consulta solo en favor del Fisco; pero juzga de toda evidencia que el tribunal de
alzada solo enmendará el fallo de primera instancia cuando sea contra derecho. En atencion a esta
circunstancia considera innecesaria la modificacion
propuesta.

## ARTS. 908 i 909

El señor Vergara propone de acuerdo con las
observaciones hechas anteriormente al tratarse de
estos artículos, reemplazarlos por el siguiente:

«Ejecutoriada que sea la sentencia, el tribunal
« remitirá en copia autorizada al Ministerio que
« corresponda las sentencias de primera i segunda
« instancia».

«Se dejará testimonio en el proceso del hecho de
« haberse remitido dichas copias i se agregará al
« mismo el oficio en que el Ministerio acuse recibo
« de ellas.»

«La ejecucion de toda sentencia que condene al
« Fisco a cualquiera prestacion se llevará a efecto
« espidiendo el Presidente de la República el res-
« pectivo decreto.»

## Art. 922

Se recordó a su respecto que estaba pendiente la indicacion del señor Rodríguez para agregar a continuacion del número 5.º el siguiente:

«En haber los árbitros dictado sentencia fuera de-
« plazo fijado en el compromiso o en la lei o re-
« suelto en ella, puntos no sometidos a su decision.»

El señor Vergara propone en reemplazo de este número agregar como artículo 923 el siguiente:

«Cuando el tribunal estimare que los árbitros han dictado el fallo fuera del término señalado en el compromiso, casará la sentencia, i si el recurso se fundan en haber resuelto los árbitros puntos no sometidos a su decision solo la casará en el punto o puntos en que consiste el recurso.

«En uno i otro caso se devolverá el depósito al recurrente».

Se resolvió aceptar el número indicado por el señor Rodríguez agregándole el siguiente inciso, que propuso el señor Presidente de acuerdo con lo que ha manifestado en la sesion de 28 de diciembre último:

«Las disposiciones de este artículo se entienden sin perjuicio de los demas medios legales que com·petan a las partes para invalidar o hacer ineficaz la resolucion arbitral.»

La Comision entiende, por lo demas, que se refieren tambien a los árbitros las disposiciones del artículo 922 del Proyecto en cuanto les sean aplicables.

El señor Vergara hizo, en seguida, las siguientes observaciones jenerales sobre el presente Título.

Debiera a su juicio, agregarse el artículo que sigue tomado del Código Español.

«Con el escrito en que se interpone el recurso se acompañarán tantas copias de él en papel comun i firmadas por el procurador cuantas sean las partes

litigantes que hubieren sido emplazadas. Estas copias serán entregadas a dichas partes cuando se
personen en los autos.

Considera asimismo conveniente fijar el plazo en
que el Tribunal de Casacion debe dictar sentencia.

Estima por otra parte que deben ser materia de
disposicion jeneral, incluyéndolas en el párrafo 1.º:

*a)* Que debe hacerse mencion espresa de la causa en que el recurso se funde; de las reclamaciones
que se hubieren hecho para obtener la subsanacion
de la falta o que no fué posible hacerlas, conforme
a lo prevenido en el artículo 924 (art. 1,750 C. E.),
i que deba citarse con precision i claridad la lei que
se crea infrinjida, i el concepto en que lo haya
sido (art. 1,720 C. E.).

En consecuencia, deben suprimirse el inciso 2.º
artículo 935 i el artículo 941.

*b)* La remision de los autos, por regla jeneral,
orijinales, o en copia en los casos en que deba procederse a la ejecucion de la sentencia. En el caso
de copias, el tribunal debe fijar un término prudencial para que se saquen.

En consecuencia, se suprimirian los puntos que a
esto se refieran en los artículos 936-942.

*c)* Que en el caso en que el reclamante no franqueara la remision del proceso, pueda ser requerido
bajo apercibimiento de que el recurso se declare
no interpuesto, (inciso final, artículo 942 o bien que
se haga la remision a su costa).

*d)* Emplazamiento para comparecer ante el tribunal superior de que tratan los artículos 936 i 947.

Desde cuando principia a correr este emplazamiento.

En el caso de copias debe correr desde el dia siguiente en que se terminen, haciéndose constar por
dilijencia puesta al pié de las mismas copias (artículo 1,701 C. E.)

*e)* Que el auto en que el tribunal *a quo* declare
inadmisible el recurso debe ser siempre motivado.
(art. 1,702 C. E.).

El señor Ballestéros, por su parte, cree que seria conveniente reformar el plan adoptado en el párrafo primero, colocando en primer lugar las disposiciones jenerales a toda clase de recurso de casacion, en seguida los que traten del recurso de casacion en el fondo i despues los que se refieran a la forma.

Se acordó designar a los señores Rodríguez i Vergara para hacer el estudio indicado en union del secretario.

<h2 style="text-align:center">ART. 930</h2>

Se continuó la discusion de este artículo comenzado en la sesion anterior.

El señor Vergara recuerda las disposiciones que sobre esta materia contienen los Códigos Aleman i Español, especialmente el último que establece que casada la sentencia, el tribunal falla en seguida la causa i se pronuncia nuevamente sobre el fondo del pleito.

El señor Valdés agrega que la lejislacion española ha reaccionado a este respecto i el Código de Enjuiciamiento criminal de 14 de setiembre de 1882 consigna una disposicion que podria adoptarse en reemplazo del artículo en estudio, i es la siguiente:

«Si la sala casa la resolucion objeto del recurso
« dictará a continuacion, pero separadamente la
« sentencia que proceda, aceptando los fundamen-
« tos de hecho i los de derecho de la resolucion ca-
« sada que no se refieran a los puntos que hayan
« sido materia del recurso i la parte del fallo con
« este compatible, reemplazando la parte casada
« con la que corresponde segun las disposiciones
« legales en que haya fundado la casacion.»

Este artículo, que es en todo análogo a la indicacion hecha por el señor Presidente en la última reunion, se armoniza mejor con la naturaleza de este recurso como lo observó el señor Valdés. La casacion en el fondo tiene por objeto enmendar

los errores de derecho i uniformar la jurisprudencia en la aplicacion de las leyes i para conseguirlo
no es necesario que el tribunal revisor se pronuncie de nuevo sobre hechos, cuya apreciacion corresponde únicamente al tribunal que dicte la sentencia materia del recurso.

Aceptada en jeneral la idea de este artículo se
resolvió reemplazar el 930 del Proyecto por el que
sigue:

«Art 930. Cuando la Corte Suprema invalidare
una sentencia por casacion en el fondo, dictará
acto contínuo i sin nueva vista, pero separadamente
sobre la cuestion materia de juicio la sentencia que
corresponda conforme a la lei i al mérito de los
hechos tales como se han dado por establecidas en
el fallo recurrido.»

### Art. 933

Se aprobó alterando solo la referencia que hace al artículo 922 en conformidad a las reformas
introducidas en esta disposicion.

### Art. 934

Aprobado.

### Art. 935

Los señores Ballesteros i Rodríguez proponen
que se reemplace el inciso 2.º por el mismo inciso
del artículo 17 del Proyecto del Senado, que comprende la forma en que debe interponer el recurso
en los juicios verbales i es el siguiente:¡

«Art. 935, inciso 2.º En todo caso se hará men-
« cion de la causa en que el recurso se funde i si se
« interpusiere verbalmente se dejará de ello testimo-
« nio en una acta que firmarán el juez i el recurrente».

El señor Vergara, por su parte, hace indicacion
para suprimir por innecesaria la frase *de casa-*

*cion en los juicios de menor cuantía,* ya que solo de
estos trata el párrafo en que figura dicho artículo;
i para suprimir tambien la parte final *ante el tribunal
que dictó la sentencia reclamada* porque es materia
propia de una disposicion jeneral que tendrá presente al hacer el estudio que se le ha encomendado
en union del señor Rodríguez.

Se aprobó el artículo con las modificaciones propuestas por los señores Ballesteros, Rodríguez i
Vergara.

### Art. 936

Aprobado.

### Art. 937

El señor Vergara indica que el inciso 2.º autoriza
que se proceda con *intervencion solo de las partes que
comparezcan;* i como puede comparecer una solamente, cree que podria decirse con mas exactitud
«de la parte o partes, etc.»

La Comision aceptó esta agregacion.

### Art. 938

El señor Vergara propone suprimirlo por estimar
impropia de este recurso la cuantía de la multa que
en él se establece.

Asi lo estima tambien el señor Rodríguez, quien
agregó que el Proyecto no impone esta clase de
multas cuando se trata de sentencias en juicios de
mayor cuantía, i que con mayor razon no debiera
imponerse en los juicios de menor cuantía.

La Comision lo juzgó de igual manera i acordó
la supresion propuesta.

El señor Vergara observa que el párrafo 2.º nada
dispone sobre la declaracion de admisibilidad del
recurso que debe hacer el juez *a quo* en los juicios
de mayor cuantía; i debe, por consiguiente, suponerse que en los de menor cuantia el juez debe en

todo caso conceder el recurso sin calificar si reune
las condiciones exijidas por la lei.

Así lo estima tambien la Comision.

## ART. 939

El señór Rodríguez cree que es innecesario en el
número 1.° la palabra «precisamente».

El señor Presidente lo juzga tambien innecesario i agrega que no hai razon para limitar el emplazamiento al demandado sino que debe referirse en
jeneral a todas las partes; propone al efecto, reemplazar el número 1.° por el siguiente:

«Art. 939, inciso 1.°. El emplazamiento hecho en
» la forma establecida por la lei.»

Así se acordó.

En cuanto al número 2.° se reemplazó la frase
*de derecho* por *con arreglo a la lei*, que se estimó mas
propia.

Respecto del 3.°, pregunta el señor Vergara si
comprenderia el caso en que el tribunal se hubier.
negado a recibir la declaracion de algun testigo.

La Comision estima que el caso propuesto está
sin duda incluido en las disposiciones del número
3.° que fué aprobado en esta intelijencia.

Al tratar del número 4.° el señor Ballesteros hace indicacion para que se diga *citacion* en lugar de
*notificacion*, ya que la lei exije no solo notificacion
sino la citacion de la parte contra quien se presenta un documento.

Se acordó aceptar la modificacion indicada.

A peticion del señor Vergara se modificó por
último la redaccion del número 5.°, en los términos
siguientes:

«Art. 979, número 5. La citacion para oir sen-
« tencia definitiva, salvo que la lei no establezca
« este trámite.»

### Arts. 940 i 941

Aprobados.

### Art. 942

Se dejó pendiente para tratar de él cuando se haya aprobado el proyecto de modificacion jeneral propuesto por el señor Ballesteros i el señor Vergara que se ha encargado de estudiarlo con el señor Rodríguez.

### Art. 943

A indicacion del señor Vergara i de acuerdo con la modificacion introducida en el artículo 933, se sustituyó su redaccion por la que sigue:

«Art. 943. La resolucion en que el tribunal *a quo* « declare inadmisible o no interpuesto el recurso « debe ser fundada i es siempre apelable para ante « el tribunal a quien corresponda su conocimiento.»

Se dice *resolucion* en lugar de *providencia* i se establece que la resolucion debe ser fundada, a indicacion del señor Ballesteros.

El mismo señor Senador propuso que se agregara como inciso al artículo 23 del Proyecto del Senado:

«Se estimó, sin embargo, preferible sancionar la omision a que se refiere al artículo indicado, con facultar a la parte contraria para elevar el proceso a costa del recurrente i tomar en consideracion esta idea en el estudio encargado a los señores Rodríguez i Vergara.

### Art. 944

El señor Vergara propuso i la Comision aceptó, reunir en el siguiente inciso los tres del artículo en estudio:

«Si, elevado el proceso en apelacion, encontrare « mérito el tribunal para considerar inadmisible el

« recurso, mandará traer los autos en relacion sobre
« este punto i si lo estimare tambien improcedente
« lo declarará así i devolverá el proceso al tribunal
« inferior para el cumplimiento de la sentencia.»

El señor Osandon agrega que la redaccion acordada salva la duda que ofrece el artículo del Proyecto sobre cuál es el recurso a que se refieren sus
disposiciones i que no puede ser otro que la apelacion de que trata el artículo 943.

## ART. 945

Se aprobó este artículo agregando, a indicacion
del señor Rodríguez, «sin esperar la comparescencia de las partes» como lo establece la lei de nulidades vijente.

## ART. 946

A indicacion del señor Rodríguez i con el objeto
de limitar el término probatorio que este artículo
autoriza, se resolvió modificarlo como sigue:
«Art. 946. Cuando la causa alegada necesitara
« de prueba, el tribunal abrirá para rendirla un tér-
« mino prudencial que no excederá de treinta dias.»

## ART. 947

Se dejó pendiente la discusion de este artículo i
la indicacion del señor Vergara para fijar el término
de emplazamiento que no está determinado en las
otras disposiciones del Proyecto.
Se resolvió, sin embargo, agregar a continuacion
del artículo 947 el siguiente:
«Art. ... Lo dispuesto en los artículos 945 i 946
« se aplicará tambien al caso en que el juez *a quo*
« conceda el recurso.»

## Art. 948

En el número tercero se reemplazó *notificacion* por *citacion*, de acuerdo con la reforma introducida en el artículo 939.

En cuanto al número sesto, el señor Presidente cree que, para evitar dudas, seria conveniente refe‑rir esta disposicion al artículo 169 del Proyecto que determina la forma en que debe hacerse la fijacion de las causas en tabla para su vista, agregando al efecto la frase *en la forma dispuesta por el artículo 169*.

Se deja testimonio de que la Comision entiende que la citacion para sentencia la constituye no solo la notificacion del decreto en relacion sino tambien la fijacion de la causa en la tabla, como se dijo al tratar del artículo 169.

Observa el señor Vergara que el Proyecto auto‑riza, en algunos casos, la recepcion de prueba en segunda instancia, i que con relacion a ellos, este seria sin duda un trámite escencial en dicha instan‑cia. Así lo estima tambien la Comision i acordó, en consecuencia, agregar a continuacion del número 4.º, el siguiente:

«El recibimiento de la causa a prueba o la prác‑
« tica de dilijencias probatorias, cuando proceda
« este trámite en la segunda instancia.»

Entiende, por último, la Comision que las dispo‑siciones del artículo. en estudio se refieren tambien a los árbitros de segunda instancia en cuanto les sean aplicables.

En esta intelijencia se aceptó el artículo con las modificaciones propuestas.

## Art. 949

El señor Presidente recuerda que con las modi‑ficaciones introducidas en el artículo 925, se hace indispensable disponer que la consignacion orde‑

nada en el artículo en estudio, se haga al anunciar que se va a interponer el recurso.

Se aceptó esta indicacion i se modificó, en con secuencia, el inciso 1.º, como sigue:

«Art. 940, inciso 1.º Al anunciarse que va a in-
« terponerse el recurso de casacion, la parte debe-
« rá acompañar certificacion de haber consignado
« en arcas fiscales.»

La Comision estima de toda evidencia que la misma consignacion debe hacerse cuando se interpone el recurso sin haberlo anuciado previamente, pero juzgó innecesario establecerlo así en la lei de una manera espresa.

## ART. 950

A indicacion del señor Ballesteros se acordó reemplazarlo por el artículo 30 del Proyecto del Senado, que dice así:

«Art. 950. Si la cuantía del pleito no fuese de
« fácil o pronta apreciacion, conforme a las reglas
« dadas en la Lei de Organizacion i Atribuciones
« de los Tribunales para fijar la competencia, o si no
« versare sobre materia apreciable en dinero, se
« considerará dicha cuantía, para los efectos del
« artículo precedente, como de ménos de diez mil
« pesos.»

## ART. 951

Se aprobó el artículo agregando solo, a peticion del señor Presidente, *ni los representantes del Fisco,* para el caso en que no estuviere representado por el ministerio público.

## ART. 952

Se dejó pendiente la discusion de este artículo

## Art. 953

A indicacion del señor Vergara i para uniformarlo con las modificaciones introducidas en otros artículos anteriores, se reemplazó por el siguiente:

«Art. 953. La providencia en que la Corte de « Apelaciones declare inadmisible el recurso de « casacion será apelable para ante la Corte Su-« prema.»

## Art. 954

Se modificó su redaccion por la siguiente, que propone el señor Vergara:

«Art. 954. Elevado el proceso en apelacion a « la Corte Suprema, procederá el tribunal en la « forma que determina el artículo 944.»

## Art. 955

El señor Rodríguez cree que podria completarse el inciso tercero, diciendo: «Oida las partes, *o en su rebeldía* pasará el proceso, etc.»

El señor Ballesteros, por su parte, cree que deberia modificarse el inciso 3.º con la agregacion propuesta por el señor Rodríguez; pero tomando tambien en cuenta el siguiente procedimiento.

Cree el señor Senador que debe suprimirse uno de los fiscales de la Corte Suprema i aumentar el número de miembros de la Corte de Casacion i que el dictámen que se pide sobre este recurso debe espedirse por cada uno de los Ministros, segun el turno que fijaria el tribunal.

En cuanto a los fiscales, se suprimirian las vistas que hoi se piden sobre asuntos administrativos i que en adelante se encomendarian àl Consejo de Defensa Fiscal, por ejemplo.

El señor Presidente i la Comision estiman mui ventajosa la reforma i dejaron pendiente su estudio.

### Art. 956

Aprobado.

### Art. 957

A indicacion de los señores Ballesteros i Vergara se acordó reemplazarlo por el que sigue, que redactó el señor Ballesteros:

«Art. 957. Son aplicables a este recurso las dis-
« posiciones de los artículos 946 i 947. Sin embar-
« go, en el recurso de casacion en el fondo no se
« podrán admitir ni decretar de oficio para mejor
« proveer pruebas de ninguna clase que tiendan a
« establecer o esclarecer los hechos controvertidos
« en el juicio en que hubiere recaido la sentencia
« recurrida.»

### Art. 958

A peticion del señor Vergara se acordó suprimir la última parte del artículo, por estimarla comprendida en las disposiciones del 960.

### Art. 959

Aprobado.

### Art. 960

El señor Ballesteros propone, de acuerdo con el señor Rodríguez, reemplazarlo por el artículo 33 del Proyecto del Senado, que dice:

«Art. 960. La cantidad consignada se devolverá
« a la parte siempre que el tribunal case la senten-
« cia o devuelva al proceso sin pronunciarse acer-
« ca de la casacion, ni sobre la admisibilidad del
« recurso, sea por convenio de las partes o por de-
« sistimiento del recurrente. En los demas casos se
« aplicará a beneficio fiscal.»

El señor Vergara, por su parte, cree que debería completarse el artículo con el siguiente:

«Artículo despues del 960.

«Cuando la Corte de Apelaciones conceda el recurso, su tramitacion se sujetará a lo dispuesto en
los artículos 955 i siguientes.»

Se aprobó el artículo con las reformas propuestas por los señores Ballesteros i Vergara.


### ART. 961


El señor Ballesteros considera indispensable establecer el recurso de revision, i propone al efecto
reemplazar el artículo en estudio por el siguiente:

«Art. 961. Debe aceptarse el recurso de revision:

«1.º Cuando habiendo sido pronunciada la sen-
« tencia en virtud de juramento deferido por el juez,
« encuentra despues el vencido documentos con que
« probar su derecho i el perjurio del contendor.

«2.º Cuando la sentencia fuere contraria a las
« leyes de la naturaleza, como si se declara a uno
« hijo de otro menor que él.

«3.º Cuando se comprueba la falsedad de los do-
« cumentos o del dicho de los testigos.

«4.º Cuando el juez ha sido cohechado».

La Comision acordó suprimir el artículo 961 i
dejar pendiente el estudio de las disposiciones propuestas por el señor Ballesteros.

Se levantó la sesion.


GERMAN RIESCO.

*Luis Barriga,*
Secretario.

## SESION 37 EN 4 DE ENERO DE 1902

Se abrió la sesion presidida por S. E. el Presidente de la República i con asistencia de los señores Ossandon, Vergara i el secretario.

Asistieron tambien los señores Ministro i Fiscal de la Corte Suprema don Agustin Rodríguez i don Miguel Luis Valdés.

Se leyó i aprobó el acta anterior.

### ARTS. 963 i 964

Aprobados.

### ARTS. 965 i 966

Fueron tambien aprobados modificando solo su redaccion por la siguiente:

«Art. 965. Los tribunales en estos negocios apre- « ciarán prudencialmente el mérito de las justifica- « ciones i pruebas de cualquiera clase que se pro- « duzcan.»

«Art. 966. Asimismo decretarán de oficio las di- « lijencias informativas que estimen convenientes.»

### ARTS. 967, 968 i 969

Aprobados.

### ART. 970

El señor Valdés observa que el inciso 2.º exije que se mande rendir informacion sumaria siempre que se ordene proceder con conocimiento de causa.

Puede suceder, sin embargo, que basten para suministrar este conocimiento los antecedentes que obren en los autos i en tal caso seria inoficioso rendir la informacion ordenada.

Estimando fundada esta observacion, se acordó modificar el inciso 2.º en la forma indicada por el señor Presidente, que es la que sigue:
«Art. 970. inciso 2.º Si la lei exije este cono-
« cimiento, i los antecedentes acompañados no lo
« suministran, mandará rendir, etc.»

### ART. 971

Se aprobó suprimiendo la palabra *iniciado* por estimarla innecesaria, a indicacion del señor Presidente.

### ARTS. 972 i 973

Aprobados.

### ART. 974

A indicacion del señor Vergara se acordó reemplazar en el inciso 2.º la frase *i la natur ıleza de las copias que se hubieren dado*, por *con espresion del contenido de las copias que se hubieren dado*, que espresa con mas exactitud la idea del artículo.

### ART. 975

Se aprobó el artículo. modificando solo la redaccion del inciso 2.º, como sigue:
«Art. 975, inciso 2.º. El tutor o curador manifes
« tará al tribunal si a su juicio es o no conveniente
« aceptar la lejitimacion, i el tribunal, previo cono-.
« cimiento de causa en la forma que establece el
« inciso 2.º del artículo 997, concederá o denegará
« la autorizacion solicitada, segun fuere de justicia.

### ARTS. 976, 977, 978 i 979

Aprobados.
41-42

## Art. 980

Fué tambien aprobado i sustituyendo la redaccion del inciso 4.º por la siguiente, que propuso el señor Vergara:

«Art. 980, inciso 4.º. Se anunciará a d e m a s la
« audiencia por tres veces en un periódico del lugar
« si lo hubiere, o de la cabecera de la provincia en
« caso contrario, colocándose en todo caso avisos
« en la puerta del tribunal por el término de quince
« dias.»

## Art. 981

El señor Presidente estima que debe dejarse mas libertad al tribunal para determinar las personas que deben informar sobre la habilitacion, suprimiendo al efecto la limitacion que establece la parte final del inciso 1.º. Tiene para ello presente que no siempre los mayores en edad son los que mejor pueden hacerlo.

Conviene tambien precisar el momento en que ha de emitirse el informe, lo que a su juicio debe, hacerse en la misma audiencia a que este artículo se refiere.

Así lo estima tambien la Comision. i acordó, en consecuencia, modificar como sigue el inciso primero:

«Art. 981, inciso 1.º. Concurriendo los parientes
« personalmente o por medio de apoderados legal-
« mente constituidos, elejirá el tribunal cinco de
« ellos para que informen en la misma audiencia
« sobre la habilitacion. En esta eleccion preferirá a
« los ascendientes i a los colaterales mas cercanos.»

## Art. 982

Entiende la Comision que las partes no pueden oponerse a que el tribunal haga uso de la facultad que le confiere el inciso 2.º de este artículo cuyo ejercicio ha sometido el Proyecto a la sola apreciacion del juez.

ARTS. 983, 984 i 985

Aprobados.

ART. 986

Como en el caso del artículo 981 estima la Comision que debia dejarse mas libertad al tribunal en la apreciacion de los informes a que alude la disposicion en estudio i resolvió al efecto modificarlo como sigue:

«Art. 986. Discordando los informes resolverá el « tribunal lo que estime conveniente.»

ART. 987

Aprobado.

ART. 988

Fué tambien aprobado completando la disposicion del inciso 1.º refiriéndolo ademas a los casos en que se confiere la guarda del menor a los demas ascendientes de uno u otro sexo.

ART. 989

Aprobado.

ART. 990

El señor Valdés cree que debe fijarse al menor un plazo para que haga la designacion del curador i apercibirlo con que se hará por el tribunal si no lo hiciere en dicho plazo, que es en realidad el procedimiento sancionado al presente por la práctica de los tribunales.

Aceptada la indicacion del señor **Valdés**, se acordó agregar al inciso 2.º la frase *bajo apercibimiento de que se hará la designacion por el tribunal si no la hiciere en el plazo que al efecto se le fije.*

ART. 991

Aprobado.

ART. 992

A indicacion del señor **Vergara** se acordó agregar el defensor de menores a las personas que pueden pedir el nombramiento del curador a que alude el inciso 2.º i se aprobó, por lo demas, el artículo del proyecto.

ART. 993

Aprobado.

ART. 994

Fué tambien aprobado reemplazando la palabra *sumariamente* por la frase *por medio de una informacion sumaria.*

A indicacion del señor **Vergara** se acordó completar la disposicion en estudio agregando a continuacion el siguiente artículo:

«Art. .. Siempre que el mandatario de un ausen-
« te cuyo paradero se ignora, careciere de faculta-
« des para contestar nuevas demandas, asumirá la
« representacion del ausente el defensor respectivo,
« miéntras el mandatario nombrado obtiene la habi-
« litacion de su propia personería o el nombra-
« miento de otro apoderado especial para este
« efecto.»

ART. 995

Aprobado.

ART. 996

Se aprobó tambien este artículo sustituyendo su redaccion por la que sigue:

«Art. 996. Se sacarán de los bienes del ausente
« las espensas de la litis, así como los fondos nece-
« sarios para dar cumplimiento a los fallos que se
« espidieren en su contra i para cubrir los gastos
« que ocasione la curaduría.»

ARTS. 997 I 998

Aprobados.

ART. 999

Fué tambien aprobado, modificando la redaccion
del inciso 2.º como sigue:
« Art. 999, inciso 2.º El nombramiento recaerá
« en la persona designada por el donante o testa-
« dor, con tal que sea idónea, siempre que hubiere
« de nombrarse curador para la administracion par-
« ticular de bienes donados o asignados por testa-
« mento con la condicion de que no los administre
« el padre, marido o guardador jeneral del donata-
« rio o asignatario.»

ART. 1,000

El señor Valdés propuso agregar a este artículo
la frase *sin perjuicio de la designacion que corresponda
al menor en conformidad a la lei,* para armonizar así
el artículo en estudio con las disposiciones del Código Civil.
La Comision aceptó esta agregacion.

ART. 1,001

Se aprobó el artículo, refundiendo en el siguiente
inciso las disposiciones del 2.º i 3.º:
« Art. 1001, inciso 2.º Encontrando arreglada la
« peticion, el tribunal aprobará el nombramiento i
« mandará discernir el cargo, previa audiencia del
« defensor de menores.»

### ART. 1002

Aprobado.

### ARTS. 1003 i 1004

Fueron tambien aprobados, suprimiéndose la palabra *caucion*, ya que es solo hipoteca la que puede otorgarse en sustitucion de la fianza.

A indicacion del señor Vergara se acordó agregar a continuacion del 1,003, el siguiente artículo:

« Art. ... No están dispensados de la fianza los
« curadores interinos que hayan de durar o hayan
« durado tres meses o mas en el ejercicio de su
« cargo.»

### ART. 1005

Aprobado,

### ART. 1006

La Comision entiende que al tratarse de *tenedor* de los bienes, el artículo se refiere a la persona en cuyo poder se encuentran.

En esta intelijencia se aprobó el artículo del Proyecto.

### ARTS. 1007 i 1008

Aprobados.

### ART. 1009

Las disposiciones de este artículo, a juicio de la Comision, se entienden sin perjuicio de las facultades que confiere a los árbitros el inciso 2.º del artículo 1005.

ARTS. 1010, 1011, 1012, 1013 I 1014

Aprobados.

## ART. 1,015

Fué tambien aprobado modificando su redaccion como sigue:

«La apertura del testamento cerrado se hará en la forma establecida por el artículo 1,025 del Código Civil. Si el testamento se hubiera otorgado ante notario que no sea del último domicilio del testador, podrá ser abierto ante el juez del departamento a que pertenezca dicho notario, por delegacion del juez del domicilio que se espresa. En tal caso, el orijinal se remitirá con las dilijencias de apertura a este juez, i se dejará archivada ademas una copia autorizada en el protocolo del notario que autoriza el testamento.»

ARTS. 1,016, 1,017, 1,018, 1,019 1,020 I 1,021

Aprobados.

## ART. 1,022

Fué tambien aprobado, agregándole que debe procederse con citacion del ministerio público en el caso previsto en la última parte del inciso 1.º

## ART. 1,023

Aprobado.

## ART. 1,024

A indicacion del señor Vergara se acordó suprimir el inciso 2.º por ser innecesario, supuesta la disposicion jeneral del artículo 964.

ARTS. 1,025 i 1,027

Aprobados.

ART. 1,022

Se acordó suprimirlo por estimar que no es bastante a comprobar el estado civil aun para los efectos de este artículo el reconocimiento recíproco de las partes en el juicio de compromiso.

ART. 1,028

Se aprobó este artículo estableciendo que será título suficiente, con arreglo al inciso 2.º, la copia autorizada de la sentencia.

ARTS. 1,029, 1,031, 1,032 i 1033

Aprobados.

ART. 1,034

El señor Vergara observa que con arreglo al inciso 1.º solo el donante puede pedir la insinuacion de la donacion, siendo que, con arreglo a la lei, puede tambien solicitarla el donatario.

Propuso, en consecuencia, i lo aceptó la Comision, modificar el inciso 1.º como sigue:

«Art. 1,034, inciso 1.º El que pidiere autoriza-
« cion para una donacion que debe insinuarse, etc.

ART. 1,035

Se aprobó sustituyendo por el artículo 1,401 del Código Civil la cita del 1,041 que se ha hecho por error de copia.

### ARTS. 1,036, 1,037 i 1,038,

Aprobados.

Para completar las disposiciones de este Título, resolvió agregar a continuacion del 1,038, el siguiente artículo, propuesto por el señor Vergara:

«Art. ... Se observarán tambien en la venta vo-
« luntaria en pública subasta las disposiciónes de
« los artículos 514, 515, 516 i 517; pero la escritura
« definitiva de compra-venta será suscrita por el
« rematante i por el propietario de los bienes o su
« representante legal, si fuere incapaz.»

### ART. 1,039

Aprobado.

### ART. 1,040

Fué tambien aprobado, suprimiéndole la referencia al artículo 50, por estar prevista en las reglas jenerales la forma en que debe practicarse la notificacion a que alude el artículo en estudio.

### ARTS. 1,041, 1,042, 1,043, 1,044 i 1,045

Aprobados.

### ART. 1,046

Fué tambien aprobado, suprimiendo la frase *en acto no contencioso*, ya que solo de éstos trata el libro IV del Proyecto.

### ART. 1,047

Se aprobó, modificando solo su redaccion, como sigue:

«Art. 1,047. Reclamado este derecho, el tribunal
« llamará por medio de un edicto que se fijará por

« treinta dias en el oficio del secretario i se inser-
« tará por tres veces, de ocho en ocho dias, en un
« periódico del departamento si lo hubiere, o de la
« cabecera de la provincia, en el caso contrario, a
« los que se crean llamados al goce del censo, a fin
« de que hagan uso de su derecho.»

### Art. 1,048

A indicacion del señor Vergara se resolvió suprimir el plazo de diez dias establecido en el inciso 1.º

Se reemplazó, asimismo, a propuesta del señor
Presidente, el *conocimiento* por la *citacion* del ministerio público.

### Art. 1,049

Se aprobó, reemplazando su redaccion por la siguiente:

«Art. 1,049. Comprobada la constitucion del cen-
« so i no presentándose contradictor (lo que cer-
« tificará ántes del último decreto el secretario),
« el tribunal declarará el derecho del compare-
« ciente, si acreditare los requisitos establecidos
« en el artículo mil setenta i nueve.»

### Art. 1,050

Fué tambien aprobado, reemplazando por *citacion*
el *conocimiento* exijido en el número 4.º, i sustituyendo la redaccion de los números 2.º i 7.º por la
siguiente:

«2.º En la solicitud de oposicion fundará su de-
« recho el que la presente.»

«7.º Terminada la prueba, cada parte tendrá el
« plazc de seis dias para presentar su alegato, lo
« que hará en el órden en que hayan comparecido
« al juicio.»

### Arts. 1,053, 1,054 i 1,055

Aprobados.

### Art. 1,056

Se aprobó tambien este artículo, sustituyendo el *conocimiento* que exije el inciso 1.º por *citacion*, comó se ha hecho en artículos anteriores,

### Arts. 1,057 i 1,058

Aprobados,

### Art. 1,059

Se sustituyó por el número 5.º del artículo 10 de la Constitucion la cita que por error de copia se ha hecho en este artículo, que fué tambien aprobado.

### Art. 1,060

Aprobados.

### Art, 1,061

Se produjo a su respecto una lijera discusion sobre los derechos que pueden ejercitar ademas del propietario, el arrendatario, el usufructuario etc., i cualquiera otra persona a quien pueda perjudicar la espropiacion; en el curso de la cual se hizo indicacion para suprimir la frase *al propietario.* Se resolvió sin embargo mantenerla, porque como lo observa el señor Urrutia, el usufructuario, el arrendatario etc., tienen tambien la propiedad de sus respectivos derechos.

### Arts. 1,062, 1,063, 1,064, 1,065 i 1,066

Aprobados.

### ART. 1,067

Fué tambien aprobado, suprimiéndola por inne·
cesaria la palabra precisamente en el inciso 2.º, i
sustituyendo por *inciso* la palabra *artículo* puesta
por error de copia.

### ART. 1,068

Se aprobó tambien este artículo, estableciendo
que se tramitarán como incidente las peticiones a
que él se refiere.

### ART. 1,069

Aprobado.

### ART. 187

Se acordó completar la disposicion de este ar·
tículo, ordenando que en cadà sentencia de los tribu·
nales colejiados se esprese el nombre del miembro
que la haya redactado.

Se levantó la sesion.

GERMAN RIESCO,

*Luis Barriga,*
Secretario,

## SESION 38 EN 7 DE ENERO DE 1902

Se abrió la sesion presidida por S. E. el Presiden·
te de la República i con asistencia de los señores
Bañados, Ossandon, i el secretario.

Asistieron tambien los señores Agustin Rodríguez
i Miguel Luis Valdés.

Se leyó i aprobó el acta anterior.

Arts. 901, 902 i 903

Se trató nuevamente de estos artículos i de las indicaciones formuladas a su respecto en las sesiones anteriores.

El señor Valdés, que se habia encargado de estudiarlas, propuso en reemplazo de los dos primeros, los siguientes:

« Art. 901. Los juicios de minas, entendiéndose
« por tales aquellos en que se ventilen derechos re-
« jidos especialmente por el Código de Minería, se
« sustanciarán conforme a los trámites establecidos
« para los de comercio en el párrafo 1.º del título
« de este libro

« Art. 902. Se someterán al procedimiento su-
« mario establecido en el Título XIII del presente
« Código:

«Primero. Las cuestiones relativas a la constitúcion i ejercicio de las servidumbres que reconociere la lei en favor de las minas i establecimientos de beneficio, i a las indemnizaciones consiguientes;

«Segundo. Las que se susciten con motivo del ejercicio del derecho que los mineros colindantes tienen para visitar las minas vecinas i para obtener la suspension provisional de los trabajos i fijacion de sellos en las labores internadas; i

«Tercero. Los que se refieran al ejercicio de la administracion de la mina por el acreedor ejecutante a quien se le hubiere entregado en prenda pretoria.»

La Comision aceptó los artículos propuestos i aprobó el 903 en los términos del Proyecto.

Se levantó la sesion.

GERMAN RIESCO.

*Luis Barriga,*
Secretario.

## SESION 39 EN 9 DE ENERO DE 1902

Se abrió la sesion presidida por S. E. el Presidente de la República i con asistencia de los señores Ballesteros, Bañados Espinosa, Richard, Vergara i el secretario.

Concurrieron tambien los señores don Agustin Rodríguez i don Miguel Luis Valdés, Ministro i Fiscal respectivamente de la Corte Suprema.

## TITULO XIX, LIBRO III

Los señores Rodríguez i Vergara manifestaron que en cumplimiento del encargo que se les habia dado en una de las sesiones anteriores, habian procedido a redactar el título referente al recurso de casacion, tomando por base el proyecto del Ejecutivo i teniendo ademas presente el del Senado i las diversas indicaciones aprobadas por la Comision.

Respecto del órden de las materias han mantenido la division en cuatro párrafos; pero colocando en el primero todas las disposiciones de carácter jeneral i en los otros tres las disposiciones especiales al recurso, segun cual fuera la naturaleza del juicio en que hubiera recaido la sentencia objeto de él.

En las disposiciones jenerales se ha procurado seguir el órden lójico de las ideas. Despues de definir el recurso, de establecer los casos en que lo acuerda la lei i las sentencias contra las cuales puede tener lugar, se indica la forma en que el recurso debe interponerse, quién puede deducirlo i ante qué tribunal, el efecto inmediato de la interposicion del recurso en órden a la ejecucion de la sentencia, los requisitos que deben concurrir en él para que el juez *a quo* lo conceda, la remision del proceso al superior, el emplazamiento de las partes, la vista de la causa i, por último, los efectos de la sentencia, segun sea que se dé o no lugar al recurso.

Para poder dar esta forma al párrafo primero se han colocado en él varios artículos, que en el proyecto figuran en los otros párrafos, i se han agregado algunos nuevos, tomando en cuenta los acuerdos de la Comision.

En las disposiciones especiales del recurso de casacion contra sentencias pronunciadas en juicios de menor cuantía, se simplifican los trámites en atencion a la cuantía de estos juicios i en los párrafos tercero i cuarto, despues de enumerar las dilijencias que se consideran esenciales en la única, en la primera i en la segunda instancia de los juicios de mayor cuantia, se determina la forma en que el tribunal superior conoce del negocio i lo relativo a la consignacion que debe hacerse cuando se solicíte la casacion de una sentencia de segunda instancia, pronunciada en juicios de mayor cuantía.

El proyecto presentado por los señores Rodríguez i Vergara es el siguiente. Los números colocados entre paréntisis son los del proyecto del Ejecutivo:

# TÍTULO XIX

## De los recursos de Casacion

### § I

#### DISPOSICIONES JENERALES

Artículo primero (918). El recurso de casacion se concede para invalidar una sentencia en los casos espresamente señalados por la lei.

Art. 2.º (919). El recurso de casacion es de dos especies: de casacion en el *fondo* i de casacion en la *fórma.*

Es de casacion en el fondo en el caso del artículo 4.º (920).

Es de casacion en la forma en los casos del artículo 5.º (922).

Art. 3.º (921). En jeneral, solo se concede el recurso de casacion contra las sentencias definitivas.

Se concede contra las interlocutorias, cuando ponen término al juicio o hacen imposible su continuacion.

Art. 4.º (920 i 923). El recurso de casacion en el fondo tiene lugar contra sentencia pronunciada con infraccion de lei, siempre que esta infraccion haya influido sustancialmente en lo dispositivo de la sentencia.

Solo se concederá este recurso contra las sentencias inapelables de las Cortes de Apelaciones o de un tribunal arbitral de segunda instancia constituido por árbitros de derecho.

Art. 5.º (922). El recurso de casacion en la forma ha de fundarse precisamente en alguna de las causas siguientes:

1.ª En haber sido la sentencia pronunciada por un tribunal incompetente o integrado en contravencion a lo dispuesto por la lei;

2.ª En haber sido pronunciada por un juez o con la concurrencia de un juez legalmente implicado, o cuya recusacion estuviere pendiente o hubiere sido declarada por tribunal competente;

3.ª En haber sido acordada en los tribunales colejiados por menor número de votos o pronunciada por menor número de jueces que el requerido por la lei, o con la concurrencia de jueces que no asistieron a la vista de la causa, i vice-versa;

4.ª En haber sido dada *ultra petita*, esto es, otorgando mas de lo pedido por las partes o estendiéndola a puntos no sometidos a la decision del tribunal, sin perjuicio de la facultad que éste tenga para fallar de oficio en los casos determinados por la lei;

5.ª En haber los árbitros dictado sentencia fuera del plazo señalado en el compromiso o en la lei, o

resuelto puntos no sometidos a su decision, sin perjuicio de los demas medios legales que competan a
las partes para invalidar o hacer ineficaz la resolucion arbitral;

6.ª En haber sido pronunciada con omision de
cualquiera de los requisitos enumerados en el artículo 192;

7.ª En haber sido dada contra otra, pasada. en
autoridad de cosa juzgada, siempre que ésta se hubiere alegado oportunamente en el juicio;

8.ª En contener decisiones contradictorias;

9.ª En haber sido dada en una apélacion legalmente declarada desierta, prescrita o desistida;

10. En haberse pronunciado con infraccion de
algun trámite o dilijencia declarados esenciales
por la lei; i

11. En haberse faltado a cualquier otro requisito
por cuyo defecto las leyes prevengan espresamente
que hai nulidad.

Art. 6.º (6 del Senado). El recurso de casacion
en la forma se concede, por escepcion, contra las
sentencias interlocutorias cuando en la segunda
instancia se dictasen sin previo emplazamiento de
la parte agraviada, o sin señalar dia para la vista
de la causa.

Art. 7.º (925). El que intente interponer el recurso deberá anunciarlo al tribunal que ha pronunciado la sentencia, en el término de cinco dias.

Hecho este anuncio, tendrá el recurrente el plazo
de otros cinco dias para formalizar el recurso de
casacion en la forma i de otros diez para formalizar el recurso de casacion en el fondo.

Si no se anunciare o no se formalizare el recurso
en los plazos indicados, la sentencia quedará firme.

La cuarta parte de la suma que debe consignarse, segun el artículo 35 (949), se aplicará a beneficio
fiscal si la parte que hubiera anunciado el recurso
no lo formalizare en el término legal.

Art. 8.º (926). El recurso debe interponerse por
la parte agraviada ante el tribunal que hubiere pro-

43.44

nunciado la sentencia que se trata de invalidar i
para ante aquél a quien corresponde conocer de él
conforme a la lei.

Art. 9.º (941). En el escrito en que se interponga el recurso se hará mencion espresa i determinada del vicio o defecto en que se funda, de la lei o
leyes infrinjidas i de la que concede el recurso por
la causal que se invoca.

Art. 10 (924). Para que pueda ser admitido el
recurso de casacion en la forma, es indispensable
que el que lo entabla haya reclamado la subsanacion de la falta, ejerciendo oportunamente i en todos sus grados los recursos establecidos por la lei.

No es necesaria esta reclamacion cuando la lei
no admite recurso alguno contra la resolucion en
que se haya cometido la falta, ni cuando ésta haya
tenido lugar en el pronunciamiento mismo de la
sentencia que se trata de casar, ni cuando dicha
falta hubiere llegado al conocimiento de la parte
despues de pronunciada la sentencia.

La reclamacion a que se refiere el inciso 1.º de
este artículo deberá hacerse por la parte o su abogado ántes de verse la causa, en el caso del número
1.º del artículo 5.º (922).

Art: 11 (929). El recurso de casacion suspende la
ejecucion de la sentencia, escepto en los casos siguientes:

1.º Cuando se interpusiere por el demandado
contra la sentencia definitiva pronunciada en el
juicio ejecutivo, en los juicios posesorios, en los de
desahucio i en los de alimentos; i

2.º Cuando la parte favorecida por el fallo diere
fianza de resultas a satisfaccion del tribunal que
haya dictado la sentencia recurrida, siempre que de
otorgarse libremente el recurso quedara dicha sentencia de hecho eludida o retardada con grave
daño en su ejecucion i en sus efectos.

Art. 12 (927). Interpuesto el recurso, no puede
hacerse en él variacion de ningun jénero.

Por consiguiente, aun cuando en el progreso del

recurso se descubra alguna nueva causa en que hubiera podido fundarse, la sentencia recaerá únicamente sobre las alegadas en tiempo i forma.

Art. 13 (928). No obstante lo dispuesto en el artículo anterior, los tribunales de alzada, conociendo por vía de apelacion o de casacion, pueden invalidar de oficio las sentencias cuando aparece de manifiesto en ellas alguna de las causas que dan lugar a la casacion en la forma.

Art. 14 (942). Deducido el recurso, el tribunal *a quo* examinará si concurren en él las circunstancias siguientes:

1.ª Si la sentencia recurrida es de aquellas contra las cuales lo concede la lei;

2.ª Si se ha interpuesto en tiempo;

3.ª Si se hace mencion espresa i determinada de la causa en que se funda;

4.ª Si la causa espresada es de las señaladas por la lei; i

5.ª Si se ha hecho debidamente la reclamacion de que trata el artículo 10 (924).

Art. 15 (942). Concurriendo las circunstancias indicadas en el artículo anterior, el tribunal concederá el recurso i remitirá el proceso orijinal al tribunal que corresponda, al dia siguiente hábil despues de la última notificacion.

En el caso en que deba procederse a la ejecucion de la sentencia con arreglo a lo que establece el artículo 11 (929), se observará lo dispuesto en el artículo 219.

Art. 16. Si el recurrente no franqueare la remision del proceso, podrá pedirse al tribunal que se le requiera para ello, bajo apercibimiento de declararse el recurso no interpuesto.

Art. 17 (943 i 953). Cuando el tribunal *a quo* estimare que no concurren en el recurso las circunstancias enumeradas en el artículo 12 (942), lo declarará inadmisible.

Esta resolucion es siempre apelable.

Art. 18 (944 i 954). Si. elevado el proceso en apelacion, encontrare mérito el tribunal para considerar inadmisible el recurso, mandará traer los autos en relacion sobre este punto i si lo estimare tambien improcedente lo declarará así i devolverá el proceso al tribunal inferior para el cumplimiento de la sentencia.

Art. 19. Es aplicable al recurso de casacion lo dispuesto en el artículo 222, i trascurrido el término de emplazamiento lo tramitará i fallará el tribunal superior sin esperar la comparescencia de las partes.

Art. 20 (959). En la vista de la causa se observarán las reglas establecidas para las apelaciones.

Art. 21. El recurso de casacion se sujetará ademas a las disposiciones especiales de los párrafos segundo, tercero i cuarto de este título, segun sea la naturaleza del juicio en que se haya pronunciado la sentencia recurrida.

Art. 22 (930). Cuando la Corte Suprema 'invalidare una sentencia por casacion en el fondo, dictará acto continuo i sin nueva vista, pero separadamente, sobre la cuestion materia del juicio, la sentencia que crea conforme a la lei i al mérito de los hechos, tales como se han dado por establecidos en el fallo recurrido.

Art. 23 (931). En los casos de casacion en la forma, la misma sentencia que declare la casacion determinará el estado en que queda el proceso, el cual se remitirá para su conocimiento al tribunal correspondiente.

Este tribunal es aquel a quien tocaria conocer del negocio en caso de recusacion del juez o jueces que pronunciaron la sentencia casada.

Art. 24 (932). Siempre que se declare inadmisible o sin lugar el recurso de casacion se condenará en costas al litigante que lo hubiere interpuesto.

## § II

DISPOSICIONES ESPECIALES DEL RECURSO DE CASACION CONTRA SENTENCIAS PRONUNCIADAS EN JUICIOS DE MENOR CUANTÍA.

Art. 25 (933). En los juicios de menor cuantía solo hai lugar al recurso de casacion en la forma, en los casos de los números 1.º, 2.º, 4.º, 7.º, 10 i 11 del artículo 5.º (922).

Art. 26 (934). Es estos juicios tan solo se considerarán dilijencias o trámites esenciales, el emplazamiento del demandado en la forma prescrita por la lei para que conteste la demanda, el acta en que deben consignarse las peticiones de las partes i el emplazamiento de las mismas para que ocurran ante el tribunal de segunda instancia a seguir el recurso de apelacion, cuando se hubiere interpuesto i procediere.

Art. 27 (935). El recurso se interpondrá verbalmente o por escrito i solo se hará mencion espresa de la causa en que se funde. Si se interpusiera verbalmente se dejará de ella testimonio en una acta que firmarán el juez i el concurrente.

Art. 28 (936). El término de emplazamiento será, en estos juicios, de diez dias i el tribunal *a quo* remitirá el proceso al superior sin calificar la admisibilidad del recurso.

Art. 29 (937). La casacion se sustanciará en la misma forma que la apelacion.

Si la causal alegada necesitare probarse, se abrirá un término con tal objeto i se rendirá la prueba segun las reglas establecidas para los incidentes en los juicios de que conoce el tribunal ante quien se sigue el recurso, procediéndose con intervencion solo de la parte o partes que comparezcan. El fallo que ordena la prueba se publicará por medio de carteles fijados en la puerta del tribunal durante cinco dias o lo ménos.

## § III

DISPOSICIONES ESPECIALES DE LOS RECURSOS DE CASACION CONTRA SENTENCIAS PRONUNCIADAS EN PRIMERA O EN ÚNICA INSTANCIA EN JUICIOS DE MAYOR CUANTÍA.

Art. 30 (939). En jeneral, son trámites o dilijencias esenciales en la primera o en la única instancia en los juicios de mayor cuantía:

1.º El emplazamiento de las partes en la forma prescrita por la lei;

2.º El recibimiento de la causa a prueba cuando procediere con arreglo a la lei;

3.º La práctica de dilijencias probatorias cuya omision podria producir indefension;

4.º La agregacion de los instrumentos presentados por las partes i la citacion de aquella contra quien se presenten;

5.º La citacion para alguna dilijencia de prueba; i

6.º La citacion para oir sentencia definitiva, salvo que la lei no establezca este trámite.

Art. 31 (940). En los juicios de mayor cuantía seguidos ante arbitradores son trámites esenciales los que las partes espresen en el acto constitutivo del compromiso, i, si nada hubieren ellas espresado acerca de esto, solo los comprendidos en los números 1.º i 4.º del articulo precedente.

Art. 32 (945). Elevado el proceso o encontrando el tribunal admisible el recurso en el caso del articulo 18, mandará que se traigan sobre él los autos en relacion.

Art. 33 (946). Cuando la causa alegada necesitare de prueba, el tribunal abrirá para rendirla un término prudencial que no exceda de treinta dias.

## § IV

DISPOSICIONES ESPECIALES DE LOS RECURSOS DE CASACION
CONTRA SENTENCIAS PRONUNCIADAS EN SEGUNDA INSTAN-
CIA EN JUICIOS DE MAYOR CUANTÍA.

Art. 34 (948). Son trámites o dilijencias esenciales en la segunda instancia de los juicios de mayor
cuantía:

1.º El emplazamiento de las partes, hecho ántes
de que el superior conozca del recurso;

2.º La espresion de agravios i su contestacion,
cuando segun la lei deba tener lugar este trámite;

3.º La agregacion de instrumentos presentados
por las partes en tiempo hábil i la citacion de la
parte contra la cual se presentaren;

4.º La contestacion al escrito de adhesion a la
apelacion deducida en tiempo i forma;

5.º La citacion para oir sentencia definitiva;

6.º La fijacion de la causa en tabla para su vista
en los tribunales colejiados, en la forma indicada
en el artículo 169.

7.º Los indicados en los números 2.º, 3.º, 4.º i 5.º
del articulo 30 (939) cuando en la segunda instancia proceda el trámite de recibir la causa a prueba.

Art, 35 (949). Al anunciar que se va a interponer
el recurso de casacion contra sentencia de segunda instancia, es menester que se acompañe certificacion de haberse consignado en arcas fiscales:

Si la casacion fuere en el fondo, ciento cincuenta
pesos, no excediendo de diez mil pesos la cuantía
del juicio, i trescientos pesos cuando exceda de dicha suma.

Si la casacion fuere en la forma, cien pesos cuando la cuantía del juicio no pase de diez mil pesos,
i doscientos pesos, si excede de ellos.

Si se interpusieren conjuntamente los recursos
de casacion en el fondo i en la forma, se consignará una cantidad equivalente a toda la consignacion

exijida para el primero, mas la tercera parte de la del segundo.

Art. 36 (950). Si la cuantía del pleito no fuese de fácil o pronta apreciacion, conforme a las reglas dadas en la Lei de Organizacion i Atribuciones de los Tribunales para fijar la competencia, o si no versare sobre materia apreciable en dinero, se considerará dicha cuantía, para los efectos del artícu lo precedente, como de ménos de diez mil pesos.

Art. 37 (951). Ni los oficiales del ministerio público, ni los representantes del Fisco, ni los defensores públicos, ni los que gozan del beneficio de pobreza estarán obligados a hacer consignacion alguna para interponer recurso de casacion.

Art. 38 (952). En estos juicios el tribunal *a quo* examinará si concurre en el recurso, a mas de las circunstancias indicadas en el artículo 14 (942), la de haberse hecho la consignacion a que se refieren los artículos precedentes.

Art. 39 (955). Elevado el proceso o encontrando el tribunal superior admisible el recurso en el caso del artículo 18 i siendo éste de casacion en el fondo, se entregará por diez dias el proceso a la parte o partes que lo hubieren interpuesto, a fin de que por su órden lo funden por escrito.

De este escrito se comunicará traslado tambien por el término de diez dias al contendor o contendores.

Oidas las partes, o en su rebeldía, se pasará el proceso en estudio a uno de los ministros del tribunal, segun el turno que éste acordare, a fin de que en el término de quince dias emita su dictámen, por escrito, sobre el fondo del negocio.

Evacuado este trámite, mandará el tribunal que se traigan los autos a la vista con citacion de las partes que hubieren comparecido.

Art. 40 (956). Cuando el recurso fuere de casacion en la forma, dispondrá el tribunal que se traigan los autos en relacion.

Art. 41 (957). En el recurso de casacion en el

fondo no se podrán admitir ni decretar de oficio para mejor proveer pruebas de ninguna clase que tiendan a establecer o esclarecer los hechos controvertidos en el juicio en que hubiere recaido la sentencia recurrida.

Si la casacion fuere en la forma, tendrá lugar lo dispuesto en el artículo 31 (946).

Art. 42 (958). Si se interpusiere conjuntamente recurso de casacion en el fondo i recurso de casacion en la forma, se resolverá previamente el segundo; i si se diere lugar a él, se tendrá como no interpuesto el primero.

Art. 43 (960). La cantidad consignada se devolverá a la parte siempre que el tribunal case la sentencia o devuelva el proceso sin pronunciarse acerca de la casacion, sea por convenio de las partes o por desistimiento del recurrente. En los demas casos se aplicará a beneficio fiscal.

En el caso del inciso final del artículo 35 (949) se entenderá haberse hecho dos consignaciones, una íntegra para el recurso de casacion en el fondo, la otra parcial para el de casacion en la forma; i se devolverán a la parte o se aplicarán a beneficio fiscal las cantidades consignadas en conformidad a lo dispuesto en el inciso precedente.

Aprobado en jeneral el proyecto, se hicieron algunas observaciones respecto de las cuales se tomaron los siguientes acuerdos:

En el artículo 2.º (919) se establece que el recurso es de casacion en el fondo en el caso i no en los casos del artículo 4.º (920), puesto que solo procede contra sentencia pronunciada con infraccion de lei, cualquiera que sea la naturaleza de la lei infrinjida.

Respecto del inciso 2.º del artículo 4.º (920 i 923), el señor Valdés hizo presente que, al conceder el recurso contra las sentencias inapelables de un tribunal arbitral de segunda instancia constituido por árbitros de derecho, no se habia tenido, sin duda, el propósito de concederlo sino en el caso de que este tribunal hubiera fallado una causa cuyo conocimiento en segunda instancia habria correspondido, conforme a la lei, a la Corte de Apelaciones, en el supuesto en que no se hubiera constituido dicho tribunal arbitral. La Comision acordó, en consecuencia, agregar a dicho inciso la frase siguiente: *en los casos en que dichos árbitros hubieran conocido de negocios de la competencia de dichas Cortes.*

El señor Vergara hizo presente que, agregando al artículo 5.º (922) la causal segunda propuesta por el señor Rodríguez, podria creerse talvez que las demas causas enumeradas en ese artículo no eran aplicables a las sentencias pronunciadas por los árbitros i que dicha causal se encontraba comprendida en otras del mismo artículo, puesto que si hubieran dictado sentencia fuera del plazo señalado en el compromiso o en la lei, habrian fallado con manifiesta incompetencia (causal primera del artículo 5.º) i si la hubieran estendido a puntos no sometidos a su decision, el fallo habria sido dado *ultra petita* (causal cuarta del artículo 5.º—922).

En vista de estas observaciones se acordó suprimir la causal quinta, en la intelijencia de que ella se encuentra comprendida en las causales primera i cuarta.

El señor Vergara hizo indicacion para refundir las causales décima i undécima en la siguiente:

«En haberse faltado a algun trámite o dilijencia
« declarados esenciales por la lei o cualquier otro
« requisito por cuyo defecto las leyes prevengan
« espresamente que hai nulidad.»

Se aceptó esta redaccion, teniendo presente que no altera en nada la idea del Proyecto, espresándola con mas propiedad.

A indicacion del señor Valdés se acordó agregar al número 5.º del artículo 14 (942) la siguiente frase: *en su caso,* para indicar que solo es precisa esta circunstancia cuando se trata del recurso de casacion en la forma.

Art. 29. (937) El señor Presidente observó que

para evitar dudas era conveniente agregar en el primer inciso la frase, *en estos juicios*; suprimir por innecesaria, en el inciso 2.º, la frase *en los juicios de que conoce el tribunal ante quien se sigue el recurso*, i cambiar en el párrafo 2.º del mismo inciso, *el fallo que ordena la prueba* por el *auto de prueba*, con el objeto de espresar la misma idea con mas propiedad.

La Comision aceptó estas indicaciones.

Art. 34 (948) Para uniformarlo con el artículo 3.º (939) se acordó agregarle al principio del inciso 1.º la frase, *en jeneral.*

Art. 39 (955). Sin alterar la idea contenida en el inciso 1.º, se acordó modificar su redaccion en los términos siguientes:

«Elevado el proceso o encontrando el tribunal « superior admisible el recurso en el caso del ar- « tículo 18 i siendo éste de casacion en el fondo, se « entregará por diez dias el proceso a la parte o « partes que hubieren interpuesto dicho recurso a « fin de que, por su órden, lo funden por escrito.»

A indicacion del señor Presidente se acordó suprimir en el inciso 3.º la frase *sobre el fondo del negocio.* i terminarlo con la siguiente: *en el término de quince dias dictamine por escrito.*

El mismo señor Presidente manifestó que el Ministro que hubiere dictaminado no debia concurrir a la vista de la causa ni tomar parte en el acuerdo de la sentencia. Así lo estimó tambien la Comision i resolvió agregar un inciso que espresara esta idea.

Con el fin de armonizar la disposicion contenida en el inciso primero del artículo 43 (960) con la del inciso 4.º del artículo 7 (925) se acordó modificar su redaccion en el sentido de que se aplicará al Fisco la cuarta parte del depósito en el caso de que el tribunal devuelva el proceso sin pronunciarse acerca de la casacion, sea por convenio de las partes o por desistimiento del recurrente.

Por último, se deja testimonio de que en el proyecto de la sub-Comision se suprime el segundo trámite de la admisibilidad del recurso ante el tribunal *ad-quem*, por considerarlo innecesario, puesto que se otorga el recurso de apelacion contra la resolucion adversa del juez *a quo* i, estando ademas taxativamente determinadas las circunstancias que deben concurrir en aquél, basta la calificacion que de ellas debe hacer dicho funcionario.

Se aprobó, en seguida, con lijeras modificaciones el Título II. del Libro IV, cuya redaccion se habia encomendado al señor Vergara i que trata de la habilitacion para comparecer en juicio.

El señor Ballesteros presentó el proyecto sobre el recurso de revision, acordándose aceptarlo i modificar en parte su redaccion a fin de contemplar en él las siguientes ideas fundamentales:

Que el recurso solo pueda interponerse dentro del año siguiente a la última notificacion de la sentencia que se trata de rever;

Que la tramitacion del recurso se suspenda si no se hubiere aun fallado el juicio que se hubiera interpuesto para comprobar la falsedad de los documentos, el perjurio de los testigos etc., etc., debiendo continuarse inmediatamente despues que se diere sentencia en dicho juicio; i que el tribunal superior en la sentencia que dé lugar al recurso, esprese si hai lugar o no a seguir un nuevo juicio i en el primer caso determine el estado en que queda el proceso para que lo sustancie i falle nuevamente el tribunal de que proceda.

De acuerdo con estas ideas, se aprobó el Proyecto en la forma siguiente:

### Del recurso de revision

Art. . . . La Corte Suprema de Justicia podrá re-
« ver una sentencia firme en los casos siguientes:

«1.º Si se hubiere fundado en documentos decla-
« rados falsos por sentencia ejecutoriada, dictada
« con posterioridad a la sentencia que se trata de
« rever;

«2.° Si, pronunciada en virtud de prueba de tes-
« tigos, hubiesen sido éstos condenados por falso
« testimonio, dado en las declaraciones que sirvie-
« ron de fundamento a la sentencia;

«3.° Si la sentencia firme se hubiere ganado in-
« justamente en virtud de cohecho, violencia u otra
« maquinacion fraudulenta, cuya existencia hubie-
« re sido declarada por sentencia de término; i

«4.° Si se hubiere pronunciado contra otra pa-
« sada en autoridad de cosa juzgada i que no se
« alegó en el juicio en que la sentencia firme re-
« cayó.

«Art. ... El recurso de revision solo podrá in-
« terponerse dentro de un año contado desde la
« fecha de la última notificacion de la sentencia
« objeto del recurso.

«Si se presentare pasado este plazo, se rechaza-
« rá de plano.

«Sin embargo, si al terminar el año no se hubie-
« re aun fallado el juicio dirijido a comprobar la
« falsedad de los documentos, el perjurio de los
« testigos, o el cohecho, violencia u otra maquina-
« cion fraudulenta a que se refiere el artículo ante-
« rior, bastará que el recurso se interponga dentro
« de aquel plazo, haciéndose presente en él esta
« circunstancia debiendo proseguirse inmediata-
« mente despues de obtenerse sentencia firme en
« dicho juicio.»

«Art. ... El recurrente acompañará, junto con
« el escrito en que dedujere el recurso, un docu-
« mento justificativo de haber consignado en arcas
« fiscales una suma igual a la que se exije para
« entablar el recurso, de casacion en el fondo, a
« ménos de encontrarse en alguno de los casos in-
« dicados en el artículo novecientos setenta i
« cinco.

« Esta suma se devolverá al recurrente o se apli-
« cará a beneficio fiscal, en conformidad a lo dis-
« puesto en el artículo novecientos ochenta i uno.

«Art. ... Presentado el recurso, el tribunal orde-

« nará que se traigan a la vista todos los antece-
« dentes del juicio en que recayó la sentencia im-
« pugnada i citará a las personas a quienes afecte
« dicha sentencia para que comparezcan en el tér-,
« mino de emplazamiento a hacer valer su derecho.

«Los trámites posteriores al vencimiento de este
« término se seguirán conforme a lo establecido
« para la sustanciacion de los incidentes, oyéndose
« al ministerio público ántes de la vista de la causa.

«Art. ... Por la interposicion de este recurso no
« se suspenderá la ejecucion de la sentencia im-
« pugnada.

«Podrá, sin embargo, el tribunal, en vista de las
« circunstancias, a peticion del recurrente, i oido
« el ministerio público, ordenar que se suspenda la
« ejecucion de la sentencia, siempre que aquél diere
« fianza bastante para satisfacer el valor de lo liti-
« gado i los perjuicios que se causen con la ineje-
« cucion de la sentencia, para el caso de que el
« recurso fuere desestimado.

«Art. ... Si el tribunal estimare procedente la
« revision por haberse comprobado, con arreglo a
« la lei, los hechos en que se funda, lo declarará
« así, i anulará en todo o en parte la sentencia im-
« pugnada.

«En la misma sentencia que acepte el recurso de
« revision, declarará el tribunal si debe o no seguirse
« nuevo juicio. En el primer caso determinará ade-
« mas el estado en que queda el proceso, el cual se
« remitirá para su conocimiento al tribunal de que
« proceda.

«Servirán de base al nuevo juicio las declaracio-
« nes que se hubieren hecho en el recurso de revi-
« sion, las cuales no podrán ser ya discutidas.

«Art. .... Cuando el recurso de revision se decla-
« re improcedente, se condenará en las costas del
« juicio al que lo hubiere promovido i se ordenará
« que sean devueltos al tribunal que corresponda
« los autos mandados traer a la vista.

## ARTICULO FINAL

El señor Valdés hace presente que debiendo consignarse en la lei aprobatoria del Código la fecha
en que éste entrará en vijencia, habrá que supri·
mir la primera parte de este artículo. Espone ademas que la derogacion de las leyes persistentes so·
bre las materias de que trata el Código no puede
ser tan absoluta como lo establece el articulo en exámen, puesto que algunas de esas disposiciones, como ser las relativas a las implicancias i recusaciones,
al recurso de nulidad, al voto público de los jueces
i otras, continuarán en vigor respecto de los tribunales especiales por la lei de 15 de octubre de 1875
a los cuales tampoco alcanzan los preceptos de este Código. Cree, en consecuencia, que debe consignarse alguna salvedad a este respecto. Manifiesta
asímismo que la Lei de Organizacion i Atribuciones de los Tribunales ha sufrido numerosas modificaciones por leyes posteriores que pueden no con·
siderarse incorporadas en ella, como en ias de 19
de enero de 1889, de 2 de febrero de 1892 i de 21
de setiembre de 1897, sobre el funcionamiento de
la Corte Suprema i de las Cortes de Apelaciones, i
muchas otras, las cuales tampoco deben entenderse
derogadas en los que no sean contrarias a las disposiciones del presente Código.

La Comision aceptó las observaciones del señor
Valdés i en consecuencia acordó que el artículo final quedara en la forma siguiente:

### ARTÍCULO FINAL

Desde la vijencia de este Código quedarán dero·
gadas todas las leyes preexistentes sobre las materias que en él se tratan, aun en la parte que no
le fueren contrarias, salvo que ellas se refieran a

los tribunales especiales no rejidos por la lei de 15 de octubre de 1875.

Sin embargo, los Códigos Civil, de Comercio i de Minería, la lei de Organizacion i Atribuciones de los Tribunales i las leves que las hayan complementado o modificado, solo se entenderán derogadas en lo que sean contrarias a las disposiciones de este Código.

GERMAN RIESCO.

*Luis Barriga,*
Secretario.

# ÍNDICE

# ÍNDICE

Que espresa el número correspondiente a las sesiones en que
se ha tratado de cada uno de los artículos del Código de
Procedimiento Civil.

# FE DE ERRATAS

| PÁJ. | LÍNEA | DICE | DEBE DECIR |
|---|---|---|---|
| 3 | 8 | Richards | Richard |
| 11 | 16 | por que | porque |
| 15 | 2 | ellas; obligarlas | ellas, obligarlas |
| 16 | 30 | de tercero | del tercero |
| 20 | 17 | i el trámite | o el trámite |
| 25 | 27 | ls | lo |
| 28 | 9 | determine | determina |
| 28 | 20 | equitiativo | equitativo |
| 29 | 31 | incso | inciso |
| 42 | 10 | término apto | término |
| 79 | 32 | mantenerse | mantener |
| 80 | 17 | innoven | innove |
| 81 | 15 | puebas | pruebas |
| 81 | 22 | modificacoin | modificacion |
| 81 | 24 | hacerlas | hacerla |
| 81 | 24 | los 295 i 904 | los arts. 295 i 304 |
| 111 | 22 | eu forma | eu la forma |
| 125 | 21 | estas | estos |
| 133 | 17 | Agrego | Agregó |
| 157 | 6 | consignarla | consignarlas |
| 158 | 12 | acordó | recordó |
| 159 | 20 i 21 | Personales, las acciones. rescisoria de nulidad i resolutoria | Personales, las acciones rescisoria, de nulidad i resolutoria, |
| 161 | 6 | dsvuelve | devuelve |
| 161 | 15 | ls | la |
| 165 | 18 | ellos | el |
| 168 | 25 | demante | demandante |
| 168 | 31 | abondono | abandono |

| PÁJ. | LÍNEA | DICE | DEBE DECIR |
|---|---|---|---|
| 169 | 31 | Senador el | Senador, comprendido en el artículo, el |
| 176 | 15 | provisional deberá | provisional que deberá |
| 179 | 22 | término | términos |
| 180 | 12 | 206, 207 | 506, 507 |
| 181 | 12 | 2,427 | 2,428 |
| 182 | 11 | *valorizacion* | *valoracion* |
| 183 | penúltima | en | un |
| 194 | 17 | *tribuual* | *tribunal* |
| 196 | 36 | la esplotacion | su esplotacion |
| 201 | 8 | en los concursos puede | puede |
| 201 | 24 | 490 | 590 |
| 202 | 11 | miéntras | minutas |
| 204 | 7 | adquisicion | admision |
| 205 | 6 | entablará | se entablará |
| 207 | 11 | acreedorcs | acreedores |
| 210 | última | 243 | 643 |
| 217 | 2 | si trata | si se trata |
| 219 | 17 | esta afecta | esta sentencia afecta |
| 223 | penúltima | de las | a las |
| 229 | última | siguiente | siguiente artículo |
| 240 | 7 | se | es |
| 246 | 11 | La | 2.° La |
| 246 | 16 | La | 3.° La |
| 246 | 23 | La | 4.° La |
| 247 | 38 | beneficiado | beneficiario |
| 254 | 9 | ni aun en las que todos | ni aun cuando todos |
| 267 | 10 | acordó | recordó |
| 270 | 15 | advenimiento | avenimiento |
| 270 | 27 | rigor | vigor |
| 272 | 23 | de las | las |
| 273 | 7 | Recibido | Recibidos |
| 281 | 22 | por naturaleza | por su naturaleza |
| 281 | 21 | 926 | 826 |
| 283 | 6 | solucion | colucion |
| 288 | 18 | continua | continuacion |
| 290 | 14 | cree | creen |
| 291 | 24 | *árbitro* | *árbitros* |
| 292 | 8 | la indicacion | las indicaciones |
| 293 | Entre las | líneas 4.ª i 5.ª falta | ART. 927 |

| PÁJ. | LÍNEA | DICE | DEBE DECIR |
|---|---|---|---|
| 293 | 1 | 926 | 927 |
| 295 | 3 | distritos Corte | distintas Cortes |
| 295 | 22 | se sacare | separare |
| 296 | 12 | 2,426. El | 2,426 no exije dicha citacion. El |
| 298 | 16 | prescripciones | escepciones |
| 300 | 6 | 154 | 164 |
| 301 | 30 | pueden | puede |
| 302 | 3 | ademas para formularlo otros | ademas otros |
| 302 | 26 | mandante | mandato |
| 303 | 4 | cancione | canciona |
| 303 | 9 | que | manifiesta que |
| 303 | 12 | objetada | observada |
| 303 | 20 | las calificaciones | la calificacion |
| 304 | 2 | casacion | casacion en el fondo |
| 304 | 14 | si | como si |
| 304 | 15 | retencion | sentencia |
| 304 | última | Pido, pnes, | Propone |
| 305 | 6 | levanta | levantó |
| 306 | 23 | motivos | motivo |
| 308 | 11 | dé | dá |
| 308 | 12 | la servidumbre | las servidumbres |
| 309 | 19 | 690 | 696 |
| 309 | última | snstitnirlos | sustituirlo |
| 311 | 4 | de | del |
| 311 | 12 | fundan | funda |
| 314 | 15 | establecidas | establecidos |
| 321 | 14 | Oida | Oidas |
| 322 | 22 | al | el |
| 324 | 9 | 963 i 964 | 962, 963 i 964 |
| 332 | 2 | 1,027 | 1,026 |
| 332 | 4 | 1,022 | 1,027 |
| 332 | 13 | 1,029, 1,031, etc. | 1,029, 1.030, 1,031, etc. |
| 335 | 2 | 1,053, 1,054 | 1,051, 1,052, 1,053, 1,054, etc. |
| 337 | 13 | título | Título XVII |
| 343 | penúltima | resolucion es | resolucion, que debe ser fundada, es |
| 345 | 5 | Es | En |
| 345 | 18 | concurrente | recurrente |
| 349 | 7 | 31 | 33 |